고등학교 세계사

자습서

장두호 | 김정희 | 조예진
김종민 | 박상필 | 이소연
최경란 | 조정은 | 김현주

금성출판사

친절한 핵심 개념과 자료 해설

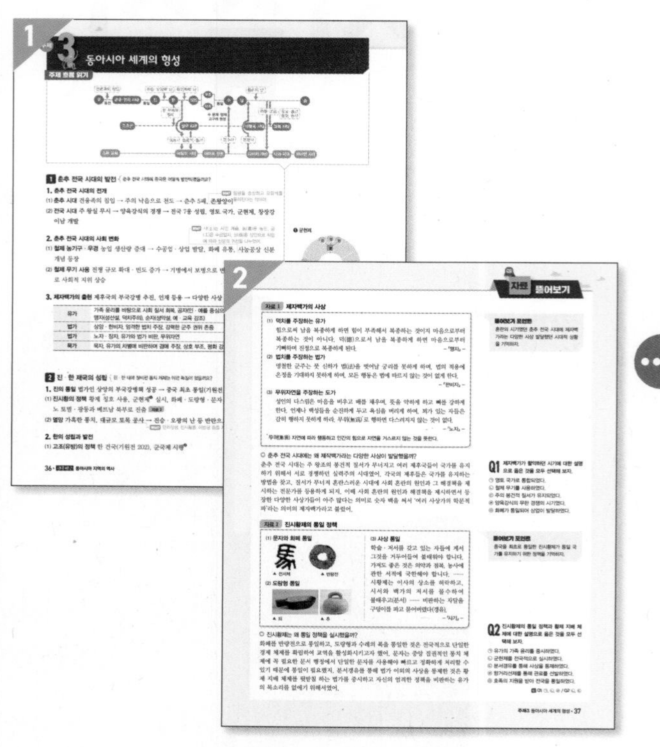

❶ 개념 정리

주제의 흐름을 파악한 후, 시험에 나올 내용들을 정리하였습니다. 핵심 키워드에는 밑줄을, 상세한 설명이 필요한 곳에는 육하원칙에 따른 친절한 주석을 달았습니다. 보다 많은 설명이 필요한 개념들은 보조단에 설명을 덧붙였습니다.

❷ 자료 뜯어보기

주제내용 이해와 시험 대비에 필수적인 자료들을 제시하였습니다. 학생들이 자료를 이해하는데에 도움이 되는 질문을 제시하고, 이에 답하는 형태로 구성하였습니다. 그리고 자주 나오는 선택지를 이용한 문제로 자가 점검이 가능하도록 하였습니다.

내신 정복을 위한 단계별 문제 풀이

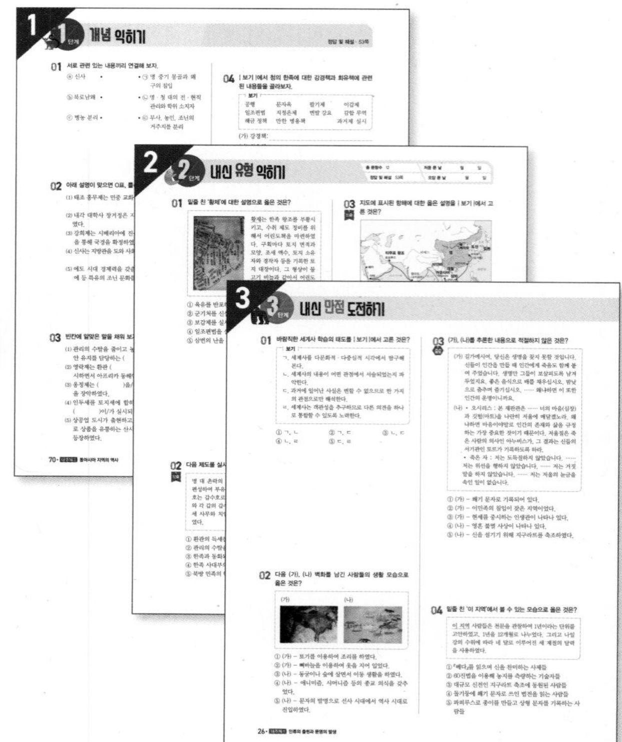

❶ 개념 익히기

박스 연결, OX, 빈칸 채우기와 같은 단답형 문제들로 중요 개념을 익히는 단계입니다.

❷ 내신 유형 익히기

학교 시험에 주로 출제되는 유형의 문제를 중심으로 구성하였습니다.

❸ 내신 만점 도전하기

복합형 문제들을 마련하여 배점이 높은 문제들을 대비할 수 있도록 하였습니다.

15개의 주제로 구성된 교과서의 핵심 개념과 요점들을 이해하기 쉽게 정리하였고, 개념을 이해하는 데 필수적인 자료들을 함께 학습할 수 있도록 하였습니다. 그리고 내신, 수능, 논술 모두를 대비할 수 있는 문제들로 구성하여 학습의 효율성을 높이도록 하였습니다.

수능을 대비할 수 있는 문제 풀이

① 수능 유형 익히기

최근 수능에 새롭게 등장한 유형들을 응용하여 풀이 방법을 제공하였습니다.

② 기출 지문 활용하기

출제되었던 지문을 활용하여 내신과 수능 모두를 대비할 수 있도록 하였습니다.

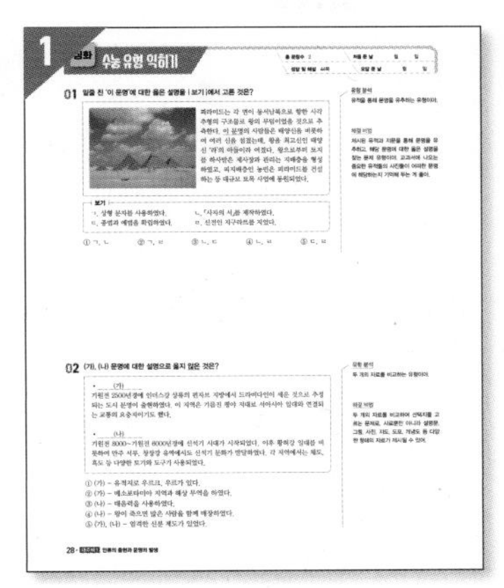

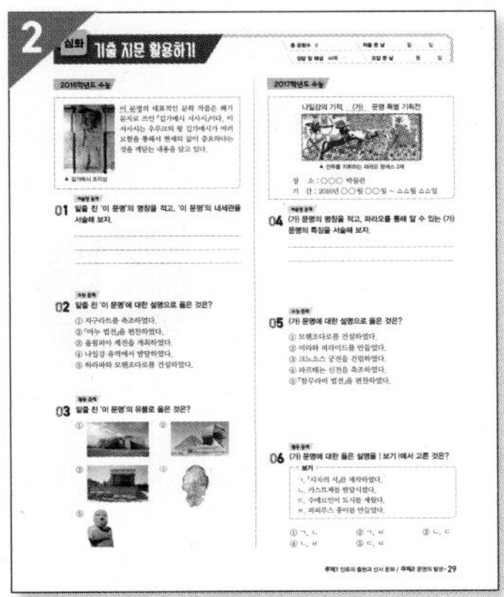

통합형 문제로 학습 마무리하기

① 대주제 마무리하기

대주제 전체를 정리할 수 있도록 각 주제 내용을 통합한 문제를 준비하였습니다.

② 비판적 사고 기르기

대주제별로 구성한 논술 문제로 오늘날 강조되고 있는 비판적 사고력과 글쓰기 능력을 기를 수 있도록 하였습니다.

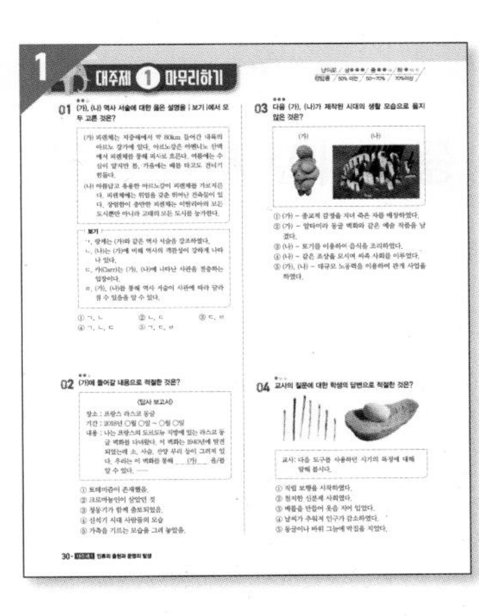

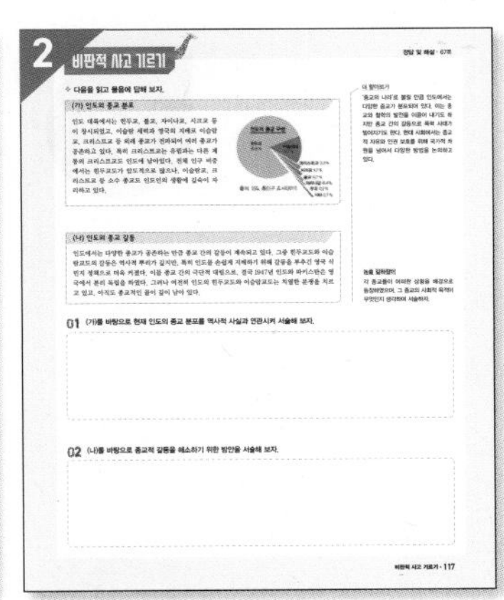

친절한 활동 해설과 정확한 답

① 교과서 활동 풀이

교과서의 역량 기르기, 역량 강화하기에 대한 예시 답안과 해설을 제시하였습니다.

② 정답과 해설

자기 주도 학습이 가능하도록 정답과 오답에 대한 친절한 설명을 제공하였습니다. 이를 통해 문제 이해력을 높이고, 유사 문제나 응용문제에 대비할 수 있습니다.

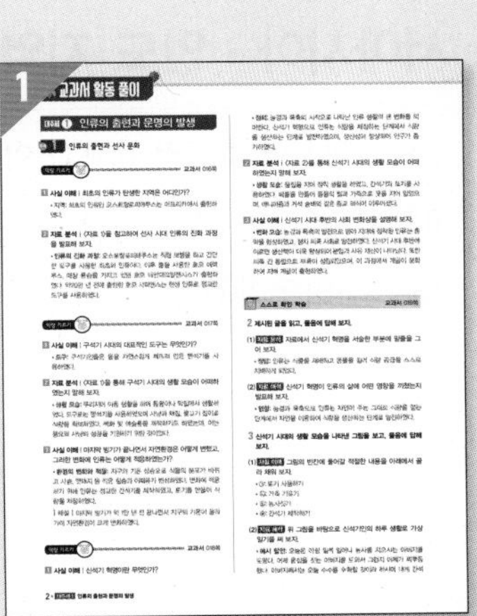

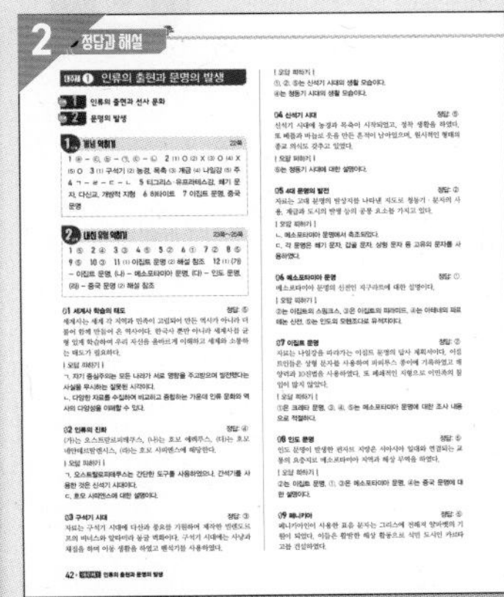

차례

1 인류의 출현과 문명의 발생

2 동아시아 지역의 역사

3 서아시아 · 인도 지역의 역사

4 유럽 · 아메리카 지역의 역사

5 제국주의와 두 차례 세계 대전

6 현대 세계의 변화

나만의 학습 계획 진도표

주제별로 꼼꼼히 학습 계획을 세워 나만의 진도표를 완성해 봅시다. 아래 진도표를 활용하여 '세계사' 학습 계획을 세우고 꾸준히 목표를 달성한다면, 효과적인 학습을 할 수 있습니다.

대주제	주제	교과서 쪽수	자습서 쪽수	계획일	완료일	목표 달성도
1. 인류의 출현과 문명의 발생	1 인류의 출현과 선사 문화	016 ~ 019쪽	018 ~ 033쪽	◯월 ◯일	◯월 ◯일	☆☆☆☆☆
	2 문명의 발생	020 ~ 027쪽				
2. 동아시아 지역의 역사	3 동아시아 세계의 형성	034 ~ 047쪽	036 ~ 049쪽	◯월 ◯일	◯월 ◯일	☆☆☆☆☆
	4 동아시아 세계의 발전	048 ~ 057쪽	050 ~ 063쪽	◯월 ◯일	◯월 ◯일	☆☆☆☆☆
	5 동아시아 세계의 변동	058 ~ 069쪽	064 ~ 081쪽	◯월 ◯일	◯월 ◯일	☆☆☆☆☆
3. 서아시아 · 인도 지역의 역사	6 서아시아의 여러 제국과 이슬람 세계의 형성	076 ~ 089쪽	084 ~ 099쪽	◯월 ◯일	◯월 ◯일	☆☆☆☆☆
	7 인도의 역사와 다양한 종교 · 문화의 출현	090 ~ 097쪽	100 ~ 117쪽	◯월 ◯일	◯월 ◯일	☆☆☆☆☆
4. 유럽 · 아메리카 지역의 역사	8 고대 지중해 세계	106 ~ 115쪽	120 ~ 133쪽	◯월 ◯일	◯월 ◯일	☆☆☆☆☆
	9 유럽 세계의 형성과 동요	116 ~ 131쪽	134 ~ 149쪽	◯월 ◯일	◯월 ◯일	☆☆☆☆☆
	10 유럽 세계의 변화	132 ~ 139쪽	150 ~ 161쪽	◯월 ◯일	◯월 ◯일	☆☆☆☆☆
	11 시민 혁명과 산업 혁명	140 ~ 159쪽	162 ~ 183쪽	◯월 ◯일	◯월 ◯일	☆☆☆☆☆
5. 제국주의와 두 차례 세계 대전	12 제국주의와 민족 운동	166 ~ 181쪽	186 ~ 201쪽	◯월 ◯일	◯월 ◯일	☆☆☆☆☆
	13 두 차례의 세계 대전	182 ~ 193쪽	202 ~ 219쪽	◯월 ◯일	◯월 ◯일	☆☆☆☆☆
6. 현대 세계의 변화	14 냉전과 탈냉전	200 ~ 211쪽	222 ~ 239쪽	◯월 ◯일	◯월 ◯일	☆☆☆☆☆
	15 21세기의 세계	212 ~ 217쪽				

시험 준비 스케줄표

중간·기말고사를 치르기 3주 전부터는 시간을 효율적으로 관리하는 일이 중요합니다. 아래 스케줄표를 이용하여 '세계사' 시험 계획을 세우고 규칙적으로 실천해 보세요. 자투리 시간을 꼼꼼히 활용할 수 있습니다.

예시 진도 계획 메모 / 핵심 정리 되짚어 보기 / 오답 정리하기 / 서술형 문제 점검하기 등

1학기 중간고사	D-21	D-20	D-19	D-18	D-17	D-16	D-15	D-14	D-13	D-12	D-11
	/	/	/	/	/	/	/	/	/	/	/
	D-10	D-9	D-8	D-7	D-6	D-5	D-4	D-3	D-2	D-1	시험기간
	/	/	/	/	/	/	/	/	/	/	/

1학기 기말고사	D-21	D-20	D-19	D-18	D-17	D-16	D-15	D-14	D-13	D-12	D-11
	/	/	/	/	/	/	/	/	/	/	/
	D-10	D-9	D-8	D-7	D-6	D-5	D-4	D-3	D-2	D-1	시험기간
	/	/	/	/	/	/	/	/	/	/	/

2학기 중간고사	D-21	D-20	D-19	D-18	D-17	D-16	D-15	D-14	D-13	D-12	D-11
	/	/	/	/	/	/	/	/	/	/	/
	D-10	D-9	D-8	D-7	D-6	D-5	D-4	D-3	D-2	D-1	시험기간
	/	/	/	/	/	/	/	/	/	/	/

2학기 기말고사	D-21	D-20	D-19	D-18	D-17	D-16	D-15	D-14	D-13	D-12	D-11
	/	/	/	/	/	/	/	/	/	/	/
	D-10	D-9	D-8	D-7	D-6	D-5	D-4	D-3	D-2	D-1	시험기간
	/	/	/	/	/	/	/	/	/	/	/

세계사 최근 출제 유형 살펴보기

최근 세계사 수능에 출제된 문항들을 분석하여 대표적인 8가지 유형을 도출하였다. 제시된 8가지 유형의 특징을 각각 파악하고 이에 대처하는 풀이법을 익히면 세계사 수능 문항에 효율적으로 대처할 수 있다.

유형 01 유물을 통해 문명 유추하기

유형 특징 제시된 유물과 지문을 통해 문명을 유추하고, 해당 문명에 대한 옳은 설명을 찾는 문제 유형이다. 4대 문명에 대한 이해도를 묻는 문제가 항상 전반부에 출제된다.

2016학년도 수능

1 밑줄 친 '이 문명'에 대한 설명으로 옳은 것은?

▲ 길가메시조각상

이 문명의 대표적인 문학 작품은 쐐기 문자로 쓰인 '길가메시 서사시'이다. 이 서사시는 우루크의 왕 길가메시가 여러 모험을 통해서 현세의 삶이 중요하다는 것을 깨닫는 내용을 담고 있다.

① 지구라트를 축조하였다.
② 마누 법전을 편찬하였다.
③ 올림피아 제전을 개최하였다.
④ 나일강 유역에서 발달하였다.
⑤ 하라파와 모헨조다로를 건설하였다.

선택지 풀이

✔ ① 메소포타미아 문명의 대표 유적
② 인도의 굽타 왕조 시대에 영향을 미친 법전
③ 고대 그리스에서 개최된 제전
④ 이집트 문명의 발상지
⑤ 인더스 문명의 계획 도시

2017학년도 수능

2 (가) 문명에 대한 설명으로 옳은 것은?

나일강의 기적, (가) 문명 특별 기획전

▲ 전투를 지휘하는 파라오 람세스 2세

- 장소: ○○○박물관
- 기간: 2016년 ○○월 ○○일 ~ △△월 △△일

① 모헨조다로를 건설하였다.
② 함무라비 법전을 편찬하였다.
③ 크노소스 궁전을 건립하였다.
④ 파르테논 신전을 축조하였다.
⑤ 미라와 피라미드를 만들었다.

선택지 풀이

① 인더스 문명의 계획 도시
② 메소포타미아 지역을 차지한 바빌로니아 왕국의 법전
③ 크레타 문명의 궁전
④ 그리스의 아테네의 신전
✔ ⑤ 이집트 문명의 대표 유물과 유적

유형 분석하기

제시된 지문에 나오는 유물과 설명들을 토대로 해당 문명을 파악하며 풀이하는 문제이다. 2016학년도 수능 문제는 길가메시 조각상과 함께 현세의 삶이 중요하다는 메소포타미아 문명의 특징이 제시되었다. 2017학년도 수능 문제는 박물관 홍보 포스터 형태로 유물을 제시하였다. 나일강, 파라오 등을 통해 이집트 문명임을 쉽게 유추할 수 있다. 이러한 문제는 선택지에서 해당 문명과 관련 없는 선택지를 먼저 소거한 후 답을 찾도록 한다.

유형 02 빈칸 추론하기

유형 특징 자료 속에 빈칸을 제시하여 옳거나 틀린 내용을 묻는 유형이다. 주로 국가, 인물, 제도, 도시, 사건 등이 빈칸으로 제시된다. 수능에서 가장 많이 출제되는 유형이며, 빈칸 대신 '밑줄 친~'으로 출제되기도 한다.

2016학년도 수능

18 (가) 왕조에 대한 설명으로 옳은 것은?

> 압둘 라하만이 지휘하는 [(가)] 의 군대가 피레네 산맥을 넘어서 보르도를 함락하고 아키텐 공 에우데스를 격파한 후 투르 근방으로 진격하였다. 에우데스의 요청으로 군대를 이끌고 출전한 카롤루스 마르텔은 투르와 푸아티에 사이에서 이슬람군에게 치명적 타격을 주었고 결국 압둘 라하만은 전사하였다.

① 다마스쿠스를 수도로 삼았다.
② 시아파의 주도로 수립되었다.
③ 몽골군의 침입으로 멸망하였다.
④ 군사적 봉건제인 티마르제를 실시하였다.
⑤ 탈라스 전투에서 당의 군대를 격파하였다.

선택지 풀이

✔ ① 다마스쿠스는 우마이야 왕조의 수도이다.
② 아바스 왕조가 시아파의 지원을 받고 수립되었다.
③ 아바스 왕조에 대한 설명이다.
④ 오스만 제국에서 시행된 제도이다.
⑤ 아바스 왕조가 탈라스 전투 후 동서 교통로를 장악하였다.

2017학년도 수능

2 밑줄 친 '자유의 수호자'에 대한 설명으로 옳은 것은? [3점]

> 우리는 동방으로부터 들려온 소식에 분개하였다. 이집트 여왕은 줄곧 우리의 권력을 탐하여 왔다. 사실 여왕의 배후에는 안토니우스가 있었다. 만일 안토니우스가 권좌를 차지하였다면 우리의 도시들은 여왕의 수중에 떨어지고 모든 권력은 이집트로 넘어갔을 것이다. 그러나 이러한 위기 상황에서 <u>자유의 수호자</u>가 나타나 저들을 격파하고 분열을 종식시켰다.
>
> – 카시우스 디오 –

① 밀라노 칙령을 발표하였다.
② 호르텐시우스법을 제정하였다.
③ 제국의 4분할 통치를 실시하였다.
④ 스파르타쿠스의 난을 진압하였다.
⑤ 프린켑스(제1시민)를 자처하였다.

선택지 풀이

① 콘스탄티누스 황제가 발표하여 크리스트교를 공인하였다.
② 로마와 카르타고의 전쟁이 일어나기 전에 제정된 법이다.
③ 디오클레티아누스 황제와 관련된 내용이다.
④ 삼두 정치가 전개되기 이전의 상황이다.
✔ ⑤ 악티움 해전 이후 옥타비아누스와 관련된 내용이다.

유형 분석하기

지문에 있는 핵심 키워드들을 토대로 빈칸이 무엇을 뜻하는지 분석하는 문제이다. 2016학년도 수능 문제와 같이 빈칸을 제시하여 빈칸에 대한 이해도를 묻거나, 2017학년도 수능 문제처럼 지문 속에 있는 하나의 대명사를 추론하는 문제가 주로 출제된다. 2016학년도 수능 문제는 카롤루스 마르텔, 투르·푸아티에 전투를 통해 (가)가 우마이야 왕조임을 알 수 있다. 2017학년도 수능 문제에서는 이집트 여왕, 안토니우스 등을 통해 '자유의 수호자'가 옥타비아누스임을 알 수 있다.

유형 03 시대적 상황 유추하기

유형 특징 제시된 사료 또는 설명문이 나타내는 시대적 상황에 대해 옳거나 틀린 선택지를 고르는 문제 유형이다. 또는 제시된 지문에 해당하는 시기를 연표에서 고르는 문제가 출제되기도 한다.

: 2016학년도 수능

3 다음 문서가 작성된 시기의 상황으로 적절한 것은?

> 지금까지 수백 년 동안 태평하여 방비가 허술한 상황에서 막부는 교활한 서양 오랑캐의 함포에 놀라 경솔하게 첫 조약을 맺었습니다. 그로부터 8년이 지난 오늘날 민심의 불화가 심해져 애석하기 그지없습니다. 이러한 불화가 생긴 근원을 찾아보면 우리 조정의 결정이 내려지지 않은 상황에서 막부가 조약을 맺었기 때문입니다.

① 국풍 문화가 발달하였다.
② 폐번치현 조치가 단행되었다.
③ 이와쿠라 사절단이 서양에 파견되었다.
④ 하급 무사들이 존왕양이 운동을 펼쳤다.
⑤ 헌법에 따라서 제국 의회가 결성되었다.

선택지 풀이

① 헤이안 시대에 발달한 문화이다.
② 메이지 정부의 개혁 정책이다.
③ 메이지 정부가 파견한 사절단이다.
✔④ 사쓰마번과 조슈번을 중심으로 일어난 존왕양이 운동 이후 왕정복고가 이루어졌다.
⑤ 메이지 정부가 1889년에 공포한 헌법이다.

: 2017학년도 수능

9 (가), (나) 사건 사이의 시기에 있었던 사실로 옳은 것은?

> (가) 부르봉 왕조를 개창한 프랑스 국왕이 위그노 전쟁의 혼란을 수습하며 위그노의 종교적 자유를 허용하는 낭트 칙령을 발표하였다.
> (나) 유럽 각국이 종교 분쟁 등으로 야기된 30년 전쟁의 혼란을 수습하며 칼뱅파의 종교적 자유를 허용하는 조약을 체결하였다.

① 트리엔트 공의회가 소집되었다.
② 크롬웰이 호국경에 취임하였다.
③ 뉴턴이 프린키피아를 출판하였다.
④ 영국이 동인도 회사를 설립하였다.
⑤ 아우크스부르크 종교 화의가 체결되었다.

선택지 풀이

① 트리엔트 공의회는 1545 ~ 1564년에 개최되었다.
② 크롬웰은 1653년에 호국경에 취임하였다.
③ 뉴턴의 프린키피아는 1687년에 발간되었다.
✔④ (가), (나) 사이의 시기인 1600년에 영국은 동인도 회사를 설립하여 해외 시장을 개척하였다.
⑤ 아수크스부르크 종교 화의는 1555년에 일어난 사건이며, 루터파 교회가 인정받았다.

유형 분석하기

이 유형은 지문과 선택지가 직접적인 관련이 없기 때문에 지문을 통해 지역과 시대를 빠르게 파악하도록 한다. 해당 지역의 시대에 어떤 국가가 있었는지, 당시 일어난 중요한 사건이 무엇인지 생각하며 선택지를 분석해야 한다. 2016학년도 수능 문제와 같이 사료가 작성된 시기의 상황을 묻거나, 2017학년도 수능 문제처럼 두 자료 사이의 시기에 대한 내용을 묻는 문제가 출제된다. 2016학년도 수능 문제는 막부가 서양과 처음 맺는 조약, 8년이 지난 상황 등을 통해 메이지 유신 이전의 상황임을 알 수 있다. 2017학년도 수능 문제는 (가)는 낭트 칙령(1598), (나)는 칼뱅파의 종교적 자유라는 내용을 통해 베스트팔렌 조약(1648)임을 알 수 있다.

유형 04 자료 비교하기

유형 특징 두 개의 자료를 비교하여 선택지를 고르는 문제가 출제된다. 사료뿐만 아니라 설명문, 그림, 사진, 지도, 도표, 개념도 등 다양한 형태로 자료가 제시된다.

: 2016학년도 수능

12 (가), (나) 인물에 대한 설명으로 옳지 않은 것은?

> • (가) 은/는 "파시스트 손으로 조국의 정치와 경제 조직을 질서 있게 발달시킬 수 있는 기초를 만들 필요가 있다."라고 주장하였다. 그는 검은 셔츠단을 이끌고 로마로 진군하여 파시스트 정권을 수립하였다.
> • (나) 은/는 자서전 『나의 투쟁』에서 "인종을 모든 생활의 중심에 두어야 하며 국가는 인종의 순수성을 유지하기 위하여 배려해야 한다."라고 주장하였다. 그는 나치당의 지도자로 정권을 장악한 후 반유대주의 정책을 펼쳤다.

① (가) – 국가 지상주의를 내세웠다.
② (가) – 알바니아를 보호국으로 삼았다.
③ (나) – 베르사유 조약을 파기하였다.
④ (나) – 쿠데타를 통해서 집권하였다.
⑤ (나) – 뮌헨 협정을 통해서 수데텐을 차지하였다.

선택지 풀이

① 무솔리니는 군국주의와 국가 지상주의를 내세웠다.
② 무솔리니는 알바니아와 에티오피아를 점령하였다.
③ 히틀러는 베르사유 조약을 파기하고 재무장을 선포하였다.
✔ ④ 히틀러는 선거로 집권하였다.
⑤ 영국과 프랑스는 뮌헨 회담에서 히틀러의 독일이 수데텐을 차지하는 것을 인정하였다.

: 2017학년도 수능

17 (가), (나) 전쟁에 대한 설명으로 옳은 것은?

> • (가) 은/는 식민지 대표들이 본국에 대항하면서 발발하였다. 이들은 대륙 회의를 개최하여 대륙군을 창설하고 총사령관을 임명하였다. 대륙군은 요크타운 전투에서 승리를 거두며 전쟁을 종결지었다.
> • (나) 은/는 새로운 대통령이 당선되자 노예제 문제 등으로 북부와 갈등을 빚던 남부의 여러 주가 연방에서 탈퇴하면서 발발하였다. 연방 정부는 게티즈버그 전투에서 승리를 거두며 전쟁의 흐름을 주도하였다.

① (가) – 프랑스가 군사적으로 개입하였다.
② (가) – 입법 의회가 혁명 전쟁을 선포하였다.
③ (나) – 프랑스 혁명에 영향을 끼쳤다.
④ (나) – 파리 조약의 체결로 마무리 되었다.
⑤ (가), (나) 사이의 시기에 7년 전쟁이 발발하였다.

선택지 풀이

✔ ① 프랑스는 미국 독립 전쟁에서 식민지군을 지원하였다.
② 프랑스 혁명과 관련된 내용이다.
③ 미국 독립 전쟁이 프랑스 혁명에 영향을 끼쳤다.
④ 파리 조약 체결은 미국 독립 전쟁과 관련된 내용이다.
⑤ 7년 전쟁이 미국 독립 전쟁 이전에 일어났다.

유형 분석하기

〈빈칸 추론하기〉와 풀이 방법이 유사하다. 주로 역사적 사건, 조약, 선언, 제도 등을 다양한 방식으로 비교하는 문제가 출제된다. 2016학년도 수능 문제의 (가)는 파시스트, 로마 진군 등을 통해 무솔리니임을 알 수 있다. (나)는 『나의 투쟁』, 나치당, 반유대주의 등에서 히틀러임을 유추할 수 있다. 2017학년도 수능 문제의 (가)는 식민지 대표들, 대륙 회의, 요크타운 전투를 통해 미국 독립 전쟁임을 알 수 있고, (나)는 노예제, 게티즈버그 전투 등을 통해 미국의 남북 전쟁임을 파악할 수 있다.

유형 05 지도 분석하기

유형 특징 지도에 표시되어 있는 지역들에 대해 묻는 문제들이 주로 출제된다. 백지도를 제시하여 각 지역에 대해 옳거나 틀린 선택지를 고르게 하거나, 함께 제시된 지문과 관련된 지역을 고르는 문제가 출제된다.

2016학년도 수능

10 (가) 황제에 대한 설명으로 옳은 것은?

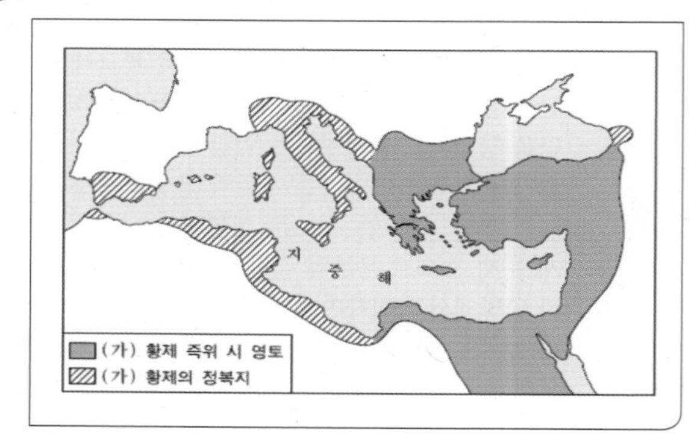

① 로마법을 집대성하였다.
② 성상 숭배 금지령을 발표하였다.
③ 콘스탄티노폴리스로 수도를 옮겼다.
④ 이탈리아 일부 지역을 교황령으로 기증하였다.
⑤ 전제 군주제를 확립하고 제국을 4분할 통치하였다.

선택지 풀이

✔ ① 유스티니아누스 황제는 로마법 대전을 편찬하여 로마법을 집대성하였다.
② 비잔티움 제국의 레오 3세가 내린 조치이다.
③ 콘스탄티누스 대제에 대한 설명이다.
④ 프랑크 왕국의 피핀이 기증하였다.
⑤ 디오클레티아누스 황제의 정책이다.

2017학년도 수능

3 (가) 왕조의 문화에 대한 설명으로 옳은 것은?

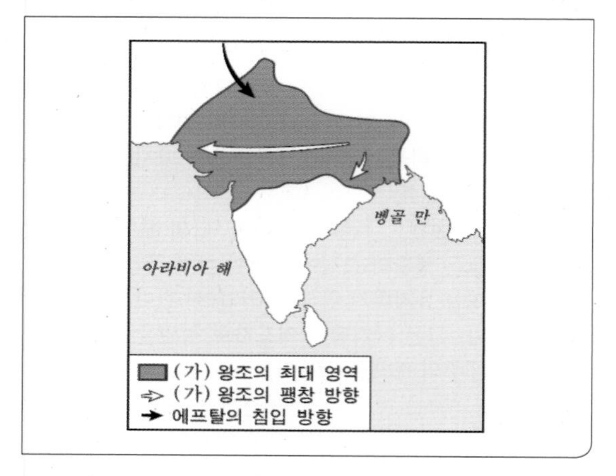

① 우르두 어가 사용되었다.
② 쿠트브 미나르가 건립되었다.
③ 불교와 자이나교가 출현하였다.
④ 아소카 왕이 산치 대탑을 세웠다.
⑤ 샤쿤탈라 등 산스크리트 문학이 발달하였다.

선택지 풀이

① 무굴 제국 시기에 사용된 언어이다.
② 델리 술탄 왕조의 아이바크가 건립하였다.
③ 불교와 자이나교는 마우리아 왕조 이전에 출현하였다.
④ 마우리아 왕조에 대한 설명이다.
✔ ⑤ 굽타 왕조 시기에 산스크리트 문학이 발달하였다.

유형 분석하기

제시된 지도에 표시된 영역이 어느 시대, 어느 국가를 나타내는 지 파악하는 문제이다. 설명문이 지도와 함께 나온 경우 쉽게 문제 의도를 알 수 있다. 만약 지도만으로 파악하기 힘들다면 선택지에서 힌트를 얻을 수도 있다. 2016학년도 수능 문제는 이탈리아, 이베리아반도, 북부 아프리카 등이 영토라는 점에서 (가)가 유스티니아누스 황제임을 유추할 수 있다. 2017학년도 수능 문제의 지도는 갠지스강 유역에서 성장하여 인더스강까지 진출한 국가라는 점, 에프탈의 침입 등을 통해 굽타 왕조임을 알 수 있다.

유형 06 탐구 활동 정하기

유형 특징 제시된 지문의 내용으로 활용할 수 있는 적합한 탐구 주제를 고르는 문제이다. 탐구 주제라는 말이 낯설지만, 빈칸 추론하기의 응용 유형이다. 지문은 사료, 개념도, 도표, 계획서 등 다양한 형태로 제시된다.

2016학년도 수능

15 도표에 나타난 무역에 대한 탐구 활동으로 적절하지 않은 것은?

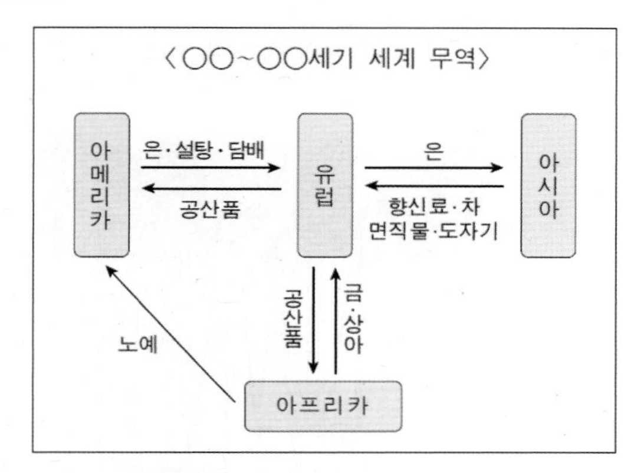

① 가격 혁명의 배경을 파악한다.
② 동인도 회사의 활동을 조사한다.
③ 신항로 개척의 영향을 분석한다.
④ 대서양 삼각 무역의 구조를 살펴본다.
⑤ 샹(상)파뉴 정기 시장의 형성 배경을 알아본다.

선택지 풀이

① 은의 대량 유입으로 유럽의 물가가 급등하였다.
② 17세기 무렵 동인도 회사가 세워져 주로 아시아에 진출하였다.
③ 신항로 개척의 영향으로 나타난 무역 구조이다.
④ 신항로 개척으로 대서양 삼각 무역이 이루어졌다.
✔ ⑤ 샹파뉴 정기 시장은 16세기 이전에 형성되었다.

2017학년도 수능

4 (가)에 들어갈 내용으로 가장 적절한 것은?

탐구 활동 계획서

- 탐구 주제: 중국 ○왕조의 성립과 발전
- 탐구 활동
  1모둠: 정치 – 대도를 수도로 정한 배경을 살펴본다.
  2모둠: 경제 – 교초의 발행과 유통 과정을 알아본다.
  3모둠: 사회 – 색목인과 남인의 사회적 지위를 비교한다.
  4모둠: 문화 – (가)

① 수시력이 제작된 과정을 조사한다.
② 자치통감이 편찬된 목적을 살펴본다.
③ 귀거래사에 나타난 사상을 분석한다.
④ 홍루몽이 저술된 시기의 생활 모습을 파악한다.
⑤ 곤여만국전도가 중국인에게 끼친 영향을 검토한다.

선택지 풀이

✔ ① 원 대에 곽수경이 이슬람 역법을 활용하여 만들었다.
② 자치통감은 송 대에 만들어진 역사서이다.
③ 위진 남북조 시대의 작품이다.
④ 청 대의 소설이다.
⑤ 명 말 예수회 선교사인 마테오 리치가 제작한 지도이다.

유형 분석하기

사료와 설명문 형태로 제시되는 지문의 형태를 다른 형태로 변형한 문제이다. 빈칸 추론하기와 마찬가지로 제시된 핵심 키워드를 잘 파악하면 쉽게 풀 수 있다. 2016학년도 수능 문제는 은의 유통, 아프리카 노예 무역 등을 통해 신항로 개척 이후인 16 ~ 19세기 세계 무역을 나타내는 도표임을 알 수 있다. 2017학년도 수능 문제는 대도, 교초, 색목인 등을 통해 (가)가 원 왕조임을 파악할 수 있다.

유형 07 가상 대화의 내용 이해하기

유형 특징 개연성 있는 대화 상황을 설정한 후, 이에 대한 문제를 푸는 유형이다. 대화가 이루어지는 시기의 가상 인물 또는 실제 인물들 간의 대화를 설정하여 옳은 내용을 고르는 형태로 출제된다.

2016학년도 수능

19 밑줄 친 '이 운동'에 대한 설명으로 적절한 것은?

① 인민공사를 통해 개혁을 추진하였다.
② 닉슨 독트린의 영향을 받아 진행되었다.
③ 동남 연안 지역에 경제 특구를 설치하였다.
④ 사회주의 이념을 강화하려는 홍위병이 주도하였다.
⑤ 코민포름을 결성하여 동유럽과의 협력을 추구하였다.

선택지 풀이

✔ ① 대약진 운동이 진행되면서 인민공사가 설치되었다.
② 닉슨 독트린은 1969년에 발표되었다.
③ 마오쩌둥 이후 집권한 덩샤오핑의 정책이다.
④ 문화 대혁명에 대한 설명이다.
⑤ 코민포름과 대약진 운동은 큰 관련이 없다.

2017학년도 수능

7 (가) 제국에 대한 설명으로 옳은 것은?

"그레고리우스 7세시여, 당신은 세속 권력에 맞서 교회의 권위를 바로 세우신 진정한 사도입니다."

"특히 서임권 문제로 당신께 도전한 (가) 의 황제를 파문하신 일은 오래 기억될 것입니다."

① 황금문서를 공포하였다.
② 밀레트 제도를 시행하였다.
③ 성상 파괴령을 반포하였다.
④ 둠즈데이 북을 작성하였다.
⑤ 그리스 어를 공용어로 사용하였다.

선택지 풀이

✔ ① 신성 로마 제국은 유력한 제후에게 황제 선출 권한을 준 황금문서를 공포하였다.
② 오스만 제국에 대한 설명이다.
③ 비잔티움 제국의 레오 3세에 대한 설명이다.
④ 노르만 왕조의 윌리엄이 만들었다.
⑤ 비잔티움 제국에 대한 설명이다.

유형 분석하기

실제 역사 인물이 등장할 경우 문제 의도를 쉽게 알 수 있다. 그러나 가상 캐릭터가 지문으로 등장할 경우 말풍선에 있는 키워드와 캐릭터의 복장들을 함께 분석하여 문제 의도를 파악해야 한다. 2016학년도 수능 문제는 농업과 공업의 생산량을 획기적으로 증가시키기 위한 운동, 자연 재해가 일어난 시기에도 무리하게 추진되었다는 점에서 대약진 운동임을 알 수 있다. 2017학년도 수능 문제는 그레고리우스 7세, 서임권 문제 등을 통해 (가)가 신성 로마 제국임을 알 수 있다.

유형 08 가상 문서 분석하기

유형 특징 실제 사료를 역사적으로 있을 법한 문서 또는 보고서 형태로 변형한 가상 문서를 분석하는 문제이다. 〈빈칸 추론하기〉, 〈시대적 상황 유추하기〉와 같은 유형이 응용된 문제이다.

: 2016학년도 수능

6 다음 가상 편지에서 (가)에 들어갈 내용으로 적절하지 <u>않은</u> 것은?

> ○○○께
> 신품종의 벼가 도입된 이후 양쯔 강 유역의 생산성은 더욱 증가하였고, 수도 임안(항저우)은 인구 100만이 넘는 거대 도시로 성장하였습니다. 임안에는 와자(瓦子)가 많은데, 그 안에는 상점, 음식점, 약방, 극장 등이 즐비합니다. 큰 극장은 수천 명을 수용할 수도 있습니다. 이 도시에서는 [(가)] 안녕히 계십시오.
> 또 소식 전하겠습니다.
> 임안에서 △△△ 올림

① 상인이 지폐로 거래 대금을 결제합니다.
② 색목인이 관리로 중용되어 재정을 담당합니다.
③ 장인이 인쇄술을 활용하여 서적을 제작합니다.
④ 대장장이가 철을 가공할 때 석탄을 사용합니다.
⑤ 수공업자가 동업 조합에 소속되어 활동합니다.

선택지 풀이

① 송 대에는 교자, 회자와 같은 지폐가 유통되었다.
✔ ② 색목인은 원 왕조와 관련된 내용이다.
③ 송 대에는 활판 인쇄술의 발달하여 많은 서적이 출간되었다.
④ 송 대에는 석탄이 널리 사용되어 수공업이 발달하였다.
⑤ 송 대에는 행, 작과 같은 동업 조합으로 상공업자들이 이익을 추구하였다.

: 2017학년도 수능

12 밑줄 친 '저 나라'에 대한 설명으로 옳은 것은?

> 프랑수아 1세 폐하
> <u>저 나라</u>는 일찍이 콜럼버스를 앞세워서 새로운 항로 개척을 주도하며 위세를 크게 떨쳐왔습니다. 그런데 최근에 제가 카리브 해를 통과하던 <u>저 나라</u>의 선박 세 척을 나포하였습니다. 두 척에는 금과 은이, 나머지 한 척에는 사탕수수가 가득하였습니다. 폐하께서는 제가 확보한 노획물로 좀 더 강력한 대포를 구입하여 적들을 제압하실 수 있을 것입니다.
> 폐하의 충직한 신하 조반니 다 베라차노 올림

① 펠리페 2세의 무적함대를 격파하였다.
② 영국과의 플라시 전투에서 패배하였다.
③ 재정복 운동을 통해 그라나다를 함락시켰다.
④ 고아, 믈라카 등지에 무역 거점을 개척하였다.
⑤ 스웨덴과의 북방 전쟁을 통해 발트 해로 진출하였다.

선택지 풀이

① 영국의 엘리자베스 1세에 대한 설명이다.
② 프랑스에 대한 설명이다.
✔ ③ 재정복 운동으로 에스파냐는 이슬람 세력을 몰아내고 그라나다를 점령하였다.
④ 포르투갈에 대한 설명이다.
⑤ 러시아 표트르 대제에 대한 설명이다.

유형 분석하기

해당 시대의 인물이 쓰는 편지, 일기, 상소문과 같은 지문이 주로 나온다. 또는 학생이 작성한 보고서, 인터넷 홈페이지의 게시판과 같은 형태가 출제되기도 하였다. 지문에 나오는 인물, 사건, 개념 등에 동그라미를 치며 쉽게 풀 수 있다. 2016학년도 수능 문제는 신품종 벼, 수도 임안(항저우)과 같은 키워드를 통해 남송 시대의 도시 모습임을 알 수 있다. 2017학년도 수능 문제는 콜럼버스 등을 통해 '저 나라'가 에스파냐임을 유추할 수 있다.

대주제 1

인류의 출현과 문명의 발생

학습 계획표

- 자신의 일정에 맞게 계획을 세우고, 실제 학습일을 적어 봅시다.
- 학습을 마무리한 후 스스로가 얼마나 학습 목표를 달성하였는지 점검해 봅시다.

주제 1 인류의 출현과 선사 문화 주제 2 문명의 발생	쪽수	계획일	학습일	목표 달성도
Day 01 개념 정리, 자료 뜯어보기	018 ~ 021쪽	월 일	월 일	☆☆☆☆☆
Day 02 개념 익히기, 내신 유형 익히기	022 ~ 025쪽	월 일	월 일	☆☆☆☆☆
Day 03 내신 만점 도전하기, 수능 유형 익히기, 기출 지문 활용하기	026 ~ 029쪽	월 일	월 일	☆☆☆☆☆
Day 04 대주제 마무리하기, 비판적 사고 기르기	030 ~ 033쪽	월 일	월 일	☆☆☆☆☆

주제 1 인류의 출현과 선사 문화

주제 흐름 읽기

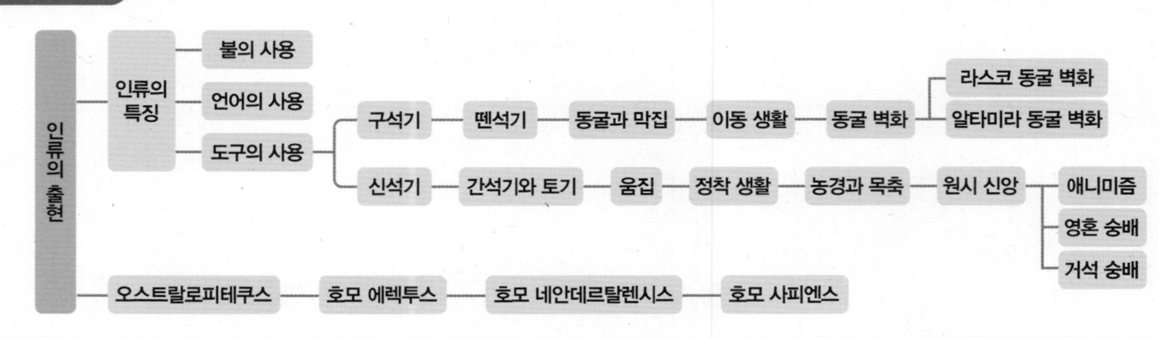

1 세계사 학습의 필요성 { 세계사를 왜 배워야 할까요?

1. 세계화 시대 교통 · 통신의 발달, 교류의 증대, 통합과 분할, 문화의 충돌과 융합

2. 세계사 학습의 필요성 자국 역사의 올바른 이해, 세계사의 흐름 파악, 다양한 문제의 원인 진단, 갈등 해결 능력의 배양

3. 세계사 학습의 시각과 방법 다문화적 · 다중심적 시각, 역사의 다양성 이해, 다양한 기록 · 유적 · 유물의 분석, 세계 각 문화유산의 비교 · 종합

2 인류의 출현과 선사 문화 { 인류의 진화 과정에서 어떤 특징이 나타났을까요?

1. 인류의 출현과 진화 자료 1

오스트랄로피테쿠스	약 390만 년 전, 최초의 인류 (Where? 아프리카에서 출현하였어.)
호모 에렉투스	약 180만 년 전, 불 · 언어 사용, 베이징인 · 자와인
호모 네안데르탈렌시스❶	약 40만 년 전, 죽은 자를 매장
호모 사피엔스❷	약 20만 년 전, 현생 인류, 크로마뇽인 · 상동인

2. 선사 문화의 발전

(1) **구석기 시대의 인류** 인류의 출현으로부터 약 1만 년 전까지

① 생활: 뗀석기 사용, 채집 · 수렵 생활, 이동 생활, 의사소통, 동굴 거주

② 문화: 여인상 조각, 동굴 벽화❸ 제작

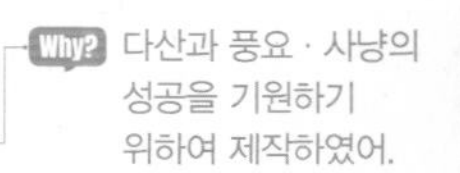

▲ 구석기인의 거주지(남아프리카 공화국)

(2) **자연환경의 변화와 인류의 적응** 기온 상승, 작은 짐승 · 어패류 번성 → 간석기 · 토기 제작

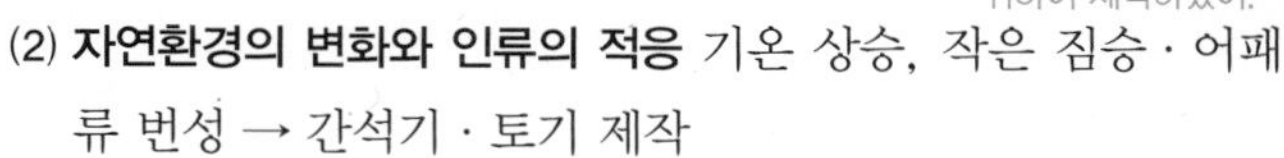

(3) **신석기 사회의 발전** 약 1만 년 전에 시작

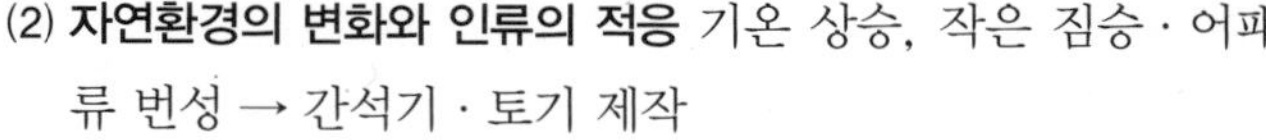

① 신석기 혁명: 농경 · 목축, 정착 생활, 움집 거주, 직조

② 신석기 사회의 발전: 대규모 취락 형성, 혈연적인 씨족 사회 형성(평등사회), 애니미즘❹ · 샤머니즘❺ · 영혼 숭배 · 거석 숭배 등

③ 신석기 시대 후반: 생산력의 향상, 사유 재산의 등장, 계급의 분화

---

❶ 호모 네안데르탈렌시스
호모 네안데르탈렌시스는 현생 인류와 비슷한 뇌의 크기를 가졌으며 호모 사피엔스와 공존하였던 인류로 약 2만8천 년 전에 멸종하였다.

❷ 호모 사피엔스
호모 사피엔스는 현생 인류의 조상으로 세계 각지의 기후와 풍토에 적응하며 황색 인종, 흑색 인종, 백색 인종과 같은 신체 형질상의 특징을 갖추었다.

❸ 동굴 벽화
대표적으로 프랑스 도르도뉴 지방의 라스코 동굴 벽화와 스페인 북부의 알타미라 동굴 벽화가 있다.

❹ 애니미즘
태양, 물, 번개 등 모든 사물에는 정령이 깃들어 있으며, 여러 가지 현상은 그 작용이라고 믿는 세계관 또는 원시 종교를 말한다.

❺ 샤머니즘
영혼과 인간을 연결해 주는 샤먼과 그 주술을 믿는 사상을 말한다.

자료 1 선사 시대 인류의 진화

뜯어보기 포인트
인류의 특징은 직립 보행과 도구 · 불 · 언어의 사용이라는 것을 기억하자.

◎ 인류가 다른 동물들과 다른 점은 무엇일까?

인류는 다른 동물들과 달리 두 발로 서서 걷고 도구를 사용하였어. 최초의 인류인 오스트랄로피테쿠스는 완전한 직립 보행은 못하였지만, 두 발로 걷고 간단한 도구를 사용할 수는 있었어. 이후 인류는 불을 사용하였고, 언어를 통해 서로 의사소통을 하며 발전하였지.

◎ 선사 시대 인류는 어떻게 진화하였을까?

인류는 일직선으로 진화한 것이라기보다는 유전자 교류를 통해서 여러 갈래로 진화해 왔어. 오스트랄로피테쿠스가 출현한 후 다양한 계통의 인류가 공존하다가 호모 사피엔스 계통만 살아남아 현생 인류의 조상이 되었지. 호모 사피엔스는 두개골과 골격 구조가 지금의 우리와 거의 차이가 나지 않아 현생 인류의 조상이라 불리는데 정교한 도구를 사용하여 사냥과 채집을 하였다고 해.

Q1 현생 인류의 조상을 선택해 보자.

㉠ 호모 하빌리스
㉡ 호모 에렉투스
㉢ 호모 사피엔스
㉣ 오스트랄로피테쿠스
㉤ 호모 네안데르탈렌시스

자료 2 선사 시대의 생활 모습

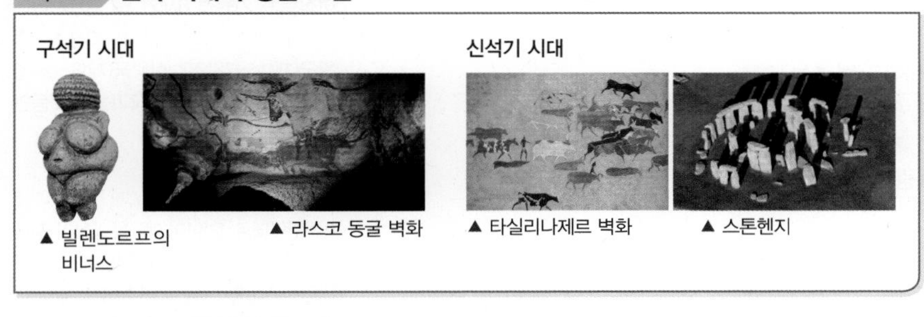

▲ 빌렌도르프의 비너스 ▲ 라스코 동굴 벽화 ▲ 타실리나제르 벽화 ▲ 스톤헨지

뜯어보기 포인트
구석기 시대에는 사냥과 채집을 하였지만 신석기 시대에 접어들면서 농경과 목축을 시작하였다는 것을 기억하자.

◎ 구석기 시대 사람들이 남긴 작품들을 통해 알 수 있는 것은 무엇일까?

구석기 시대의 사람들은 다산과 풍요 · 사냥의 성공을 기원하면서 풍만한 여인상을 조각하거나 동물들이 그려진 다양한 동굴 벽화를 남겼어.

◎ 스톤헨지는 왜 만들었을까?

스톤헨지는 영국 솔즈베리 평원에 있는 신석기 시대의 유적으로 돌의 무게가 각각 50톤까지 나간다고 해. 아마 종교 의식이나 천문 관측을 목적으로 만들지 않았을까 추측되는데, 신석기 시대에는 이러한 거석 숭배뿐만 아니라 애니미즘, 샤머니즘, 영혼 숭배와 같은 원시적인 종교 의식이 나타났어.

Q2 구석기 시대의 생활 모습을 모두 선택해 보자.

㉠ 언어와 불을 사용하였다.
㉡ 농경과 목축이 시작되었다.
㉢ 먹을 것을 찾아 이동 생활을 하였다.
㉣ 거석을 세우는 종교 의식을 행하였다.
㉤ 계급이 분화하여 지배층이 출현하였다.

답 Q1 ㉢ / Q2 ㉠, ㉢

주제 2

문명의 발생

주제 흐름 읽기

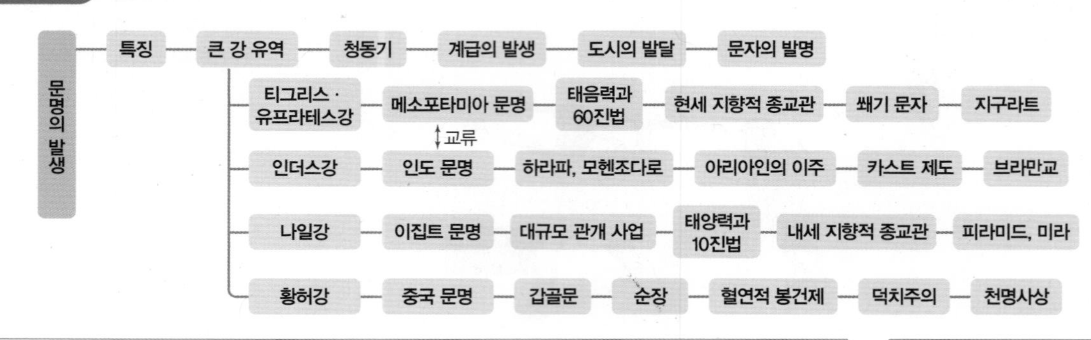

1 문명의 탄생 { 문명이 발생한 지역의 공통점은 무엇일까요?

1. 문명의 탄생지 큰 강 유역, 따뜻한 기후, 풍부한 수량, 농경에 적합

2. 문명의 발달 도시의 성립, 관개 농업, 청동기의 사용, 정복 전쟁, 교역의 증진, 문자의 발명, 사유 재산 제도, 계급의 발생, 국가의 출현

2 4대 문명의 발전 { 4대 문명은 어떤 특징이 있을까요?

1. 메소포타미아 문명

문명의 발생	기원전 3500년경 티그리스·유프라테스강, 개방적 지형
특징	• 바빌로니아 왕국 (『함무라비 법전』) 자료 1 • 신권 정치, 태음력과 60진법, 쐐기 문자 • 지구라트❶, 현세적 자료 2, 다신교, 점성술의 발달

What? 점토판에 갈대 등으로 눌러 쓴 쐐기 모양의 글자야.

2. 이집트 문명

Why? 폐쇄적인 지형으로 이민족의 침략이 적어 오랫동안 통일 국가❷가 유지되었어.

문명의 발생	기원전 3000년경 나일강, 폐쇄적 지형
특징	• 신권 정치, 파라오❸, 다신교, 영혼 불멸, 사후 세계 • 피라미드, 미라, 「사자의 서」 자료 2, 파피루스, 상형 문자 • 태양력, 10진법, 천문학·측량술·기하학의 발달

3. 인도 문명

문명의 발생	기원전 2500년경 인더스강 상류 펀자브 지방
특징	• 하라파, 모헨조다로, 배수 시설, 목욕탕, 광장, 창고 • 청동기·채도·문자의 사용, 메소포타미아 지역과 해상 무역 • 기원전 1500년경 아리아인의 정착, 철기 사용 • 카스트제, 브라만교, 『베다』

Why? 카스트제는 이민족인 아리아인이 선주민을 지배하기 위하여 만들었어.

4. 중국 문명

문명의 발생	기원전 8000년 경 황허강, 만주 서부
특징	• 상 : 은허 유적, 신권 정치, 갑골문, 순장, 태음력 • 주 : 혈연적 봉건제❹, 종법·예법 확립, 천명사상, 덕치주의

❶ 지구라트
'높은 곳'이라는 뜻으로, '성탑'이라고도 한다. 점점 작아지는 사각형 테라스를 여러 겹으로 쌓아 높은 기단을 만들고 꼭대기에 신전을 안치하였다.

❷ 통일 국가
이집트는 기원전 6세기 말 페르시아에 멸망할 때까지 고왕국(제1~10왕조), 중왕국(제11~17왕조), 신왕국(제18~26왕조)으로 이어지는 통일 국가를 오랫동안 유지하였다.

❸ 파라오
어원은 '페르 오'이며 '큰 집', '신이 깃든 몸'이라는 의미이다. 이집트에서 왕은 태양신 '라'의 아들로 간주되고 '파라오'라고 불리며 신의 대리자로서 절대 권력을 행사하였다.

❹ 봉건제
주의 봉건제는 왕이 제후에게 땅과 백성에 대한 통치를 맡기고 제후는 왕에게 공납과 군사적 의무를 바치는 형태로 주로 왕의 형제나 친척을 제후로 임명하는 혈연관계를 기반으로 하였다. 이 점은 서양 중세의 봉건제가 쌍무적 계약관계였다는 점과 비교된다.

자료 1 **함무라비 법과 바빌로니아 사회**

- 남을 사형에 처해야 한다고 고발한 자가 증거를 제시하지 못하면 사형에 처한다.
- 아들이 아버지를 때리면 아들의 두 손을 자른다.
- 귀족이 평민의 눈이나 다리를 상하게 하면 금화 1미나*를 바쳐야 한다.
- 부실하게 지은 집이 무너져 집주인이 죽으면 건축가를 사형시킨다.

*1미나 약 500g

함무라비 법을 통해 알 수 있는 당시의 사회 모습은 무엇일까?

함무라비 법은 가족 관계 및 소유 관계와 직업 · 채무 · 이자 · 담보 등 282개 조항의 법을 규정하고 있어. 형벌은 가해자의 신분과 범죄 정황에 따라 달리 적용되었고, 기본적으로 동해보복법(눈에는 눈, 이에는 이)의 성격을 갖고 있지. 하지만 혈족 간의 집단 보복을 인정하지 않는 등 합리적인 조항도 많이 있어.

뜯어보기 포인트

함무라비 법을 통해서 바빌로니아 왕국의 사회 모습을 파악할 수 있음을 기억하자.

Q3 메소포타미아 문명의 특징으로 옳은 것을 모두 선택해 보자.

㉠ 지형이 폐쇄적이었다.
㉡ 수메르인이 세운 도시 국가가 있었다.
㉢ 대표적인 유적으로 모헨조다로가 있다.
㉣ 알파벳의 기원이 되는 표음 문자를 사용하였다.
㉤ 『함무라비 법전』을 통해 바빌로니아의 사회상을 엿볼 수 있다.

자료 2 **메소포타미아와 이집트의 내세관**

○ 『길가메시 서사시』

길가메시여, 당신은 생명을 찾지 못할 것입니다. 신들이 인간을 만들 때 인간에게 죽음도 함께 붙여 주었습니다. 생명만 그들이 보살피도록 남겨 두었지요. 좋은 음식으로 배를 채우십시오. 밤낮으로 춤추며 즐기십시오. …… 당신의 손을 잡아 줄 자식을 낳고, 아내를 당신 품 안에 꼭 품어 주십시오. 왜냐하면 이 또한 인간의 운명이니까요.

○ 「사자의 서」

- 오시리스 : 본 재판관은 …… 너의 마음(심장)과 깃털(마트)을 나란히 저울에 매달겠노라. 왜냐하면 마음이야말로 인간의 존재와 삶을 규정하는 가장 중요한 것이기 때문이다. 저울질은 죽은 사람의 의사인 아누비스가, 그 결과는 신들의 서기관인 토트가 기록하도록 하라.
- 죽은 자 : 저는 도둑질하지 않았습니다. …… 저는 위선을 행하지 않았습니다. …… 저는 거짓말을 하지 않았습니다. …… 저는 저울의 눈금을 속인 일이 없습니다.

뜯어보기 포인트

메소포타미아 문명의 내세관은 현세적인데 반해 이집트 문명의 내세관은 내세적이었다는 것을 기억하자.

메소포타미아의 내세관은 무엇일까?

메소포타미아 문명이 발생한 티그리스 · 유프라테스강 유역은 개방적인 지형으로 교역이 활발하였지만 이민족의 침략 또한 빈번하였어. 때문에 메소포타미아인들의 내세관은 『길가메시 서사시』를 통해 확인할 수 있는 것처럼 죽은 뒤의 세계보다는 현세의 삶을 중시하는 경향이 있어.

이집트의 내세관은 무엇일까?

이집트 문명이 발생한 나일강 유역은 비옥하고 폐쇄적이어서 메소포타미아 지역과는 달리 이민족의 침략이 거의 없었어. 이집트인들의 내세관은 「사자의 서」를 통해 알 수 있는 것처럼 사후 세계를 믿었고 죽은 뒤의 세계를 매우 중요하게 생각하였지. 때문에 죽은 사람을 미라로 만들고 피라미드도 건축하였어.

Q4 이집트 문명에 대한 설명으로 옳은 것을 모두 선택해 보자.

㉠ 쐐기 문자를 사용하였다.
㉡ 나일강 유역에서 발생하였다.
㉢ 『길가메시 서사시』를 제작하였다.
㉣ 아리아인은 카스트제를 만들었다.
㉤ 오랫동안 통일 국가를 유지하였다.

답 Q3 ㉡, ㉤ / Q4 ㉡, ㉤

개념 익히기

정답과 해설 ▸ 42쪽

01 서로 관련 있는 내용끼리 연결해 보자.

ⓐ 호모 사피엔스 •		• ㉠ 불을 사용하고 언어로 의사소통
ⓑ 호모 에렉투스 •		• ㉡ 아프리카에서 출현한 최초의 인류
ⓒ 오스트랄로피테쿠스 •		• ㉢ 황색 · 흑색 · 백색 인종 등 신체 형질상의 특징을 갖춤.

02 아래 설명이 맞으면 O표, 틀리면 X표를 해 보자.

(1) 세계사를 탐구할 때에는 다문화적 · 다중심적 시각이 필요하다. ( )

(2) 구석기인은 움집을 짓고 정착 생활을 하였다. ( )

(3) 농경 문화를 바탕으로 큰 강 유역에서 문명이 탄생하였다. ( )

(4) 수메르인은 태양력과 10진법을 사용하였다. ( )

(5) 인도 문명의 유적으로는 하라파와 모헨조다로가 있다. ( )

03 빈칸에 알맞은 말을 채워 보자.

(1) ( ) 시대의 크로마뇽인은 사냥의 성공을 기원하며 알타미라 동굴 벽화를 그렸다.

(2) 신석기 시대에는 ( )와/과 ( )이/가 시작되어 인류의 생활 모습이 크게 뒤바뀌었다.

(3) 문명이 발생하는 과정에서 사유 재산 제도가 성립하고 부와 권력에 따라 ( )이/가 발생하였다.

(4) 이집트의 ( ) 유역은 주기적인 범람으로 땅이 비옥하여 일찍부터 여러 도시 국가가 성립하였다.

(5) ( ) 왕조는 도읍과 직할지를 제외한 나머지 영토를 일족과 공신에게 나누어 주고, 이들을 제후로 임명하는 봉건제를 시행하였다.

04 | 보기 |의 인류의 발전을 순서대로 나열해 보자.

| 보기 |
ㄱ. 직립 보행　　ㄴ. 문자의 사용
ㄷ. 농경의 시작　　ㄹ. 죽은 자를 매장

05 | 보기 |에서 메소포타미아 문명과 관련된 내용들을 골라 보자.

| 보기 |
파라오　유대교　다신교　나일강
쐐기 문자　표음 문자　개방적 지형
폐쇄적 지형　티그리스 · 유프라테스강

06 설명과 관련된 민족의 이름을 적어보자.

기원전 2000년경 아나톨리아에서 등장하였으며, 철제 무기와 농기구를 사용하여 농업 생산력과 군사력이 높았다. 특히 기원전 14세기경에는 철제 무기와 전차를 이용하여 활발한 정복 활동을 펼쳤고 이들의 철기 문화는 서아시아에 전파되었다.

07 아래의 표를 완성해 보자.

메소포타미아 문명	• 티그리스 · 유프라테스강 • 바빌론, 우루크, 우르
( )	• 나일강 • 멤피스, 룩소르
인도 문명	• 인더스강 • 하라파, 모헨조다로
( )	• 황허강 • 은허, 호경, 낙읍

2단계 내신 유형 익히기

총 문항수 12	처음 푼 날 월 일
정답과 해설 42쪽	오답 푼 날 월 일

01 빈출 **세계사를 탐구하는 바람직한 태도를 | 보기 |에서 고른 것은?**

| 보기 |
ㄱ. 자국과 자민족이 우월하다는 자기 중심주의를 유지한다.
ㄴ. 현재의 문제 해결에 필요한 자료만을 수집하여 임의로 가공한다.
ㄷ. 여러 나라의 문화유산을 비교하여 유사점과 차이점을 파악한다.
ㄹ. 전통문화의 기반 위에 다양한 문화를 주체적으로 수용하여 발전시킨다.

① ㄱ, ㄴ ② ㄱ, ㄷ ③ ㄴ, ㄷ
④ ㄴ, ㄹ ⑤ ㄷ, ㄹ

02 **(가)~(라)에 대한 옳은 설명을 | 보기 |에서 고른 것은?**

인류	출현 시기	특징
(가)	약 390만 년 전	두 발로 걷고, 간단한 도구 사용
(나)	약 180만 년 전	불의 사용, 언어로 의사소통
(다)	약 40만 년 전	시체 매장, 간단한 집을 지음
(라)	약 20만 년 전	신체 형질상의 특징을 갖춤

| 보기 |
ㄱ. (가) – 간석기를 사용하였다.
ㄴ. (나) – 베이징인, 자와인 등이 속한다.
ㄷ. (다) – 현생 인류의 직접 조상이다.
ㄹ. (라) – 크로마뇽인, 상동인 등이 속한다.

① ㄱ, ㄴ ② ㄱ, ㄷ ③ ㄴ, ㄷ
④ ㄴ, ㄹ ⑤ ㄷ, ㄹ

03 빈출 **다음 문화유산을 남긴 시대의 사람들의 생활 모습으로 옳은 것은?**

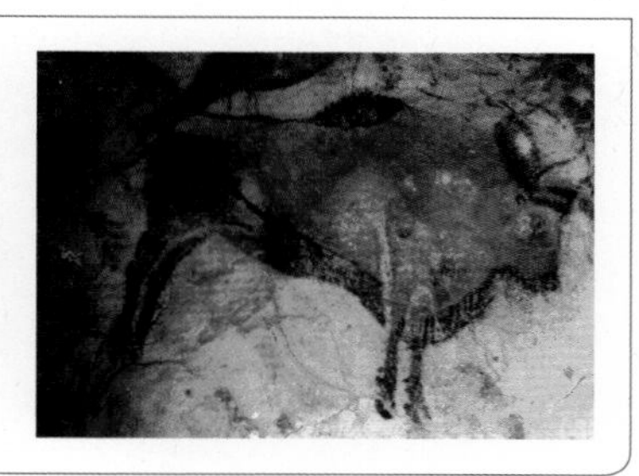

① 수수, 조, 피 등을 재배하였다.
② 움집을 짓고 정착 생활을 하였다.
③ 뗀석기를 제작하여 동물을 사냥하였다.
④ 청동으로 만든 무기를 사용하여 다른 부족을 정복하였다.
⑤ 태양, 구름 등에 정령이 있다고 믿으며 그들을 숭배하였다.

04 **(가)에 들어갈 내용으로 적절하지 않은 것은?**

〈역사 탐구 동아리 발표회〉
- 주제 : 신석기 사회의 발전
- 일시 : 2018년 ○월 ○일 17:00
- 장소 : □□고등학교 1–△ 교실
- 발표 내용 : ______(가)______

① 움집과 정착 생활
② 농경과 목축의 시작
③ 영혼 숭배와 종교 의식
④ 베틀 제작과 직조의 시작
⑤ 사유 재산 제도의 성립과 국가의 출현

05 빈출 지도에 나타난 고대 문명 발상지의 공통점을 | 보기 | 에서 고른 것은?

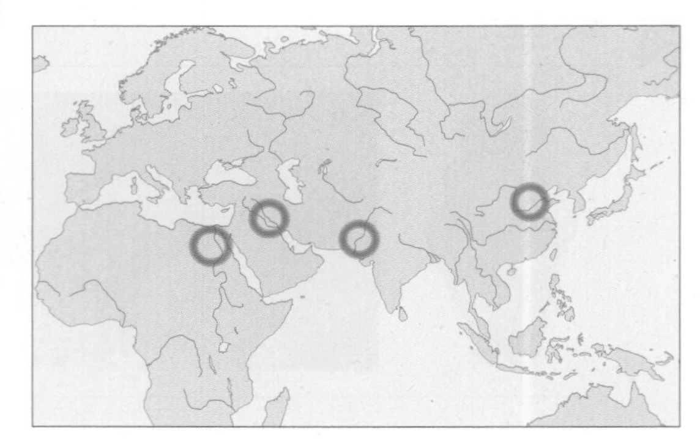

| 보기 |

ㄱ. 도시가 발달하였다.
ㄴ. 지구라트를 건축하였다.
ㄷ. 상형 문자를 사용하였다.
ㄹ. 큰 강 유역에서 발생하였다.

① ㄱ, ㄴ ② ㄱ, ㄹ ③ ㄴ, ㄷ
④ ㄴ, ㄹ ⑤ ㄷ, ㄹ

06 다음에서 설명하는 유적에 해당하는 것은?

하늘에 있는 신들과 지상을 연결하기 위한 건축물로 '성탑'이라고도 한다. 고대 메소포타미아 지역에서 발견되는 신전으로 『구약 성서』에 나오는 바벨탑이 이 건축물을 가리키는 것으로 추정된다.

① 
② 
③ 
④ 
⑤ 

07  빈출 (가)에 들어갈 내용으로 옳은 것은?

답사 계획서

1. 답사 경로

2. 사전 조사 내용 : ______(가)______

① 크노소스 궁전을 축조하였다.
② 파피루스에 상형 문자를 기록하였다.
③ 지구라트라는 신전에서 수호신을 섬겼다.
④ 태음력을 사용하고 60진법을 고안하였다.
⑤ 개방적 지형으로 이민족의 침입이 잦았다.

08 밑줄 친 '이 문명'에 대한 설명으로 옳은 것은?

이 유물은 모헨조다로 유적지에서 발굴된 인장으로, 동물의 문양과 아직 해독되지 못한 문자가 새겨져 있다. 모헨조다로는 인더스강에서 드라비다인이 세운 것으로 추정되는 <u>이 문명</u>의 유적지이다.

① 60진법을 고안하였다.
② 피라미드를 축조하였다.
③ 티그리스강 유역에서 발생하였다.
④ 갑골문을 이용한 기록물을 남겼다.
⑤ 메소포타미아 지역과 해상 무역을 하였다.

09 교사의 질문에 대한 학생의 대답으로 적절한 것은?

('a) Aleph
(b) Beth
(g) Gimel
(d) Daleth

교사: 다음 문자를 사용한 사람들에 대해 발표해 봅시다.

① 희주: 길가메시의 조각상을 만들었습니다.
② 은경: 유일신 신앙으로 유대교를 믿었습니다.
③ 재형: 도리스인의 침입을 받아 멸망하였습니다.
④ 민아: 크노소스 궁전과 금은 세공품을 남겼습니다.
⑤ 혜영: 활발한 해상 활동으로 식민 도시인 카르타고를 건설하였습니다.

10 밑줄 친 '이 왕조'에 대한 설명으로 옳은 것은?

빈출

▲ 갑골문

이 왕조에서는 점을 쳐서 신의 뜻을 추측하고 이를 바탕으로 나라의 중요한 일을 결정하는 신권 정치를 하였다. 점을 친 후에는 점을 친 까닭과 그 결과를 거북의 배딱지나 소의 어깨뼈 등에 새겨 놓았다.

① 신분 제도인 카스트제를 발전시켰다.
② 철제 무기를 이용해 영토를 확장하였다.
③ 왕이 죽으면 많은 사람들을 함께 매장하였다.
④ 강의 범람을 예측하기 위해 태양력을 제작하였다.
⑤ 제후에게 영토를 나누어 주고 봉건제를 실시하였다.

서술형 문제

11 다음 자료를 보고 물음에 답해 보자.

(1) 위 자료와 관련된 문명의 명칭을 써 보자.

(2) 위 자료를 통해 알 수 있는 내세관을 설명해 보자.

서술형 문제

12 다음 자료를 보고 물음에 답해 보자.

빈출

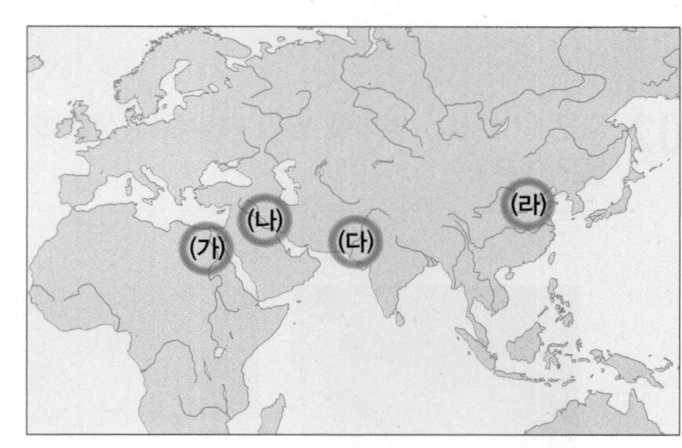

(1) (가)~(라)에 해당하는 문명의 이름을 써 보자.

(2) (가)~(라) 문명의 공통적인 특징을 써 보자.

01 바람직한 세계사 학습의 태도를 | 보기 |에서 고른 것은?

| 보기 |

ㄱ. 세계사를 다문화적 · 다중심적 시각에서 탐구해 본다.
ㄴ. 세계사의 내용이 어떤 관점에서 서술되었는지 파악한다.
ㄷ. 과거에 일어난 사실은 변할 수 없으므로 한 가지의 관점으로만 해석한다.
ㄹ. 세계사는 객관성을 추구하므로 다른 의견을 하나로 통합할 수 있도록 노력한다.

① ㄱ, ㄴ ② ㄱ, ㄷ ③ ㄴ, ㄷ
④ ㄴ, ㄹ ⑤ ㄷ, ㄹ

02 다음 (가), (나) 벽화를 남긴 사람들의 생활 모습으로 옳은 것은?

(가) (나)

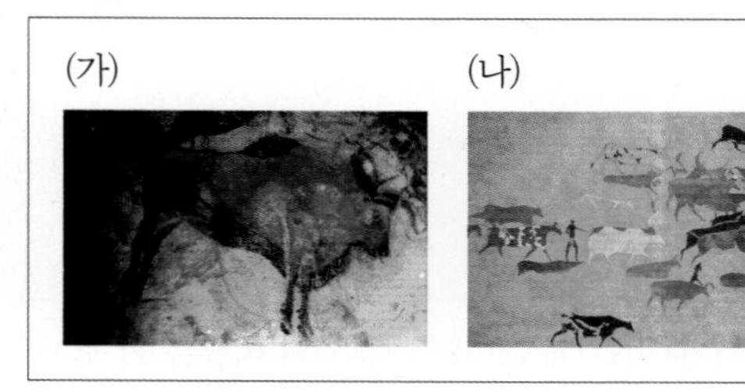

① (가) – 토기를 이용하여 조리를 하였다.
② (가) – 뼈바늘을 이용하여 옷을 지어 입었다.
③ (나) – 동굴이나 숲에 살면서 이동 생활을 하였다.
④ (나) – 애니미즘, 샤머니즘 등의 종교 의식을 갖추었다.
⑤ (나) – 문자의 발명으로 선사 시대에서 역사 시대로 진입하였다.

03 중요 (가), (나)를 추론한 내용으로 적절하지 않은 것은?

(가) 길가메시여, 당신은 생명을 찾지 못할 것입니다. 신들이 인간을 만들 때 인간에게 죽음도 함께 붙여 주었습니다. 생명만 그들이 보살피도록 남겨두었지요. 좋은 음식으로 배를 채우십시오. 밤낮으로 춤추며 즐기십시오. …… 왜냐하면 이 또한 인간의 운명이니까요.

(나) • 오시리스 : 본 재판관은 …… 너의 마음(심장)과 깃털(마트)을 나란히 저울에 매달겠노라. 왜냐하면 마음이야말로 인간의 존재와 삶을 규정하는 가장 중요한 것이기 때문이다. 저울질은 죽은 사람의 의사인 아누비스가, 그 결과는 신들의 서기관인 토트가 기록하도록 하라.
• 죽은 자 : 저는 도둑질하지 않았습니다. …… 저는 위선을 행하지 않았습니다. …… 저는 거짓말을 하지 않았습니다. …… 저는 저울의 눈금을 속인 일이 없습니다.

① (가) – 쐐기 문자를 사용하였다.
② (가) – 이민족의 침입이 잦은 지역이었다.
③ (가) – 현세를 중시하는 인생관이 나타나 있다.
④ (나) – 영혼 불멸 사상이 나타나 있다.
⑤ (나) – 신을 섬기기 위해 지구라트를 축조하였다.

04 밑줄 친 '이 지역'에서 볼 수 있는 모습으로 옳은 것은?

이 지역 사람들은 천문을 관찰하여 1년이라는 단위를 고안하였고, 1년을 12개월로 나누었다. 그리고 나일강의 수위에 따라 네 달로 이루어진 세 계절의 달력을 사용하였다.

① 『베다』를 읽으며 신을 찬미하는 사제들
② 60진법을 이용해 농지를 측량하는 기술자들
③ 대규모 신전인 지구라트 축조에 동원된 사람들
④ 돌기둥에 쐐기 문자로 쓰인 법전을 읽는 사람들
⑤ 파피루스로 종이를 만들고 상형 문자를 기록하는 사람들

05 교사의 질문에 대한 학생의 대답으로 적절한 것은?

교사: 지도에 나타난 에게 문명의 특징에 대해 말해 볼까요?

① 「사자의 서」를 남겼습니다.
② 쐐기 문자를 사용하였습니다.
③ 혈연적 봉건제도를 발달시켰습니다.
④ 서아시아 지역 문명의 영향을 받았습니다.
⑤ 유목 생활을 하던 헤브라이인이 정착하였습니다.

06 중요 (가), (나) 지역에서 발생한 문명에 대한 탐구 활동으로 적절한 것은?

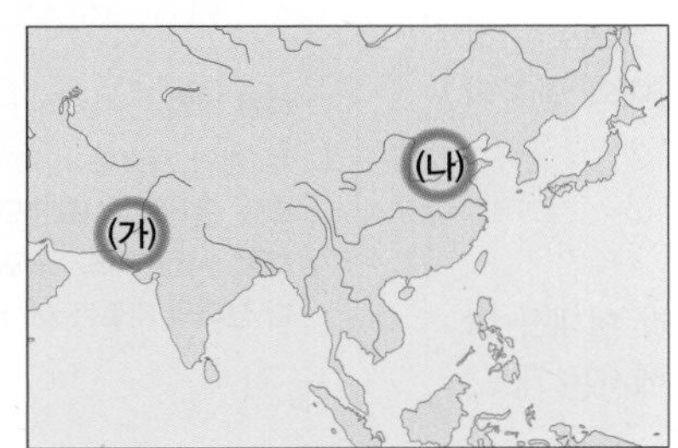

① (가) – 모헨조다로 유적의 구조를 파악한다.
② (가) – 여러 신 중에서 태양신 '라'를 최고 신으로 섬기는 이유를 살펴본다.
③ (나) – 『마누 법전』을 제작한 목적을 분석한다.
④ (나) – 표음 문자를 사용하게 된 배경을 찾아본다.
⑤ (가), (나) – 덕치주의가 발달한 배경을 알아본다.

07 중요 (가)에 들어갈 내용으로 옳은 것은?

수행 평가 보고서
주제 : ○○ 문명의 발전

1. 성립
   기원전 2500년경 펀자브 지방
2. 특징
   – 카스트제 성립
   – (가)

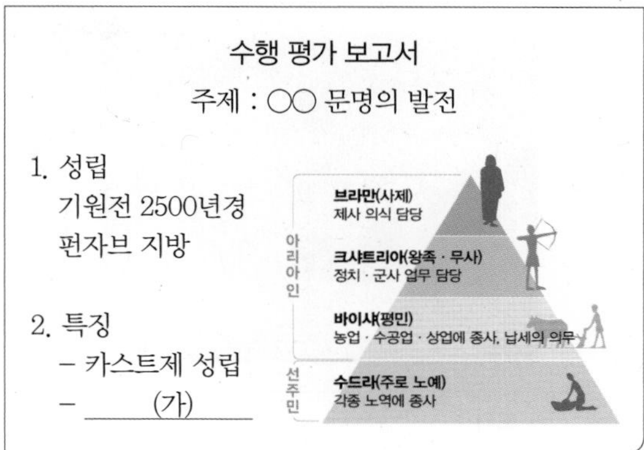

① 은허의 발견
② 모헨조다로 건설
③ 아무르인에 멸망
④ 파르테논 신전 건설
⑤ 『함무라비 법전』 제작

08 제시된 통치 제도를 실시한 왕조에 대한 설명으로 옳은 것은?

옛날 무왕은 상나라와 싸워 이겼다. 아들 성왕은 왕실을 안정시키고자 덕이 높은 자를 뽑아 지방을 맡아 다스리게 하였다. 그 가운데 주공은 왕실을 도와 천하를 평정하였다. 그 아들 백금을 노나라 제후로 삼았다. 이웃 나라로 하여금 백금에게 수레, 깃발, 옥, 활을 바치게 하였다. …… 나아가 백금에게 토지와 읍, 제사 일을 맡는 사람, 예물과 조칙, 백관을 위한 기물을 나누어 주었다.

① 미라와 피라미드를 제작하였다.
② 태양력과 10진법을 사용하였다.
③ 천명사상과 덕치주의를 통치 이념으로 내세웠다.
④ 국가의 중요한 일을 점을 치고 갑골문으로 기록하였다.
⑤ 철제 농기구를 이용하면서 농업 생산력이 크게 향상되었다.

총 문항수 2 | 처음 푼 날 월 일
정답과 해설 44쪽 | 오답 푼 날 월 일

01 밑줄 친 '이 문명'에 대한 옳은 설명을 | 보기 |에서 고른 것은?

피라미드는 각 면이 동서남북으로 향한 사각 추형의 구조물로 왕의 무덤이었을 것으로 추측한다. 이 문명의 사람들은 태양신을 비롯하여 여러 신을 섬겼는데, 왕을 최고신인 태양신 '라'의 아들이라 여겼다. 왕으로부터 토지를 하사받은 제사장과 관리는 지배층을 형성하였고, 피지배층인 농민은 피라미드를 건설하는 등 대규모 토목 사업에 동원되었다.

| 보기 |

ㄱ. 상형 문자를 사용하였다.
ㄴ. 「사자의 서」를 제작하였다.
ㄷ. 종법과 예법을 확립하였다.
ㄹ. 신전인 지구라트를 지었다.

① ㄱ, ㄴ ② ㄱ, ㄹ ③ ㄴ, ㄷ ④ ㄴ, ㄹ ⑤ ㄷ, ㄹ

유형 분석
유적을 통해 문명을 유추하는 유형이야.

해결 비법
제시된 유적과 지문을 통해 문명을 유추하고, 해당 문명에 대한 옳은 설명을 찾는 문제 유형이야. 교과서에 나오는 중요한 유적들의 사진들이 어떠한 문명에 해당하는지 기억해 두는 게 좋아.

02 (가), (나) 문명에 대한 설명으로 옳지 않은 것은?

• (가)
기원전 2500년경에 인더스강 상류의 펀자브 지방에서 드라비다인이 세운 것으로 추정되는 도시 문명이 출현하였다. 이 지역은 기름진 평야 지대로 서아시아 일대와 연결되는 교통의 요충지이기도 했다.

• (나)
기원전 8000~기원전 6000년경에 신석기 시대가 시작되었다. 이후 황허강 일대를 비롯하여 만주 서부, 창장강 유역에서도 신석기 문화가 발달하였다. 각 지역에서는 채도, 흑도 등 다양한 토기와 도구가 사용되었다.

① (가) – 유적지로 우르크, 우르가 있다.
② (가) – 메소포타미아 지역과 해상 무역을 하였다.
③ (나) – 태음력을 사용하였다.
④ (나) – 왕이 죽으면 많은 사람을 함께 매장하였다.
⑤ (가), (나) – 엄격한 신분 제도가 있었다.

유형 분석
두 개의 자료를 비교하는 유형이야.

해결 비법
두 개의 자료를 비교하여 선택지를 고르는 문제로, 사료뿐만 아니라 설명문, 그림, 사진, 지도, 도표, 개념도 등 다양한 형태의 자료가 제시될 수 있어.

심화 기출 지문 활용하기

총 문항수 6	처음 푼 날 월 일
정답과 해설 44쪽	오답 푼 날 월 일

2016학년도 수능

▲ 길가메시 조각상

이 문명의 대표적인 문학 작품은 쐐기 문자로 쓰인 『길가메시 서사시』이다. 이 서사시는 우루크의 왕 길가메시가 여러 모험을 통해서 현세의 삶이 중요하다는 것을 깨닫는 내용을 담고 있다.

서술형 문제

01 밑줄 친 '이 문명'의 명칭을 적고, '이 문명'의 내세관을 서술해 보자.

수능 문제

02 밑줄 친 '이 문명'에 대한 설명으로 옳은 것은?

① 지구라트를 축조하였다.
② 『마누 법전』을 편찬하였다.
③ 올림피아 제전을 개최하였다.
④ 나일강 유역에서 발달하였다.
⑤ 하라파와 모헨조다로를 건설하였다.

활용 문제

03 밑줄 친 '이 문명'의 유물로 옳은 것은?

①

②

③

④

⑤

2017학년도 수능

나일강의 기적, (가) 문명 특별 기획전

▲ 전투를 지휘하는 파라오 람세스 2세

장 소 : ○○○ 박물관
기 간 : 2016년 ○○월 ○○일 ~ △△월 △△일

서술형 문제

04 (가) 문명의 명칭을 적고, 파라오를 통해 알 수 있는 (가) 문명의 특징을 서술해 보자.

수능 문제

05 (가) 문명에 대한 설명으로 옳은 것은?

① 모헨조다로를 건설하였다.
② 미라와 피라미드를 만들었다.
③ 크노소스 궁전을 건립하였다.
④ 파르테논 신전을 축조하였다.
⑤ 『함무라비 법전』을 편찬하였다.

활용 문제

06 (가) 문명에 대한 옳은 설명을 | 보기 |에서 고른 것은?

보기
ㄱ. 「사자의 서」를 제작하였다.
ㄴ. 카스트제를 발달시켰다.
ㄷ. 수메르인이 도시를 세웠다.
ㄹ. 파피루스 종이를 만들었다.

① ㄱ, ㄴ ② ㄱ, ㄹ ③ ㄴ, ㄷ
④ ㄴ, ㄹ ⑤ ㄷ, ㄹ

대주제 1 마무리하기

난이도	상●●●	중●●○	하●○○
정답률	50% 미만	50~70%	70%이상

●●○
01 (가), (나) 역사 서술에 대한 옳은 설명을 | 보기 |에서 모두 고른 것은?

> (가) 피렌체는 지중해에서 약 80km 들어간 내륙의 아르노 강가에 있다. 아르노강은 아펜니노 산맥에서 피렌체를 통해 피사로 흐른다. 여름에는 수심이 얕지만 봄, 가을에는 배를 타고도 건너기 힘들다.
>
> (나) 아름답고 유용한 아르노강이 피렌체를 가로지른다. 피렌체에는 위엄을 갖춘 뛰어난 건축물이 있다. 장엄함이 충만한 피렌체는 이탈리아의 모든 도시뿐만 아니라 고대의 모든 도시를 능가한다.

보기
ㄱ. 랑케는 (가)와 같은 역사 서술을 강조하였다.
ㄴ. (나)는 (가)에 비해 역사의 객관성이 강하게 나타나 있다.
ㄷ. 카(Carr)는 (가), (나)에 나타난 사관을 절충하는 입장이다.
ㄹ. (가), (나)를 통해 역사 서술이 사관에 따라 달라질 수 있음을 알 수 있다.

① ㄱ, ㄴ ② ㄴ, ㄷ ③ ㄷ, ㄹ
④ ㄱ, ㄴ, ㄷ ⑤ ㄱ, ㄷ, ㄹ

●●○
02 (가)에 들어갈 내용으로 적절한 것은?

> 〈답사 보고서〉
>
> 장소 : 프랑스 라스코 동굴
> 기간 : 2018년 ○월 ○일 ~ ○월 ○일
> 내용 : 나는 프랑스의 도르도뉴 지방에 있는 라스코 동굴 벽화를 다녀왔다. 이 벽화는 1940년에 발견되었는데 소, 사슴, 산양 무리 등이 그려져 있다. 우리는 이 벽화가 그려진 시대에 ______(가)______ 을/를 알 수 있다. ……

① 토테미즘이 존재했음.
② 크로마뇽인이 살았던 것
③ 청동기가 함께 출토되었음.
④ 신석기 시대 사람들의 모습
⑤ 가축을 기르는 모습을 그려 놓았음.

●●●
03 다음 (가), (나)가 제작된 시대의 생활 모습으로 옳지 <u>않은</u> 것은?

(가) (나)

① (가) – 종교적 감정을 지녀 죽은 자를 매장하였다.
② (가) – 알타미라 동굴 벽화와 같은 예술 작품을 남겼다.
③ (나) – 토기를 이용하여 음식을 조리하였다.
④ (나) – 같은 조상을 모시며 씨족 사회를 이루었다.
⑤ (가), (나) – 대규모 노동력을 이용하여 관개 사업을 하였다.

●○○
04 교사의 질문에 대한 학생의 답변으로 적절한 것은?

> 교사: 다음 도구를 사용하던 시기의 특징에 대해 말해 봅시다.

① 직립 보행을 시작하였다.
② 철저한 신분제 사회였다.
③ 베틀을 만들어 옷을 지어 입었다.
④ 날씨가 추워져 인구가 감소하였다.
⑤ 동굴이나 바위 그늘에 막집을 지었다.

05 (가)에 들어갈 내용으로 적절한 것은?

① 지구라트에 가서 수호신에게 기도를 하였다.
② 「사자의 서」를 만드는 것을 조용히 지켜보았다.
③ 10진법을 이용하여 나일강의 수위를 측량하였다.
④ 대부의 명을 받고 제후에게 바칠 공납을 준비하였다.
⑤ 브라만 사제의 행렬이 지나간다는 소리를 듣고 땅에 엎드렸다.

06 (가)가 제작된 문명에 관한 설명으로 옳은 것은?

〈파리 루브르 박물관을 찾아서〉

루브르 박물관에서는 많은 유물들을 만날 수 있는데 (가) 도 여기에 전시되어있다. 이 법전은 282개의 판례법이 새겨진 비석으로 동해보복형 형법 규정이 널리 알려져 있으나, 실제로는 상법, 상속에 대한 규정도 상당히 포함되어 있다.

① 파라오라 불렸다.
② 사후 세계를 믿었다.
③ 메소포타미아 전역을 통일하였다.
④ 카르타고라는 식민 도시를 건설하였다.
⑤ 아리아인 중심의 계급 질서를 확립하였다.

07 밑줄 친 '이 문명'에 대한 탐구 활동으로 적절하지 않은 것은?

지혜: 어제 TV에서 나폴레옹이 발견한 로제타석을 봤어.
현주: 로제타석은 세 개의 다른 언어로 동일한 글을 작성한 비문이래. 주요 내용은 사제들이 프톨레마이오스 5세를 찬양한 것이라는데 지금은 영국 박물관에 있어. 로제타석은 이 문명의 값진 유물인 것 같아.

① 「사자의 서」를 분석한다.
② 파라오의 종교적 권위를 파악한다.
③ 수메르인의 활동 영역을 조사한다.
④ 당시 천문학 발달 사례를 수집한다.
⑤ 대규모 토목 사업에 동원된 신분을 조사한다.

08 다음 지역에서 발생한 문명에 대한 옳은 설명을 | 보기 |에서 모두 고른 것은?

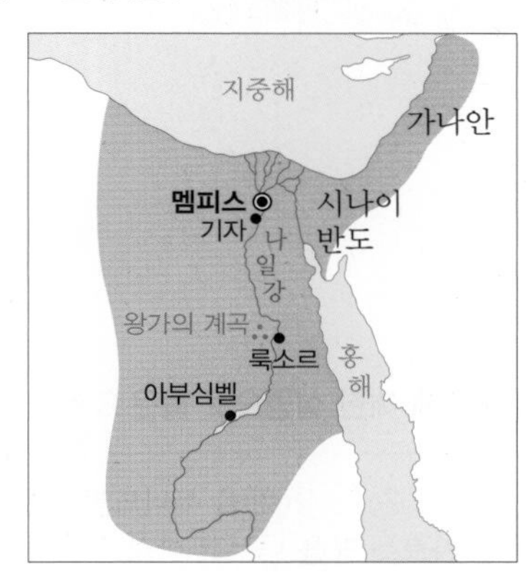

| 보기 |

ㄱ. 길가메시 조각상이 출토되었다.
ㄴ. 파피루스 종이에 상형 문자를 남겼다.
ㄷ. 사후 세계를 믿어 미라를 제작하였다.
ㄹ. 폐쇄적인 지형으로 이민족의 침입을 거의 받지 않았다.

① ㄱ, ㄴ ② ㄱ, ㄷ ③ ㄷ, ㄹ
④ ㄱ, ㄴ, ㄷ ⑤ ㄴ, ㄷ, ㄹ

09 다음 자료와 관련된 문명의 문화유산으로 옳은 것은?

> 브라만에게는 『베다』를 가르치는 일과 배우는 일, 자신들과 남을 위해 제사 지내는 일, 선물을 주고받는 일을 정해주었다. 크샤트리아에게는 백성을 보호하고 선물을 바치며, 제사를 지내고 『베다』를 공부하며, 감각적 쾌락에 집착하는 것을 삼가도록 명하였다. 바이샤에게는 가축을 돌보고 선물을 바치며, 제사를 지내고 『베다』를 공부하며, 장사를 하고 돈을 빌려 주며 땅을 경작하도록 명하였다. 수드라에게는 오직 한 가지 직업만을 정해 주셨으니 곧 위의 세 계급을 겸손히 섬기는 일이다.

① 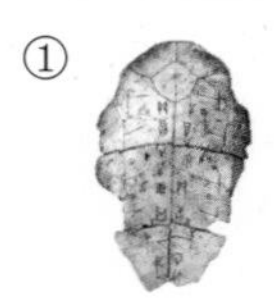

② 

③ 

④ 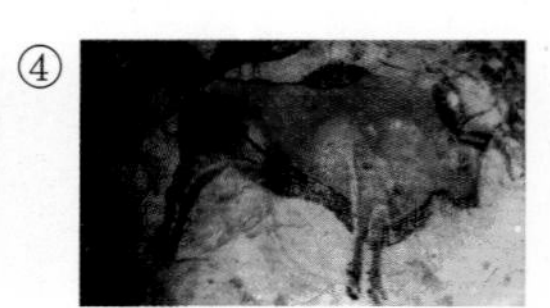

⑤ 

10 (가) 왕조에 대한 설명으로 옳은 것은?

> (가) 은/는 상(商)을 무너뜨리고 천하를 차지하자 박을 자르듯 땅을 나누고 다섯 등급의 작위를 설치하여 많은 제후들에게 분봉하였다. 그리하여 제후들이 모여와서는 조알하고 회동하며, 나뉘어서는 각기 땅을 지키는 신하로서 성을 방어하였다.

① 쐐기 문자를 사용하였다.
② 수도를 낙읍에서 호경으로 천도하였다.
③ 『마누 법전』으로 생활 윤리를 규정하였다.
④ 혈연관계에 기반을 둔 종법 질서를 중시하였다.
⑤ 자연 현상을 신격화하는 브라만교를 창시하였다.

11 다음 지도에 표시된 민족의 이동이 끼친 영향으로 옳은 것은?

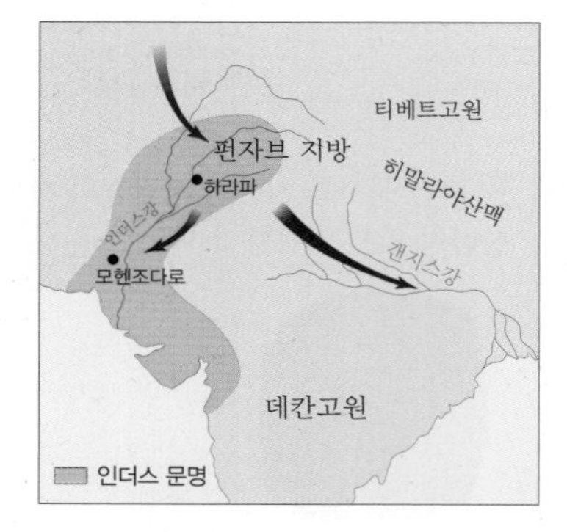

① 대륙의 남부로 청동기가 전파되었다.
② 수메르인의 도시 문명이 파괴되었다.
③ 자연 현상을 찬미하는 『베다』가 경전이 되었다.
④ 지배를 합리화하기 위한 천명사상이 확립되었다.
⑤ 하라파, 모헨조다로 등의 계획 도시가 건설되었다.

12 다음 유물을 남긴 문명에 대한 옳은 설명을 | 보기 |에서 고르면?

청동 세 발 솥
제기로 사용된 청동 솥으로 왕의 권위를 상징한다.

| 보기 |
ㄱ. 『함무라비 법전』을 편찬하였다.
ㄴ. 파피루스로 종이를 제작하였다.
ㄷ. 점을 쳐서 신의 뜻으로 국사를 결정하였다.
ㄹ. 채도, 흑도 등의 다양한 토기를 사용하였다.

① ㄱ, ㄴ ② ㄱ, ㄷ ③ ㄴ, ㄷ
④ ㄴ, ㄹ ⑤ ㄷ, ㄹ

❖ **다음을 읽고 물음에 답해 보자.**

(가) 영화 〈클레오파트라〉

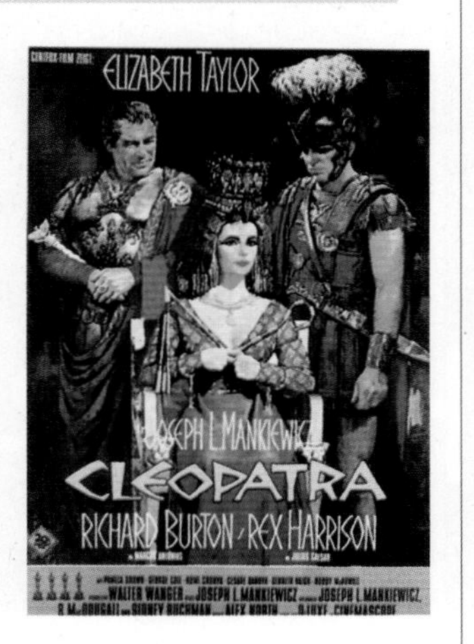

우리에게 낯설지 않은 이름 '클레오파트라'를 주제로 제작된 영화 〈클레오파트라〉는 세계사를 이해하는 데 도움이 되는 고전 역사 영화이다.

1967년에 개봉한 영화로, 배우 엘리자베스 테일러가 주인공 클레오파트라 역을 맡아 등장하였다. '클레오파트라'는 이집트 프톨레마이오스 왕조의 여인들이 많이 사용하던 이름으로 우리가 잘 아는 클레오파트라의 정확한 이름은 '클레오파트라 7세'이다.

기원전 69년, 당시 이집트의 수도였던 알렉산드리아에서 태어난 클레오파트라는 많은 사람들이 로마의 영웅 카이사르와 안토니우스의 연인으로만 기억한다. 그러나 그녀는 역사의 격변기 속에서 남다른 외교술과 뛰어난 지략으로 자신의 나라와 왕가를 기키기 위해 노력한 정치가이기도 했다. 비록 실패하고 자신도 자살하여 프톨레마이오스 왕조의 최후의 여인으로 남았지만 그녀의 발자취를 영화로나마 느낄 수 있다.

(나) 나일강의 선물

오늘날 그리스인들이 배를 타고 도착하는 이 지역이 나일강의 선물이라는 것을 한 눈에 보아도 알 수 있다. …… 그들은 가래로 땅을 파낼 필요가 없다. 강물이 저절로 경작지까지 흘러넘친 후 다시 강바닥으로 돌아가기를 기다렸다가 각자 자기 밭에 씨를 뿌리고, 그곳에 돼지를 들여보내 돼지가 씨를 밟아 눌러 주게 하고 나면, 그 다음은 수확을 기다리기만 하면 된다.

– 헤로도토스, 『역사』 –

더 알아보기

로마의 율리우스 카이사르는 이집트의 태양력을 도입하여 새로운 달력인 '율리우스력'을 만들었고, 이 율리우스력은 로마를 통해 전 세계로 전파되어 오늘날에까지 이르렀다.

논술 갈라잡이

이집트 문명의 특징과 특히 이집트에서 과학이 발달한 이유를 나일강 유역의 지리적 특징과 결부시켜 생각해 보자.

01 (가)와 관련된 지역에서 발생한 고대 문명의 특징을 서술해 보자.

02 (나) 문명에서 발달한 과학이 오늘날의 과학에 기여한 점을 서술해 보자.

대주제 2

동아시아 지역의 역사

학습 계획표

- 자신의 일정에 맞게 계획을 세우고, 실제 학습일을 적어 봅시다.
- 학습을 마무리한 후 스스로가 얼마나 학습 목표를 달성하였는지 점검해 봅시다.

주제 3 동아시아 세계의 형성	쪽수	계획일	완료일	목표 달성도
Day 05 개념 정리, 자료 뜯어보기	036～041쪽	월 일	월 일	☆☆☆☆☆
Day 06 개념 익히기, 내신 유형 익히기	042～045쪽	월 일	월 일	☆☆☆☆☆
Day 07 내신 만점 도전하기, 수능 유형 익히기, 기출 지문 활용하기	046～049쪽	월 일	월 일	☆☆☆☆☆

주제 4 동아시아 세계의 발전	쪽수	계획일	완료일	목표 달성도
Day 08 개념 정리, 자료 뜯어보기	050～055쪽	월 일	월 일	☆☆☆☆☆
Day 09 개념 익히기, 내신 유형 익히기	056～059쪽	월 일	월 일	☆☆☆☆☆
Day 10 내신 만점 도전하기, 수능 유형 익히기, 기출 지문 활용하기	060～063쪽	월 일	월 일	☆☆☆☆☆

주제 5 동아시아 세계의 변동	쪽수	계획일	완료일	목표 달성도
Day 11 개념 정리, 자료 뜯어보기	064～069쪽	월 일	월 일	☆☆☆☆☆
Day 12 개념 익히기, 내신 유형 익히기	070～073쪽	월 일	월 일	☆☆☆☆☆
Day 13 내신 만점 도전하기, 수능 유형 익히기, 기출 지문 활용하기	074～077쪽	월 일	월 일	☆☆☆☆☆
Day 14 대주제 마무리하기, 비판적 사고 기르기	078～081쪽	월 일	월 일	☆☆☆☆☆

주제 3

동아시아 세계의 형성

주제 흐름 읽기

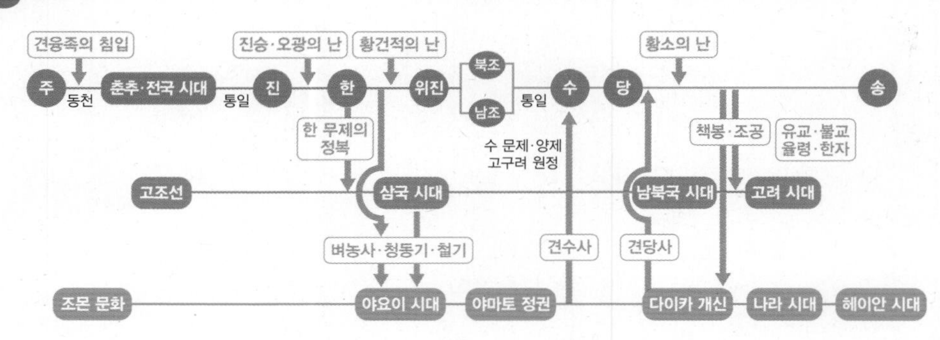

1 춘추 전국 시대의 발전 { 춘추 전국 시대에 중국은 어떻게 발전하였을까요?

1. 춘추 전국 시대의 전개

(1) **춘추 시대** 이민족의 침입 → 주의 낙읍으로 천도 → 춘추 5패, 존왕양이

How? 임금을 숭상하고 오랑캐를 물리친다는 의미야.

(2) **전국 시대** 전국 7웅이 약소 제후국들을 병합(약육강식의 경쟁) → 영토 국가, 군현제, 창장강 이남 개발

2. 춘추 전국 시대의 사회 변화

Who? 사(士)는 사인 계층, 농(農)은 농민, 공(工)은 수공업자, 상(商)은 상인으로 직업에 따라 신분의 귀천을 나누었어.

(1) **철제 농기구 · 우경** 농업 생산량 증대 → 수공업 · 상업 발달, 화폐 유통, 사농공상 신분 개념 등장

(2) **철제 무기 사용** 전쟁 규모 확대 · 빈도 증가 → 기병에서 보병으로 변화 · 백성의 참전으로 사회적 지위 상승

3. 제자백가의 출현 제후국의 부국강병 추진, 인재 등용 → 다양한 사상 발달 자료 1

유가	가족 윤리를 바탕으로 사회 질서 회복, 공자(인 · 예를 중심으로 도덕 정치), 맹자(성선설, 덕치주의), 순자(성악설, 예 · 교육 강조)
법가	상앙 · 한비자, 엄격한 법치 주장, 강력한 군주 권위 존중
도가	노자 · 장자, 유가와 법가 비판, 무위자연
묵가	묵자, 유가의 차별애 비판하며 겸애 주장, 상호 부조, 평화 강조

2 진 · 한 제국의 성립 { 진 · 한 대에 정비된 통치 체제는 어떤 특징이 있을까요?

1. 진의 통일 법가인 상앙의 부국강병책 성공 → 중국 최초 통일(기원전 221)

(1) **진시황제의 정책** 황제 칭호 사용, 군현제❶ 시행, 화폐 · 도량형 · 문자 통일, 분서갱유, 흉노 토벌 · 광둥과 베트남 북부로 진출 자료 2

(2) **멸망** 가혹한 통치, 대규모 토목 공사 → 진승 · 오광의 난 등 반란으로 멸망

What? 만리장성, 진시황릉, 아방궁 등을 지었어.

2. 한의 성립과 발전

(1) **고조(유방)의 정책** 한 건국(기원전 202), 군국제 시행❷

❶ 군현제

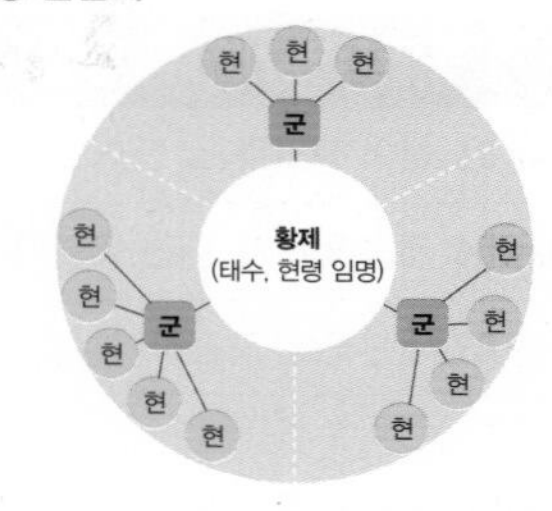

진시황제는 전국에 군과 현을 설치하고 군에는 태수, 현에는 현령을 직접 파견하였다. 시황제는 통일 직후 36개의 군을 설치하였으며, 이후에도 주변 정복에 따라 군이 추가되었다.

❷ 군국제

주의 봉건제와 진의 군현제를 절충한 것으로, 군현에는 지방관을 파견하여 황제가 직접 다스리고, 나머지 지역은 제후가 다스리게 한 방식이다. 점차 제후들을 제거하고 무제 때 군현제가 전국적으로 확대되었다.

자료 1 제자백가의 사상

(1) **덕치를 주장하는 유가**

힘으로써 남을 복종하게 하면 힘이 부족해서 복종하는 것이지 마음으로부터 복종하는 것이 아니다. 덕(德)으로서 남을 복종하게 하면 마음으로부터 기뻐하며 진정으로 복종하게 된다.

– 『맹자』 –

(2) **법치를 주장하는 법가**

명철한 군주는 뭇 신하가 법(法)을 벗어날 궁리를 못하게 하며, 법의 적용에 온정을 기대하지 못하게 하며, 모든 행동은 법에 따르지 않는 것이 없게 한다.

– 『한비자』 –

(3) **무위자연을 주장하는 도가**

성인의 다스림은 마음을 비우고 배를 채우며, 뜻을 약하게 하고 뼈를 강하게 한다. 언제나 백성들을 순진하게 두고 욕심을 버리게 하여, 꾀가 있는 자들은 감히 행하지 못하게 하라. 무위(無爲)*로 행하면 다스려지지 않는 것이 없다.

– 『노자』 –

*무위(無爲) 자연에 따라 행동하고 인간의 힘으로 자연을 거스르지 않는 것을 뜻한다.

뜯어보기 포인트

혼란의 시기였던 춘추 전국 시대에 제자백가라는 다양한 사상이 발달하였던 시대적 상황을 기억하자.

춘추 전국 시대에는 왜 제자백가라는 다양한 사상이 발달했을까?

춘추 전국 시대는 주 왕실의 봉건적 질서가 무너지고 여러 제후국들이 국가를 유지하기 위해서 서로 경쟁하던 실력주의 시대였어. 각국의 제후들은 국가를 유지하는 방법을 찾고, 질서가 무너져 혼란스러운 시대에 사회 혼란의 원인과 그 해결책을 제시하는 전문가를 등용하게 되지. 이때 사회 혼란의 원인과 해결책을 제시하면서 등장한 다양한 사상가들이 아주 많다는 의미로 숫자 백을 써서 '여러 사상가의 학문적 파'라는 의미의 제자백가라고 불렀어.

Q1 제자백가가 활약하던 시기에 대한 설명으로 옳은 것을 모두 선택해 보자.

㉠ 영토 국가로 통합되었다.
㉡ 철제 무기를 사용하였다.
㉢ 주의 봉건적 질서가 유지되었다.
㉣ 약육강식의 무한 경쟁의 시기였다.
㉤ 화폐가 통일되어 상업이 발달하였다.

자료 2 진시황제의 통일 정책

(1) **문자와 화폐 통일**

▲ 전서체

▲ 반량전

(2) **도량형 통일**

▲ 되

▲ 추

(3) **사상 통일**

학술 · 저서를 갖고 있는 자들에 게서 그것을 거두어들여 불태워야 합니다. 가져도 좋은 것은 의약과 점복, 농사에 관한 서적에 국한해야 합니다. …… 시황제는 이사의 상소를 허락하고, 시서와 백가의 저서를 몰수하여 불태우고(분서) …… 비판하는 자달을 구덩이를 파고 묻어버렸다(갱유).

– 『사기』 –

뜯어보기 포인트

중국을 최초로 통일한 진시황제가 통일 국가를 유지하기 위해 시행한 정책을 기억하자.

진시황제는 왜 통일 정책을 실시했을까?

화폐를 반량전으로 통일하고, 도량형과 수레의 폭을 통일한 것은 전국적으로 단일한 경제 체제를 확립하여 교역을 활성화시키려고 하였어. 문자는 중앙 집권적인 통치 체제에 꼭 필요한 문서 행정에서 단일한 문자를 사용해야 빠르고 정확하게 처리할 수 있기 때문에 통일이 필요했지. 분서갱유를 통해 법가 이외의 사상을 통제한 것은 황제 지배 체제를 뒷받침 하는 법가를 중시하고 자신의 엄격한 정책을 비판하는 유가의 목소리를 없애기 위해서였어.

Q2 진시황제의 통일 정책과 황제 지배 체제에 대한 설명으로 옳은 것을 모두 선택해 보자.

㉠ 유가의 가족 윤리를 중시하였다.
㉡ 군현제를 전국적으로 실시하였다.
㉢ 분서갱유를 통해 사상을 통제하였다.
㉣ 향거리선제를 통해 관료를 선발하였다.
㉤ 호족의 지원을 받아 전국을 통일하였다.

답 Q1 ㉠, ㉡, ㉣ / Q2 ㉡, ㉢

(2) **무제의 정책** 군현제 전국 시행, 유교의 통치 이념화, 흉노 정벌, 장건 파견(비단길 개척), 고조선 · 남월 멸망, 통제 경제 정책 자료 3 자료 4

(3) **신 건국** 왕망이 전한을 멸망시키고 건국(8), 토지 국유화 · 노비 매매 금지 → 호족의 반발로 멸망

Who? 왕망은 전한 왕조의 외척으로 덕망과 신임이 높았어. 쇠퇴한 전한을 대신하여 신을 세웠어.

Why? 동중서의 건의로 진의 가혹한 법가 정치를 보완하기 위해서 채택했어. 오경박사를 두고 태학을 설립하여 전국에 유교를 보급했어.

(4) **후한의 건국과 발전**

① 성립: 유수(광무제)가 호족의 지원을 받아 건국, 뤄양에 도읍

② 쇠퇴: 환관 · 외척 · 관료 사이의 정쟁 심화, 호족의 대토지 사유 확대, 농민 반란 → 황건적의 난[3]을 계기로 멸망 → 삼국(위 · 촉 · 오)으로 분열(220)

3. 한 대의 사회와 문화

How? 호족 견제를 위해서 토지 소유를 제한하는 한전령을 실시했는데 실패했어.

(1) **호족의 성장** 대토지 소유, 향거리선제[4]를 통해 관료로 진출

(2) **중국 전통문화의 기틀 확립** 유교 발전(훈고학), 도교 발전(태평도, 오두미도), 역사서 편찬(사마천의 『사기』, 반고의 『한서』), 제지술 개량(채윤)

What? 경전 풀이와 주석 달기에 중점을 둔 유학의 흐름이야.

3 위진 남북조와 수 · 당 제국 { 수 · 당 제국이 동아시아 주변 나라에 끼친 영향은 무엇일까요?

1. 위진 남북조 시대의 전개

(1) **삼국 시대** 후한 멸망 → 위 · 촉 · 오의 패권 다툼 → 진(晉)에 의해 통일

What? 위의 장수인 사마염이 건국한 나라야.

(2) **5호 16국 시대** 진의 내분 → 5호가 화북 침입 → 16국 등장

What? 흉노, 선비, 갈, 저, 강을 말해.

(3) **남북조 시대**

① 북조: 선비족의 북위가 화북 통일, 효문제의 한화 정책(선비족의 언어 · 복장 금지, 한족과의 결혼 장려), 균전제 → 호한 융합[5]

What? 유목 민족의 토지 공유의 개념을 기반으로 토지를 백성들에게 고루 나누어 주어 백성의 생활을 보장하는 거야.

② 남조: 진(晉)이 남쪽으로 이주, 빈번한 왕조 교체(동진 → 송 → 제 → 양 → 진), 이주한 한족이 창장강 유역 개발 · 벼농사 보급으로 경제력 향상, 9품중정제[6]를 통해 고위 관직을 독점하여 문벌 귀족 성장 · 대토지 소유

Why? 화이의 차이를 구별하지 않고, 황제의 권위를 세워주어 유목 왕조에서 환영하였어.

2. 위진 남북조 시대의 문화 → 수 · 당 시대의 문화적 번영의 기초

구분		내용
특징	북조	유목 민족의 강건 · 소박한 기풍, 유교 권위 존속, 불교 융성
	남조	귀족적, 개인주의와 향락 추구, 청담 사상 유행
사상		• 노장사상 유행: 노장사상의 영향으로 청담 유행(죽림칠현) • 불교 유행: 석굴 사원 조성, 구법승 활동(법현의 인도 순례, 불경 번역) • 도교 발전: 민간 신앙 + 도가 사상, 태평도 · 오두미도 발전, 교단 조직
예술		도연명의 「귀거래사」(현실 도피적 경향 반영), 고개지의 「여사잠도」

What? 현실 도피적인 경향이 나타나고 중국의 문화와 종교에 큰 영향을 미쳤어.

3. 수의 재통일

(1) **수 건국** 양견(문제)이 남북조 통일, 과거제 실시, 균전제 · 조용조 · 부병제 정비, 대운하[7] 완성(양제) → 남북 간 물자 유통 · 경제 통합, 돌궐과 안남 제압

What? 균전제에 따라 국가로부터 토지를 지급받은 농민에게 병역의 의무를 지게 한 제도야.

(2) **멸망** 고구려 원정 실패, 대규모 토목 사업 → 농민 봉기로 멸망

4. 당의 발전과 쇠퇴

(1) **건국** 수의 장군 이연(당 고조)이 건국(618)

(2) **발전** 태종(토번 · 돌궐 · 위구르 복속, 율령 체제 정비, '정관의 치'), 고종(서돌궐 · 백제 · 고구려 멸망, 기미 정책)

---

❸ 황건적의 난
후한 말기 호족들의 토지겸병이 심화되고 농민이 몰락하여 사회의 기본 질서가 흔들리는 가운데, 태평도를 창시한 장각은 수십만 명의 신도를 모아 농민 반란을 일으켰다. 이 반란 당시 농민들이 머리에 누런 두건을 둘러 '황건적의 난'이라 하였다.

❹ 향거리선제
한 무제가 시행한 제도로, 지방관이 덕망 있는 인재를 중앙에 추천하여 관료로 선발하는 제도이다. 유교적 도덕, 특히 효렴(孝廉, 효와 청렴함)이 중요한 기준이 되었다.

❺ 호한 융합
유목 민족이 화북을 차지하면서 각 민족의 고유한 문화가 서로에게 영향을 주었다. 특히 북위의 효문제의 한화 정책은 한족 문화와 유목 민족의 문화를 융합시키는 데 큰 역할을 하였다. 한족 문화에 유합된 유목 민족의 문화는 중국 문화를 더욱 풍부하게 하여 수 · 당 대의 문화 발전에 밑거름이 되었다.

❻ 9품중정제
중정관이 자기 지역의 인물을 가문과 관계없이 9등급으로 평가하여 추천하면, 국가가 이를 바탕으로 인재를 등용하는 제도였다. 그러나 대부분 유력 호족이 상품(上品)을 받게 되면서 "상품에는 가문이 나쁘지 않은 자가 없으며, 하품(下品)에는 권세가 없다."라는 지적이 나오기도 하였다.

❼ 대운하

대운하는 강남의 경제력을 장안으로 흡수하기 위해 만들었다.

자료 3 **동과 서의 문물이 오간 여러 교통로**

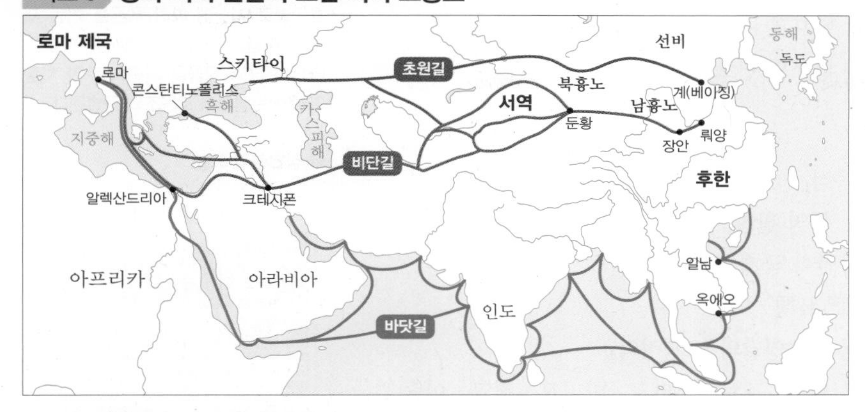

◎ 동서 교역로를 따라 오간 문물은 무엇이 있을까?

초원길은 스키타이를 비롯한 유목민이 이동하는 과정에서 만들어져서 가장 오래된 교역로야. 이 길을 따라 스키타이는 청동기 문화를 전파했고, 흉노는 이 길을 따라 유럽으로 이동해 게르만족의 이동을 초래하였지. 장건의 파견을 계기로 중국과 서역을 연결하는 길이 열렸고 중국산 비단이 전파되면서 비단길이 개척되었어. 바닷길은 기원 전후부터 이집트 상인이 인도양의 계절풍을 이용해서 아시아와 무역을 할때 사용됐어.

뜯어보기 포인트

동서 교통로를 통해 수많은 사람과 물자, 문화가 교류되었음을 기억하자.

Q3 동서 교역로에 대해 옳은 것을 모두 선택해 보자.

㉠ 바닷길은 한 대부터 활발히 이용하였다.
㉡ 비단길을 통해 몽골이 유럽 원정을 나섰다.
㉢ 비단길은 한 무제 때부터 중요 교역로가 되었다.
㉣ 스키타이는 초원길을 통해 청동기 문화를 전파하였다.
㉤ 초원길을 통해 이집트 상인들이 동남아시아와 교역하였다.

자료 4 **한 무제의 통제 경제 정책**

(1) **소금과 철의 전매제**

대농(돈과 곡식을 담당하는 관리)은 소금과 철을 담당하는 관리의 말을 빌려 다음과 같이 임금에게 청하였다. "…… 원하옵건대 백성을 모집하여 비용은 자신이 대도록 하고 관청에서 가지고 있는 도구로 철을 주조하게 하시옵소서. 또 소금을 굽는 경우에는 관청에서 수당이나 도구를 주시기 바랍니다."

(2) **균수법·평준법**

상홍양은 다음과 같은 글을 올렸다. "대농의 관리 수십 인을 임명하여 군국을 나누어 관장하게 하고, 각기 파견된 현마다 균수관과 염철관을 두십시오. 거리가 먼 군국에서는 각각 물가가 오를 때 상인들이 전매한 물건을 직접 부세로 징수하여 중앙으로 수송하게 하고, 중앙에서는 평준관을 두어 천하 각지에서 수송하는 물자를 모두 받아 적절하게 처리하도록 하십시오. …… 이처럼 물가가 억제되는 것을 '평준'이라 합니다." – 사마천, 『사기』 –

◎ 한 무제는 왜 통제 경제 정책을 실시했을까?

한은 만리장성 밖의 흉노를 항상 경계했어. 고조는 흉노를 정벌하러 갔다가 흉노의 묵특 선우와의 전투에 패하여 흉노와 화친의 맹약을 맺었지. 그 대가로 한은 흉노에게 공주를 시집보내고 각종 선물을 보내면서 평화를 유지했어. 이후 한 무제 때 흉노를 정벌하고 대외 원정을 성공적으로 마쳤지만, 국가 재정은 어려워졌어. 그래서 소금과 철이라는 꼭 필요한 자원을 국가가 통제하여 그 이익을 얻고자 하였지.

뜯어보기 포인트

대외 원정으로 재정 압박이 심해져 통제 경제 정책을 시행하였음을 기억하자.

Q4 한 무제의 경제 통제 정책으로 옳은 것을 모두 선택해 보자.

㉠ 시박사를 설치하였다.
㉡ 평준·균수법을 시행하였다.
㉢ 국가에서 반량전을 주조하였다.
㉣ 소금과 철을 국가가 전매하였다.
㉤ 흉노 정벌로 인한 재정 고갈을 해결하기 위해 실시하였다.

답 Q3 ㉢, ㉣ / Q4 ㉡, ㉣, ㉤

(3) **율령 체제** 수 율령 계승, 3성 6부 · 주현 설치, 균전제 · 조용조 · 부병제 자료 5

(4) **멸망** 장원 증가(부병제 → 모병제), 안사의 난으로 균전 체제 붕괴(균전제 → 장원제, 조용조 → 양세법❽), 절도사 세력의 난립 → 황소의 난으로 멸망

5. 당 대의 사회와 문화

(1) **귀족 중심의 사회** 과거와 음서를 통해 관직 독점

Where? 비단길, 바닷길을 통해 아라비아, 페르시아 등지의 서역 상인이 교역을 했어.

(2) **경제** 화북에서 2년 3작, 비전 유통, 행 출현, 무역 활발, 시박사 설치

What? 무역을 관리하는 관청이야.

(3) **문화** 귀족적 · 개방적 · 국제적 문화, 수도 장안이 국제 도시로 발달❾

① 귀족 문화의 발달: 시(이백 · 두보), 당삼채❿ 유행

② 유학의 발달: 훈고학, 유교 경전 해석의 통일(공영달의 『오경정의』)

③ 다양한 종교: 불교(구법승의 활동) · 도교 발전, 조로아스터교 · 마니교 · 경교 · 이슬람교 수용

What? 태종이 훈고학을 집대성한 공영달에게 5종의 유교 경전을 해석한 책으로 과거의 수험서로 사용되었어.

6. 수 · 당 대에 발전한 동아시아문화권 자료 6

(1) **동아시아 문화의 공통성** 한 대부터 공통 문화 특징 출현 → 당과 주변 각국이 정치 · 군사 면에서 긴밀한 유대 관계 맺으며 강화

How? 조공과 책봉 관계를 맺었어.

(2) **공통 문화 요소** 유교(정치 이념 · 사회 규범으로 기능), 불교(종교적 기반), 율령 체제(당 대 확립, 주변 국가에 전파), 한자(공용 문자로 사용)

4 한반도와 일본의 고대 국가 한반도와 일본에 성립된 고대 국가들은 어떠한 과정을 거쳐 발전하였을까요?

1. 한반도에 등장한 고대 국가들

(1) **고조선** 청동기 문화를 기반으로 건국 → 철기 도입 후 발전 → 한 무제 공격으로 멸망

(2) **고구려 · 백제 · 신라** 중국으로부터 율령 · 유교 · 불교를 수용하여 중앙 집권 국가로 성장 → 일본에 전파하여 일본 고대 국가 형성에 기여

(3) **남북국** 나 · 당 연합을 바탕으로 신라 삼국 통일, 고구려 유민들이 발해 건국

2. 일본 역사의 시작

(1) **조몬 문화** 신석기 문화, 조몬 토기와 간석기 사용

(2) **야요이 시대** 기원전 3세기경부터 대륙과 한반도에서 벼농사 · 청동기 · 철기 전파 → 여러 소국, 야마타이국 발전

3. 일본 고대 국가의 발전

(1) **야마토 정권** 4세기 수립, 불교 문화 융성(아스카 문화), 다이카 개신(645)⓫, '일본' · '천황' 칭호 사용

What? 일본의 신화, 전설 및 사적을 정리한 책이야.

(2) **나라 시대** 헤이조쿄로 천도, 율령 국가 확립, 『고사기』 · 『일본서기』 · 『만엽집』 편찬

(3) **헤이안 시대** 헤이안쿄로 천도, 귀족과 호족이 장원 확대, 무사 계급 등장, 견당사 폐지 → 국풍 문화 발달, 가나 문자 사용

What? 일본에서 가장 오래된 역사서로 국가 의식이 높아지면서 편찬되었어.

What? 대륙의 문화를 일본의 풍토와 생활 감각에 맞게 소화하여 만들어진 문화야.

❽ 양세법

호구별로 자산에 따라 세금을 거둔 제도로, 여름과 가을 두 차례 징수하였다. 자산의 많고 적음을 기준으로 한 차등 과세라는 점에서 조용조와 구별된다.

❾ 장안성의 모습

장방형으로 건설된 장안은 11개의 남북 대로와 14개의 동서 대로로 구획되어 정리되었으며, 불교, 도교, 조로아스터교 등의 사원이 있었다. 발해의 상경성, 일본의 헤이안쿄에 영향을 주었다.

❿ 당삼채

주로 백색, 녹색, 황색 유약을 사용하여 만든 도기로, 여러 형태의 인물상이나 말 · 낙타 등의 동물상, 항아리 · 병 · 쟁반 등의 그릇이 있다. 이러한 것들은 당 귀족의 취미나 풍속, 특히 서역의 양식을 반영한 것이 많다.

⓫ 다이카 개신

수 · 당의 문화와 정치 제도를 배우고 돌아온 유학생을 중심으로 권력을 잡고 있던 호족을 제거하고 왕을 정점으로 하는 중앙 집권적 정치제를 이루려는 정치적 개혁이다.

자료 5 당의 율령 체제

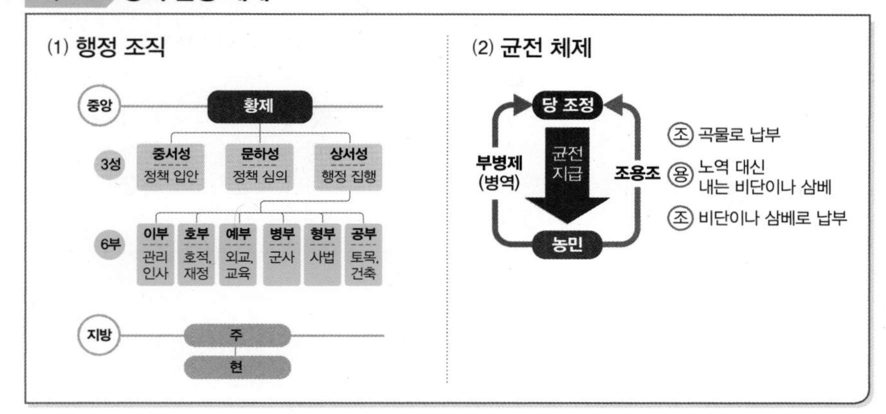

◐ 3성 6부의 역할은 무엇일까?

당은 중앙에 3성 6부를 두어 통치하였는데, 3성은 중서성, 문하성, 상서성이야. 중서성은 황제의 명령에 따라 정책을 입안하였고, 문하성은 중서성에서 입안한 정책을 심의했어. 상서성은 6부라는 각 분야의 전문 부서를 통해 심의에 통과한 정책을 실행하였어.

◐ 균전 체제의 목적은 무엇일까?

당은 균전제, 조용조, 부병제를 통해 백성을 통치하였어. 균전제에 의거하여 토지를 지급받은 성인 남자는 조용조의 조세 부담을 졌어. 그리고 기본 식량과 장비를 지참하여 부병으로 군대에 동원되었어. 이는 세금을 부담하는 농민들이 몰락하지 않도록 하여 국가에 필요한 재정을 확보하려는 목적이었어.

자료 6 수 · 당 대 동아시아의 교류

◐ 동아시아문화권은 어떻게 형성되었을까?

동아시아에서 공통된 문화 특징이 나타난 것은 한 대부터야. 중국이 황제국으로써 주변국의 왕에게 왕으로써 인정하는 책봉을 하고 주변국의 왕이 그에 대한 조공을 바치는 책봉과 조공 관계가 맺어지면서 중국과 주변국의 교류가 늘어나게 되었고, 동아시아에 공통적인 문화가 형성되었어. 외교 문서를 주고 받기 위해서 사용한 한자, 국가 통치 원리로 작용하는 유교, 호국적인 성격을 띠는 불교, 국가 운영의 원리로써 율령이 그 공통 문화 요소야.

뜯어보기 포인트

당의 3성 6부가 지닌 주요 특징과 균전 체제의 목적을 기억하자.

Q5 당의 율령 체제에 대한 설명으로 옳은 것을 모두 선택해 보자.

㉠ 상서성은 6부를 관리하는 관청이다.
㉡ 안사의 난 이후 조용조가 정착되었다.
㉢ 문하성은 정책을 심의하는 중앙 기구이다.
㉣ 당의 율령 체제는 장원제에서 균전제로 발전하였다.
㉤ 부병제는 균전을 받은 농민을 대상으로 한 의무병제이다.

뜯어보기 포인트

동아시아문화권의 공통 요소가 무엇인지 파악하고, 그 영향이 무엇인지 기억하자.

Q6 동아시아문화권에 대한 설명으로 옳은 것을 모두 선택해 보자.

㉠ 유교는 황제의 권한을 뒷받침하였다.
㉡ 견당사를 통해 조몬 문화가 발달하였다.
㉢ 불교는 일본 야요이 시대에 전파되었다.
㉣ 한자는 일본의 가나 형성에 영향을 주었다.
㉤ 율령은 일본의 2관 8성제 구성에 영향을 주었다.

답 Q5 ㉠, ㉢, ㉤ / Q6 ㉠, ㉣, ㉤

개념 익히기

정답과 해설 ▸ 46쪽

01 서로 관련 있는 내용끼리 연결해 보자.

ⓐ 군현제 •　　　• ㉠ 전국에 군과 현을 설치하고 지방관을 황제가 직접 파견

ⓑ 국풍 문화 •　　　• ㉡ 대륙의 문화를 일본의 풍토와 생활 감각에 맞게 소화한 문화

ⓒ 9품중정제 •　　　• ㉢ 중정관이 자기 지역 인물을 9등급으로 평가하여 추천하는 관리 선발 제도

02 아래 설명이 맞으면 O표, 틀리면 X표를 해 보자.

(1) 춘추 전국 시대에는 토지 사유화가 진전되고 소농민 가족이 사회의 기초 단위가 되었다. (　　)

(2) 한 고조는 흉노를 막기 위한 동맹군을 찾기 위해 장건을 대월지에 파견하였다. (　　)

(3) 북위의 효문제는 적극적으로 한화 정책을 펼쳤다. (　　)

(4) 안사의 난을 계기로 양세법이 조용조로 바뀌었다. (　　)

(5) 나라 시대부터 ‘일본’이라는 국호가 사용되기 시작하였다. (　　)

03 빈칸에 알맞은 말을 채워 보자.

(1) 춘추 천국 시대에 부국강병을 추구하는 여러 제후국들이 사(士)계층을 등용하면서 (　　　)이/가 등장하였다.

(2) 한 대에 대토지를 소유한 호족이 성장하고, (　　　)을/를 통해서 관료로 진출하였다.

(3) 남조에서는 귀족 중심의 자유분방한 문화가 발달하고, 죽림칠현과 같은 (　　　)이/가 유행하였다.

(4) 훈고학을 집대성한 고영달이 편찬한 (　　　)은/는 과거 수험서로 쓰였다.

(5) 헤이안 시대 일본의 풍토와 생활 감각에 맞게 대륙 문화를 소화하려는 (　　　)이/가 발달하였다.

04 | 보기 |에서 진시황제의 정책들을 골라보자.

| 보기 |

균전제	군현제	분서갱유
화폐 통일	율령 체제	문자 통일
향거리선제	다이카 개신	도량형 통일
만리장성 축조		

05 (가)~(다)에 들어갈 제도를 적어 보자.

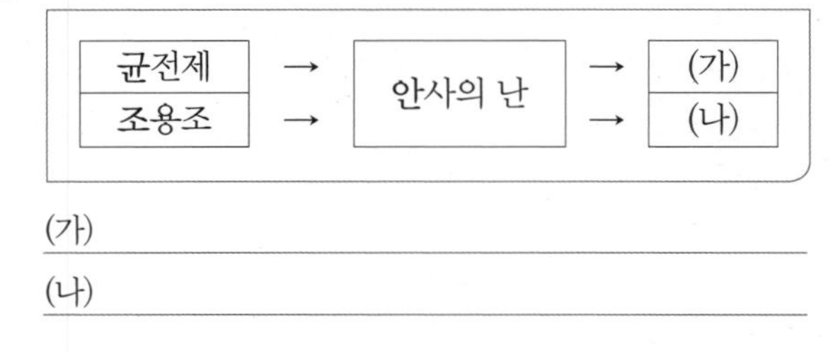

(가)

(나)

06 설명과 관련된 동아시아문화권의 공통 문화 요소를 적어 보자.

한 대부터 나타난 동아시아의 공통된 문화 특징은 당과 주변 각국이 정치 · 군사 면에서 긴밀한 유대 관계를 맺으면서 더욱 강화되었다. 이 과정에서 동아시아에 공통 문화 요소가 정착하게 되었다.

07 아래의 표를 완성해 보자.

조원길	• (　　)이/가 이동하는 과정에서 형성 • 흉노와 몽골이 유럽 원정에 이용
(　　)	• 기원전부터 계절풍을 이용하여 교역 • 송 대부터 활발히 이용
(　　)	• 중앙아시아의 주요 오아시스 도시들을 연결 • 한 무제가 장건을 파견한 이후 가장 중요한 교역로로 이용

2단계 내신 유형 익히기

총 문항수 12 | 처음 푼 날 월 일
정답과 해설 46쪽 | 오답 푼 날 월 일

01 빈출 다음 화폐가 사용된 시대에 대한 설명으로 옳은 것은?

① 유교를 통치 이념으로 채택하였다.
② 분서갱유를 통해 사상을 통제하였다.
③ 물가 조절을 위해 균수법을 실시하였다.
④ 혈연을 바탕으로 한 봉건제가 성립되었다.
⑤ 철제 보습과 소를 이용하여 농사를 지었다.

02 빈출 (가), (나)에 대한 설명으로 옳은 것은?

(가) 힘으로써 남을 복종하게 하면 힘이 부족해서 복종하는 것이지 마음으로부터 복종하는 것이 아니다. 덕으로써 남을 복종하게 하면 마음으로부터 기뻐하며 진정으로 복종하게 된다.
(나) 명철한 군주는 뭇 신하가 법을 벗어날 궁리를 못하게 하고, 법의 적용에 온정을 기대하지 못하게 하며, 모든 행동은 법에 따르지 않는 것이 없게 한다.

① (가)는 태평도, 오두미도 등 민간 신앙에 영향을 주었다.
② (가)는 무위자연을 주장하며 자연과의 조화를 강조하였다.
③ (나)는 차별 없는 사랑과 상호 부조를 강조하였다.
④ (나)를 탄압하기 위해 진은 분서갱유를 단행하였다.
⑤ (가)는 공자와 맹자, (나)는 상앙과 한비자가 대표적인 학자이다.

03 빈출 다음 지도의 (가) 왕조에 대한 설명을 | 보기 |에서 고른 것은?

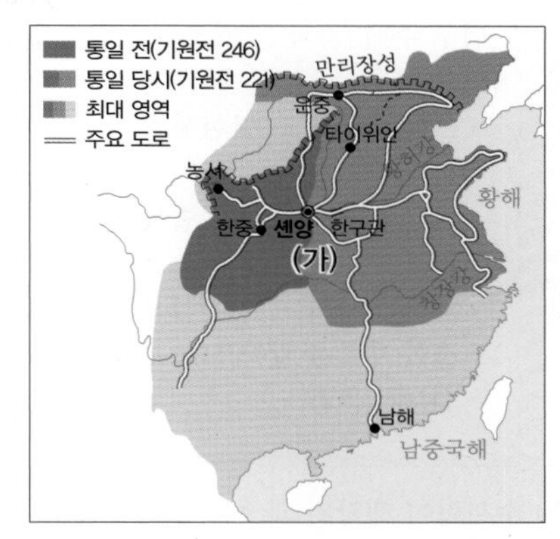

| 보기 |
ㄱ. 군국제를 시행하였다.
ㄴ. 노비 매매를 금지시켰다.
ㄷ. 반량전으로 화폐를 통일하였다.
ㄹ. 법가 사상을 통치 이념으로 삼았다.

① ㄱ, ㄴ ② ㄱ, ㄷ ③ ㄴ, ㄷ
④ ㄴ, ㄹ ⑤ ㄷ, ㄹ

04 빈출 (가)~(다) 통치 제도에 대한 설명으로 옳은 것은?

(가)

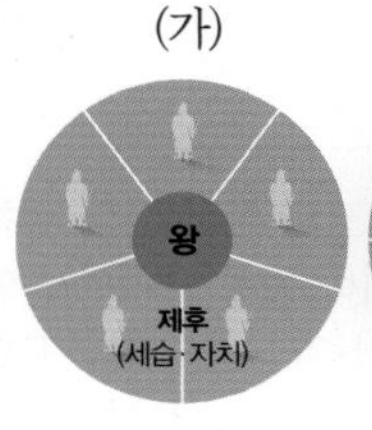

(나)

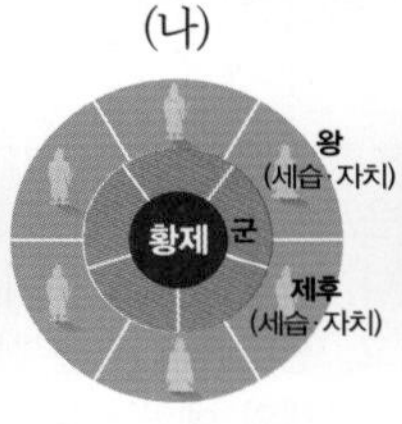

(다)

① (가)는 황제가 직접 관료를 전국에 파견하였다.
② (나)는 황제의 직할지를 제외한 나머지 지역에 황족과 공신을 제후로 봉하였다.
③ (다)는 종법을 기초로 하는 혈연적 상하 질서를 중시하였다.
④ 한 무제는 (나), 고조는 (다)를 실시하였다.
⑤ (가) → (나) → (다)로 가면서 황제 지배 체제가 강화되었다.

05 빈출 빈칸 (가)에 들어갈 내용으로 가장 적절한 것은?

> 탐구 활동 계획서
>
> 탐구 주제: 중국 ○ 왕조의 성립과 발전
>
> 탐구 활동
> - 1모둠: 정치 – 군현제를 실시한 배경을 살펴본다.
> - 2모두: 경제 – 균수법을 실시 과정을 살펴본다.
> - 3모둠: 사회 – 향거리선제를 통해 관료로 진출한 호족을 알아본다.
> - 4모둠: 문화 – (가)

① 수시력이 제작된 과정을 조사한다.
② 『일본서기』가 편찬된 목적을 살펴본다.
③ 『자치통감』이 편찬된 목적을 살펴본다.
④ 조로아스터교가 전파된 과정을 살펴본다.
⑤ 『사기』의 역사 서술 방식에 대해서 살펴본다.

06 빈칸 (가)에 들어갈 인물이 실시한 경제 정책으로 옳은 것은?

> (가) 은/는 북위의 7대 황제로 여러 한화 정책을 시행하였다. 호복 착용과 선비족 동성 사이의 혼인을 금지하였고, 선비족의 성을 한족의 성으로 바꾸도록 하였으며, 관제와 예악 · 형벌 제도도 남조처럼 바꾸었다. 그의 이러한 정책은 북위가 화북 지방을 통일하는 밑거름이 되었다.

① 토지를 국유화하고 노비 매매를 금지하였다.
② 자영농을 육성하기 위해 균전제를 실시하였다.
③ 금 · 은과 함께 지폐인 교초를 화폐로 사용하였다.
④ 균수법과 평준법을 실시하여 물가를 조절하였다.
⑤ 재산에 따라 차등 수취하는 양세법을 시행하였다.

07 다음 석굴이 제작된 시기의 문화에 대한 옳은 설명을 | 보기 |에서 고른 것은?

원강 석굴의 대불

원강 석굴 제 20굴의 대불은 태조의 모습을 본떠 만들었다고 한다.

| 보기 |
ㄱ. 유교에서 고증학이 발달하였다.
ㄴ. 이백, 두보 등의 시가 유행하였다.
ㄷ. 쿠마라지바, 법현 등이 불경을 번역하였다.
ㄹ. 죽림칠현으로 대표되는 청담 사상이 유행하였다.

① ㄱ, ㄴ ② ㄱ, ㄷ ③ ㄴ, ㄷ
④ ㄴ, ㄹ ⑤ ㄷ, ㄹ

08 빈출 지도의 운하를 건설한 왕조에 대한 설명으로 옳지 않은 것은?

① 조용조를 실시하여 재정을 안정시켰다.
② 변방 방어를 위해 절도사를 설치하였다.
③ 부병제를 정비하여 군사력을 증강하였다.
④ 과거제를 도입하여 중앙 집권을 꾀하였다.
⑤ 대외 진출하여 돌궐과 안남을 제압하였다.

09 다음 대화의 주제로 가장 적절한 것은?

① 안사의 난 이후의 변화
② 황소의 난 이후의 변화
③ 홍건적의 난 이후의 변화
④ 황건적의 난 이후의 변화
⑤ 진승 · 오광의 난 이후의 변화

10 빈칸 (가)에 들어갈 내용으로 가장 적절한 것은?

빈출

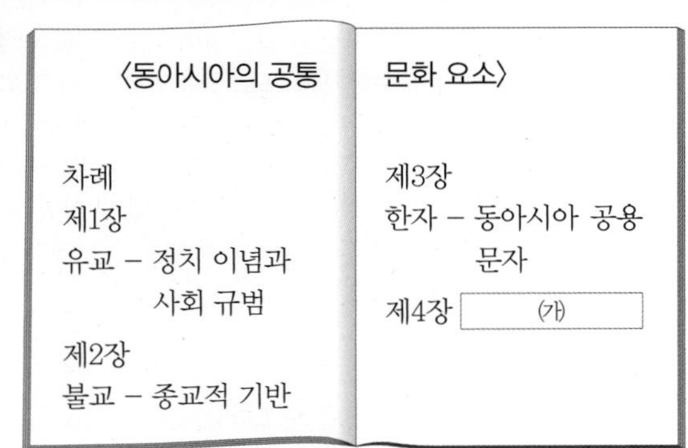

① 과거제 – 실력 본위 관리 선발 풍조
② 조용조 – 자영농 육성과 재정 안정
③ 오두미도 – 민간 신앙과 도가의 만남
④ 율령 체제 – 율 · 령에 따른 정치 체제
⑤ 청담 사상 – 귀족의 현실 도피적인 경향

서술형 문제

11 다음 글을 읽고 물음에 답해 보자.

> 대농의 부승 수십 인을 임명하여 군국을 나누어 관장하게 하고, 각기 파견된 균수관과 염철관을 두십시오. 거리가 먼 군국에서는 각각 물가가 오를 때 상인들이 전매한 물건을 직접 부세로 징수하여 중앙으로 수송하게 하고, 중앙에서는 평준관을 두어 천하 각지에서 수송하는 물자를 모두 받아 적절하게 처리하도록 하십시오. …… 대농에 속한 여러 관리들이 천하의 물자를 모두 총괄하여 값이 오르면 팔고, 값이 떨어지면 사들이도록 하십시오.

(1) 위 정책을 실시한 황제를 써 보자.

(2) 위 황제가 자료와 같은 정책을 실시한 대내 · 외적 배경을 설명해 보자.

서술형 문제

12 다음 자료를 보고 물음에 답해 보자.

> 호(戶)는 주객의 구별이 없이 현재 거주 · 경작하고 있는 곳의 장부에 기재한다. 사람은 정남과 중남의 구별 없이 빈부에 따라 징수액에 차이를 둔다. …… 거주자의 세금은 여름과 가을 두 수확기에 징수한다. 대대로 내려오는 풍속에 맞지 않는 것은 시정한다. …… 여름에 세는 6월, 가을의 세는 11월을 기한으로 한다.

(1) 위 제도의 명칭을 써 보자.

(2) 위 제도를 시행하게 된 사회적 · 경제적 배경을 설명해 보자.

01 빈칸 (가)에 들어갈 황제가 시행한 정책으로 옳은 것은?

중요

> 학술 · 저서를 갖고 있는 자들에게서 그것을 거두어들여 불태워야 합니다. 가져도 좋은 것은 의약과 점복, 농사에 관한 서적에 국한해야 합니다. …… (가) 은/는 이사의 상소를 허락하고, 시서와 백가의 저서를 몰수하여 불태우고(분서) …… 비판하는 자들을 구덩이를 파고 묻어버렸다(갱유).
>
> -「사기」-

① 장건을 대월지로 파견하였다.
② 군현제를 전국적으로 시행하였다.
③ 향거리선제로 인재를 등용하였다.
④ 유교를 통치 이념으로 채택하였다.
⑤ 대운하를 건설하여 화북으로 물자를 조달하였다.

02 (가)~(라) 학파에 대한 설명으로 옳은 것은?

> (가) 백성들을 덕으로써 인도하고 예로써 평등하게 다스리면, 인간으로서 양심적인 수치심을 느끼고 올바르게 행동하여 마침내 선(善)에 이르게 된다.
> (나) 무릇 백성들의 본성은 힘든 것을 싫어하고 편히 노는 것을 좋아한다. …… 사회가 안정되지 않으면 필시 혼란해지기 마련이다. 그래서 상과 벌이 천하에 실시하지 않으면 나라의 운명이 다하게 된다.
> (다) 성인의 다스림은 마음을 비우고 배를 채우며, 뜻을 약하게 하고 뼈를 강하게 한다. 언제나 백성들은 순진하게 두고 욕심을 버리게 하여, 꾀가 있는 자들이 감히 행하지 못하게 하라. 무위로 행하면 다스려지지 않는 것이 없다.
> (라) 만약 사람들이 널리 서로 사랑하도록 만든다면, 나라와 나라는 공격하는 일이 없고, 도둑이나 상해도 없어지며, 군신 부자 모두가 자비심 깊게 공경할 것이다. 이렇게 되면 세계는 평화롭게 유지될 것이다.

① (가)는 가족 윤리를 확장하여 사회 문제를 해결하려 하였다.
② (나)는 차별 없는 사랑과 상호 부조를 강조하였다.
③ 한 무제는 (다)를 통치 이념으로 채택하였다.
④ (다)는 법을 통해 강력한 왕권을 확립하고자 하였다.
⑤ (라)는 무위자연을 통해 자연과의 조화를 강조하였다.

03 다음 지도와 같은 형세의 시기에 대한 설명을 | 보기 |에서 고른 것은?

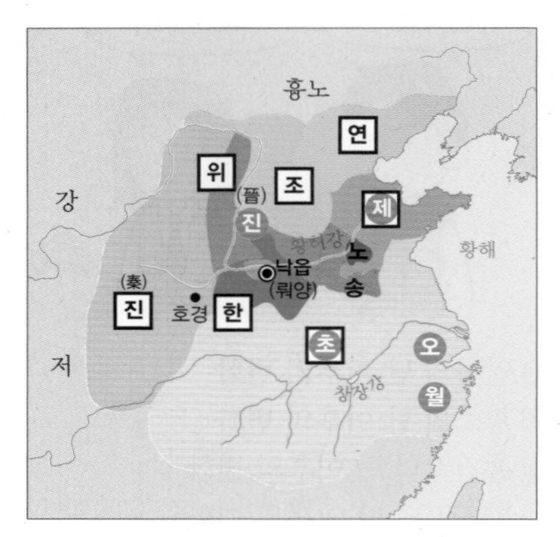

| 보기 |
ㄱ. 군국제를 전국적으로 시행하였다.
ㄴ. 철제 보습을 이용해 농사를 지었다.
ㄷ. 물가 조절을 위해 평준법을 실시하였다.
ㄹ. 전쟁의 주력이 전차 기병에서 보병으로 바뀌었다.

① ㄱ, ㄴ ② ㄱ, ㄷ ③ ㄴ, ㄷ
④ ㄴ, ㄹ ⑤ ㄷ, ㄹ

04 밑줄 친 문제를 해결하기 위해 추진한 정책을 | 보기 |에서 고른 것은?

중요

> 대장군 위청과 표기장군 곽거병이 대군을 끌고 흉노를 공격하여 참수하거나 포로 8~9만을 데리고 왔다. 상으로 내린 하사금이 50만금에 달했다. 거기에는 한나라 군대의 죽은 말 10여만 필과 운송비, 병거(兵車), 병갑(兵甲)의 비용은 포함되어 있지 않았다. 게다가 그때 이미 <u>재정은 궁핍</u>해져 별사들은 거의 급여를 받지 못하고 있었다.

| 보기 |
ㄱ. 국가에서 반량전을 주조하였다.
ㄴ. 평준법과 균수법을 시행하였다.
ㄷ. 소금과 철의 전매제를 실시하였다.
ㄹ. 대운하를 건설하여 화북으로 물자를 조달하였다.

① ㄱ, ㄴ ② ㄱ, ㄷ ③ ㄴ, ㄷ
④ ㄴ, ㄹ ⑤ ㄷ, ㄹ

05 중요 (가), (나)의 제도와 관련된 설명을 | 보기 |에서 고른 것은?

(가) 지방 군국에 효행이나 청렴한 행위를 실천한 인물을 한 명씩 천거 받아 선발을 거쳐 낭중에 임명하였다. 그 결과 유학을 배워 교양과 덕목을 익힌 자가 관리가 된다는 원칙이 세워졌다.
(나) 중정관을 두어 향품(鄕品)을 정하고 있는데, 등급의 높고 낮음이 그 뜻에 달려 있고, 영예와 치욕이 그 손에 달려 있었다. 이런 이유로 상품(上品)에는 가문이 나쁜 자가 없으며, 하품(下品)에는 권세 있는 가문이 없었다.

| 보기 |
ㄱ. (가) – 전시를 통해 황제권이 강화되었다.
ㄴ. (가) – 무제 때 동중서의 건의로 시행되었다.
ㄷ. (나) – 『오경정의』를 수험서로 활용하였다.
ㄹ. (나) – 문벌 귀족 사회의 형성에 기여하였다.

① ㄱ, ㄴ ② ㄱ, ㄷ ③ ㄴ, ㄷ
④ ㄴ, ㄹ ⑤ ㄷ, ㄹ

06 (가), (나) 서적이 저술된 시대의 문화에 대한 설명으로 옳은 것은?

(가) 사마천이 중국의 역사를 전설 시대부터 정리한 것으로, 본기, 표, 서, 세가, 열전으로 나눈 기전체 방식으로 저술되었다. 유려한 필치와 문체로 역사서로서의 가치 외에 문학서로서도 큰 가치를 가진 서적으로 후대 역사 서술 방식의 모범이 되었다.
(나) 공영달 등이 황제의 명을 받아 편찬한 것으로, 유교의 『역경』, 『시경』, 『서경』, 『예기』, 『춘추』 등 5경의 해석을 중심으로 다양한 경전 해석을 집대성하였다. 당시 관리 등용 시험 및 학자에게 있어 절대적인 권위를 가졌다.

① (가) – 적극적인 한화 정책을 펼쳤다.
② (가) – 지식인들 사이에서 청담 사상이 유행하였다.
③ (나) – 동중서가 천인상관설을 주장하였다.
④ (나) – 왕실이 주도하여 윈강 석굴을 조성하였다.
⑤ (가), (나) – 훈고학적 기풍에 따라 유학을 연구하였다.

07 중요 (가) 시대에 대한 설명으로 옳은 것은?

제시된 사진은 8세기 초 헤이조쿄로 천도한 (가) 시대의 최고 호국 사원이다. 본존은 비로자나불로 앉은 키가 16m, 얼굴 길이만 5m나 된다.

① 몽골의 침입을 받았다.
② 『일본서기』가 편찬되었다.
③ 산킨고타이제를 실시하였다.
④ 우키요에 등 조닌 문화가 발달하였다.
⑤ '천황'이라는 칭호가 사용되기 시작하였다.

08 빈칸 (가)에 들어갈 유물로 적절한 것은?

중국 ○ 나라의 문화
1. 특징: 귀족적, 개방적, 국제적 문화
2. 대표 유물
– 이백과 두보의 시
– 대진 경교 유행 중국비
– 장안성의 모습
– (가)

① 
② 
③ 
④  
⑤ 

총 문항수 2	처음 푼 날 월 일
정답과 해설 49쪽	오답 푼 날 월 일

01 (가)에 들어갈 내용으로 적절한 것은?

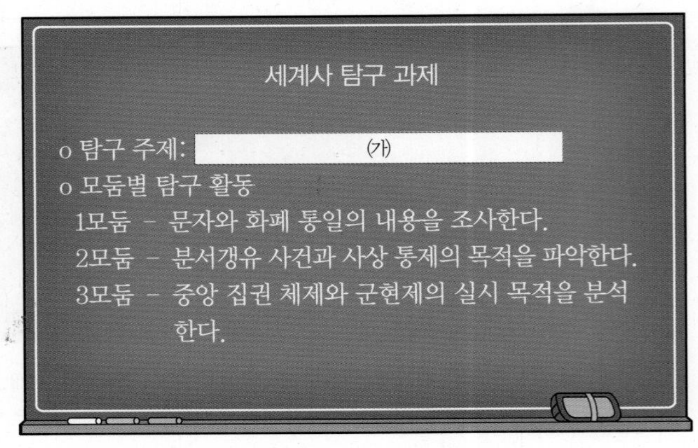
세계사 탐구 과제

o 탐구 주제: (가)
o 모둠별 탐구 활동
1모둠 – 문자와 화폐 통일의 내용을 조사한다.
2모둠 – 분서갱유 사건과 사상 통제의 목적을 파악한다.
3모둠 – 중앙 집권 체제와 군현제의 실시 목적을 분석한다.

① 한 무제의 제국의 팽창과 경제 정책
② 수 문제의 과거제 도입과 중앙 집권화
③ 송 태조의 건국과 황제 독재권의 강화
④ 당 현종의 율령 체제 붕괴와 절도사의 할거
⑤ 진시황제의 통일 정책과 황제 지배 체제의 성립

유형 분석
제시된 지문의 내용을 분석하여 적합한 탐구 주제를 고르는 유형이야.

해결 비법
탐구 활동 내용에서 탐구 주제를 추론하는 문제야. 탐구 활동으로 제시된 정책들을 통해 진시황제를 추론해 내면 돼.

02 밑줄 친 '2관 8성제'가 수립된 시기 일본의 상황으로 옳은 것은?

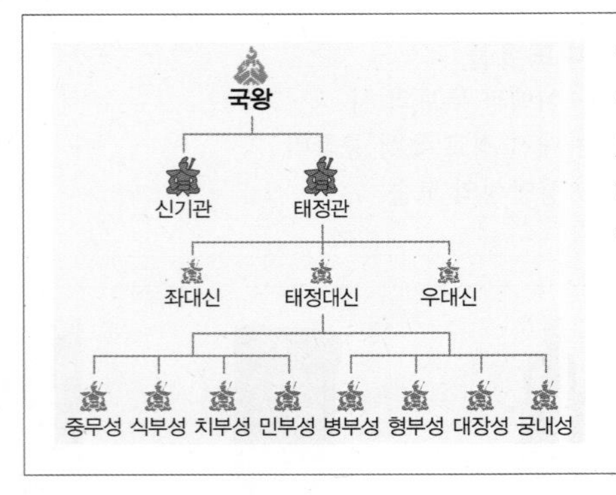

일본은 7세기 후반부터 율령제를 수용하였다. 701년에 다이호 율령을 반포하고 수도를 헤이조쿄로 옮길 무렵 <u>2관 8성제</u>를 만들었다. 이 관제에서는 태정관이 행정을 담당하고 신기관이 재사를 관장하였다.

① 몽골의 침입을 받았다.
② 산킨고타이제를 실시하였다.
③ 견당사를 파견하여 중국 문화를 받아들였다.
④ 국풍 문화가 발달하여 가나 문자가 만들어졌다.
⑤ 아스카 지방을 중심으로 불교 문화가 발달하였다.

유형 분석
제시된 사료 또는 설명문이 설명하는 시대적 상황을 분석하는 유형이야.

해결 비법
설명문과 제공된 자료에서 나라 시대를 나타내는 내용들을 찾을 수 있어. 나라 시대는 수능에서 자주 나오는 시기니까 그 특징들을 잘 기억해야 해.

심화 기출 지문 활용하기

총 문항수 6	처음 푼 날 월 일
정답과 해설 49쪽	오답 푼 날 월 일

2014학년도 수능

서술형 문제

01 누가 장건을 서역으로 파견하였는지 쓰고, 월지에게 동맹을 요청한 목적 및 결과를 서술해 보자.

수능 문제

02 다음 가상 대화를 통해 알 수 있는 왕조에 대한 설명으로 옳은 것은?

① 부병제가 실시되었다.
② 진승·오광의 난이 일어났다.
③ 국가가 소금과 철을 전매하였다.
④ 철제 농기구가 사용되기 시작하였다.
⑤ 다양한 사상을 주장하는 제자백가가 출현하였다.

활용 문제

03 대화 속 황제가 실시한 경제 정책으로 옳은 것은?

① 균전제를 시행하였다.
② 모병제를 실시하였다.
③ 반량전을 주조하였다.
④ 전매제를 실시하였다.
⑤ 지정은제를 실시하였다.

2015학년도 수능

서술형 문제

04 전시된 도자기의 명칭을 쓰고, 서역 상인의 모습이 도자기에 반영된 당시 문화의 특징을 쓰시오.

수능 문제

05 (가)에 들어갈 적절한 내용을 | 보기 |에서 고른 것은?

| 보기 |
ㄱ. 마니교 등의 외래 종교가 유행하였어.
ㄴ. 이백과 두보 등에 의해 시 문학이 발전하였어.
ㄷ. 제자백가가 등장하여 다양한 사상을 주장하였어.
ㄹ. 죽림칠현으로 대변되는 청담 사상이 출현하였어.

① ㄱ, ㄴ ② ㄱ, ㄷ ③ ㄴ, ㄷ
④ ㄴ, ㄹ ⑤ ㄷ, ㄹ

활용 문제

06 (가)에 들어갈 내용으로 적절한 것은?

① 도연명의 시가 유행하였어.
② 고개지의 「여사잠도」가 제작되었어.
③ 태평도, 오두미교 등 민간 신앙이 나타났어.
④ 법현이 인도를 다녀와 인도 불경을 번역하였어.
⑤ 훈고학을 집대성한 『오경정의』가 집필되었어.

주제 4

동아시아 세계의 발전

주제 흐름 읽기

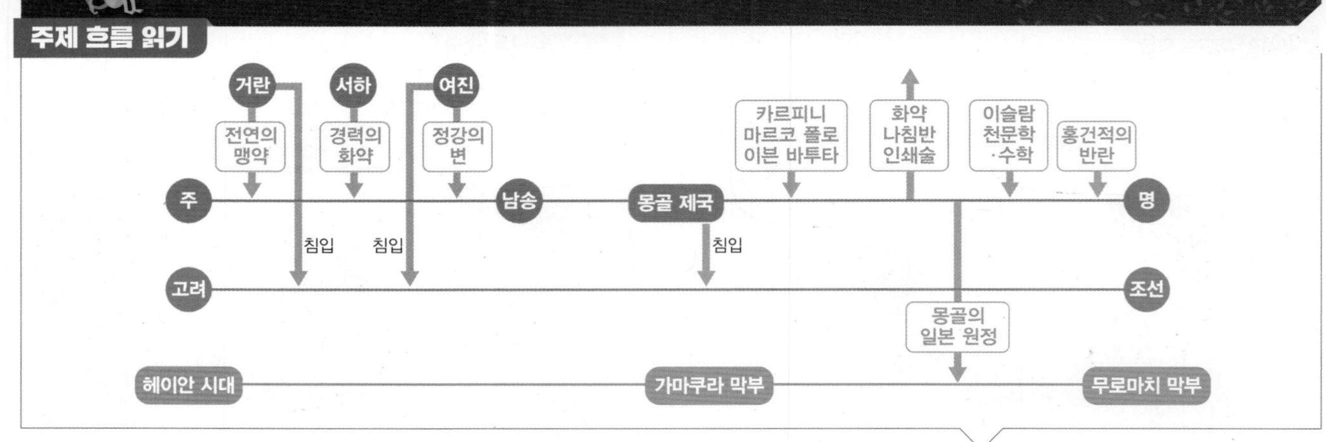

1 송의 발전과 북방 민족의 대두

송과 북방 민족이 세운 왕조는 서로 어떤 영향을 주고받으며 발전하였을까요?

1. 송의 황제 독제와 문치주의

(1) **5대 10국 시대** 절도사❶들의 할거 시대 → 50년 간 분열기(북쪽은 5대, 남쪽은 10국 성립)

(2) **건국** 절도사 조광윤(태조)이 개봉(카이펑)에 도읍

(3) **황제 독재 체제** 재상권 축소, 전시 도입, 금군 강화

(4) **문치주의❷** 절도사 세력 약화, 문관 우대 → 국방력 약화, 유목 민족의 물자 요구, 재정난 초래

What? 왕이 직접 치르게 하던 시험으로 관료의 등수를 정하던 시험이야.

(5) **왕안석의 신법** 자료 1

① 배경: 문치주의에 따른 재정난 가중, 농민 · 중소 상공인의 몰락

② 목적: 자영농 · 중소 상공인의 보호, 국가 재정 확보, 국방력 강화

③ 내용: 부국책(청묘법, 시역법, 모역법, 균수법), 강병책(보갑법, 보마법)

④ 결과: 사마광 등 구법당과 대지주 · 대상인층의 반대로 실패, 당쟁 발생

❶ 절도사
변경의 방어를 위해 설치한 군사령관으로 군사, 재정, 행정 3권을 갖고 있어서 중앙 정부에 반기를 들 수 있었다.

❷ 문치주의
예(禮)와 덕(德)을 바탕으로 하는 유교 정치 이념에 따라 나라를 다스리는 정치 지배 형태이다. 중앙과 지방을 불문하고, 정치적 주도권을 과거 출신 관료인 문관에게 이양시켰다.

2. 강남 개발과 경제 발전 자료 2

(1) **강남 개발** 벼의 이모작이 가능, 창장강 하류 지역이 최대 곡창 지대로 성장, 금의 침입으로 수도를 임안으로 천도 후 강남 개발 노력

(2) **경제 발전**

How? 습지에 물을 빼고 제방을 쌓아 농지로 만들었어.

① 농업: 농지 확대, 용골차❸ 보급, 모내기 보편화, 참파벼 도입, 강남이 쌀 생산의 중심지로 성장, 지주 전호제 확산❹

What? 베트남에서 주로 재배하던 쌀 품종으로 길고 찰기가 없어.

② 수공업: 석탄 사용 발달, 제철 · 자기 · 견직업 발달, 작 결성

③ 상업: 원거리 무역상 · 중개 상인 증가, 행 결성, 동전 제조 · 유통 증가, 교자 · 회자 사용

▲ 교자 ▲ 회자

What? 동전 부족을 해소하고 원거리 교역의 편의를 위해서 지폐를 사용했어.

④ 무역: 조선술 · 나침반 발전 → 해상 무역 발달, 해상 교역로 형성, 취안저우 · 광저우(국제 무역 항구) 발전, 시박사 설치

What? 해상 무역에 관련된 사무를 담당하던 관청으로 출입 항구 소속, 화물 검사, 징세, 불법 행위 단속 등의 업무를 담당했지.

❸ 용골차
발을 굴러 동력을 내는 양수기로 낮은 곳의 물을 높은 곳으로 끌어 올리는 수차이다.

❹ 지주 전호제
토지의 소유주인 지주와 그 토지를 빌려 경작하는 전호가 연결되어 있는 토지 소유 형태이다.

자료 1 왕안석의 신법

청묘법	농경민에게 싼 이자로 영농 자금 융자
시역법	소상인에게 싼 이자의 자금 융자
모역법	요역 대신 돈을 거두고, 이를 실업자에게 품삯*으로 주고 일을 시킴
균수법	정부가 물품을 구매 · 유통시켜 물가 안정과 재정 수입 증대를 꾀함
보갑법	농가를 조직하여 치안을 담당하게 하고, 장정을 훈련시켜 전쟁 때 민병으로 삼음
보마법	농가에서 말을 기르게 하여 전쟁 때 군마로 징발

*품삯 노동의 대가로 받은 돈이나 물건을 뜻한다

○ 왕안석은 왜 신법을 실시했을까?

문치주의를 채택한 송은 국방력이 약해졌어, 이로 인해 주변의 북방 민족 국가인 요, 서하와 전쟁을 치루면서 막대한 군사비를 사용하고, 세폐까지 부담하게 되었어. 농민은 대토지 소유제가 확대되면서 토지를 잃어 몰락하였고, 소상인들도 대상인들의 과점 때문에 경제적인 타격을 입었지. 이러한 상황을 해결하고 재정을 확충하기 위해서 왕안석은 신법을 실시하였어.

뜯어보기 포인트

왕안석의 신법은 송의 문치주의와 경제 발전과 연결되어 있으므로 기억하자.

Q1 왕안석의 신법이 시행된 배경을 모두 선택해 보자.

㉠ 절도사 세력의 난립
㉡ 흉노와 체결한 화친 조약
㉢ 북방 민족 국가에게 지급한 세폐
㉣ 문치주의 채택으로 약해진 국방력
㉤ 대외 팽창 정책으로 인한 재정 악화

자료 2 송 대 산업의 발달과 동아시아 교역의 증대

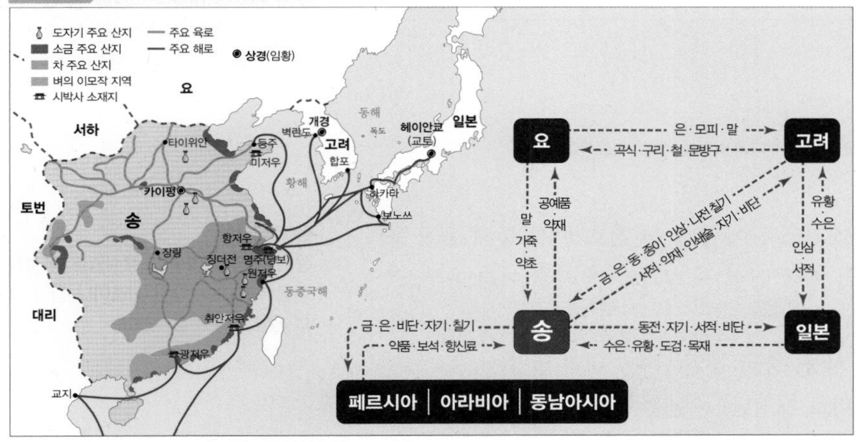

○ 송 대 상업이 발달할 수 있었던 배경은 무엇일까?

당에서 송으로 넘어가는 시기에 농업 생산량은 급증하였어. 저습지에 제방을 둘러 농지가 늘어났고, 용골차와 같은 농기구도 널리 보급되었지. 특히 이앙법이 보편화하였으며, 가뭄에 강하고 성장기가 짧아 한 해에 두 번 수확할 수 있는 참파벼가 남방에서 도입되었어. 이러한 노력으로 생산력이 향상되면서 강남의 생산력은 화북을 크게 앞질렀고, 창장강 하류 지역은 최대 곡창 지대로 성장했어. 이렇게 농업 생산량이 늘어나자 이를 바탕으로 수공업이 발전할 수 있었지. 석탄이 널리 사용되면서 가정에서 연료로도 사용하고, 제철 · 자기 · 견직업 등을 발달시켰어. 농업과 수공업의 발전은 상품으로 판매할 물건들의 양과 질을 향상시켰고, 소비를 자극시켜 시장을 발달시켰어.

뜯어보기 포인트

송 대에는 생산력이 높아지고 과학 기술이 상당히 발전하여 농업, 수공업, 상업이 발달하였다는 것을 기억하자.

Q2 송 대 경제 발전에 대한 설명으로 옳은 것을 모두 선택해 보자.

㉠ 석탄 사용이 보편되어 수공업이 발달하였다.
㉡ 비단길을 통한 서역과의 무역이 더욱 강화되었다.
㉢ 송 대에는 취안저우, 광저우에 시박사를 설치하였다.
㉣ 창장강 중상류 지역이 최대 곡창 지대로 성장하였다.
㉤ 원거리 무역에서 거래를 편리하게 하기 위해 교초가 발행되었다.

답 Q1 ㉢, ㉣ / Q2 ㉠, ㉢

3. 사대부의 성장과 성리학

(1) **사대부 사회의 성립** 학교 · 서원 증가, 과거제 정비 → 사대부(학자 관료층) 성장, 유교적 능력 중시, 지주로서 전호 지배

(2) **성리학[5]의 발전** 사대부의 유학 연구 심화로 훈고학에서 성리학으로 발전, 대의명분론, 화이론[6] 중시, 사마광의 『자치통감』 편찬

What? 군신, 부자, 지주 · 전호의 상하를 구별하고 이것의 정당화하는 주장이야.

What? 주에서 5대의 후주(後周)까지 연대순으로 역사를 기록한 편년체 역사서야.

4. 서민 문화와 과학 기술의 발전

(1) **서민 문화의 발달** 상업의 발달과 도시의 성장으로 도시 서민의 경제 수준 높아짐, 서민을 위한 오락 시설 발달, 사 · 잡극 · 통속 문학 발달

(2) **과학 기술의 발전** 인쇄술 → 지식 보급 · 문화 발전, 화약 · 나침반 → 무기 · 원양 항해술 발전, 유럽 사회의 발화와 발전에 영향을 줌

5. 요와 금의 발전 송의 문치주의 정책으로 국방력이 약화되어 성장, 정복 왕조로 성장[7]

요(거란)	• 야율아보기가 부족 통일 · 황제로 등극(916) • 연운 16주[8] 차지, 전연의 맹약으로 세폐 받음 • 거란 문자 사용	이중 지배 체제 자료 3 • 요: 북면관제와 남면관제 • 금: 맹안 모극제와 주현제
금(여진)	• 아구다가 부족 통일 • 정강의 변으로 화이허강 이북 지배 • 여진 문자 사용	
서하	탕구트족, 송에게 세폐를 받음, 동서 무역으로 번영, 고유 문자 사용	

What? 1004년 송과 요가 맺은 평화 조약이야.

2 몽골 제국과 동서 교류

몽골 제국은 동서 문물 교류의 확대에 어떻게 기여하였을까요?

1. 칭기즈 칸의 정복 전쟁과 몽골 제국

(1) **건국** 테무친의 부족 통일, 쿠릴타이[9]에서 칭기즈 칸에 추대 → 천호제[10]를 통해 몽골 울루스 구성, 유라시아 대륙을 아우르는 몽골 제국 건설 → 칭기즈 칸 사후 여러 울루스[11]로 분열

Where? 동해에서 폴란드, 헝가리 국경까지 이르는 영역을 말해.

(2) **쿠빌라이 칸** 대도(베이징)로 천도, 국호 원 사용, 중국 통일(남송 · 대리 멸망)

What? 몽골 제국이 아닌 중국 왕조로 변화하고 유목인 최초로 중국 전역을 지배하였어.

(3) **멸망** 황위 계승 분쟁, 지배층의 사치와 낭비로 재정난 → 높은 세금 · 교초 남발로 물가 폭등 → 홍건적의 반란으로 멸망

Who? 이민족 왕조인 원을 타도하고 한족이 일으킨 종교적인 농민 반란으로 붉은 수건을 머리에 둘러 홍건적이라고 불려.

2. 원의 발전

통치	• 관료제와 주현제 등 중국 전통 제도 채용, 각 지방에 행성 설치 • 몽골 제일주의: 몽골인(지배층), 색목인(재정 업무), 한인, 남인으로 구분, 색목인 우대 자료 4 • 사대부: 과거제 폐지로 활동 약화, 지주 전호제 확대로 지주로서 지위는 유지
경제	• 농업 생산 장려, 지주 전호제 발전 • 목화 재배 확대 → 면직업 발달 • 동서 교류 · 상업 발달 → 항저우 번영, 수로 발달, 교초(지폐) 발행

Where? 대운하가 수리되어 수도 대도와 항저우를 연결하였어.

5 성리학
남송의 주희가 집대성한 유학의 경향으로 군신, 부자 사이의 의리, 대의명분과 화이론을 중시하였다. 이는 북방 민족의 침략으로 수세에 몰린 송의 대외 관계를 반영한 것이었다.

6 화이론
중국이 천하 문명의 중심(華)이고, 주변 각국이나 민족은 문화가 발달하지 않은 오랑캐(夷)라고 멸시하는 중국 중심의 사고방식이다. 북방 민족의 침략으로 약해진 송의 대외 관계를 반영한 것이다.

7 정복 왕조
중국을 정복한 북방 민족 국가(요, 금, 원, 청)가 스스로의 사회 체계를 유지하면서 중국적인 왕조를 만든 것을 가리키는 말로 비트포겔이 사용하였다.

8 연운 16주
5대의 후진이 후당을 멸망시킬 때 받은 군사 원조의 대가로 거란에 넘겨준 땅이다. 오늘날의 베이징, 다퉁을 중심으로 하여 농경 지대에 속한다.

9 쿠릴타이
몽골 제국의 왕족과 장수들로 구성된 족장 회의이다. 대칸 선출이나 원정 결의 등을 위해 소집되었다.

10 천호제
유목민을 1천 호씩 나누어 각 천호장에게 맡기고, 그 밑에 백호장, 십호장을 임명하였다.

11 울루스
'많은 사람'이라는 뜻의 몽골어이다. 이후 '더 큰 인간의 집단'으로 말뜻이 확대되어 국가를 뜻하게 되었다.

자료 3 요과 금의 이중 지배 체제

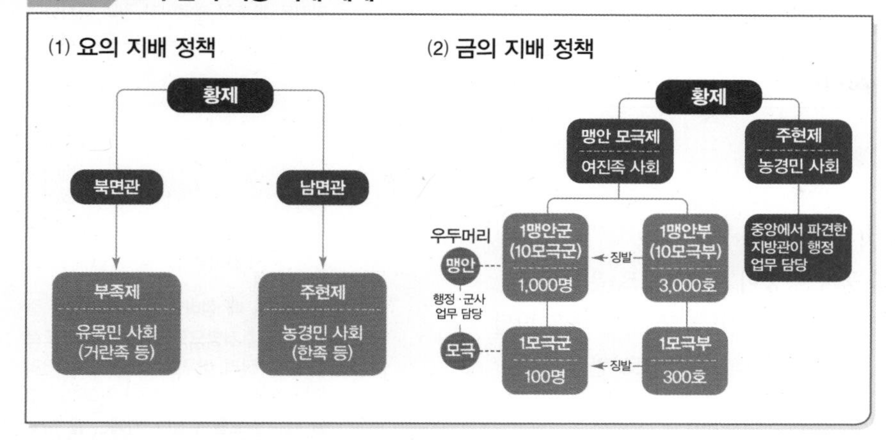

◯ 요와 금은 왜 이중 지배 체제를 실시했을까?

유목 민족과 농경 민족은 생활 모습이 많이 다르기 때문에 유목 민족을 다스리는 정치 체제로는 농경민을 효율적으로 통치할 수 없었어. 그래서 요는 북면관제와 남면관제로, 금은 맹안 모극제와 주현제로 유목민과 농경민을 분리해서 통치하는 이원적인 지배 체제를 실시한거야.

뜯어보기 포인트

이중 지배 체제를 시험한 배경과 운영 방식을 기억하자.

Q3 요와 금의 이중 지배 체제에 대한 설명으로 옳은 것을 모두 선택해 보자.

㉠ 요의 북추밀원이 한족을 관리하였다.
㉡ 요는 북면관을 통해 유목민 사회를 통치하였다.
㉢ 금은 주현제를 통해 여진족을 농경 사회에 동화시켰다.
㉣ 금은 씨족제를 활용한 맹안 모극제로 여진족을 지배하였다.
㉤ 금은 농경민을 효율적으로 지배하기 위해 주현제를 실시하였다.

자료 4 원의 인구 구성과 한족의 지위

(1) 원의 인구 구성

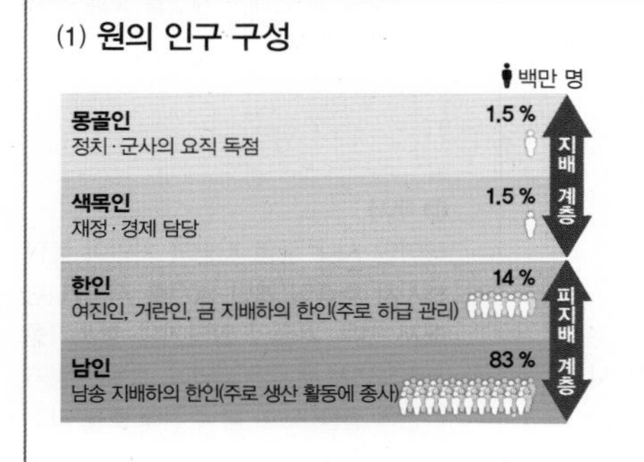

(2) 원 대 유학 지식인의 지위

우리 원의 제도에 따르면 사람에 10등급이 있는데, 첫째는 관료요, 둘째는 서리*이다. 앞에 있으면 귀한 사람이요, 귀한 사람이란 나라에 보탬이 된다는 뜻이다. …… 일곱째는 수공업 장인이요, 여덟째는 창기*요, 아홉째는 유학 지식인이요, 열째는 거지이다. 뒤에 있으면 천한 사람이요, 천한 사람이란 나라에 보탬이 되지 않는다는 뜻이다.

－『철산집』－

*서리 관청에서 문서를 작성하거나 관리를 하는 하급 관리
*창기 몸을 파는 천한 기생

◯ 원은 왜 몽골 제일주의를 선택했을까?

원의 인구 구성을 보면 원의 지배층인 몽골족이 한족보다 소수였기 때문에 한족 문화에 동화되지 않도록 조심해야 했어. 과거제를 거의 시행하지 않았고, 황실의 친인척이나 황실에 충성하는 가문의 사람들인 소수의 몽골인이 관리로 등용되어 정부 고위직을 독점했어. 재개된 과거제에서도 합격자 수의 반은 몽골족과 색목인에게 배정하였어. 특히 색목인들은 주로 재정 업무를 담당하여 몽골인 다음으로 대우 받았지.

뜯어보기 포인트

몽골 사회의 유지를 위해 몽골 제일주의를 실시하였음을 기억하자.

Q4 몽골 제일주의에 대한 설명으로 옳은 것을 선택해 보자.

㉠ 색목인은 피지배층으로 재정을 담당하였다.
㉡ 지배층인 한인은 과거제를 통해 성장하였다.
㉢ 과거를 정기적으로 시행하여 사대부를 관리로 등용하였다.
㉣ 남인은 남송 출신으로 몽골인의 지배를 적극적으로 수용하였다.
㉤ 소수를 차지하는 몽골족이 한족에 동화되지 않도록 하기 위함이었다.

답 Q3 ㉡, ㉣, ㉤ / Q4 ㉤

문화	• 서민 문화 발전: 원곡(연극, 『서상기』 등) 인기 • 종교 · 문화 관용 정책: 불교 · 라마교 · 도교 · 이슬람교 · 크리스트교(경교, 로마 가톨릭교) 보호, 다양한 문화 공존 • 파스파 문자[12] 사용 자료 5

3. 세계를 아우르는 교역망과 동서 문화의 교류 자료 6

(1) **교역망의 발달**

① 교통로 정비: 광대한 제국의 원활한 통치 목적

② 역참제[13] 실시: 사절 · 관리 등의 여행과 물자 수송이 체계적으로 운영

③ 해상 무역 발달: 항저우 · 취안저우 · 광저우(항구 도시) 발달, 연안 해운 발달

Where? 원 내부의 물자 수송을 위해 사용한 바닷길이야. 강남에서 톈진에 이르는 연안 지역에서 발달했어.

(2) **몽골의 평화 시대** 몽골의 강력한 군사력과 이슬람 상인의 협력으로 번영

(3) **동서 문화 교류**

① 몽골에 다녀간 외국인 : 카르피니(서유럽 프란체스코회 수도사로 교황 이노센트 4세의 명령을 받아 중국에 온 선교사), 마르코 폴로(베네치아 상인으로 중국에 다녀간 후 『동방견문록』을 저술), 이븐 바투타(모로코 출신 여행가로 『여행기』를 저술)가 중국을 왕래

② 화약 · 나침반 · 인쇄술이 서양에 전파, 중국의 회화는 페르시아 세밀화에 영향

③ 이슬람 천문학 · 수학 중국에 전파 → 이슬람 역법의 영향으로 수시력[14] 개발

3 한반도 · 일본의 독자적인 문화 발전

한반도의 고려와 일본의 막부 정권에서 독자적인 문화가 발전할 수 있었던 배경은 무엇일까요?

1. 고려 문화의 발전

(1) **건국** 왕건이 후삼국의 혼란을 극복하고 통일

(2) **발전** 문벌 귀족 사회 → 무신 정변 → 원의 간섭 → 공민왕의 개혁 정책

(3) **문화** 귀족 문화 발달, 상감청자 · 금속 활자 · 팔만대장경 제작

What? 송으로부터 들여온 청자에 홈을 파서 무늬를 넣어 만든 화려한 청자야.

2. 막부 정치의 전개

(1) **무사[15]의 등장** 헤이안 시대 중엽 지방의 치안 불안으로 등장

(2) **무사의 성장** 조정의 무관이나 왕실 · 귀족의 신변 경호를 맡으며 성장 → 헤이안 시대 말기 정치적 영향력 강화

(3) **가마쿠라 막부**

① 수립: 미나모토노 요리토모가 설립, 일본 최초의 무가 정권 탄생

② 무가 사회: 무사의 토지 지배권 보장, 치안 유지 · 장원 관리 담당

③ 봉건제 사회 형성: 쇼군(장군)이 실질적 권력 장악, 천황은 의례를 담당하는 상징적인 존재

④ 교역: 견당사 폐지 후 민간 무역 발달 → 송의 화폐 수입, 선종 · 성리학 수용, 새로운 불교 종파 성립

What? 송의 화폐가 들어와서 화폐 경제가 발달되었어.

⑤ 경제: 이모작 보급, 수공업과 상업 발달 → 정기시 발달

⑥ 쇠퇴: 13세기 후반 두 차례 원의 침입[16] 방어, 신국 사상 발달

⑦ 멸망: 정국의 혼란 → 14세기 초 교토에서 무로마치 막부 성립

⑫ 파스파 문자
티베트 불교의 승려이자 원의 국사였던 파스파가 만든 몽골의 고유 문자이다.

⑬ 역참제
원의 태종 때 정비한 제도로 수도를 중심으로 각 지방으로 향하는 주요 도로에 말로 달려 하루를 갈 수 있는 거리(약 100리, 40~48km)마다 참이라는 역을 세워 참호를 두었다. 역에는 쌀, 마필을 준비하여 공무 인원의 이동을 지원하였다.

⑭ 수시력
원의 세조 때 곽수경, 왕순, 허형이 편찬한 역법이다. 아랍의 천문학과 수학이 전래되면서 천체 관측과 계산법이 발달하였다. 달과 태양의 움직임을 고려하여 태음태양력으로 1년을 365.2425일, 1달을 29.530일로 했다. 한국에서는 고려의 충렬왕 때 원에서 사신을 보내 사용하기 시작하였다.

⑮ 무사
헤이안 시대 중엽 지방의 치안이 불안해지자 호족이 개인 영지를 지키기 위해서 전투 기술인 말타기와 활쏘기를 훈련하면서 무사가 되었다. 그들은 영지 주변에 집을 짓고, 집 주위에 호를 파고 울타리를 둘러 외부 침입에 대비하였다. 저택 안이나 주변에 직영지가 있었으며, 직영지는 예속민이나 영지에 사는 농민이 경작하였다. 이후 무사들끼리 연합하거나 경쟁하면서 거대한 무사단을 형성하였다.

⑯ 원의 침입
원은 두 차례 일본 원정에 나섰지만 태풍으로 실패하였다. 일본인들은 이 태풍을 '신의 바람(가미카제)'이라고 불렀고, 일본은 신의 보호를 받는 나라라는 신국 사상이 퍼졌다.

자료 5 정복 왕조의 고유 문자

(1) 거란 문자

(2) 여진 문자

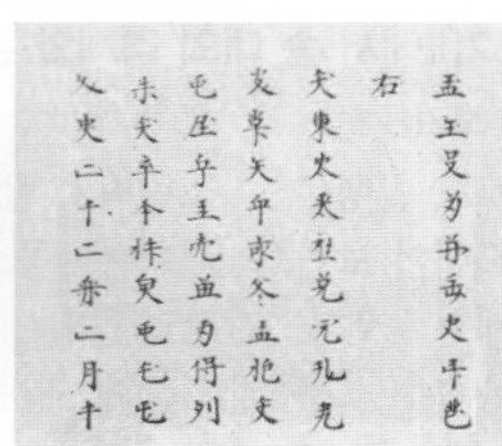

(3) 파스파 문자

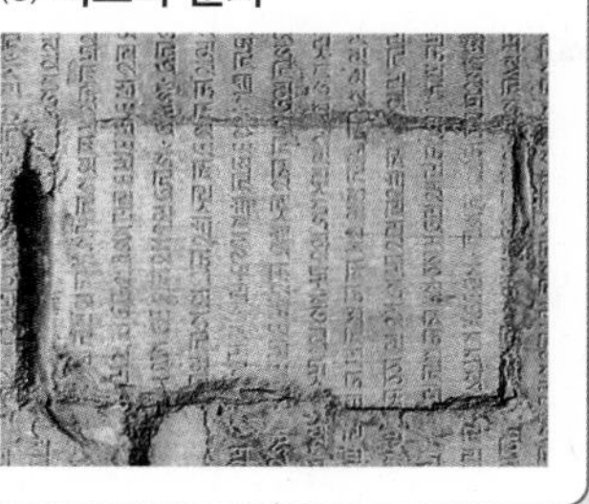

뜯어보기 포인트
이민족이 자신의 고유한 문화를 지키기 위해 만든 고유 문자와 이중 지배 체제를 연결해서 기억하자.

Q5 정복 왕조들이 고유 문자를 사용한 배경으로 옳은 것을 선택해 보자.

㉠ 농경민과 유목민의 통합을 위해 사용하였다.
㉡ 한족의 문화에 동화되지 않기 위해 사용하였다.
㉢ 한족의 문화를 적극적으로 받아들이기 위해 사용하였다.
㉣ 한족에게 전파하여 이들을 효율적으로 통치하기 위해 사용하였다.
㉤ 농경민보다 유목민이 사회 구성원의 다수를 차지 하였기 때문에 사용하였다.

◯ 거란, 여진, 몽골족은 왜 고유한 문자를 사용했을까?

정복 왕조들은 유목민으로서의 문화적 자의식을 가졌고, 농경민인 한족의 문화에 동화되지 않기 위해 고유 문자를 만들어 사용하였어. 문자에는 그 민족의 문화, 사고방식, 생활 풍습, 사회 관습 등이 포함되어 민족의 정체성을 담고 있기 때문이야.

자료 6 역참을 통해 몽골에 다녀간 외국인들

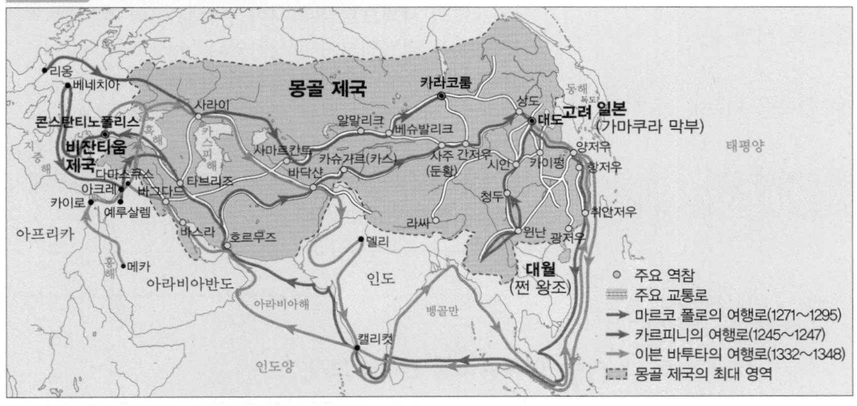

뜯어보기 포인트
몽골 제국 시기 동서 교류는 동서양에 큰 영향을 미쳤음을 기억하자.

◯ 마르코 폴로, 카르피니, 이븐 바투타가 어떻게 안전하게 여행할 수 있었을까?

몽골 제국은 광대한 제국을 원활하게 통치하기 위해서 제국 내 교통로를 정비하고 군대를 배치하였어. 그리고 말을 타고 하루 동안 갈 수 있는 거리(40~48km)마다 말과 식량, 숙소를 제공하는 역참을 설치하여 칸의 명령이 지방 곳곳에 신속히 전파될 수 있도록 하였지. 또한 원은 각 민족의 종교, 문화에 대해서 관용적인 정책을 펼쳐서 다양한 민족이 몽골 제국을 안전하게 여행할 수 있도록 하였어.

◯ 동서 교류가 원에 미친 영향은 무엇일까?

몽골 제국 시대의 동서 문화 교류에서 특징적인 것은 이슬람 문화의 유입이었어. 이슬람교는 당 대에 중국으로 전해지지만 원 대에 가장 발달하였어. 원 왕조에서 색목인을 우대하고 이슬람 상인들이 큰 역할을 하면서 이슬람의 천문, 역법, 자연 과학이 중국에 큰 영향을 미쳤고, 그 결과 수시력이 편찬되었어.

Q6 몽골 제국 시기 동서 교류에 대해 옳은 것을 모두 선택해 보자.

㉠ 역참제의 발달로 해상 무역의 비중이 줄어들었다.
㉡ 이슬람 천문학의 영향을 받아 수시력이 편찬되었다.
㉢ 페르시아의 세밀화가 전래되어 중국 회화에 영향을 끼쳤다.
㉣ 카르피니는 몽골의 종교적 관용책을 통해 선교 활동을 하러 왔었다.
㉤ 마르코 폴로는 원나라를 방문하고 돌아가 『동방견문록』을 저술하였다.

답 Q5 ㉡ / Q6 ㉡, ㉣, ㉤

개념 익히기

정답과 해설 ▸ 50쪽

01 서로 관련 있는 내용끼리 연결해 보자.

ⓐ 쇼군 •		• ㉠ 일본의 무사 정권인 막부의 수장
ⓑ 성리학 •		• ㉡ 인간과 우주 만물의 본질을 탐구하는 학문
ⓒ 문치주의 •		• ㉢ 절도사 세력의 힘을 약화 시키고 유교 정치 이념에 따라 통치

02 아래 설명이 맞으면 O표, 틀리면 X표를 해 보자.

(1) 송 대 왕안석은 북방 민족의 압박으로 재정난이 심해지자 신법을 단행하였다. ( )

(2) 송 대 강남의 생산력이 화북을 앞질러 창장강 중류 지역이 최대 곡창 지대로 성장하였다. ( )

(3) 송 대에는 상업의 발달과 도시의 성장으로 서민 문화가 발달하였다. ( )

(4) 금은 북면관제로 여진족을, 남면관제로 한족을 나누어 다스렸다. ( )

(5) 무로마치 막부는 최초의 무사 정권으로 이때에 일본 특유의 봉건제 사회가 형성되었다. ( )

03 빈칸에 알맞은 말을 채워 보자.

(1) 정복 왕조는 ( )(으)로 유목민과 한족을 나누어 다스려 고유 전통을 지키려고 하였다.

(2) 송은 과거제에 전시를 도입하고 재상권을 축소하여 ( )을/를 강화하였다.

(3) 칭기즈 칸은 ( )(이)라는 사회 · 군사 조직을 만들어 몽골 울루스를 구성하였다.

(4) 원은 소수의 몽골인이 정부 고위직을 독점하는 민족 차별 정책인 ( )을/를 유지하였다.

(5) 몽골 제국의 원거리 여행이 활발해져 중국의 화약, 나침반, ( ) 등이 서양에 전파되었다.

04 |보기|에서 송 대의 경제와 관련된 내용들을 골라보자.

| 보기 |

교초 발행　　면직업 발달　　행 · 작 결성
모내기 보편화　　회관 · 공소 설치
제철 · 자기 · 견직업 발달
옥수수 · 고구마 · 감자 · 땅콩 재배

05 |보기|의 정권들을 순서대로 나열해 보자.

| 보기 |

ㄱ. 나라 시대　　ㄴ. 헤이안 시대
ㄷ. 무로마치 막부　　ㄹ. 가마쿠라 막부

06 설명과 관련된 제도를 적어보자.

이 제도의 시행으로 유라시아 전체를 이어 주는 대규모의 육상 네트워크가 탄생하였다. 육상 도로에는 약 40km마다 역(정거장)이 세워져 전국에 1,500여 개나 되었다. 이 곳에는 항상 사람과 말, 식량이 준비되어 있었다. 교통로를 왕래하는 관리와 사절은 특별한 통행증을 발급받았고, 관리들은 말을 갈아타며 하루에 450km를 달렸다고 한다.

07 아래의 표를 완성해 보자.

청묘법	( )에게 싼 이자로 영농 자금 융자
( )	소상인에게 싼 이자의 자금 융자
( )	요역 대신 돈을 거두고, 이를 실업자에게 품삯으로 주고 일을 시킴
( )	정부가 물품을 구매 · 유통시켜 물가 안정과 재정 수입 증대를 꾀함
( )	농가를 조직하여 치안을 담당하게 하고, 장정을 훈련시켜 전쟁 때 민병으로 삼음
보마법	농가에서 ( )을 기르게 하여 전쟁 때 군마로 징발

2단계 내신 유형 익히기

총 문항수 12	처음 푼 날 월 일
정답과 해설 50쪽	오답 푼 날 월 일

01 빈출 (가) 왕조에 대한 설명으로 옳은 것은?

> (가) 에는 황제가 직접 주관하는 전시를 신설하였고, 그 결과에 따라 관직이 주어졌다. 성적도 황제가 최종적으로 결정하여 전시 결과는 이후 승진에 많은 영향을 끼쳤다. 따라서 전시는 관료 지망생으로부터 황제에 대한 충성을 유도하는 기능을 하였다.

① 민족별로 신분을 차별하였다.
② 상업이 발달하여 교초를 사용하였다.
③ 지배 계층이 파스파 문자를 사용하였다.
④ 정세를 지세에 포함시켜 은으로 징수하였다.
⑤ 재상권을 축소하여 황제 독재 체제를 강화하였다.

02 (가) 시기의 경제 상황으로 옳은 것은?

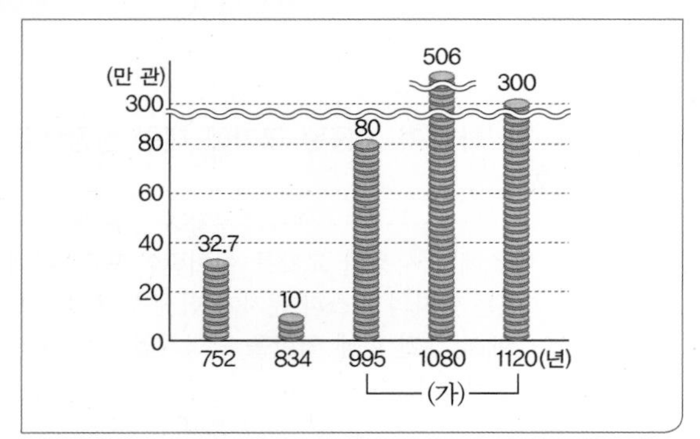

① 세금을 은으로 납부하였다.
② 지폐인 교초가 사용되었다.
③ 각지에 회관과 공소가 설치되었다.
④ 동업 조합인 행과 작이 결성되었다.
⑤ 화북 지방에서 2년 3모작이 시작되었다.

03 다음 자료에 나타난 유학에 대한 설명으로 옳은 것은?

> 우주에는 오직 하나의 리(理)만이 존재할 뿐이다. 하늘이 그것을 얻어 하늘이 되고, 땅이 그것을 얻어 땅이 되며, 무릇 천지 사이에 있는 모든 생물들이 또한 각기 그것을 얻어 성(性)을 갖춘다. 모든 사물에는 이 같은 리(理)가 유행하고 있으며, 리(理)가 존재하지 않는 곳이 없다.

① 경세치용의 실용성을 강조하였다.
② 지행합일의 실천성을 강조하였다.
③ 실증적인 연구 방법을 중시하였다.
④ 우주의 원리와 인간 본성을 연구하였다.
⑤ 경서의 자구 해석과 주석에 주력하였다.

04 빈출 밑줄 친 제도를 실시한 국가에 대한 설명으로 옳은 것은?

> 부족민 가운데 건장한 사람은 모두 병사가 되었다. 군대가 출병할 때, 지휘관은 맹안, 모극이라고 불렸다. 맹안(천을 뜻하는 '밍간'의 한자어)은 천 명 부대의 지휘관을 말하고, 모극(족장을 뜻하는 '무케'의 한자어)은 백 명 부대의 지휘관이었다. 태조가 즉위한 뒤에는 300호를 모극, 10모극을 맹안이라고 불렀다.

① 발해를 멸망시켰다.
② 탕구트족이 건국하였다.
③ 한화 정책을 추진하였다.
④ 한족에 대해 주현제로 다스렸다.
⑤ 북방 민족 최초로 연운 16주를 차지하였다.

05 지도의 (가) 국가에 대한 설명으로 옳은 것은?

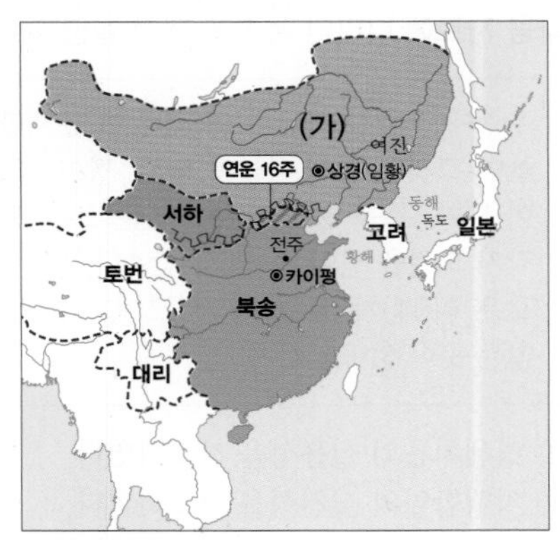

① 선비족이 건국하였다.
② 한화 정책을 추진하였다.
③ 아구다가 부족을 통일하였다.
④ 거란 문자를 만들어 사용하였다.
⑤ 유목 민족은 맹안 모극제로 다스렸다.

06 밑줄 친 인물이 활동한 왕조에 대한 설명으로 옳지 않은 것은?

> 아흐마드는 세조 쿠빌라이의 황후인 차비르의 집에 드나드는 이슬람 상인이었다. 그는 쿠빌라이에게 발탁되어 20년 동안 재무 장관을 지냈고, 그중 절반은 재상을 겸임하였다. 아흐마드는 호구 조사와 징세 대장 관리, 소금 전매제의 정비, 지폐 제도 등을 전국적으로 실시하여 원 제국의 재정을 튼튼히 하였다.

① 귀족적이고 국제적인 문화가 발달하였다.
② 이슬람 역법이 들어와 수시력이 만들어졌다.
③ 전국에 역참을 설치하고 관리를 파견하였다.
④ 교초라는 지폐를 남발하여 물가가 폭등하였다.
⑤ 서방계의 색목인이 주로 재정 운영 업무를 맡았다.

07 빈출 다음 제도를 실시한 국가의 동서 교류에 대한 옳은 설명을 | 보기 |에서 고른 것은?

> 이 제도의 시행으로 유라시아 전체를 이어 주는 대규모의 육상 네트워크가 탄생하였다. 육상 도로에는 약 40km마다 역(정거장)이 세워져 전국에 1,500여 개나 되었다. 이 곳에는 항상 사람과 말, 식량이 준비되어 있었다. 교통로를 왕래하는 관리와 사절은 특별한 통행증을 발급받았고, 관리들은 말을 갈아타면서 하루에 450km를 달렸다고 한다.

| 보기 |
ㄱ. 스키타이가 청동기 문화를 전파하였다.
ㄴ. 수시력은 이슬람 역법에 영향을 받았다.
ㄷ. 마르코 폴로가 『동방견문록』을 저술하였다.
ㄹ. 장건을 파견하여 서역으로 진출을 꾀하였다.

① ㄱ, ㄴ ② ㄱ, ㄷ ③ ㄴ, ㄷ
④ ㄴ, ㄹ ⑤ ㄷ, ㄹ

08 밑줄 친 '화폐'가 사용된 국가에 대한 설명으로 옳은 것은?

> 전 왕조에서 사용된 교자를 이어받아 만든 지폐로, 표면에는 한자와 파스파 문자가 함께 인쇄되었다. 제국 안에서 주된 화폐 역할을 담당하였으며, 제국 안에서 널리 통용되었다.

① 면직업이 발달하였다.
② 참파벼가 도입되었다.
③ 상인 조합인 행이 조직되었다.
④ 약속 어음인 비전이 사용되었다.
⑤ 소금과 철을 국가에서 전매하였다.

09 빈출 **교사의 질문에 대한 학생의 대답으로 가장 적절한 것은?**

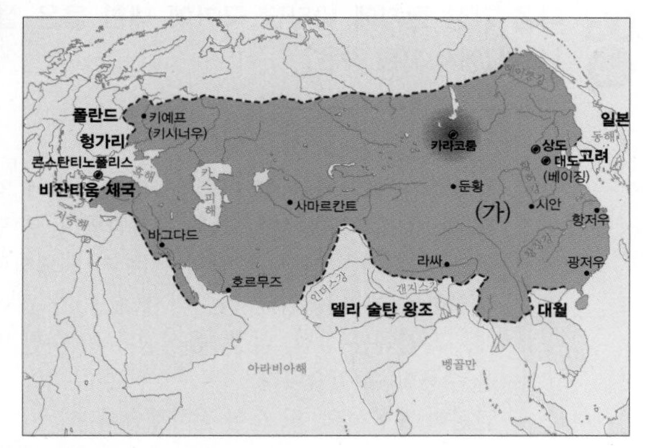

> 교사: 지도 속 ⑺ 왕조에서 발달한 문화의 사례는 무엇이 있을까요?

① 『홍루몽』이 인기를 끌었죠.
② 『자치통감』이 편찬되었어요.
③ 거대한 룽먼 석굴 사원이 있어요.
④ 『서상기』와 같은 원곡이 공연되었어요.
⑤ 청담 사상이 반영된 「귀거래사」가 있어요.

10 밑줄 친 사건이 일어난 시기로 옳은 것은?

> 원은 남송을 점령한 이후 베트남과 미얀마, 자와섬까지 원정군을 파견하였고, 동쪽으로는 고려에 세력을 뻗쳐 내정을 간섭하고 일본 원정까지 시도하였다. 일본은 <u>원과 고려가 연합한 두 차례의 공격을 막아 냈다.</u>

① 나라 시대
② 야마토 정권
③ 헤이안 시대
④ 가마쿠라 막부 시대
⑤ 무로마치 막부 시대

서술형 문제

11 다음 글을 읽고 물음에 답해 보자.

> - 청묘법: 농민들에게 낮은 이자로 농사에 필요한 자금을 빌려 주었던 정책
> - 균수법: 정부가 필요한 물품을 구입하고 운송 · 판매하여 물자 유통과 가격을 안정시키고, 재정 수입을 증대시키고자 한 정책
> - 보갑법: 농가의 장정을 징집 · 훈련하여 민병으로 삼아 전쟁이 일어나며 관군을 돕게 한 정책

(1) 위 정책을 실시한 사람을 써 보자.

(2) 위 제도를 시행한 대내 · 대외적 목적을 설명해 보자.

서술형 문제

12 다음 자료를 보고 물음에 답해 보자.

> 여행자에게는 중국이 가장 안전하고 가장 좋은 고장이다. …… 전국의 모든 ⑺ 에는 여인숙이 있는데, 관리자가 몇몇 기병과 보병을 데리고 상주하고 있다. …… 사람을 파견해 다음 ⑺ 에까지 안내하고, 안내자는 전원이 도착했다는 확인서를 받아 온다.
> – 이븐 바투타, 『여행기』 –

(1) (가)에 들어갈 기관을 써 보자.

(2) (가)를 설치한 목적을 설명해 보자.

01 (가), (나)의 사건으로 발생한 재정 문제를 해결하기 위해 추진한 개혁 내용으로 옳지 않은 것은?

> (가) 1004년 요와 전연의 맹약을 체결하고 매년 은 10만냥, 비단 20만 필과 차 1만 근을 세폐로 지급하기로 하였다.
> (나) 1044년 서하와의 7년 전쟁 끝에 은 7만 냥, 비단 15만 필과 차 3만 근을 주고 화의를 맺고 경제 교류를 약속하였다.

① 군비 절감을 위하여 농가에서 군마를 기르도록 하였다.
② 원활한 경제 활동을 위해 화폐와 도량형을 통일하였다.
③ 봄에 국가가 농민에게 자금을 빌려 주고 가을에 받았다.
④ 정부가 중소 상인에게 낮은 이자로 자금을 빌려 주었다.
⑤ 국가가 역을 면제해 주는 대신 돈을 받아 실업자를 고용하였다.

02 (가)에 들어갈 내용으로 가장 적절한 것은?

> 탐구 활동 계획서
> • 탐구 주제: 중국 ○ 왕조의 성립과 발전
> • 탐구 활동
> 1모둠: 정치 – 문치주의의 영향을 살펴본다.
> 2모둠: 경제 – 신법을 실시 배경을 살펴본다.
> 3모둠: 사회 – 사대부의 신분적 특징을 살펴본다.
> 4모둠: 문화 – (가)

① 성리학의 발달 배경을 살펴본다.
② 양명학의 등장 배경을 살펴본다.
③ 수시력이 편찬된 배경을 살펴본다.
④ 윈강 석굴 사원의 특징을 살펴본다.
⑤ 『서상기』, 『비파기』의 내용을 살펴본다.

03 (중요) 다음 가상 편지에 나타난 국가에 대한 옳은 설명을 | 보기 |에서 고른 것은?

> ○○○ 께
> 용골차가 보급되어 물을 쉽게 퍼 올리면서 양쯔 강 유역의 생산성은 더욱 증가하였고, 수도 임안(항저우)은 인구 100만이 넘는 거대 도시로 성장하였습니다. 임안에는 와자(瓦子)가 많은데, 그 안에는 상점, 극장, 음식점 등이 수천 명을 수용할 수 있습니다.
> 안녕히 계십시오. 또 소식 전하겠습니다.
> 임안에서 △△△ 올림

| 보기 |
ㄱ. 아메리카 은이 유입되었다.
ㄴ. 석탄이 보편적으로 사용되었다.
ㄷ. 수공업자들이 작을 결성하였다.
ㄹ. 땅콩 등 외래 작물이 도입되었다.

① ㄱ, ㄴ ② ㄱ, ㄷ ③ ㄴ, ㄷ
④ ㄴ, ㄹ ⑤ ㄷ, ㄹ

04 (중요) (가), (나) 제도를 시행한 목적으로 가장 적절한 것은?

> (가) 북면은 천자의 궁전, 부족, 속국의 정치를 담당하고, 남면은 한인의 주현, 조세, 군마를 담당한다.
> (나) 맹안 모극은 병사 수의 많고 적음에 따라 붙인 칭호인데, 맹안 천 명의 부대의 장을 말하고, 모극은 백 명 부대의 장이다.

① 동서 교역로를 확보하고자 하였다.
② 유목 민족의 전통을 유지하려고 하였다.
③ 부병제를 효율적으로 운영하고자 하였다.
④ 강력한 중앙 집권적 국가를 만들고자 하였다.
⑤ 자영농을 육성하여 재정을 확보하고자 하였다.

05 (가) 왕조에 대한 설명으로 옳지 않은 것은?

> (가) 은/는 넓은 제국을 통치하기 위해서 위구르족, 탕구트족, 아랍인 등 서역 계통의 여러 민족을 등용하여 조세 징수와 국가 재정 관리, 통상 · 외교 업무를 담당하게 하였다. 색목인이라 불렸던 이들은 뛰어난 상업 · 재정 · 행적 능력을 보유하고 있어 제국을 통치하는 데 많은 도움이 되었다. 그래서 (가) 에서는 색목인을 제2계급으로 우대하였다.

① 민족별로 신분을 정해 차별하였다.
② 상업이 발달하여 교초를 사용하였다.
③ 지배 계층이 파스파 문자를 사용하였다.
④ 정세를 지세에 포함시켜 은으로 징수하였다.
⑤『서상기』가 발표되어 서민 사이에 유행하였다.

06 중요 (가) 조직에 대한 설명으로 옳은 것은?

> 호랑이해 초봄에 테무친은 장엄하게 쿠릴타이를 열어 많은 사람의 축복을 받으며 보좌에 앉았다. '강하고 단단한 대군주'라는 의미의 칭기즈 칸이란 칭호가 테무친에게 봉헌되었고, 그는 (가) 라는 사회 · 군사 조직을 만들어 제국을 건설하였다.

① 팔기제의 붕괴 이후에 시행되었다.
② 여진족의 독자성 유지에 기여하였다.
③ 부병제에서 모병제로 변화하면서 성립되었다.
④ 동아시아문화권을 형성하는 주요한 요소였다.
⑤ 유목민으로 조직한 몽골 울루스를 구성하였다.

07 학생들이 대화하고 있는 탐구 주제로 적절한 것은?

① 효율적인 행정 제도의 확립
② 적극적인 대외 원정 체제 수립
③ 한족과 융합할 수 있는 문화 개발
④ 상공업 발달을 통한 국가 재정 확대
⑤ 한족화 방지를 위한 이중 지배 체제 유지

08 밑줄 친 '우리나라'에 대한 설명으로 옳은 것은?

① 전국에 역참을 설치하였다.
② 문벌 귀족이 특권을 독점하였다.
③ 상업을 위해 교초를 발행하였다.
④ 쇼군이 정치의 실권을 행사하였다.
⑤ 견당사를 보내 당 문화를 수용하였다.

심화 수능 유형 익히기

총 문항수 2	처음 푼 날 월 일
정답과 해설 52쪽	오답 푼 날 월 일

01 (가) 왕조에 대한 설명으로 옳은 것은?

> 비트포겔은 동아시아의 북방 민족들 가운데 중국의 일부 또는 전부를 정복한 왕조를 '정복 왕조'라고 칭하여, 한족이 세운 중국의 다른 왕조들과 구별하였다. 아구다가 건국한 (가) 은/는 '정복 왕조'의 한 사례이다. 이 왕조는 요를 멸망시키고, 나아가 화북 지방까지 진출하였다.

① 군현제를 실시하였다.
② 선비족이 건국하였다.
③ 맹안 모극제를 시행하였다.
④ 파스파 문자를 사용하였다.
⑤ 몽골 제일주의를 채택하였다.

유형 분석
역사 용어에 대한 설명을 토대로 관련 내용을 찾는 문제 유형이야.

해결 비법
비트포겔은 정복 왕조라는 개념을 처음으로 제시한 지리 경제학자야. 그러나 이 학자를 잘 알지 못해도 북방 민족, 아구다, 요를 멸망시켰다는 내용 등을 통해 (가)가 여진이 세운 금이라는 것을 알 수 있어. 요, 금, 원, 청과 같은 정복 왕조의 정책은 자주 비교되니 기억해 두는게 좋아.

02 (가) 제국 시기의 교류에 대한 설명으로 옳은 것은?

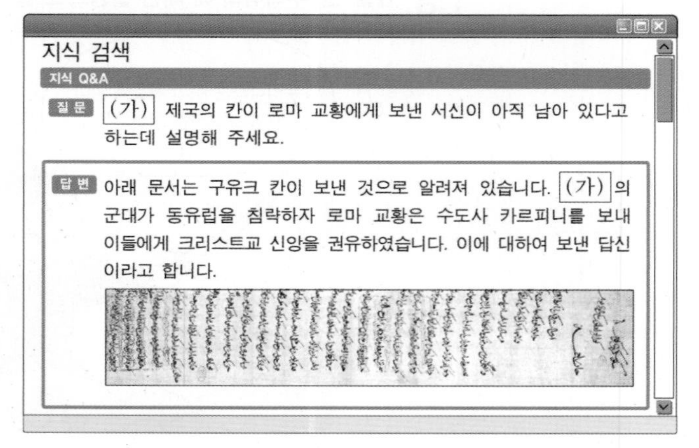
지식 검색
지식 Q&A
질문 (가) 제국의 칸이 로마 교황에게 보낸 서신이 아직 남아 있다고 하는데 설명해 주세요.
답변 아래 문서는 구유크 칸이 보낸 것으로 알려져 있습니다. (가) 의 군대가 동유럽을 침략하자 로마 교황은 수도사 카르피니를 보내 이들에게 크리스트교 신앙을 권유하였습니다. 이에 대하여 보낸 답신이라고 합니다.

① 아담 샬이 역법을 개정하였다.
② 제지술이 중국으로 전파되었다.
③ 혜초가 『왕오천축국전』을 저술하였다.
④ 이집트와 인도를 연결하는 바닷길이 개척되었다.
⑤ 중국의 회화가 페르시아의 세밀화에 영향을 끼쳤다.

유형 분석
검색창을 통해 질문과 답을 제시하여 자료 속 빈칸을 추론하는 유형이야.

해결 비법
검색창이라는 형식을 활용하지만 제시된 자료에서 정보를 찾는 문제야. 몽골 제국의 동서 교류와 관련된 주요 내용과 몽골에 다녀간 외국인들을 기억해 두는 게 좋아.

심화 기출 지문 활용하기

총 문항수 6 | 처음 푼 날 월 일
정답과 해설 52쪽 | 오답 푼 날 월 일

2016학년도 수능

> ○○○ 께
> 신품종의 벼가 도입된 이후 양쯔강 유역의 생산성은 더욱 증가하였고, 수도 임안(항저우)은 인구 100만이 넘는 거대 도시로 성장하였습니다. 임안에는 와자(瓦子)가 많은데, 그 안에는 상점, 음식점, 극장 등이 즐비합니다. 큰 극장은 수천 명을 수용할 수도 있습니다. 이 도시에서는 (가)
> 안녕히 계십시오. 또 소식 전하겠습니다.
> 임안에서 △△△ 올림

서술형 문제

01 가상 편지가 쓰여진 시기와 이 도시에서 새롭게 발달한 문화에 대해 쓰고, 그 배경과 예를 서술해 보자.

수능 문제

02 다음 가상 편지에서 (가)에 들어갈 내용으로 적절하지 않은 것은?

① 상인이 지폐로 거래 대금을 결제합니다.
② 색목인이 관리로 중용되어 재정을 담당합니다.
③ 장인이 인쇄술을 활용하여 서적을 제작합니다.
④ 수공업자가 동업 조합에 소속되어 활동합니다.
⑤ 대장장이가 철을 가공할 때 석탄을 사용합니다.

활용 문제

03 가상 편지를 작성한 시기에 대한 설명으로 옳은 것은?

① 분서갱유를 통해 사상을 통제하였다.
② 군국제를 시행하여 지방을 안정시켰다.
③ 문치주의로 인해 국방력이 약화되었다.
④ 9품중정제를 통해 문벌 귀족이 성장하였다.
⑤ 천호제를 조직하여 고대 제국을 완성하였다.

2017학년도 수능

> 탐구 활동 계획서
> • 탐구 주제: 중국 ○왕조의 성립과 발전
> • 탐구 활동
> 1모둠: 정치 – 대도를 수도로 정한 배경을 살펴본다.
> 2모둠: 경제 – 교초의 발행과 유통 과정을 알아본다.
> 3모둠: 사회 – 색목인과 남인의 사회적 지위를 비교한다.
> 4모둠: 문화 – (가)

서술형 문제

04 탐구 주제로 선정된 왕조의 문화의 특징을 서술해 보자.

수능 문제

05 (가)에 들어갈 내용으로 가장 적절한 것은?

① 수시력이 제작된 과정을 조사한다.
② 『자치통감』이 편찬된 목적을 살펴본다.
③ 「귀거래사」에 나타난 사상을 분석한다.
④ 『홍루몽』이 저술된 시기의 생활 모습을 파악한다.
⑤ 「곤여만국전도」가 중국인에게 끼친 영향을 검토한다.

활용 문제

06 탐구 주제로 선정된 왕조에서 이루어진 동서 교류에 대한 설명으로 옳은 것은?

① 아담 샬이 역법을 개정하였다.
② 서광계가 『기하원본』을 번역하였다.
③ 엔닌이 『입당구법순례행기』를 집필하였다.
④ 마테오 리치가 「곤여만국전도」를 제작하였다.
⑤ 이븐 바투타가 중국을 방문하고 『여행기』를 남겼다.

주제 5

동아시아 세계의 변동

주제 흐름 읽기

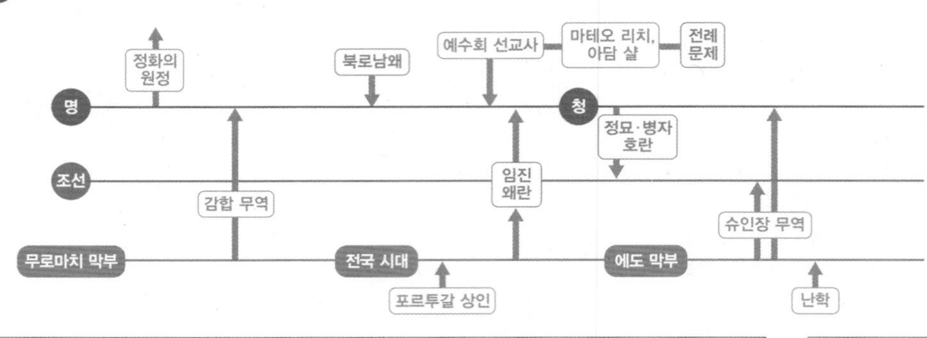

1 명 · 청 시대의 정치 변화

명과 청은 통치 체제를 확립하기 위해 어떠한 정책을 시행하였을까요?

1. 명의 성립

(1) **홍무제(주원장, 태조)** 명 건국(1368) 한족 왕조의 부활

① 유교 질서의 강화: 육유❶ 반포, 학교 설립, 과거제 정비

② 수취 제도 정비: 토지 대장(어린도책❷), 조세 · 호적 대장(부역황책) 정리, 이갑제 시행

③ 황제권 강화: 재상(승상)제 폐지, 황제 직속으로 6부 편입, 대학사 설치 자료 1

Who? 황제의 결정에 도움이 될 수 있도록 비서 · 고문 역할을 했어.

④ 해금 정책 시행

Why? 일반인의 해상 무역을 금지하고 조공 무역만 허락했어.

2. 영락제와 정화의 항해

(1) **영락제(성조)** 베이징 천도, 자금성 건설, 몽골 공격 · 베트남 점령

(2) **정화의 항해** 명의 국력 과시, 조공 체제의 확대 → 동남아시아와 인도 및 아프리카 동해안까지 진출 자료 2

3. 명의 쇠퇴

(1) **배경** 무능한 황제 등장 · 환관의 횡포, 북로남왜, 만주 여진족의 흥기, 만리장성 보수 · 임진왜란 파병 → 재정 부담 초래

What? 북쪽의 몽골과 동남 해안의 왜구를 말해.

(2) **장거정의 개혁 실패** 일조편법❸(토지세 + 요역 → 호의 토지와 성년 남자 수에 따라 은으로 납부) → 장거정 사후 재정난 발생

(3) **멸망** 각지에서 농민 봉기 발생 → 이자성의 난(1644)으로 멸망

Who? 명 말 농민 반란의 지도자로 명을 멸망시켰지만 오삼계와 청의 연합군에 졌어.

4. 청의 중국 정복

(1) **누르하치** 여진족(후의 만주족)을 통합하여 후금 건국(1616), 팔기제❹ 운영, 베이징을 점령하여 천도(1644)

(2) **강희제** 삼번의 난 진압, 타이완 점령, 러시아와 네르친스크 조약 체결하여 국경선 확정(1689)

What? 러시아와 청이 동쪽 경계를 정한 조약으로 아르군강–케르비치강 두 강과 싱안링산맥을 잇는 국경선이야.

(3) **옹정제** 러시아와 캬흐타 조약 체결(1727), 군기처 설치, 비밀 상주문 제도 → 황제 독재권 강화

What? 러시아와 청이 몽골쪽 경계를 정한 조약으로 아르군강을 국경선으로 정했어.

❶ **육유**
유교 윤리로 '부모에게 효도하고, 윗사람을 존경하며, 향리 사람들과 화목하고, 자손을 잘 교육하며, 저마다 하는 일에 만족하고, 잘못을 저지르지 말라.'라고 하는 여섯 조항의 훈계를 담고 있다.

❷ **어린도책**
구획마다 토지 면적과 모양, 조세 액수, 토지 소유주와 경작자 등을 기록한 토지 대장이다. 그 형상이 물고기 비늘(어린)과 같아서 어린도책이라고 불렀다.

❸ **일조편법**
전국적인 토지 조사를 토대로 세분되어 있던 토지세와 잡다한 요역을 통합하여 각 호의 토지와 성년 남자 수에 따라 은으로 내게 한 세제이다.

❹ **팔기제**
누르하치가 조직한 군사 조직이자 행정 조직이다. 팔기는 황 · 백 · 홍 · 남색의 4기와 그 것에 테두리를 두른 4기를 더하여 8기이며, 후에는 만주족 이외에 몽골족과 한족도 팔기에 편성되었다. 팔기의 병사들은 특별한 호적에 등재되어 각종 특권을 누렸고 토지를 받았다.

자료 1 이갑제

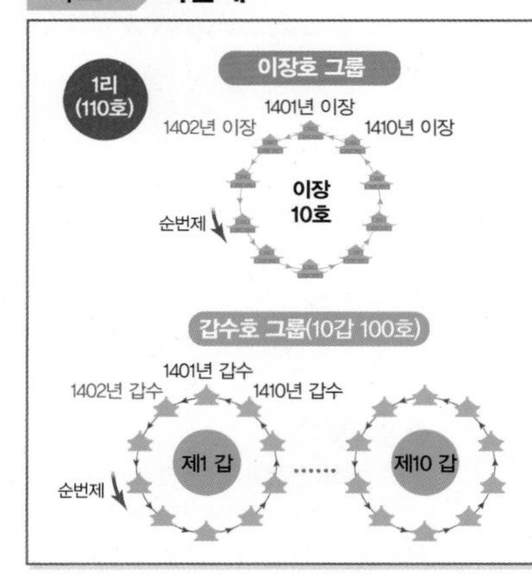

인접한 110호를 1리(里)로 편성하여 부유한 10호는 이장호*로 하고, 나머지 100호는 1갑(甲) 10호의 10갑으로 조직하였다. 이장호 1호와 각 갑의 갑수호* 1호가 10년에 한 번씩 돌아가며 1리, 1갑의 징세 사무와 치안 유지, 수리 시설 정비 등을 담당하였다.

*이장호 리(里)의 우두머리가 되는 호(집을 세는 단위)를 부르는 명칭이다.
*갑수호 갑(甲)의 우두머리가 되는 호를 부르는 명칭이다.

뜯어보기 포인트
이갑제는 명의 조세 징수 및 향촌 안정을 유지하기 위해 시행하였음을 기억하자.

◎ 홍무제는 왜 이갑제를 실시했을까?
이갑제를 통해 농민이 직접 조세를 징수하면 관리의 수탈을 줄일 수 있었어. 또한 농민 스스로 치안 유지를 담당하여 혼란스러운 향촌을 안정시켜 황제의 지배력이 향촌 구석구석까지 미칠 수 있도록 한 거지.

◎ 이갑제가 붕괴된 이후엔 어떻게 됐을까?
이갑제는 이장호와 갑수호에게 너무 큰 부담이 되었고, 사회 · 경제적 변화로 인해 붕괴하였어. 이갑제의 붕괴와 북로남왜의 위기로 인해 일조편법이라는 개혁책이 나왔어. 이 제도는 다양한 세금 항목을 정리하여 은으로 납부시키는 것으로 청의 지정은제가 나올 때까지 유지되었어.

Q1 이갑제에 관련하여 옳은 것을 모두 선택해 보자.
㉠ 육유를 통해 이갑제를 조직하였다.
㉡ 인두세를 토지세에 합하여 징수하였다.
㉢ 관리의 백성 수탈을 줄이고자 시행되었다.
㉣ 이장호와 갑수호가 징세 사무를 담당하였다.
㉤ 인접한 110호를 1리로 편성하여 향촌을 안정시켰다.

자료 2 정화의 항해

*책봉 중국의 황제가 사신을 보내 주변국의 우두머리를 왕으로 임명하는 것을 뜻한다.
*조공 중국 황제의 책봉을 받은 국가가 때를 맞추어 예물을 바치는 것을 뜻한다.

뜯어보기 포인트
영락제는 명 대의 최고 전성기를 이룩한 황제로 명의 국력을 과시하고 조공 · 책봉 체제를 확대하기 위해 정화를 대규모 원정을 보냈음을 기억하자.

◎ 영락제는 왜 정화를 7회에 걸쳐 대규모 항해를 보냈을까?
영락제는 명 대의 최대 전성기를 이끈 황제야. 대외 팽창 정책으로 몽골을 공격하고 베트남을 점령했지. 영락제가 대외 정책을 적극적으로 펼친 이유는 국내의 비판 세력을 약화시키기 위해서였어. 동아시아에 통용되던 조공 · 책봉 체제를 정화의 해외 원정을 통해서 동남아시아와 인도 및 아프리카 동해안까지 확대하고자 한거지.

Q2 영락제에 관련하여 옳은 것을 모두 선택해 보자.
㉠ 군기처를 설치하였다.
㉡ 삼번의 난을 진압하였다.
㉢ 정화를 대규모 해외 원정을 보냈다.
㉣ 몽골을 공격하고, 베트남을 점령하였다.
㉤ 자금성을 건설하고 베이징으로 천도하였다.

답 Q1 ㉢, ㉣, ㉤ / Q2 ㉢, ㉣, ㉤

5. 다민족 제국의 건설

(1) **건륭제** 티베트 · 신장 · 몽골 정복 → 오늘날 중국 영토 대부분 확보, 만주족과 몽골족, 다수의 한족과 다양한 소수 민족을 포함한 다민족의 대제국 건설

(2) **제국 통치 방식** 직할지는 군현제를 통해 한족 직접 지배, 티베트 · 몽골 · 신장의 번부(주변부)와 소수 민족은 토착 지배자를 통한 간접 지배

(3) **조공 · 책봉 체제 강화** 동아시아 · 동남아시아 주변국의 정치 질서 주도

(4) **조공 · 책봉 질서 밖의 일본 · 서양 국가** 무역을 통한 교류 허용, 공행 무역 실시

6. 청의 중국 지배 자료 3

(1) **한족에 대한 강경책** 만주족의 변발 강요, 문자옥[5]으로 한족의 사상 억압

(2) **한족에 대한 회유책** 만한 병용제, 전통적인 유교 문화 존중, 과거제를 통해 신사층을 포섭

2 명 · 청 시대의 사회와 동서 교류

명 · 청 제국이 세계 경제를 주도할 수 있었던 배경은 무엇일까요?

1. 명 · 청 대의 지배층, 신사[6]

(1) **형성** 명 대에 학교와 과거제가 결합하여 형성, 전 · 현직 관리와 학위 소지자

(2) **특징** 요역 면제, 가벼운 형벌에 대한 면책 특권, 대토지 소유, 고리대 · 공공사업 감독 · 세금 납부 대행을 통해 개인적 이익 추구

(3) **역할** 정부와 백성을 대변, 지방관을 도와 사회 안정, 풍속 유지

2. 농업 발전과 인구 증가[7]

Where? 송 대 창장강 하류에서 창장강 중 · 상류로 최대 곡창지가 이동하고 하류에서는 면직업, 견직업 등 수공업이 발달하였어.

(1) **농업 발전** 창장강 중 · 상류 지역 농경지 개발, 아메리카 작물 도입 (옥수수, 고구마, 감자, 땅콩), 상품 작물 재배(차, 담배, 사탕수수) → 식량 생산과 인구 증가

How? 서양과의 교류가 증대되어 아메리카 작물이 도입되었어.

(2) **인구 증가**

① 인두세: 인구 증가로 강희제가 인두세를 징수하지 않겠다고 선언(1712)

② 영향: 변경 지역으로 인구 이동 → 변경 지역 개발, 토착민과 이주민의 갈등, 동남아시아로 이주하여 화교[8] 사회 형성

What? 일정 나이 이상의 남성을 대상으로 징수하는 세금을 말해.

(3) **조세 제도의 변화** 아메리카와 일본산 은 유입 → 조세의 은납화 경향 확대 자료 4

일조편법	명 말, 토지 면적과 인정(人丁)에 따라 은으로 부과 → 징세의 간소화
지정은제	청 대, 인두세를 토지세에 합하여 은으로 부과

3. 상공업 및 국제 교역의 발전

(1) **수공업의 발전** 창장강 하류 지방에 면직업 · 견직업 등 수공업 발달, 창장강 중 · 상류 지방으로 곡창 지대 이동

(2) **상업의 발전**

① 장거리 국내 교역 발달: 각지에서 상품 작물 재배(목화, 차, 사탕수수), 대운하와 창장강을 통해 유통

② 도시 출현: 쑤저우 · 양저우와 같은 대도시, 소규모 상공업 도시(시진) 출현

③ 전문 상인 등장: 산시 상인, 후이저우 상인 집단, 각지에 회관 · 공소[9] 설치

(3) **국제 교역**

① 해금 정책 → 해금 정책이 느슨해져 사무역 증가

Why? 명 대 홍무제가 왜구를 방어하기 위해서 바다의 교역을 제한했어.

---

5 문자옥
청은 반청 감정을 지닌 한족 지식인의 저항을 억누르기 위해 특정한 문자 · 용어 · 어구 · 문구의 사용을 구실로 빈번하게 사상을 탄압하였다.

6 신사층
신사층은 학교 제도와 과거 제도가 결합되어 형성된 신분 계층이다. 하지만 학위와 자격을 얻은 사람의 숫자가 크게 늘어나자 대부분은 도중에 경쟁을 포기하고 지역 사회에서 자신의 역할을 찾았다. 신사층은 관리와 백성 사이의 공백을 메워주었고 완충 역할을 수행하였다. 신사들은 지주층이었으며 대부분 성내에 거주하면서 농촌을 지배하였다. 지방관들이 지방 행정을 원활하게 수행하려던 신사층의 협조가 필요하였다.

7 명 · 청 대의 산업
송 대부터 곡창 지대였던 창장강 하류 지방은 명 · 청 대에 들어와 면직업, 견직업 등 수공업이 앞선 지역이 되었고, 곡창 지대는 창장강 중상류로 이동하였다.

8 화교
국외에 거주하는 중국인 또는 그 자손을 뜻하는 말이다. 중국인의 국외 이주는 명의 해금 정책이 완화되면서 동남아시아 등지로 활발히 이루어졌다.

9 회관 · 공소
동향인이나 동업자 사이의 단결과 친목을 목적으로 하여 세워진 건물을 말한다. 명 대부터 시작되었으나 각 도시에 널리 퍼진 것은 청 대의 일이다.

자료 3 **청의 강경책과 회유책**

(1) **강경책**

지금 안팎이 통일되어 일가가 되었으니, 임금은 부모와 같고 백성은 자식과 같이 되었다. 부모와 자식은 한 몸인데 어찌 차이가 있겠는가? …… 지금부터 수도(베이징) 안팎은 10일, 그 밖의 지역은 명령서가 도착한 날로부터 10일 이내 변발하라. 그에 따르는 자는 우리나라의 백성으로 간주하고 거역하면 엄하게 벌할 것이다. – 『세조실록』 –

(2) **회유책**

내각 대학사는 만주인과 한인 각 2명, 협판 대학사는 만주인과 한인 각 1명, 학사는 만주인 6명과 한인 4명, 전적은 만주인 · 한인 · 한군 팔기에서 각 2명(이 임명되었다.). 시독 학사는 만주인 4명과 몽골인 · 한인 각 2명(이 임명되었다.) …… 6부 상서와 좌 · 우 시랑 모두 만주인과 한인이 각각 1명(씩 임명되었다.). – 『청사고』, 직관지 –

뜯어보기 포인트
소수의 만주족이 다수의 한족을 지배하기 위해 강격책과 회유책을 동시에 활용했음을 기억하자.

◎ 청은 한족에게 왜 변발을 강요했을까?

유교적 가족 윤리에 따라 생활하던 한족에게 머리카락은 부모님께서 주신 소중한 것이었어. 화이사상으로 한족만이 문명화되었으며, 세상의 중심이라고 생각하였던 사람들에게 오랑캐의 변발을 강요한 것은 엄청난 치욕을 주면서 만주족의 지배를 인정하게 하는 행동이었어.

Q3 **청의 한족 지배 정책에 대해 옳은 것을 모두 선택해 보자.**

㉠ 청은 일조편법을 실시하였다.
㉡ 청은 한족에게 변발을 강요하였다.
㉢ 청은 문자옥으로 사상을 탄압하였다.
㉣ 청은 만한 병용책으로 한족을 포용하였다.
㉤ 청은 비밀 상주문을 통해 한족을 임명하였다.

자료 4 **명 · 청 대의 조세 제도**

(1) **일조편법**

조정과 지방 정부에 상납하는 각종 물자와 비용에서 각지의 특산품에 이르기까지 모두 합쳐 일조(一條)로 하여, 각 호의 토지와 성년 남자 수에 따라 은으로 관에 납부하게 하였다. – 『명사』 –

(2) **지정은제**

천하가 평정된지 오래되어 호구가 날로 번창하니 인정(人丁)을 헤아려 정세를 부담하기 어렵다. 인정은 늘더라도 토지는 늘지 않으니 현재의 세역 장부에 등재된 인정 수를 늘리거나 줄이지 말고 영구히 고정하라. 그리고 지금 이후 태어나는 인정에 대하여는 꼭 정세를 거둘 필요가 없다. – 『세조실록』 –

뜯어보기 포인트
중국의 조세 제도가 변화한 배경을 시기별로 기억하자.

◎ 명 대에 일조편법을 실시한 배경은 무엇일까?

명 중기 이후 정치적 혼란이 심해지고 외부의 위협을 막기 위해 만리장성을 보수하느라 막대한 재정 부담이 발생하였어. 게다가 이갑제가 붕괴되어 징세가 제대로 이루어지지 않자 장거정은 일조편법을 확대하여 재정 개혁을 하였어.

◎ 청 대에 지정은제를 실시한 배경은 무엇일까?

농업의 발전으로 인구가 폭발적으로 늘어났음에도 호구 조사가 제대로 이루어지지 않아 세금을 부과하는 것이 어려워졌어. 또한 세금이 여러 항목으로 나뉘어 징세 사무가 복잡해져 부정이 많아지자 징세 사무를 간소화하고 징세 수입을 확실하게 하고자 했지. 강희제는 1711년 인구를 기준으로 정(丁)의 수를 고정하고 이 정세를 토지세에 통합해서 세금을 부과하였어.

Q4 **중국의 조세 제도에 관련하여 옳은 것들을 모두 선택해 보자.**

㉠ 지정은제는 정세를 토지세로 통합하여 부과하였다.
㉡ 지정은제는 성년 남자를 조사해 세금을 부과하였다.
㉢ 일조편법과 지정은제는 모두 은으로 세금을 납부하는 제도였다.
㉣ 일조편법은 다양한 세금 항목을 전부와 요역으로 각각 정리하였다.
㉤ 지정은제는 북로남왜로 인한 재정 부족을 해결하기 위해 시작되었다.

답 Q3 ㉡, ㉢, ㉣ / Q4 ㉠, ㉢, ㉣

② 교역망 확대: 16세기부터 기존의 이슬람 상인뿐만 아니라 서양 상인 본격 진출 → 중국 동남부의 연안 · 일본 · 동남아시아 연결 교역 활발

③ 아메리카와 일본산 은 대량 유입 → 은을 바탕으로 한 경제 체제 형성

How? 은이 화폐로서 기능을 하기 시작해, 국내에서 유통되고, 해외 무역의 결제 수단으로 사용되지.

4. 명 · 청 대의 사상과 서민 문화

사상	• 양명학: 명 대, 성리학의 형식화에 반발 → 지행합일 강조, 왕수인의 심즉리설 • 실학: 명 말 청 초, 양명학과 서양 문물의 영향으로 등장 • 고증학: 명 말 청 초, 경세 학풍과 대규모 서적 편찬[10]으로 등장 • 공양학: 19세기 현실 정치 문제에 관심 갖고 개혁을 지향
서민 문화	연극 · 경극, 구어체 소설 유행

What? 『강희자전』, 『사고전서』 등이 있어.

What? 『수호전』, 『서유기』, 『삼국지연의』, 『홍루몽』 등이 있어.

5. 명 말 청 초의 동서 교류

What? 조선과 일본에 전해져 동아시아인의 세계관에 큰 영향을 끼쳤어.

(1) **예수회 선교사들의 활동** 마테오 리치(『천주실의』, 「곤여만국전도」), 아담 샬(역법 개정, 천문대 관리) 등 예수회 선교사들이 활동, 대포 제조 · 천문 · 역법 · 지리학 등 서양 학문 소개

(2) **전례 문제[11]** 가톨릭교의 선교 금지 · 선교사 추방, 서양과 문화 교류 중단 자료 5

What? 종교 혁명으로 구교가 약해지자 해외로 포교 활동을 적극적으로 추진해서 아시아로 진출했어. 조상에 대한 제사 등 중국 전통문화를 존중하여 교세가 빠르게 확장되었어.

3 조선과 에도 막부

조선과 에도 막부의 경제적 발전은 문화에 어떤 영향을 주었을까요?

1. 조선의 양반 관료 체제

(1) **건국** 성리학을 통치 이념으로 삼아 신진 사대부 중심 국가 건국

(2) **발전** 임진왜란 · 병자호란을 거쳐 조선 후기 정치 개혁과 농업 생산력 증대, 상업의 발전 → 실학, 서민 문화 발전

2. 에도 시대와 막번 체제

(1) **무로마치 막부** 감합 무역[12]으로 경제적 안정, 지방의 다이묘에게 실권이 이동, 농업(이모작) · 상공업(자(座) 발달, 화폐 유통)의 발달 → 서민의 성장

(2) **전국 시대** 오다 노부나가 → 도요토미 히데요시(임진왜란) → 도쿠가와 이에야스

(3) **에도 막부**

① 막번 체제: 쇼군(중앙 · 직할지 지배) – 지방 다이묘(번 지배), 산킨코타이 제도[13]

② 병농 분리[14]: 무사 · 조닌 · 농민의 거주 공간 분리 및 직업과 신분 이동 금지 → 조카마치 발달

③ 무역: 16세기경부터 서양 상인의 동아시아 진출로 일본인의 해외 진출 증가

㉠ 슈인장 무역[15](교역의 공신력 높이고 막부의 통제 강화) → 쇄국 정책

㉡ 난학(란가쿠) 발달: 예외적으로 네덜란드인에게 개방, 서양 의학 · 천문학 · 조선술 배움

3. 상공업의 발전과 조닌 문화 자료 6

(1) **상공업의 발전** 농업 생산력 증대(농경지 증가, 농사법 개량, 상품 작물 재배), 전국의 도로망 정비 → 상공업 발전 → 조닌(상인 · 수공업자 등) 문화 발전(가부키[16], 우키요에[17])

(2) **국학 운동** 18세기 후반, 고대 일본의 정신으로 회귀 주장 → 존왕양이 운동에 영향

⑩ 대규모 서적 편찬
『사고전서』는 건륭제 때 약 8만 권에 이르는 서적을 경(經), 사(史), 자(子), 집(集)의 4부로 분류하여 편찬한 책이다. 학문 진흥의 목적과 함께, 청 왕조를 비방하는 내용이 없는지 점검하기 위한 목적도 있었다.

⑪ 전례 문제
중국인의 전통(조상에 대한 제사) 등을 인정하는 문제와 중국에서의 포교 방식을 둘러싸고 가톨릭교회 내부에서 일어난 논쟁이다. 점차 중국 황제와 교황의 대립으로 발전하였다.

⑫ 감합 무역
무로마치 시대 일본과 명 사이에 이루어진 조공 무역을 말한다. 국가가 파견하는 정식 사절단임을 증명하는 감합부를 가진 선박에게만 교역을 허락하였다.

⑬ 산킨코타이 제도
다이묘는 격년 주기로 자신의 영지와 에도에 머무르고, 그의 가족은 인질로 에도에 머물렀다. 이를 통해 다이묘 세력을 약화시켜 통제하였다.

⑭ 병농 분리
도요토미 히데요시가 전국적인 토지 조사와 무기 몰수 등의 정책을 통해 무사와 농민 · 조닌의 신분을 고정한 정책이다. 무사 · 조닌 · 농민이 거주하는 공간을 분리하였을 뿐만 아니라 이들 사이에 직업과 신분 이동도 금지하였다.

⑮ 슈인장 무역
에도 막부가 상인을 통제하고 무역의 질을 높이기 위해 상인들에게 무역 허가증인 슈인장을 주어 슈인장이 있는 상인만 무역을 할 수 있도록 하였다.

⑯ 가부키
에도 시대 조닌 계층에게 큰 인기를 얻은 연극으로, 남자가 여자의 역할을 맡았으며 형식성이 강한 것이 특징이다.

⑰ 우키요에
에도 시대 서민층을 중심으로 유행했던 풍속화로, 세속적이고 장식적인 주제를 다룬 다색 목판화로 제작되었다.

자료 5 전례 문제

(1) **교황 클레멘스 11세의 교령(1715)**

최고의 신인 데우스*는 중국말로 적절한 번역어가 없으므로, 이 진정한 신을 표현하기 위해서 천주(天主)라는 용어를 허용해야 한다. …… 제사는 미신이므로 어떠한 경우라도 크리스트교는 …… 참석해서는 안 된다. …… 또한 크리스트교도는 가정의 위패 앞에서건, 산소 앞에서건, 장례식에서건 고인의 영예를 기리기 위해 제사상을 차리거나 절을 해서는 안 된다.

(2) **옹정제의 금교령(1723)**

"지방의 각 성에 있는 선교사 중에서 역법과 특별한 기능에 능통한 자는 베이징으로 올려 보내 쓰고, 나머지는 모두 마카오로 보내소서. …… 천주당은 모두 공소(公所)*로 바꾸고 크리스트교에 입신한 자는 해당 지방관이 엄히 금지하며, 전처럼 모여서 『성서』를 읽거나 하면 중죄로 다스리소서."라는 요청에 옹정제는 흔쾌히 비답을 내려 "주청한 대로 하라."라고 하였다.

*데우스 포르투갈어로 하나님을 뜻한다.
*공소 동향 출신의 사람들이 만든 상업 활동 시설로, 친목과 상부상조를 도모하였다.

뜯어보기 포인트
예수회 선교사들의 포교 방침과 전례 문제가 발생한 배경을 기억하자.

◎ 전례 문제는 왜 발생했을까?

중국에서 교세를 확장하고 있던 예수회 선교사들은 중국 전통 복장을 입고 중국어를 배우고 중국인들에게 서양의 과학 기술을 적극적으로 소개하는 등 중국 친화적인 활동을 했어. 그러나 이후 중국에 들어온 다른 선교회가 조상에 대한 제사를 인정하는 예수회의 방침을 이단이라 비판하여 격렬한 논쟁이 발생했어. 이러한 비판에는 예수회의 교세 확장을 견제하려는 목적도 있었어. 전례 문제는 청 정부와 교황청의 갈등으로 이어져 천주교 박해를 초래하였어.

Q5 명 말 청 초의 동서 교류와 관련하여 옳은 것을 모두 선택해 보자.

㉠ 아담 샬은 천문대를 관리하였다.
㉡ 서광계는 『기하원본』을 번역하였다.
㉢ 마테오 리치는 『농정전서』를 편찬하였다.
㉣ 전례 문제로 인해 조상 제사가 인정되었다.
㉤ 마테오 리치는 「곤여만국전도」를 제작하였다.

자료 6 조닌 문화

(1) **가부키**

(2) **우키요에**

뜯어보기 포인트
에도 막부 시기 성장한 조닌에 의해 조닌 문화가 형성되었으며, 이들의 경제적 · 문화적 영향력이 컸음을 기억하자.

◎ 조닌 문화가 발달한 배경은 무엇일까?

병농 분리 정책으로 직업과 선분 이동이 금지된 상인과 수공업자들은 조카마치에 모여 조닌층을 형성했어. 한편 에도 시대에는 농업 생산력이 증대되어 각지에 상품 작물이 재배되었고, 산킨코타이 제도로 전국의 도로망이 정비되어 상공업이 발전할 수 있는 토대가 마련되었어. 이를 바탕으로 조닌층은 동업 조합을 조직하여 경제적으로 빠르게 성장했어. 경제력을 갖춘 대도시의 조닌들은 경제력을 바탕으로 자신들의 특유의 문화인 조닌 문화를 발전시켰지. 대표적으로 가부키와 우키요에가 있어.

Q6 에도 시대에 대한 설명으로 옳은 것을 모두 선택해 보자.

㉠ 몽골의 침략을 막아냈다.
㉡ 송의 동전이 대량으로 수입되었다.
㉢ 네덜란드인을 통해 난학이 발달하였다.
㉣ 산킨코타이 제도를 통해 다이묘를 통제하였다.
㉤ 국학 운동이 일어나 존왕양이 운동에 영향을 미쳤다.

답 Q5 ㉠, ㉡, ㉤ / Q6 ㉢, ㉣, ㉤

개념 익히기

정답과 해설 ▸ 53쪽

01 서로 관련 있는 내용끼리 연결해 보자.

ⓐ 신사 • • ㉠ 명 중기 몽골과 왜구의 침입

ⓑ 북로남왜 • • ㉡ 명 · 청 대의 전 · 현직 관리와 학위 소지자

ⓒ 병농 분리 • • ㉢ 무사, 농민, 조닌의 거주지를 분리

02 아래 설명이 맞으면 O표, 틀리면 X표를 해 보자.

(1) 태조 홍무제는 민중 교화를 위해 육유를 반포하였다. ( )

(2) 내각 대학사 장거정은 지정은제를 전국으로 확대하였다. ( )

(3) 강희제는 시베리아에 진출한 러시아와 캬흐타 조약을 통해 국경을 확정하였다. ( )

(4) 신사는 지방관을 도와 사회 안정과 풍속을 유지하였다. ( )

(5) 에도 시대 경제력을 갖춘 상인들은 가부키, 우키요에 등 특유의 조닌 문화를 발전시켰다. ( )

03 빈칸에 알맞은 말을 채워 보자.

(1) 관리의 수탈을 줄이고 농민이 직접 조세 징수와 치안 유지를 담당하는 ( )을/를 시행하였다.

(2) 영락제는 환관 ( )을/를 파견하여 국력을 과시하면서 아프리카 동해안까지 진출하였다.

(3) 옹정제는 ( )을/를 설치하여 정보와 결정권을 장악하였다.

(4) 인두세를 토지세에 합하여 은으로 한꺼번에 내는 ( )이/가 실시되었다.

(5) 상공업 도시가 출현하고, 이 도시를 오가며 전국으로 상품을 유통하는 산시 상인, ( )이/가 등장하였다.

04 | 보기 |에서 청의 한족에 대한 강경책과 회유책에 관련된 내용들을 골라보자.

| 보기 |

공행 문자옥 팔기제 이갑제
일조편법 지정은제 변발 강요 감합 무역
해금 정책 만한 병용책 과거제 실시

(가) 강경책: ______

(나) 회유책: ______

05 | 보기 |의 정권을 순서대로 나열해 보자.

| 보기 |

ㄱ. 에도 막부 ㄴ. 나라 시대
ㄷ. 헤이안 시대 ㄹ. 야마토 정권
ㅁ. 가마쿠라 막부 ㅂ. 무로마치 막부

______

06 설명과 관련된 제도의 이름을 적어 보자.

명 대 촌락의 자치적 행정 조직이다. 110호를 1리로 편성하여 부유한 10호는 이장호로 하고, 나머지 100호는 갑수호로 하여 10갑으로 나누었다. 이장호 1호와 각 갑의 갑수호 1호가 10년에 한 번씩 돌아가며 징세 사무와 치안 유지 등을 담당하였다.

______

07 아래의 표를 완성해 보자.

양명학	• 왕수인이 관학인 성리학을 비판 • 경전의 이해보다는 개인적인 깨달음과 ( )의 실천 강조
( )	• 청 초 실용적인 경세 학풍의 영향을 받음 • 『강희자전』, 『사고전서』 등 대규모 편찬 사업의 영향으로 발달 • 경전을 실증적으로 연구
( )	• 형식화된 고증학을 비판하면서 등장 • 19세기 시대 변화에 따른 현실 정치 문제에 대한 관심 고조

01 밑줄 친 '황제'에 대한 설명으로 옳은 것은?

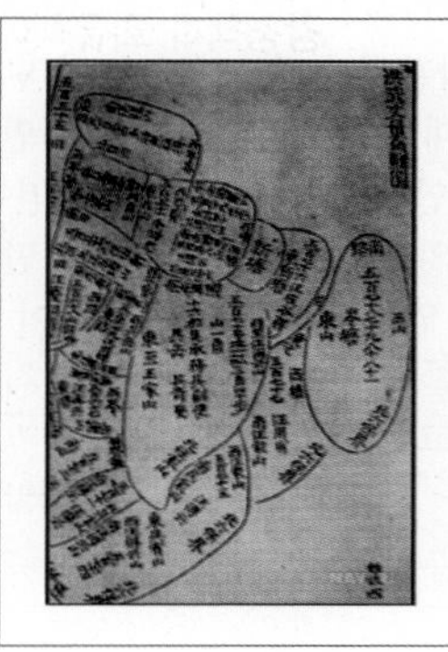

<ins>황제</ins>는 한족 왕조를 부활시키고, 수취 제도 정비를 위해서 어린도책을 마련하였다. 구획마다 토지 면적과 모양, 조세 액수, 토지 소유자와 경작자 등을 기록한 토지 대장이다. 그 형상이 물고기 비늘과 같아서 어린도책이라 불렀다.

① 육유를 반포하였다.
② 군기처를 신설하였다.
③ 보갑제를 실시하였다.
④ 일조편법을 실시하였다.
⑤ 삼번의 난을 진압하였다.

02 다음 제도를 실시한 목적으로 옳은 것은?

명 대 촌락의 자치적 행정 조직이다. 110호를 1리로 편성하여 부유한 10호는 이장호로 하고, 나머지 100호는 갑수호로 하여 10갑으로 나누었다. 이장호 1호와 각 갑의 갑수호 1호가 10년에 한 번씩 돌아가며 징세 사무와 치안 유지, 수리 시설 정비 등을 담당하였다.

① 환관의 득세를 방지하기 위함이었다.
② 관리의 수탈을 최소화하기 위함이었다.
③ 한족과 동화되는 것을 막기 위함이었다.
④ 한족 사대부의 저항을 진압하기 위함이었다.
⑤ 북방 민족의 한족 지배를 용이하게 하기 위함이었다.

03 지도에 표시된 항해에 대한 옳은 설명을 | 보기 |에서 고른 것은?

빈출

| 보기 |

ㄱ. 카르피니가 선교 활동을 하였다.
ㄴ. 이븐 바투타가 중국을 방문하였다.
ㄷ. 조공 · 책봉 체제가 확대되는 계기가 되었다.
ㄹ. 동남아시아에 화교 사회가 형성되는 계기가 되었다.

① ㄱ, ㄴ　② ㄱ, ㄷ　③ ㄴ, ㄷ
④ ㄴ, ㄹ　⑤ ㄷ, ㄹ

04 다음 조세 제도를 실시한 배경을 | 보기 |에서 고른 것은?

한 주(州)나 현(縣)을 모두 합치고, 토지의 넓이를 측량하고 남자 일꾼의 수를 세어 그것을 하나도 빠짐없이 관청에 알리고 하고 …… 여러 비용에서 공납으로 바치는 지방 특산물에 이르기까지 모두 합쳐 한 가지 조목으로 만들어 은(銀)으로 징수해 관청에 바친다.

| 보기 |

ㄱ. 북로남왜의 위협 증가
ㄴ. 신대륙의 은 대량 유입
ㄷ. 서하에게 막대한 세폐 부담
ㄹ. 삼번의 난 진압으로 재정 약화

① ㄱ, ㄴ　② ㄱ, ㄷ　③ ㄴ, ㄷ
④ ㄴ, ㄹ　⑤ ㄷ, ㄹ

05 다음 군사 조직을 운영한 왕조에 대한 설명으로 옳은 것은?

> 누르하치가 조직한 군사 조직이자 행정 조직이다. 팔기는 황 · 백 · 홍 · 남색의 4기와 그것에 테두리를 두른 4기를 더하여 8기이며, 후에 만주족 이외에 몽골족과 한족도 팔기에 편성되었다. 팔기의 병사들은 특별한 호적에 등재되어 각종 특권을 누렸고 토지를 받았다.

① 군기처를 설치하였다.
② 한전령을 시행하였다.
③ 맹안 모극제를 운영하였다.
④ 절도사들의 권한을 약화시켰다.
⑤ 지방에 다루가치를 파견하였다.

06 다음 가상 편지에서 (가)에 들어갈 내용으로 적절한 것은?

> 매카트니의 요구에 대한 건륭제의 답변
>
> 중국은 물산이 풍부하여 외국 물산에 의지할 필요가 없고 지금 차, 도자기, 견사 등의 무역도 양국 간 대등한 교역이 아니라 청이 은혜를 베풀어 허용하는 것에 불과하다. 그러므로 광저우항에 설치한 [(가)]에서 필요한 물건을 구하면 된다.

① 행　　② 공소
③ 공행　　④ 회관
⑤ 시박사

07 빈출 다음과 같은 취지에서 추진한 정책을 | 보기 |에서 고른 것은?

> 계사년 정월 26일 옥하관에서 체류하였다. 관리 명부를 구해보았다. 내각 대학사는 만주인 6명, 한인 4명이고 시독학사는 만주인 4명, 한인 2명, 몽골인이 각각 2명이다. …… 6부의 상서와 시랑, 시무는 만주인과 한인이 각각 1명씩 임명되었다. …… 겸직이 있기는 하지만 문서에 관한 임무와 예의에 관한 직무는 한인이 많이 임명된다고 한다.
>
> – 『연행일기』 –

| 보기 |
ㄱ. 변발 강요　　ㄴ. 문자옥
ㄷ. 유교 문화 존중　　ㄹ. 신사층 특권 인정

① ㄱ, ㄴ　　② ㄱ, ㄷ　　③ ㄴ, ㄷ
④ ㄴ, ㄹ　　⑤ ㄷ, ㄹ

08 빈출 제시된 그래프의 (가) 시기의 경제 상황에 대한 설명으로 옳지 <u>않은</u> 것은?

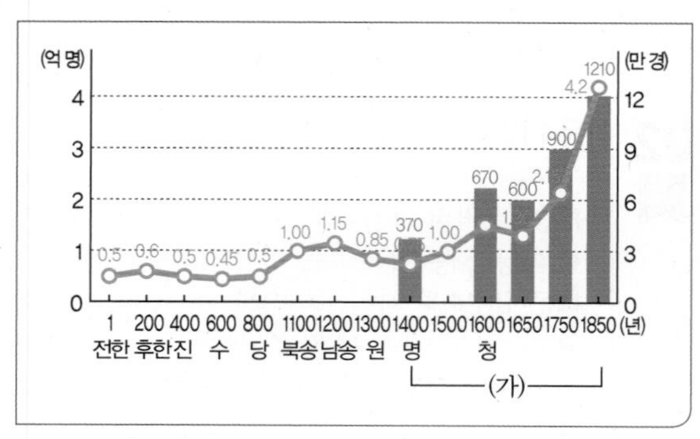

① 창장강 하류 지방에 수공업이 발달하였다.
② 무역 활동 감시를 위해 시박사가 설치되었다.
③ 아메리카와 일본의 은이 대량으로 유입되었다.
④ 옥수수, 고구마, 감자 등 신대륙 작물이 도입되었다.
⑤ 대상인들이 회관, 공소 등을 세워 이익을 도모하였다.

09 밑줄 친 '이들'에 대한 옳은 설명을 | 보기 |에서 고른 것은?

> 주나 현, 부의 학교에서 치르는 1차 과거 시험에 합격하면 생원 또는 수재라고 불렸다. 생원은 3년에 한 번 성에서 치르는 향시를 보아 합격하면 거인이 되었고 더 나아가 중앙의 예부에서 치르는 회시와 황제가 주관하는 전시에 합격하면 진사가 되었다. 과거에 합격해 관직을 가졌거나 과거 시험 자격을 보유한 이들은 지방 사회에서 지방관 못지 않은 세력을 누렸다.

| 보기 |

ㄱ. 노장사상과 청담 사상을 수용하였다.
ㄴ. 사회 안정과 향촌 풍속을 유지하였다.
ㄷ. 지방의 군사 · 재정 · 행정을 장악하였다.
ㄹ. 공공사업 감독 및 세금 납부를 대행하였다.

① ㄱ, ㄴ ② ㄱ, ㄷ ③ ㄴ, ㄷ
④ ㄴ, ㄹ ⑤ ㄷ, ㄹ

10 다음과 같은 주장이 등장한 배경으로 옳은 것은?

> 지방의 각 성에 있는 서양 선교사 중에서 역법과 특별한 기능에 능통한 자는 베이징으로 올려 보내 쓰고, 나머지는 모두 마카오로 보내소서. …… 천주당은 모두 공소(公所)로 바꾸고 크리스트교에 입신한 자는 해당 지방관이 엄히 금지하며, 전처럼 모여서 경전을 읽거나 하면 중죄로 다스리고서.

① 조로아스터교가 중국에 전래되었다.
② 문치주의 정책으로 국방력이 약화되었다.
③ 중국의 조상 숭배 관습을 존중하지 않았다.
④ 라마교 사원의 남설로 인해 재정이 악화되었다.
⑤ 중국의 해금 정책이 서구 사회의 불만을 초래하였다.

서술형 문제

11 다음 (가), (나)를 읽고 물음에 답해 보자.

> (가) 조정과 지방 정부에 상납하는 각종 물자와 비용에서부터 각지의 특산품에 이르기까지 모두 합쳐 일조(一條)로 하여, 각 호의 토지와 성년 남자 수에 따라 은으로 관에 납부하게 하였다.
>
> (나) 천하가 평정된 지 오래되어 호구가 날로 번창하나 인정(人丁)을 헤아려 정세를 부과하지는 일이 어렵다. 인정은 늘더라도 토지는 늘지 않으니 현재의 세역 장부에 등재된 인정 수를 늘리거나 줄이지 말고 영구히 고정하라.

(1) (가)와 (나) 제도의 명칭을 써 보자.

(2) (가)와 (나) 제도가 시행된 공통적인 대내 · 대외적 배경을 설명해 보자.

서술형 문제

12 다음 글을 읽고 물음에 답해 보자.

빈출

> 에도 막부에서는 다이묘를 통제하기 위해 (가) 제도를 시행하였다. 지방의 다이묘들은 1년마다 자신의 영지와 에도에 교대로 거주하였고, 가족은 인질로서 에도에 머물렀다. 다이묘의 경제력은 약화되었지만 에도는 상업 · 소비 도시로 번성하였고, 이에 따라 도시 상공업자인 조닌이 성장하였다.

(1) (가)에 들어갈 제도의 이름을 써 보자.

(2) (가) 제도로 인해 에도 시대의 경제와 교통, 문화가 발달한 이유를 설명해 보자.

3단계 내신 만점 도전하기

01 밑줄 친 '황제'에 대한 설명으로 옳은 것은?

중요

> 황제는 최고 전성기를 이루었다. 대내적으로 자금성을 건설하여 수도를 난징에서 베이징으로 옮기고, 화북과 강남 지방을 연결하는 대운하를 정비하였다. 대외적으로 황제가 직접 군대를 이끌고 몽골을 수차례 공격하고, 베트남(대월)을 점령하였다.

① 북송을 멸망시켰다.
② 일본을 정복하였다.
③ 정화의 함대를 파견하였다.
④ 캬흐타 조약을 체결하였다.
⑤ 신장, 티베트를 복속시켰다.

02 지도에 표시된 국가에 대한 설명으로 옳은 것은?

① 북로남왜 위협으로 재정이 악화되었다.
② 도호부를 설치하여 제국을 안정시켰다.
③ 조세 징수를 담당하는 이갑제를 시행하였다.
④ 맹안 모극제로 이중 지배 체제를 실시하였다.
⑤ 비밀 상주문 제도로 황제 독재권을 강화하였다.

03 (가), (나) 세력 침입의 결과 시행한 정책으로 옳은 것은?

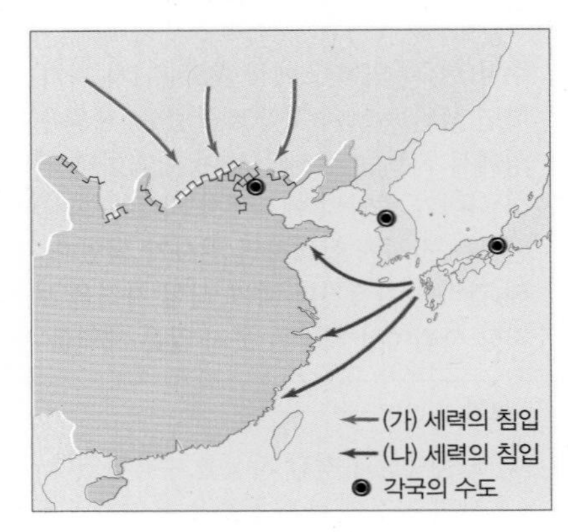

① 문치주의 ② 일조편법 ③ 지정은제
④ 기미 정책 ⑤ 만한 병용제

04 (가), (나) 제도에 대한 설명으로 옳은 것은?

중요

> (가) 전국의 백성을 현재 거주하는 지역의 호적에 등기하고 인정(人丁)에 관계없이 토지와 재산의 많고 적음에 따라 지세와 호세를 부과하되, 가을에 나누어 징수하였다.
>
> (나) 천하가 평정된 지 오래되어 호구가 날로 번창하나 인정(人丁)을 헤아려 정세를 부과하지는 일이 어렵다. 인정은 늘더라도 토지는 늘지 않으니 현재의 세역 장부에 등재된 인정 수를 늘리거나 줄이지 말고 영구히 고정하라. 그리고 지금 이후에 태어나는 인정에 대해서는 꼭 정세를 거둘 필요가 없다.

① (가) – 안사의 난 이후 재산에 따라 징수하였다.
② (가) – 서하와의 전쟁으로 재정 손실을 보충하기 위해 실시되었다.
③ (나) – 이갑제를 통해서 징수하였다.
④ (나) – 상인에게 농민의 5배 이상의 세금을 부과하였다.
⑤ (가), (나) 제도는 서양과의 교역으로 다량의 은이 유입되어 실시할 수 있었다.

05 중요 (가)에 대한 설명으로 옳은 것은?

> 명 말에서 청 초에 문헌에 근거해서 고전을 규명하려는 학풍인 (가) 이/가 등장하였는데, 고염무, 황종희 등의 학자가 대표적이다. 청 조정에서는 한족 학자를 회유하기 위해 대규모 서적 편찬 사업을 펼쳐 이를 후원하였으나, 한편으로는 사상 통제의 수단으로 이용되기도 하였다.

① 현실 정치의 개혁을 지향하는 공양학이다.
② 지행합일의 실천성을 강조하는 양명학이다.
③ 실증적인 연구 방법을 중시하는 고증학이다.
④ 경서의 자구 해석과 주석에 주력하는 훈고학이다.
⑤ 인간 본성과 우주의 원리를 연구하는 성리학이다.

06 다음 자료에 나타난 시기의 경제 상황에 대한 옳은 설명을 | 보기 |에서 고른 것은?

> 창장강 하류 지역의 수공업 제품과 화북과 창장강 중류 지역의 농산물을 거래하는 장거리 교역이 발달하였다. 쑤저우나 양저우 같은 대도시와 소규모 상공업 도시가 출현하였다. 이러한 도시를 기반으로 산시 상인, 후이저우 상인 같은 대상인 집단이 성장하였다. 상인은 동향 관계나 동업 관계를 중심으로 회관이나 공소를 세워 상호 이익에 힘쓴다.

| 보기 |
ㄱ. 세금이 은으로 징수되었다.
ㄴ. 조생종인 참파벼가 도입되었다.
ㄷ. 옥수수, 땅콩 등 외래 작물이 도입되었다.
ㄹ. 창장강 하류의 강남 지방이 최대 곡창지가 되었다.

① ㄱ, ㄴ ② ㄱ, ㄷ ③ ㄴ, ㄷ
④ ㄴ, ㄹ ⑤ ㄷ, ㄹ

07 중요 밑줄 친 '대상인'에 대한 설명으로 옳은 것은?

> 근래 여러 영주들은 대소를 막론하고 비용이 부족하여 곤란에 처하는 일이 매우 많다. 가신의 봉록을 지급하기 위하여 상인들에게 빌린다. 그래도 모자라면 백성들에게 돈을 내게 하여 급한 비용을 처리한다. 그래도 부족하면 에도 · 교토 · 오사카의 대상인들에게 돈을 빌리는 일이 매년 그치지 않는다. 빌리기만 하고 갚는 일이 드물어 이자가 이자를 낳아 거듭된 부채는 점점 증가하여 몇 배나 된다.

① 지정은제를 통해 은을 축적하였다.
② 대운하를 통해 유통망을 확대하였다.
③ 감합 무역을 통해 막대한 부를 축적하였다.
④ 가부키, 우키요에 등 자신들의 문화를 발전시켰다.
⑤ 공소, 회관을 설치하여 자신들의 이익을 추구하였다.

08 다음 제도가 실시된 시기의 일본 모습으로 옳은 것은?

> 다이묘는 영지와 에도에 교대로 거주하도록 한다. 매년 4월에 도착하도록 하라. 최근 수행하는 종자의 숫자가 너무 많아졌다. 그것은 인민의 노고를 늘리는 것이니, 앞으로는 다이묘의 격에 맞추어 줄여라.

① 견당사가 파견되었다.
② 헤이안쿄로 천도하였다.
③ 조닌 문화가 발달하였다.
④ 몽골 침입을 격퇴하였다.
⑤ 다이카 개신이 이루어졌다.

심화 수능 유형 익히기

총 문항수 2	처음 푼 날 월 일
정답과 해설 56쪽	오답 푼 날 월 일

01 (가)가 유행하던 시기의 일본 문화에 대한 설명으로 옳은 것은?

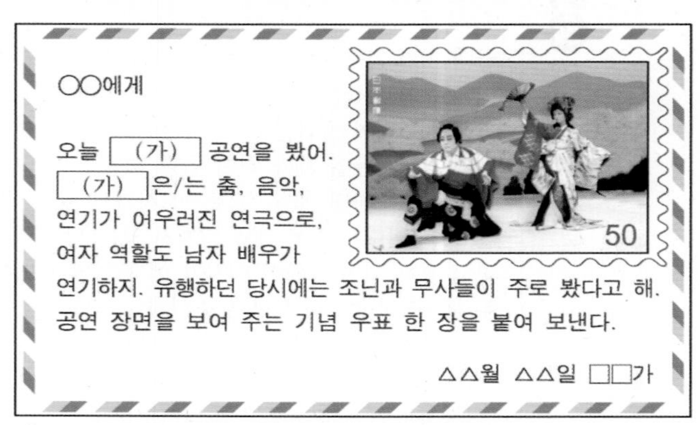

○○에게

오늘 (가) 공연을 봤어. (가) 은/는 춤, 음악, 연기가 어우러진 연극으로, 여자 역할도 남자 배우가 연기하지. 유행하던 당시에는 조닌과 무사들이 주로 봤다고 해. 공연 장면을 보여 주는 기념 우표 한 장을 붙여 보낸다.

△△월 △△일 □□가

① 서민들이 『서상기』 공연을 관람하였다.
② 서민들 사이에 우키요에가 유행하였다.
③ 룽먼에 석굴 사원이 조성되기 시작하였다.
④ 서민의 일상생활을 묘사한 풍속화가 그려졌다.
⑤ 『홍루몽』처럼 서민들이 즐기는 문학 작품이 유행하였다.

유형 분석
실제로 있을 법한 가상 문서를 분석하는 문제 유형이야.

해결 비법
형식은 엽서글이지만 내용 속에 조닌 문화임을 알 수 있는 힌트들이 있어. 조닌 문화는 에도 시대 자주 나오는 주제로 가부키와 우키요에에 대해서 알아두는 것이 좋아.

02 밑줄 친 '그'의 활동으로 옳은 것은?

> 그는 이탈리아 출신으로 예수회 선교사가 되어 중국에 파견되었다. 마카오에서 중국어와 한문을 익힌 뒤 수도에 도착하였다. 황제의 허락을 받아 성당을 세웠고, 포교 활동을 하면서 서양의 과학 지식을 중국에 소개하였다. 그는 『천주실의』를 저술하고 『기하원본』을 번역하여 동아시아의 지식인들에게 큰 영향을 끼쳤다.

① 『오경정의』를 집필한 공영달과 교류하였다.
② 서양의 건축 기술을 이용하여 원명원을 설계하였다.
③ 이슬람의 과학 기술을 활용하여 수시력을 만들었다.
④ 강희제를 알현하여 서양의 천문 지식을 소개하였다.
⑤ 서양의 지리 지식을 이용하여 「곤여만국전도」를 제작하였다.

유형 분석
인물에 대해서 설명하고 인물의 활동 시기와 활동 내용을 물어보는 유형이야.

해결 비법
몽골 제국 시기 중국을 다녀가거나 명·청 시기 중국에서 활동한 예수회 선교사들의 저서나 활동 내용은 잘 알아두는 것이 좋아.

심화 기출 지문 활용하기

총 문항수 6 | 처음 푼 날 월 일
정답과 해설 56쪽 | 오답 푼 날 월 일

2015학년도 수능

> 우리가 중국에 들어와 천하를 지배하고, 나아가 외번(外藩)인 몽골, 칭하이, 티베트 등을 공략하여 영토를 넓혔다. …… 인의를 알아야 중화인이고, 윤리를 모르면 오랑캐이다. 어찌 태어난 곳을 가지고 오랑캐를 구별할 수 있겠는가?
>
> -『대의각미록』-

서술형 문제

01 밑줄 친 '우리가' 실시한 한족 지배 방식의 목적과 특징을 서술해 보자.

수능 문제

02 다음 자료에 나타난 왕조의 경제 상황에 대한 설명으로 옳은 것은?

① 공소와 회관이 세워졌다.
② 감합 무역이 시행되었다.
③ 화북 지방에 2년 3모작이 시작되었다.
④ 일종의 어음인 비전이 널리 사용되었다.
⑤ 농민에게 저리로 융자하는 청묘법을 실시하였다.

활용 문제

03 다음 자료에 나타난 왕조의 동서 교류에 대한 설명으로 옳은 것은?

① 곽수경이 수시력을 제작하였다.
② 카르피니가 선교 활동을 하였다.
③ 아담 샬이 천문대를 관리하였다.
④ 마르코 폴로가 중국을 방문하였다.
⑤ 현장이 『대당서역기』를 집필하였다.

2015학년도 수능

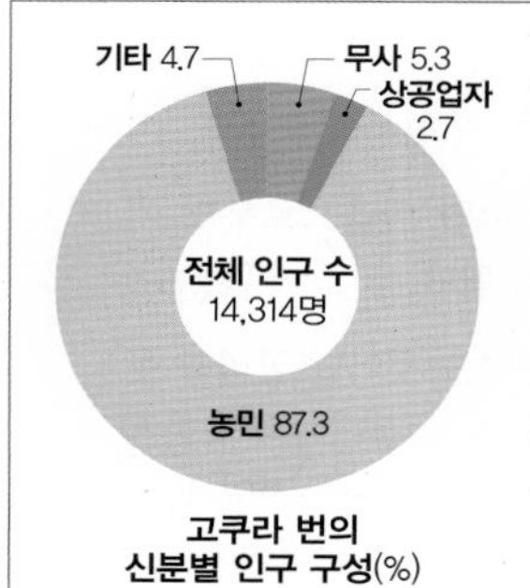

고쿠라 번의 신분별 인구 구성(%)

이 시기의 상공업자는 하위 신분에 속하였고 그 수 또한 적었지만 부를 축적하여 사회적으로 큰 영향력을 행사하였다. 그들이 모여 살던 조카마치는 번(藩)의 경제 중심지로 번영하였다. 그들은 우키요에와 소설 등 자신들의 취향에 맞는 독특한 문화를 발전시켰다.

서술형 문제

04 자료에 등장하는 상공업자들의 문화를 무엇이라고 하고, 이러한 문화가 발달한 배경을 서술해 보자.

수능 문제

05 밑줄 친 '이 시기'의 일본에 대한 설명으로 옳은 것은?

① 국풍 문화가 형성되었다.
② 『일본서기』가 편찬되었다.
③ 아스카 문화가 발달하였다.
④ 산킨코타이제가 실시되었다.
⑤ 무로마치 막부가 등장하였다.

활용 문제

06 밑줄 친 '이 시기'의 일본의 경제 상황에 대한 설명으로 옳은 것은?

① 남방에서 참파벼가 도입되었다.
② 송의 동전이 대량으로 수입되었다.
③ 벼농사에서 모내기가 보편화되었다.
④ 창장강 중·상류가 최대 곡창지가 되었다.
⑤ 전국 도로망이 정비되어 상공업이 발달하였다.

대주제 2 마무리하기

난이도 / 상●●● / 중●●● / 하●●●
정답률 / 50% 미만 / 50~70% / 70%이상

01 (가)의 사상이 나타나는 시기에 대해 옳은 것은?

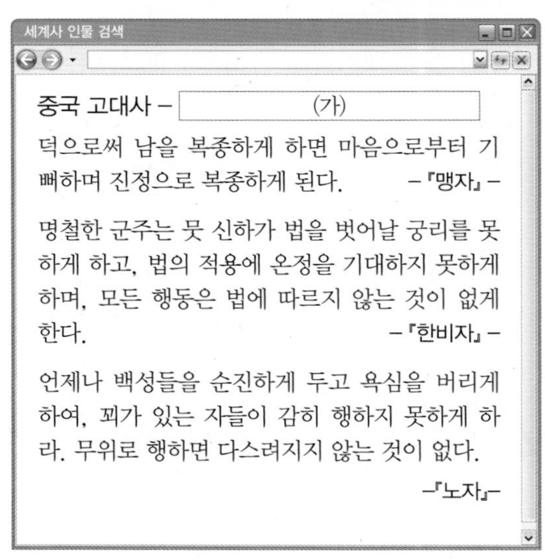
세계사 인물 검색

중국 고대사 – (가)

덕으로써 남을 복종하게 하면 마음으로부터 기뻐하며 진정으로 복종하게 된다. –『맹자』–

명철한 군주는 뭇 신하가 법을 벗어날 궁리를 못하게 하고, 법의 적용에 온정을 기대하지 못하게 하며, 모든 행동은 법에 따르지 않는 것이 없게 한다. –『한비자』–

언제나 백성들을 순진하게 두고 욕심을 버리게 하여, 꾀가 있는 자들이 감히 행하지 못하게 하라. 무위로 행하면 다스려지지 않는 것이 없다. –『노자』–

① 도시 국가가 발달하였다.
② 토지 사유화가 진전되었다.
③ 전국적으로 군현제가 실시되었다.
④ 오경박사를 두고 태학을 설립하였다.
⑤ 황건적의 난 등 전국적인 농민 봉기가 발생하였다.

02 (가)에 들어갈 내용으로 적절한 것은?

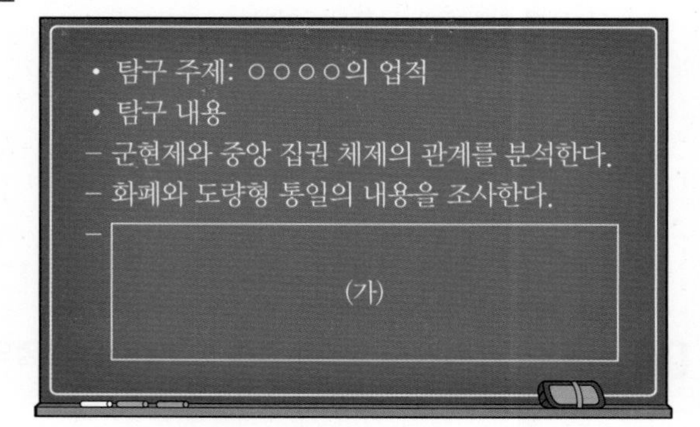

① 한화 정책의 배경과 사례를 조사한다
② 문자옥을 통한 한인 통제의 목적을 파악한다.
③ 시박사의 설치 배경과 해외 무역을 조사한다.
④ 분서갱유 사건과 사상 통제의 배경을 파악한다.
⑤ 이중 지배 체제의 목적와 운영 방법을 파악한다.

03 다음 가상 편지를 통해 알 수 있는 왕조에 대한 옳은 설명을 | 보기 |에서 고른 것은?

○○○ 께

흉노와의 전쟁이 본격화 되면서 많은 군사와 물자가 투입되었습니다. 황제께서 고조선과 남월을 멸망시키고 군을 설치하였지만 대규모 대외 원정으로 재정이 어려워졌습니다. 심히 걱정됩니다.

| 보기 |
ㄱ. 균전제가 시행되었다.
ㄴ. 상앙이 개혁을 추진하였다.
ㄷ. 평준 · 균수법을 시행하였다.
ㄹ. 소금과 철을 국가가 전매하였다.

① ㄱ, ㄴ ② ㄱ, ㄷ ③ ㄴ, ㄷ
④ ㄴ, ㄹ ⑤ ㄷ, ㄹ

04 다음 대화를 통해 알 수 있는 시대의 문화상으로 옳은 것은?

① 기전체 역사서『사기』가 편찬되었다.
② 원강, 룽먼에 석굴 사원이 조성되었다.
③『오경정의』가 과거 수험서로 활용되었다.
④ 성리학이 발달하여 화이론이 강화되었다.
⑤『삼국지연의』같은 서민 문학 작품이 유행하였다.

05 다음 문화가 나타나는 시기로 옳은 은 것은?

> 도에는 변치 않는 이름이 없고, 성인도 변치 않는 격식이 없다. 모두 상황에 따라 가르침을 펴서 중생을 구제하고 있을 따름이다. 대진국의 사제 아라본(阿羅本)이 멀리서 장안까지 와서 경전과 성상을 바쳤다.
> 그 교리를 살펴보니 …… 만물을 구제하고 사람을 이롭게 하는 것이니 천하에 행하여지도록 하는 것이 마땅하다.
> – 대진 경교 유행 중국비 –

	(가)		(나)		(다)		(라)		(마)	
		장건 파견		대운하 건설		왕안석의 신법		정강의 변		

① (가) ② (나) ③ (다) ④ (라) ⑤ (마)

06 밑줄 친 '이 시기'에 볼 수 있는 모습으로 적절한 것은?

① 지방관에게 조언하는 신사
② 석탄으로 철을 다듬는 수공업자
③ 한인에게 세금을 징수하는 북면관
④ 국가 재정 업무에 참여하는 색목인
⑤ 시장에서 은으로 물건을 사는 농민

07 (가), (나) 왕조에 대한 설명으로 적절한 것은?

> 비트포겔은 동아시아의 북방 민족들 가운데 중국의 일부 또는 전부를 정복한 왕조를 '정복 왕조'라고 칭하여, 한족이 세운 중국의 다른 왕조들과 구별하였다. 아구다가 건국한 (가) 은/는 '정복 왕조'의 한 사례이다. 이 왕조는 요를 멸망시키고, 나아가 화북 지방까지 진출하였다. 유목민 최초로 중국 전역을 지배하였던 (나) 은/는 13세기 초 테무친이 흩어져 있던 부족을 통합하였다.

① (가) – 파스파 문자를 만들어 사용하였다.
② (가) – 남면관과 북면관을 설치하여 운용하였다.
③ (나) – 이갑제로 향촌 질서를 유지하였다.
④ (나) – 몽골 제일주의의 원칙을 유지하였다.
⑤ (가), (나) – 중정관이 올린 향품에 따라 인재를 등용하였다.

08 (가) 제도가 시행된 제국의 교류에 대한 설명으로 옳은 것은?

> 여행자에게는 중국이 가장 안전하고 좋은 고장이다. 혼자서 거금을 소지하고 9개월 간이나 돌아다녀도 걱정할 것이 없다. 전국의 모든 (가) 에는 숙소가 있는데, 관리가 자신의 서기와 함께 숙소에 와서 전체 투숙객의 이름을 등록하고는 일일이 확인 도장을 찍은 다음 숙소 문을 잠근다.
> –이븐 바투타, 『여행기』–

① 현장이 『대당서역기』를 집필하였다.
② 아담 샬이 서양 역법으로 달력을 만들었다.
③ 마테오 리치가 「곤여만국전도」를 제작하였다.
④ 마르코 폴로가 중국을 방문하고 책을 남겼다.
⑤ 카스틸리오네가 서양식 화법과 건축술을 소개하였다.

09 다음 강좌의 각 차시 수업 내용으로 적절하지 않은 것은?

강좌명: 시대 순으로 정리하는 일본사
수업 계획서
담당: ○○○ 선생님

차시	수업 주제
1	일본 역사의 시작
2	국왕을 중심으로 한 중앙 집권 체제의 확립
3	견당사, 견신라사의 활약과 불교 문화의 유행
4	일본 고유의 색채를 띤 국풍 문화의 발전
5	가마쿠라 막부의 등장과 국왕 권력의 변화

① 1차시: 조몬 토기와 간석기를 사용하고 농경이 시작되었다.
② 2차시: 다이카 개신을 단행하고 율령 체제를 도입하였다.
③ 3차시: 전국의 사찰을 감독하기 위해 도다이사를 세웠다.
④ 4차시: 산킨코타이를 통해 다이묘를 통제하였다.
⑤ 5차시: 쇼군이 정치 운영의 중심된 봉건제 사회가 형성되었다.

10 (가)의 계층이 활동하였던 시기에 대한 설명으로 옳은 것은?

(가) 의 문화, 특별 전시회
일시 : 2018. ○. ○○. ~ ○. ○○
장소 : □□ 박물관, 특별 전시실

▲ 가부키

▲ 우키요에

① 견당사를 파견하였다.
② 국풍 문화가 형성되었다.
③ 『일본서기』가 편찬되었다.
④ 산킨코타이가 실시되었다.
⑤ 몽골의 침입을 격퇴하였다.

11 (가)~(다)에 대한 설명으로 옳지 않은 것은?

(가) 정(丁)마다 매년 국가에 벼 2석을 조(租)로 낸다. 정마다 매년 요역 20일, 윤달에는 2일 더하여 복역하는 것을 용(庸)이라 한다. 조(調)는 향토에서 나는 것에 따라 매년 비단 2장, 솜 3량을 낸다.
(나) 조정과 지방 정부에 상납하는 각종 물자와 비용에서부터 각지의 특산품에 이르기까지 모두 합쳐 일조(一條)로 하여, 각 호의 토지와 성년 남자 수에 따라 은으로 관에 납부하게 하였다.
(다) 천하가 평정된 지 오래되어 호구가 날로 번창하나 인정(人丁)을 헤아려 정세를 부과하지는 일이 어렵다. 인정은 늘더라도 토지는 늘지 않으니 현재의 세역 장부에 등재된 인정 수를 늘리거나 줄이지 말고 영구히 고정하라.

① (가) – 당 대에 균전을 받은 농민에게 징세하기 위해 만들어졌다.
② (나) – 명 대에 지세와 요역을 단순화하였다.
③ (다) – 청 대 인구가 늘면서 정세를 지세에 통합하였다.
④ (가), (나) – 균전을 지급하여 농민의 생활 안정을 추구하였다.
⑤ (나), (다) – 아메리카와 일본산 은이 대량으로 유입되어 가능하였다.

12 밑줄 친 '그'의 활동으로 옳은 것은?

그는 이탈리아 출신으로 예수회 선교사가 되어 중국에 파견되었다. 마카오에 도착한 그는 중국어와 한문을 익힌 뒤 베이징에 도착하였다. 황제의 허락을 받아 성당을 세웠고, 포교 활동을 하면서 『천주실의』를 저술하고 『기하원본』을 번역하여 동아시아의 지식인들과 교류하였다.

① 마르코 폴로와 함께 포교 활동을 하였다.
② 이슬람 천문학을 활용하여 수시력을 만들었다.
③ 서양의 건축 기술을 이용하여 원명원을 설계하였다.
④ 순치제를 알현하여 서양의 천문 지식을 소개하였다.
⑤ 서양의 지리 지식을 이용하여 「곤여만국전도」를 제작하였다.

정답과 해설 ▸ 58쪽

❖ 다음을 읽고 물음에 답해 보자.

(가) 청의 강경책과 회유책

1. 만한 병용책

계사년 정월 26일 옥하관에서 체류하였다. 관리 명부를 구해보았다. 내각 대학사는 만주인 6명, 한인 4명이고 시독학사는 만주인 4명, 한인 2명, 몽골인이 각각 2명이다. …… 6부의 상서와 시랑, 시무는 만주인과 한인이 각각 1명씩 임명되었다. …… 겸직이 있기는 하지만 문서에 관한 임무와 예의에 관한 직무는 한인이 많이 임명된다고 한다.

2. 문자옥

문집에서 남명왕조 연호를 쓴 고위 관리가 고발을 당해 사형을 당한 사례, '글을 읽을 줄 모르는 청풍(淸風)'이라는 시 구절에서 청풍이 청 왕조를 비유한 것이라해 처형된 사례, 여유량이라는 청의 관리가 죽은 후, 증정이라는 사람이 그의 저서를 읽고 모반을 하려다 밝혀지자, 여유량의 무덤이 파해쳐지고, 후손과 제자들이 처벌을 받은 사례가 있다.

(나) 중화사상

1. 홍무제, 원 정벌을 개시하면서 관민에게 내린 격문

원처럼 오랑캐로서 중국에 들어와 천하를 지배한 예는 없었다. 그러나 근래 그 정치의 혼란은 극에 달하였다. …… 예로부터 "오랑캐에게 백 년의 운세는 없다"라는 말이 있다. 지금 오랑캐를 몰아내고 중화를 회복하여 기강을 다시 세워 백성을 구제할 성인이 나타나려 하고 있다.

2. 옹정제, 『대의각미록』

오랑캐라는 것은 대개 변방에 거처하여 중원과 말이 통하지 않기 때문이다. 중원에 태어났다고 하여 중화가 되는 것이 아니며 변방에 태어났다고 하여 중화가 될 수 없는 것도 아니다. 오랑캐와 더불어 세상에 태어나서 음양의 기운이 함께 받았으나, 그 정기가 뛰어난 자가 중화가 되는 것이고 편벽되고 특이한 정기를 받은 자가 오랑캐가 되는 것이 아니다. 그러므로 중화인은 인의를 아는 것이고 오랑캐는 윤리를 모르는 것이다. 그러하니 어찌 태어난 곳이 중원이냐 아니냐를 가지고 중화인과 오랑캐를 구별할 수 있겠는가?

더 알아보기

비트포겔은 '정복 왕조'로 요, 금, 원, 청을 예로 들었다. 이러한 정복 왕조는 자신들만의 정체성을 지키면서도 중국적인 왕조를 만들려고 했다. 청은 정복 왕조 중에서도 중국의 마지막 왕조 국가로 북방 민족 왕조지만 현재 다양한 중국 민족을 포섭하는 기반을 닦았다고 여겨진다.

논술 갈라잡이

북방 민족 왕조이자 중국의 마지막 왕조인 청이 다수의 한족을 다스리기 위해서 어떤 정책을 펼쳤고, 한족이 갖고 있는 중화사상을 극복하기 위한 논리를 무엇이었는지 생각해 보자.

01 (가)를 바탕으로 청이 다수의 한족을 어떻게 다스렸는지 강격책과 회유책의 사례를 들어 서술해 보자.

02 (나)의 옹정제의 화이에 대한 개념을 바탕으로 홍무제의 주장을 비판해 보자.

대주제 3

서아시아 · 인도 지역의 역사

학습 계획표

- 자신의 일정에 맞게 계획을 세우고, 실제 학습일을 적어 봅시다.
- 학습을 마무리한 후 스스로가 얼마나 학습 목표를 달성하였는지 점검해 봅시다.

주제 6 서아시아의 여러 제국과 이슬람 세계의 형성	쪽수	계획일	학습일	목표 달성도
Day 15 개념 정리, 자료 뜯어보기	084 ~ 091쪽	월 일	월 일	☆☆☆☆☆
Day 16 개념 익히기, 내신 유형 익히기	092 ~ 095쪽	월 일	월 일	☆☆☆☆☆
Day 17 내신 만점 도전하기, 수능 유형 익히기, 기출 지문 활용하기	096 ~ 099쪽	월 일	월 일	☆☆☆☆☆

주제 7 인도의 역사와 다양한 종교 · 문화의 출현	쪽수	계획일	학습일	목표 달성도
Day 18 개념 정리, 자료 뜯어보기	100 ~ 105쪽	월 일	월 일	☆☆☆☆☆
Day 19 개념 익히기, 내신 유형 익히기	106 ~ 109쪽	월 일	월 일	☆☆☆☆☆
Day 20 내신 만점 도전하기, 수능 유형 익히기, 기출 지문 활용하기	110 ~ 113쪽	월 일	월 일	☆☆☆☆☆
Day 21 대주제 마무리하기, 비판적 사고 기르기	114 ~ 117쪽	월 일	월 일	☆☆☆☆☆

주제 6

서아시아의 여러 제국과 이슬람 세계의 형성

주제 흐름 읽기

아시리아 – 분열기 – (통일) 아케메네스 왕조 페르시아 (알렉산드로스 제국) – 파르티아 – 사산 왕조 페르시아 – 정통 칼리프 시대 – 우마이야 왕조 – 파티마 왕조 / 후우마이야 왕조 / 아바스 왕조 – 셀주크 튀르크 – 오스만 제국 (티무르 왕조 – 사파비 왕조)

비잔티움 제국

1 서아시아의 여러 제국

서아시아의 여러 제국은 방대한 영토를 어떻게 효율적으로 통치하였을까요?

1. 아시리아의 서아시아 통일

(1) **통일 배경** 기마 전술, 철제 무기, 전차 이용

(2) **발전** 도로, 역전제 정비, 전국을 주(州)로 나누고 총독 파견 ,학문 발전

(3) **멸망** 이민족에 대한 강압적 통치로 멸망 자료 1

2. 아케메네스 왕조 페르시아의 발전

(1) **다리우스 1세**

① 왕조의 전성기: 이집트와 지중해~인더스강에 이르는 대제국 건설(최대 영토)

② 중앙 집권 체제 강화: 속주에 총독 파견, 감찰관 파견하여 총독 감독(왕의 눈, 왕의 귀), 도로와 역참제 정비(왕의 길❶), 화폐와 도량형 정비

(2) **관용 정책** 피지배 민족의 전통과 신앙 존중, 페니키아인의 무역 활동 보호 자료 1

3. 파르티아의 번영

Where? 크테시폰을 중심으로 로마 제국과 중국, 인도를 연결했어.

(1) **특징** 정복지 주민들에 대한 관대한 통치, 동서 무역로 장악, 중계 무역

(2) **멸망** 로마 제국, 쿠샨 왕조와의 경쟁으로 쇠약, 사산 왕조 페르시아에 멸망

4. 사산 왕조 페르시아의 발전

(1) **건국** 아케메네스 왕조 부흥 표방, 메소포타미아~인더스강에 이르는 대제국

(2) **발전** 중앙 집권 체제(조로아스터교❷, 페르시아어, 지방 총독 파견), 중계 무역

(3) **멸망** 비잔티움 제국과의 전쟁, 왕실 내분 → 이슬람 세력에게 멸망

5. 국제적인 페르시아 문화

아케메네스 왕조 페르시아	• 종교: 조로아스터교 유행 자료 2 • 문화: 국제적 성격, 페르세폴리스 궁전 유적
사산 왕조 페르시아	• 종교: 조로아스터교 국교화, 마니교❸ 탄생 • 문화: 건축, 공예(은, 유리, 견직물, 도자기) → 유라시아 전파

▲ 다리우스 1세의 전승 기념비

❶ **왕의 길**
다리우스 1세가 건설한 도로로 수사에서 사르데스까지 약 2,400km에 이른다. 일정한 거리마다 역참을 설치하여 말을 갈아탈 수 있게 하였다. 전시에는 군수품과 군사 수송로로, 평상시에는 상업 도로로 쓰여 아케메네스 왕조 페르시아의 발달에 기여하였다.

❷ **조로아스터교**
조로아스터에 의해 창시된 종교로 배화교라고도 한다. 이원론의 입장에서 이 세상은 선과 빛(아후라 마즈다)과 악과 어둠(아리만)이 싸우는 장소이며 인간은 선의 신 아후라 마즈다에게 은혜를 입어 최후의 심판을 통해 천국으로 갈 수 있다고 하였다. 천국과 지옥, 죽은 자의 부활, 최후의 심판 등의 교리는 이후 유대교, 크리스트교, 이슬람교 등에 영향을 끼쳤다.

❸ **마니교**
마니가 창시한 종교로 불교와 네스토리우스 크리스트교(경교), 조로아스터교를 융합하여 성립되었다. 금욕주의와 정신주의적 성향으로 이단으로 탄압받았으나 중앙아시아와 중국으로 전파되어 명교라 불리기도 하였다.

자료 1 **아시리아와 페르시아의 통치 방식 비교**

1. 아시리아의 왕이 엘람 왕국을 정복하고 새긴 문자판

나는 수사의 지구라트를 부숴 버렸다. …… 나는 엘람의 사원을 파멸로 몰아넣었다. 나는 그들의 신들과 여신들을 바람에 날려버렸다. 나는 그들의 조상과 옛 왕의 무덤을 짓밟았고, 무덤에 햇빛이 들게 하였으며, 그들의 뼈를 꺼내어 아슈르의 영토로 가져갔다.

2. 키루스 원통 비문

나 키루스 2세는 …… 수메르와 아카드의 영토를 절대 위협하지 않을 것이다. 나는 백성들과 그곳의 모든 신전을 보전할 것이다. …… 내가 살아있는 한 너희의 전통과 종교를 존중할 것이다. 나는 결코 전쟁으로 통치하지 않을 것이다. 그 누구도 다른 사람을 억압해서도 차별해서도 안 되며, 까닭 없이 남의 재산을 강탈해서도 안 되며 ……

▲ 키루스 원통(영국 박물관)

뜯어보기 포인트
고대 서아시아의 제국들이 정복한 지역을 어떻게 통치하였는지 비교하자.

◯ 아시리아와 페르시아의 통치 방식의 공통점과 차이점은 무엇일까?

아시리아와 페르시아는 전국에 총독을 파견하여 직접 통치했다는 공통점이 있어. 이를 통해 왕의 중앙 집권 체제를 강화하려 했지. 그러나 아시리아는 엘람 왕국을 정복한 후 피정복민들의 사원을 파괴하는 등 이민족을 강압적으로 통치하였고, 아케메네스 왕조 페르시아는 정복한 지역의 신전을 보전하고 전통과 종교를 존중하는 등 이민족에 대해 관용 정책을 펼쳤다는 점에서 차이가 있어.

Q1 **페르시아의 통치 방식과 관련하여 옳지 않은 것을 선택해 보자.**

㉠ 속주에 총독을 파견하였다.
㉡ 감찰관을 파견하여 총독을 감독하였다.
㉢ 이민족에 대해 강압적으로 통치하였다.
㉣ 피지배 민족에 대해 관용 정책을 펼쳤다.
㉤ '왕의 길'이라 불리는 도로를 건설하였다.

자료 2 **아케메네스 왕조 페르시아와 조로아스터교**

나, 다리우스왕은 위대한 왕, 왕 중 왕이다. 광명의 신 아후라 마즈다의 높으신 뜻에 따라 왕이 되었다. 제국을 나에게 주신 아후라 마즈다의 높으신 뜻에 따라 나는 나에게 속한 이 나라들, 즉 페르시아, 엘람, 바빌로니아, 이집트, 아라비아 …… 인더스 강가, 이 모든 지역을 지배하는 왕이다. 왕이 말하노라. 나에게 속한 이 나라들은 아후라 마즈다의 높으신 뜻에 따라 나를 왕으로 섬겼고 나에게 공물을 바쳤다.

– 다리우스 1세의 전승 기념비 비문 –

뜯어보기 포인트
비문에 등장하는 아후라 마즈다가 조로아스터교와 관련이 있음을 기억하자.

◯ 다리우스왕은 누구의 뜻으로 왕이 되었다고 하며 어떤 종교와 관련이 있을까?

다리우스 1세는 광명의 신 아후라 마즈다의 뜻에 따라 왕이 되었다고 하고 있어. 아후라 마즈다는 아케메네스 왕조 페르시아의 국교인 조로아스터교의 신이야.

◯ 이 종교가 페르시아의 통치에 어떤 역할을 했을까?

아케메네스 왕조 페르시아의 왕들은 자신이 왕이 된 것은 빛과 선의 신 아후라 마즈다의 뜻이고, 자신의 통치는 그의 뜻을 따른 것이라고 주장했어. 조로아스터교를 통해 왕의 통치를 정당화하였지. 그래서 왕의 무덤을 비롯한 주요 건물에 신의 모습을 조각하기도 했어.

Q2 **아케메네스 왕조 페르시아에서 유행한 종교로 옳은 것을 선택해 보자.**

㉠ 불교
㉡ 마니교
㉢ 이슬람교
㉣ 크리스트교
㉤ 조로아스터교

답 Q1 ㉢ / Q2 ㉤

2 이슬람 세계의 형성과 발전

이슬람교는 아라비아 역사를 어떻게 바꾸었으며, 이슬람교의 사회 · 역사적 역할은 무엇이었을까요?

1. 이슬람교의 성립

(1) 이슬람교의 성립 배경 — Why? 기존의 관습과 공동체 질서가 무너졌기 때문에 새로운 질서가 필요했지.

① 사산 왕조 페르시아와 비잔티움 제국의 대립으로 새로운 교역로 발달 → 메카, 메디나와 같은 해안 도시 번성

② 빈부격차 심화, 일부 귀족이 부를 독점하여 일반 민중의 생활이 빈곤해짐.

③ 부족마다 다른 신을 섬김 → 부족 간의 전쟁 활발

(2) 이슬람교[4]의 성립

① 성립: 메카의 상인 무함마드가 이슬람교를 성립

② 특징: 유일신 알라, 우상 숭배 철저히 배격, 신 앞에 모든 인간 평등 → 생활양식 그 자체로 확대 자료 3 — How? 『쿠란』[5]에 기본 교리인 6신(信)과 5행(行)이 명시되어 있고, 무슬림들은 이를 지켜야해.

③ 세력 확장: 무함마드의 메디나 피신(헤지라, 622)[6] → 교세 확장 후 메카 장악, 아라비아반도 대부분 통일

2. 이슬람 세계의 확대

(1) 이슬람 세계의 확대 자료 4

정통 칼리프 시대	• 성립: 이슬람 공동체에서 칼리프[7] 선출, 이집트, 사산 왕조 페르시아를 정복하고 대제국 건설 • 분열: 칼리프 선출을 둘러싼 내분 → 4대 칼리프 알리 살해 → 우마이야 왕조 수립 → 수니파와 시아파로 분리[8]
우마이야 왕조	• 위치: 다마스쿠스를 중심으로 이베리아반도까지 진출[9] • 아랍인 중심의 통일 정책 추진: 아랍어 공용어, 화폐 통일 • 멸망: 아랍인 우월주의로 비아랍인의 불만 → 시아파의 도움으로 아바스 가문이 우마이야 왕조 멸망, 아바스 왕조 수립 → 잔여 일파가 코르도바를 수도로 하여 후우마이야 왕조 성립(756)
아바스 왕조	• 특징 ① 아랍인 특권 폐지: 비아랍인 이슬람교도의 세제상의 차별 철폐 ② 탈라스 전투(751) 승리 → 동서 교통로 장악 ③ 바그다드: 동서 무역의 중심지로 번영, 국제적 문화 발달 • 멸망: 훌라구의 몽골군에게 멸망(1258)

What? 당과 아바스 왕조 사이의 전투야. 중국의 제지술이 유럽으로 전파되는 계기가 되었지.

(2) 이슬람 세계의 확대 동력

① 종족과 계급에 따른 차별 금지

② 인두세만 납부하면 다른 종교의 관습과 신앙 허용

3. 다원화된 이슬람 세계

(1) 이슬람 세계의 다원화

아바스 왕조	바그다드 중심, 점차 권위 약화	세 명의 칼리프가 병존한 시기
파티마 왕조	• 수도 카이로, 이집트 정복 • 칼리프 칭호 사용, 아바스 왕조 권위 부정	
후우마이야 왕조	• 수도 코르도바, 서방 이슬람 문화의 중심 • 칼리프 칭호 사용	

❹ 이슬람
아랍어로 '알라에게 순종함'을 의미한다. 신의 의지와 명령에 순종함으로써 마음과 세상에 평화가 온다는 뜻이다.

❺ 『쿠란』

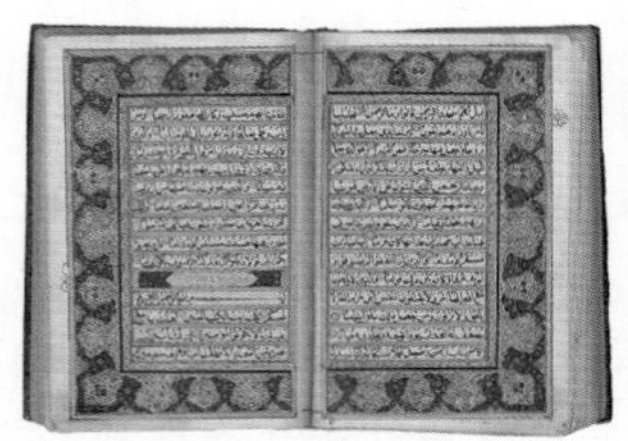

알라가 무함마드에게 내린 계시를 기록한 이슬람교 경전으로 아랍어로 된 『쿠란』만 인정하였다. 현재 다양한 언어로 번역되고 있지만, 이는 『쿠란』에 대한 주석서로만 여겨진다.

❻ 헤지라(622)
무함마드가 메카의 보수적인 귀족층의 박해를 피해 메디나로 피신한 연도로 이슬람력의 기원이다.

❼ 칼리프
무함마드를 잇는 '계승자'라는 뜻으로, 이슬람의 종교 지도자이면서 정치적 지배자 역할을 하였다.

❽ 수니파와 시아파
수니파는 무함마드의 언행(순나)를 따르며 공동체의 통일을 중시하는 세력으로 알리를 포함한 초기 4명의 칼리프를 정통으로 여겼다. 반면 시아파는 알리와 그의 후손만을 무함마드의 정통한 후계자로 여기는 세력이다.

❾ 투르 · 푸아티에 전투(732)
이베리아반도를 차지한 우마이야 왕조의 이슬람군은 피레네산맥을 넘어 프랑크 왕국을 공략하여 세력을 확장하고자 하였으나 프랑크 왕국의 카롤루스 마르텔의 군대에 투르 · 푸아티에에서 저지당하였다.

자료 3 이슬람교의 특징

1. 『쿠란』의 일부

알라는 모세에게 성서를 주고 …… 마리아의 아들 예수에게 권능을 내려 성령으로 그를 보호하였다. …… 우리는 알라를 믿고 우리에게 계시가 된 것과 아브라함과 이스마엘과 이삭과 야곱과 …… 모세와 예수, 예언자들이 계시받은 것들을 믿는다. 그 누구도 구별하지 아니하며 알라만을 믿는다.

2. 이슬람교의 5행과 6신

5행(실천해야 하는 5가지)	6신(믿어야 하는 6가지)
• 신앙 고백 • 예배 • 희사* • 라마단 기간의 단식 • 최소 일생 한 번의 성지 순례	• 알라 • 천사 • 성서 • 사도 • 최후의 심판일 • 정명(定命)

*희사 빈곤한 자를 위해 거두는 구빈 종교세이며 자카트라고 부른다.

◎ 이슬람교는 어떤 특징이 있을까?

『쿠란』의 내용을 통해 알라만을 믿는 유일신 사상임을 알 수 있어. 무슬림(이슬람교도)은 『쿠란』과 무함마드의 말과 행동을 기록한 『하디스』에 근거해 신앙 생활을 해. 또 5행과 6신을 통해 이슬람교는 단순한 신앙이 아니라 생활양식 그 자체로 교리가 자리 잡았음을 알 수 있지.

뜰어보기 포인트

이슬람교의 경전인 『쿠란』의 가르침이 이슬람 사회의 일상에 많은 영향을 끼친다는 점을 기억하자.

Q3 이슬람교와 관련하여 옳은 것을 모두 선택해 보자.

㉠ 지구라트
㉡ 유일신 사상
㉢ 아후라 마즈다
㉣ 우상 숭배 배격
㉤ 『함무라비 법전』

자료 4 이슬람 세계의 확대

1. 제4대 칼리프 알리는 유프라테스강 상류에 위치한 싯핀에서 무아위야의 군대와 최후의 결전을 벌이게 되었다. …… 그러나 알리의 추종 세력들이 이탈하고 그를 지지했던 동맹군이 결속력을 상실하자 그의 권위는 실추되고 말았다. 결국 알리는 자신의 본거지였던 쿠파에서 암살당하였다. 이후 권력을 장악한 무아위야는 자신이 칼리프임을 선언하였다.
2. 시아파의 지원으로 새로운 왕조가 수립된 이후에 제2대 칼리프 알 만수르는 도읍지를 새로 정하고 다음과 같이 선포하였다. "알라의 이름을 찬미하는 나의 백성과 군대를 온전히 부양할 수 있는 곳은 바로 여기 바그다드이다. ……"

◎ 1번 자료는 어떤 왕조의 수립을 보여줄까?

제4대 칼리프 알리가 암살당하고 무아위야가 칼리프임을 선언했다는 점에서 우마이야 왕조가 수립되었음을 알 수 있어. 무함마드가 죽고 이슬람 공동체에서 칼리프를 선출하였으나 내분으로 알리가 암살되고, 이후 시리아 총독 무아위야가 칼리프 자리에 올랐어. 이를 계기로 이슬람 세계는 수니파와 시아파로 분열되기도 했어.

◎ 2번 자료는 어떤 왕조일까?

시아파의 지원을 받았다는 점, 수도가 바그다드인 점을 통해 아바스 왕조임을 알 수 있어. 아바스 왕조는 시아파의 도움으로 750년 우마이야 왕조를 멸망시켰어. 당과의 탈라스 전투 승리로 동서 교통로를 장악하였고, 뿐만 아니라 바그다드는 동서 무역과 이슬람 문화의 중심지로 번영하였지. 아랍인의 특권을 폐지하고 모든 이슬람교도의 평등을 내세워 인종을 초월한 범이슬람 제국으로 발전하였어.

뜰어보기 포인트

알리는 정통 칼리프 시대에 마지막으로 선출된 칼리프임을 기억하자.

Q4 바그다드를 수도로 삼았던 왕조와 관련하여 옳은 것을 선택해 보자.

㉠ 헤지라를 감행하였다.
㉡ 탄지마트를 추진하였다.
㉢ 와하브 운동을 전개하였다.
㉣ 탈라스 전투에서 승리하였다.
㉤ 수에즈 운하의 운영권을 장악하였다.

답 Q3 ㉡, ㉣ / Q4 ㉣

(2) **셀주크 튀르크의 등장**

① 튀르크계의 성장: 아바스 왕조의 친위대, 이슬람 지방 정권의 군대에서 활약 → 튀르크계의 카라한 왕조가 이슬람교로 개종, 세력 확장

② 셀주크 튀르크의 등장

㉠ 10세기 중반, 카스피해 부근에서 등장, 이슬람 개종

㉡ 11세기, 부와이 왕조[10] 무너뜨리고 바그다드 입성 → 아바스 왕조의 칼리프 보호 대가로 '술탄'[11] 칭호와 정치적 실권 위임

③ 셀주크 튀르크의 발전 자료 5

㉠ 영토 확장: 이란 지역 중심, 지중해~파미르고원에 이르는 대제국 건설

㉡ 상업, 학문 장려

㉢ 예루살렘, 아나톨리아 진출 → 비잔티움 제국 압박 → 십자군 전쟁[12] 발발

④ 셀주크 튀르크의 멸망: 십자군 전쟁 후 약화, 왕실의 내분으로 제국 분열

⑩ 부와이 왕조
이란 남서부와 이라크 지역에 세운 이슬람 왕조로 바그다드를 점령하고 사실상 아바스 왕조의 칼리프를 무력화시켰다.

⑪ 술탄
칼리프의 동의를 받아 지배 지역의 정치와 군사적 실권을 위임받은 자이다.

⑫ 십자군 전쟁
셀주크 튀르크의 위협을 받은 비잔티움 제국이 로마 교황에 도움을 요청하자 교황은 성지 회복을 위한 전쟁을 호소하였다. 이에 호응한 제후와 기사, 상인, 농민은 십자군을 조직하고 여러 차례에 걸쳐 이슬람 세계를 침공하였다.

4. 동서 세계를 이어 준 이슬람 세계

(1) **상업 발달 배경** 도로, 도시 건설로 자유로운 상업 활동 보장

(2) **중계 무역의 발달**

① 원인: 유럽과 아시아를 잇는 통로에 위치

② 특징

㉠ 범위: 대상들이 아프리카~중국 왕래, 상선이 지중해~인도양~남중국해~고려까지 왕래

㉡ 교역품: 중국(비단, 도자기), 인도(향신료, 면포), 동남아시아(향신료), 러시아(모피), 아프리카(금, 상아, 노예), 비잔티움 제국(견직물, 유리)

③ 금융업의 발달: 금, 은을 화폐로 사용, 신용장, 어음, 수표 이용

(3) **바그다드의 발달** 자료 6

① 특징: 원형으로 건설한 계획 도시

② 의의: 서아시아 지역 최대의 국제적 상업 도시이자 문화적 중심지

5. 이슬람 사회와 문화

(1) **이슬람 사회**

① 특징: 『쿠란』의 가르침이 일상을 지배하는 종교 중심 사회

② 예시: (특수한 상황에서의)일부다처 허용, 돼지고기 금지, 자선 활동, 일정 시간마다 예배, 히잡 착용, 신 앞에 평등(원칙적으로 신분 차별 없음.)

(2) **이슬람 문화**

① 특징: 동서 문화를 융합한 다채로운 문화

② 이슬람 문화권: 아랍어 『쿠란』이 읽히면서 통일된 종교, 언어 사용

③ 학문 발달[13]

What? alcohol, alkali, algebra, algorism 등 영어 단어 중 'al-'로 시작하는 용어는 아랍에서 비롯된 것들이 많아.

④ 유럽에 끼친 영향: 중국의 제지법, 화약, 나침반 등을 유럽에 소개 → 동서 문화 교류에 공헌, 르네상스에 영향

⑬ 이슬람 세계의 학문 발달

분야	내용
신학, 법학	『쿠란』 연구 과정에서 신학, 법학 발달
신앙, 철학	아리스토텔레스 등 그리스 철학으로 신앙 체계화 → 유럽 스콜라 철학의 성립에 기여
역사	• 무함마드 전기를 만드는 과정에서 역사학 발달 • 이븐 할둔 『역사서설』
지리	• 상업 활동, 성지 순례 과정에서 지리학 발달 • 이븐 바투타 『여행기』
문학	『천일야화』
건축	• 모스크 양식: 돔, 뾰족한 탑 • 아라베스크 무늬: 우상 숭배 금지 때문
미술	세밀화: 페르시아의 영향
수학	• 아라비아 숫자, 0의 개념 확립: 인도의 영향 • 대수법, 삼각법 완성
과학	• 천문학: 지구 구형설과 태양력 • 화학: 알칼리와 산의 구별, 승화 작용 • 물리학: 광학의 연구와 비중 측정 • 의학: 이븐 시나 『의학전범』 • 영향: 유럽의 근대 과학 성립에 기여

자료 5 셀주크 튀르크의 발전

중앙아시아에서 발원한 유목민 일파가 니샤푸르와 이스파한 등지로 세력을 확장하면서 부와이 왕조와 대결하였다. 그 후 이 일파는 바그다드로 입성하여 정치적 실권을 장악하였고, 마침내 이슬람 세계의 지배자로 등장하며 거대한 제국을 형성하였다.

셀주크 튀르크는 어느 지방까지 진출하였을까?

셀주크 튀르크는 이란 지역을 중심으로 지중해에서 파미르고원에 이르는 대제국을 건설했어. 특히 예루살렘과 아나톨리아로 진출한 셀주크 튀르크는 비잔티움 제국을 압박하였고, 결국 십자군 전쟁이 일어나게 되었지.

'칼리프'와 '술탄'의 차이점은 뭘까?

칼리프는 이슬람의 종교 지도자이면서 정치적 지배자, 술탄은 칼리프에게 지배 지역의 정치와 군사적 실권을 위임받은 자야. 원칙적으로는 이슬람 세계에서의 최고 수장은 칼리프야. 그러나 아바스 왕조의 후기에 이르러 칼리프의 존재는 이슬람의 종교적 수장이라는 형식적 지위로 전락해 오히려 정치 · 행정 · 군사적 실권을 쥔 술탄이 더 많은 권력을 가지게 되었어.

뜯어보기 포인트

9세기 중엽부터 많은 튀르크계 민족이 중앙아시아에서 서아시아로 이주하여 이슬람 세계의 주요 세력으로 떠오른 것을 기억하자.

Q5 셀주크 튀르크와 관련하여 옳은 것을 선택해 보자.

㉠ 이베리아반도를 정복하였다.
㉡ 사파비 왕조와 전투를 벌였다.
㉢ 사산 왕조 페르시아와 대결하였다.
㉣ 소아시아(아나톨리아)로 진출하였다.
㉤ 오스만 제국과 대립하여 이스파한으로 천도하였다.

자료 6 만수르의 '원형 도시' 바그다드

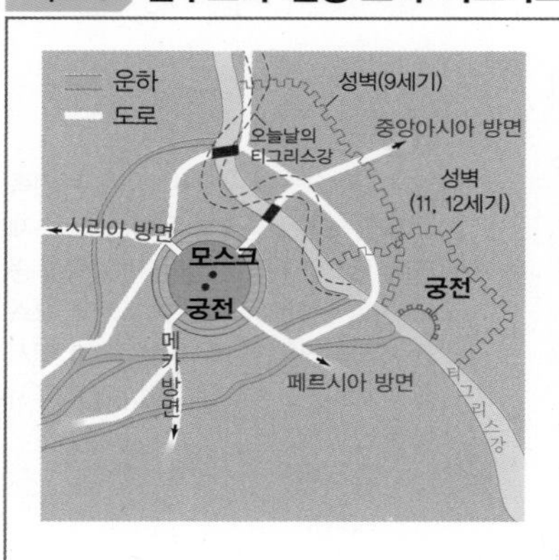

바그다드는 아바스 왕조의 2대 칼리프 만수르가 원형으로 건설한 수도이다. '원형 도시' 중앙에는 칼리프의 궁전이 있었고 외 부로 통하는 4개의 문에서 방사형* 으로 뻗은 도로를 따라 군 주둔지, 상점, 서민들의 거주지가 발달하였다. 4개의 문은 외부 교역로와 연결되어 유럽, 지중해, 아시아에서 온 온갖 국적의 사람들이 드나들었다. 그 뿐만 아니라 당시 세계 최고 수준의 도서관도 세워져 바그다드는 이슬람 세계의 교역과 문화의 중심지였다.

*방사형 중앙의 한 점에서 사방으로 거미줄처럼 뻗어나간 모양

바그다드의 특징은 무엇일까?

원형으로 건설된 계획 도시라는 특징이 있어. 원형의 도시 안에는 칼리프의 궁궐 뿐 아니라 모스크와 병사들의 막사, 성벽 외곽에는 시장에 있었지. 칼리프가 머무는 종교적 중심지였을 뿐만 아니라 서아시아 지역 최대의 국제적 상업 도시이기도 했어. 외부 교역로와 연결된 바그다드의 시장에는 중국과 페르시아, 인도와 아라비아 반도에서 온 세계 각지의 진기한 물건들이 많았지. 뿐만 아니라 학자, 예술가 등도 많이 모여들어 바그다드는 이슬람 문화의 중심지로 번영했어. 9세기에는 인구도 100만 명이 넘었는데 당의 장안, 비잔티움 제국의 콘스탄티노폴리스 등과 어깨를 나란히 할 정도였지.

뜯어보기 포인트

바그다드의 위치가 유럽과 아시아를 잇는 통로에 자리하고 있다는 점을 기억하자.

Q6 바그다드와 관련하여 옳은 설명을 모두 선택해 보자.

㉠ 아바스 왕조의 수도이다.
㉡ 이슬람교가 성립된 도시이다.
㉢ 국제적 상업 도시로 번성하였다.
㉣ 원형으로 건설된 계획 도시이다.
㉤ 무함마드가 피신하였던 도시이다.

답 Q5 ㉣ / Q6 ㉠, ㉢, ㉣

3 서아시아 전통 사회의 발전

오스만 제국, 티무르 왕조, 사파비 왕조는 동서 교류에 어떻게 기여하였을까요?

1. 오스만 제국의 발전 자료 7

(1) **성립** 아나톨리아에서 건국, 헝가리가 이끄는 크리스트교 연합군 격파, '술탄' 칭호 사용

(2) **발전**

① 메메트 2세: 비잔티움 제국 멸망[14], 콘스탄티노폴리스를 이스탄불로 개칭, 천도

② 셀림 1세: 이집트의 맘루크 왕조 정복, 메카와 메디나의 보호권 장악 → 수니파 이슬람 세계의 지배자로 군림('술탄 – 칼리프')

③ 술레이만 1세: 오스만 제국의 전성기, 헝가리 정복, 빈 포위 공격, 유럽 연합 함대 격파 → 지중해 해상권 장악, 교역 이익 독점

(3) **쇠퇴**

① 신항로 개척으로 지중해의 중요성 감소

② 17세기 말, 제2차 빈 포위 실패 및 헝가리를 상실하며 쇠퇴

When? 유럽과의 레판토 해전(1571)에서 패배한 상황에서도 여전히 군사력이 우세했으나, 1683년 빈 공략에 실패하며 점차 쇠퇴했어.

2. 오스만 제국의 사회와 문화

(1) **통치 제도** 자료 8

How? 티마르를 받은 기병과 데브시르메 제도에 의해 징집된 예니체리 군단은 오스만 제국의 팽창에 크게 기여했어.

① 티마르 제도: 촌락에 거주하는 기병에게 토지에 대한 징세권 부여

② 예니체리 군단: 데브시르메 제도에 의해 징집

③ 밀레트 제도[15]: 각 종교 공동체의 중앙 집권화, 종교·문화적 자치제 → 다양한 종교와 민족을 통합하여 안정된 국가 유지에 기여

(2) **경제** 동아시아, 인도, 아라비아 상인과 물자 유입, 상업 도시, 유라시아 교역망의 중심지(이스탄불)

(3) **문화** 비잔티움 문화 계승 + 튀르크 문화 발전 → 동서 문화 융합

① 건축: 비잔티움 양식을 도입한 모스크 발달(예 술탄 아흐메드 사원[16])

② 문학, 미술: 페르시아의 영향

③ 실용적인 학문 발달: 천문학, 수학, 지리학 등

3. 티무르 왕조의 번영

(1) **건국** 14세기 후반, 칭기즈 칸의 후예를 자처하며 티무르가 건국

(2) **특징**

① 동서 무역 독점: 유럽~이슬람~중국을 잇는 교통의 중심지, 사마르칸트 발전

② 문화: 이슬람, 페르시아, 튀르크, 중국 문화가 혼합된 복합(문학, 세밀화 등)

4. 이란 민족 국가 사파비 왕조

(1) **특징**

① 페르시아인의 민족의식 부흥: '샤' 칭호 사용

② 시아파 이슬람교 국교 채택 → 무굴 제국, 오스만 제국과 대립

(2) **발전(아바스 1세)** 이스파한 천도, 중상주의 정책(비단 산업을 국영 산업으로 전환), 바그다드 수복 등 영토 확장

14 콘스탄티노폴리스 공격

오스만 대군(약16만 명)이 콘스탄티노폴리스를 함락시킴으로써 천 년을 이어 온 비잔티움 제국이 멸망하였다.

15 밀레트 제도

밀레트는 오스만 제국 내의 소수 민족들에게 허용된 종교와 문화의 자치 제도로, 오스만 제국이 비이슬람교도를 종교, 종파 단위로 장악한 제도이다. 오스만 제국이 임명한 최고 성직자가 질서를 유지하였고 인두세(지즈야)를 징수하며 통치하였다.

16 술탄 아흐메드 사원

이스탄불에 있는 사원으로 비잔티움 양식의 영향을 받아 여러 개의 돔을 중첩된 형태로 만들었다. 첨탑 6개는 술탄의 권력을 상징하며, '블루 모스크'라는 별칭으로 더 잘 알려져 있다.

자료 7 오스만 제국의 발전

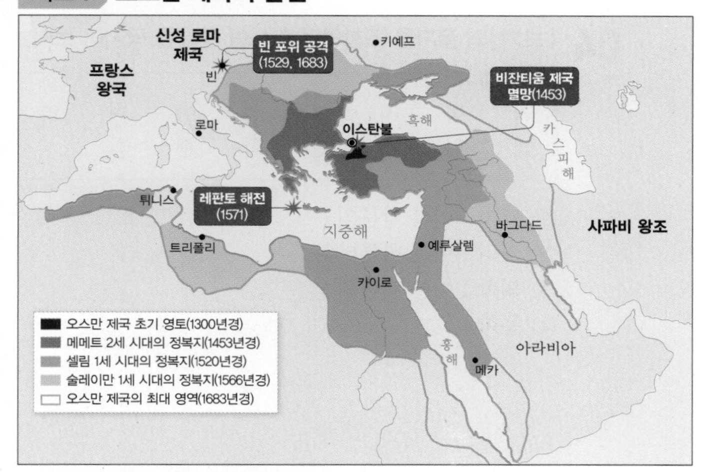

뜯어보기 포인트
오스만 제국이 아시아, 아프리카, 유럽의 세 대륙에 걸쳐있었다는 사실을 기억하자.

◎ 오스만 제국과 유럽 사이에는 무슨 일이 있었을까?
메메트 2세는 비잔티움 제국을 멸망시켜 콘스탄티노폴리스를 이스탄불로 개칭하고 천도했어. 또 술레이만 1세는 빈을 포위 공격하고 유럽의 연합 함대를 무찌르는 등 오스만 제국은 여러 차례 지중해와 유럽을 겨냥했지. 레판토 해전에서 패배하는 상황에서도 여전히 우세한 군사력을 바탕으로 유럽에 공세를 퍼부었어.

Q7 오스만 제국의 팽창과 관련하여 옳은 것을 선택해 보자.

㉠ 탈라스 전투
㉡ 십자군 전쟁
㉢ 콘스탄티노폴리스 공격
㉣ 시아파 이슬람교 국교화
㉤ 페르시아인의 민족의식 부흥

자료 8 오스만 제국의 통치 제도

오스만 제국에서는 주로 발칸반도 농촌의 크리스트교도 청소년을 징발하는 데브시르메 제도가 운용되었다. 징발된 청소년은 이슬람교로 개종한 후, 교육과 훈련을 거쳐 '술탄의 노예'로 충원되었다. 이들 중 일부 우수생은 궁정에 들어가 고급 관료로 출세하였지만, 대부분은 술탄의 직속 상비군인 예니체리 군단에 편성되었다. 예니체리는 '신군'이란 뜻으로 술레이만 1세 무렵에는 무려 12,000~13,000명 정도에 달하였다. 총으로 무장한 예니체리 보병과 포병대는 오스만 제국 군대의 주력으로 오스만 제국이 팽창하는데 크게 기여하였다.

뜯어보기 포인트
오스만 제국이 넓은 지역을 효과적으로 통치하기 위해 여러 통치 제도를 실시했음을 기억하자.

◎ 데브시르메 제도의 특징은 무엇일까?
데브시르메 제도를 통해 징발된 청소년은 대부분 유럽 내의 발칸반도 농촌에 살고 있는 크리스트교도 청소년이라는 특징이 있어. 데브시르메 제도로 징발된 청소년은 이슬람교로 개종하였고, 튀르크화 교육을 통해 점차 오스만 제국에 동화되었지. 이들은 대부분 예니체리 군단에 편성되어 오스만 제국 군대의 주력이 되었어.

◎ 이 외에 오스만 제국의 팽창에 기여한 제도는 없을까?
오스만 제국에서는 티마르 제도를 시행했어. 술탄은 '티마르'라고 하는 징세권을 주고 기병들의 충성을 얻어내었지. 뿐만 아니라 밀레트 제도를 통해 넓은 영토의 다양한 종교 집단을 효과적으로 통치하기도 했어. 오스만 제국이 임명한 최고 성직자들이 밀레트 내부를 자치적으로 통치하되 인두세를 거두도록 하였지. 이를 통해 안정된 국가를 유지할 수 있었어.

Q8 오스만 제국과 관련하여 옳은 것을 모두 선택해 보자.

㉠ 헤지라
㉡ 티마르 제도
㉢ 밀레트 제도
㉣ 예니체리 군단
㉤ 데브시르메 제도

답 Q7 ㉢ / Q8 ㉡, ㉢, ㉣, ㉤

정답과 해설 ▸ 59쪽

01 서로 관련 있는 내용끼리 연결해 보자.

ⓐ 마니교 •		• ㉠ 조로아스터가 창시, 이원론의 입장
ⓑ 이슬람교 •		• ㉡ 무함마드가 창시, 알라를 유일신으로 삼음
ⓒ 조로아스터교 •		• ㉢ 마니가 창시, 금욕주의와 정신주의적 성향

02 아래 설명이 맞으면 O표, 틀리면 X표를 해 보자.

(1) 아케메네스 왕조 페르시아는 피정복민을 강압적으로 통치하였다. (　　)

(2) 파르티아는 아케메네스 왕조 페르시아의 전통을 계승하였다. (　　)

(3) 아바스 왕조는 아랍인 우월주의에 따라 국가를 통치하였다. (　　)

(4) 셀주크 튀르크의 성장으로 십자군 전쟁이 발발하였다. (　　)

(5) 티무르는 칭기즈 칸의 후예임을 자처하였다. (　　)

03 빈칸에 알맞은 말을 채워 보자.

(1) (　　　　　)의 천국과 지옥, 최후의 심판 등의 교리는 이후 유대교, 크리스트교, 이슬람교 등에 영향을 끼쳤다.

(2) 제4대 칼리프 알리가 살해되고, 시리아 총독 무아위야가 칼리프가 되며 (　　　　　)을/를 세웠다.

(3) 부와이 왕조를 무너뜨리고 바그다드에 입성한 셀주크 튀르크는 아바스 왕조로부터 (　　　　　)(이)라는 칭호와 정치적 실권을 위임받았다.

(4) 아랍어로 쓰인 (　　　　　)이/가 읽히면서 넓은 지역의 종교와 언어가 통일되었다.

(5) 오스만 제국은 비이슬람교도를 종교, 종파 단위로 장악하기 위해 (　　　　　)을/를 실시하였다.

04 | 보기 |의 글자를 조합하여 이슬람 문화를 짝지어 보자.

| 보기 |

기 범 사 서 설 야 여 역
의 일 전 천 학 행 화

(1) 역사 : 이븐 할둔의 (　　　)

(2) 지리 : 이븐 바투타의 (　　　)

(3) 의학 : 이븐 시나의 (　　　)

(4) 문학 : (　　　)

05 | 보기 |의 사건들을 순서대로 나열해 보자.

| 보기 |

ㄱ. 탈라스 전투　　ㄴ. 아바스 왕조 성립
ㄷ. 투르·푸아티에 전투　　ㄹ. 사산 왕조 페르시아 멸망

06 설명과 관련된 사건의 이름을 적어 보자.

무함마드는 유대교와 크리스트교의 영향을 받아 알라를 유일신으로 하는 이슬람교를 성립시켰다. 우상 숭배를 철저히 배격하고 신 앞에 모든 인간은 평등한 존재라고 강조하여 민중의 절대적인 지지를 받았으나, 메카의 보수적인 귀족층의 박해를 피해 메디나로 피신하였다(622).

07 아래의 표를 완성해 보자.

(　　　)	무함마드의 언행을 따르며 공동체의 통일을 중시
(　　　)	알리와 그 후손만을 무함마드의 정통한 후계자로 여김

총 문항수 12 | 처음 푼 날 월 일
정답과 해설 59쪽 | 오답 푼 날 월 일

01 다음 자료와 관련된 나라에 대한 설명으로 옳지 <u>않은</u> 것은?

> 나는 수사의 지구라트를 부숴 버렸다. …… 나는 엘람의 사원을 파멸로 몰아넣었다. 나는 그들의 신들과 여신들을 바람에 날려버렸다. 나는 그들의 조상과 옛 왕의 무덤을 짓밟았고, 무덤에 햇빛이 들게 하였으며, 그들의 뼈를 꺼내어 아슈르의 영토로 가져갔다.

① 피정복민들을 강압적으로 통치하였다.
② 전국을 주로 나누고 총독을 파견하였다.
③ '왕의 길'이라 불리는 도로를 건설하였다.
④ 수도 니네베에 왕립 도서관을 건립하였다.
⑤ 기마 전술과 철제 무기로 최초로 서아시아를 통일하였다.

02 다음 자료에 나타난 왕에 대한 옳은 설명을 | 보기 |에서 고른 것은?

> 나는 위대한 왕, 왕 중 왕이다. 광명의 신 아후라 마즈다의 높으신 뜻 따라 왕이 되었다. 제국을 나에게 주신 아후라 마즈다의 높으신 뜻에 따라 나는 나에게 속한 이 나라들, 즉 페르시아, 엘람, 바빌로니아, 이집트, 아라비아, …… 인더스 강가, 이 모든 지역을 지배하는 왕이다.

| 보기 |
ㄱ. 로마 제국, 쿠샨 왕조와 경쟁하였다.
ㄴ. '왕의 길'이라 불리는 도로를 정비하였다.
ㄷ. 크테시폰을 중심으로 동서 무역로를 장악하였다.
ㄹ. '왕의 눈', '왕의 귀'라고 불리는 감찰관을 파견하였다.

① ㄱ, ㄴ ② ㄱ, ㄷ ③ ㄴ, ㄷ
④ ㄴ, ㄹ ⑤ ㄷ, ㄹ

03 사산 왕조 페르시아에 대한 설명으로 옳은 것은?

① 마니교를 국교로 지정하였다.
② 비단 산업을 국영 산업으로 전환하였다.
③ 그리스 – 페르시아 전쟁에서 패배하였다.
④ 키루스 원통을 통해 인간의 기본권을 선언하였다.
⑤ 아케메네스 왕조 페르시아와 로마의 영향을 받은 유리를 유라시아에 전파하였다.

04 이슬람교의 특징으로 옳은 설명을 | 보기 |에서 고른 것은?

| 보기 |
ㄱ. 엄격한 계율, 고행을 통한 해탈을 강조하였다.
ㄴ. 선교 단체를 결성하여 적극적으로 진출하였다.
ㄷ. 『쿠란』에 따라 6신과 5행을 기본 교리로 삼았다.
ㄹ. 유일신 알라를 숭배하고 우상 숭배를 철저히 배격하였다.

① ㄱ, ㄴ ② ㄱ, ㄷ ③ ㄴ, ㄷ
④ ㄴ, ㄹ ⑤ ㄷ, ㄹ

05 (가) 왕조에 대한 설명으로 옳은 것은?

빈출

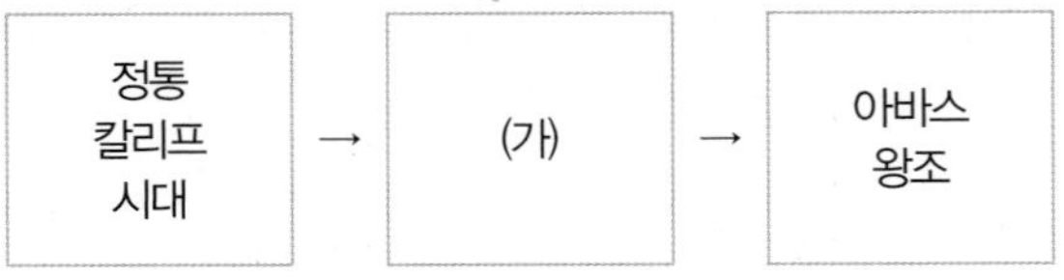

① 군주의 칭호로 '샤'를 사용하였다.
② 시아파 이슬람교를 국교로 삼았다.
③ 아랍인 우월주의에 따라 통치하였다.
④ 티무르 왕조의 공격으로 타격을 받았다.
⑤ 수도 바그다드가 동서 무역의 중심지로 번영하였다.

06 다음 가상 편지에서 빈칸에 들어갈 내용으로 적절한 것은?

> ○○○께
> 새로운 왕조가 세워진 이후 저와 같은 비아랍인 이슬람교도들의 삶이 훨씬 윤택해졌습니다. 이제 더 이상 세금을 낼 때도 차별받지 않습니다. 아랍인이라도 토지를 가진 사람은 토지세를 낸다고 하네요. 이 나라는 모든 이슬람교도의 평등을 내세워 ________________ 기쁜 소식이 아닐 수 없습니다. 또 좋은 소식 전하겠습니다. 안녕히 계십시오.
> 바그다드에서 △△△ 올림

① 이스파한으로 천도하였습니다.
② 밀레트 제도를 실시하였습니다.
③ 티마르 제도를 시행하였습니다.
④ 4대 칼리프 알리를 살해하였습니다.
⑤ 인종을 초월한 범이슬람 제국이 되었습니다.

07 다음 자료에 나타난 세력에 대한 설명으로 옳지 <u>않은</u> 것은?

빈출

9세기 중엽부터 튀르크계가 서아시아로 이주, 군사적으로 활약하였다. 카라한 왕조 이후에는 이슬람 세계의 주요 세력이 되었고, 10세기 중반 셀주크가 이끄는 튀르크가 카스피해 부근에서 일어나 이슬람교로 개종하고 세력을 확대하였다.

① 당과의 탈라스 전투에서 승리하였다.
② 부와이 왕조를 무너뜨리고 바그다드에 입성하였다.
③ 비잔티움 제국을 압박하여 십자군 전쟁을 유발하였다.
④ 지중해에서 파미르고원에 이르는 대제국을 건설하였다.
⑤ 아바스 왕조로부터 칼리프 보호의 대가로 '술탄' 칭호와 정치적 실권을 받았다.

08 다음 학생의 질문에 대한 답변으로 옳은 것은?

영어 단어 중에는 알코올(alcohol), 알칼리(alkali), 알고리즘(algorism)처럼 '알'로 시작하는 단어가 많은 것 같아. 왜 그럴까?

그 이유는 __________ 이야.

① 이슬람에서 영(0)의 개념을 발견했기 때문
② 무굴 제국이 이슬람 제일주의를 내세웠기 때문
③ 이슬람 세력이 수니파와 시아파로 분열되었기 때문
④『쿠란』이 다른 언어로 번역되는 것을 금지했기 때문
⑤ 이슬람의 과학이 유럽 근대 과학 성립에 기여했기 때문

09 빈출 **오스만 제국의 술레이만 1세에 대한 설명으로 옳지 않은 것은?**

① 사파비 왕조를 멸망시켰다.
② 헝가리를 대부분 정복하였다.
③ 빈을 포위 공격하여 유럽의 합스부르크가를 위협하였다.
④ 유럽의 연합 함대를 무찔러 지중해 해상권을 장악하였다.
⑤ 홍해, 아라비아해 연안을 차지하여 지중해 교역을 독점하였다.

10 **자료와 관련된 왕조에 대한 설명으로 옳은 것은?**

비단길의 심장이라 불리는 사마르칸트의 중심에 위치한 레기스탄 광장은 상업 중심지이며 각종 국가 행사가 열리는 장소였다. 중앙아시아의 중심 도시 사마르칸트는 이 왕조의 수도였으며 유럽의 상인들은 사마르칸트를 '동방의 로마'라 부르기도 하였다.

① 비잔티움 제국을 멸망시켰다.
② 아랍인 우월주의를 내세웠다.
③ 아프간족의 침입으로 쇠퇴하였다.
④ 아바스 왕조로부터 술탄 칭호를 인정받았다.
⑤ 칭기즈 칸의 후예를 자처한 티무르가 건국하였다.

서술형 문제

11 **다음 자료는 아케메네스 왕조 페르시아의 궁전이다. 자료를 보고 물음에 답해 보자.**

(1) 자료에 나타난 궁전 이름을 써 보자.

(2) 자료에 나타난 궁전에서 볼 수 있는 문화의 특징과 그 예를 구체적으로 설명해 보자.

서술형 문제

12  빈출 **다음 자료를 보고 물음에 답해보자.**

알리가 무함마드에게 내린 계시를 기록한 이슬람교 경전

(1) 자료에 나타난 경전의 이름을 써 보자.

(2) 이 경전을 연구하는 과정에서 발전한 그리스 철학과 그 영향을 써 보자.

01 중요 (가), (나)의 피정복민에 대한 통치 방식으로 옳은 것은?

○ 티그리스강 유역의 작은 도시 국가에서 출발한 (가) 은/는 기마 전술과 철제 무기, 전차를 앞세워 서아시아 세계의 상당 부분을 통일하였다. 통일 후 전국은 주로 나누어졌고 총독이 파견되었으며, 수도 니네베의 왕궁에는 각지에 파견된 학자들이 수집해 온 많은 문헌을 수납하는 왕립 도서관이 건립되어 학문이 발전하였다.

○ 키루스왕은 분열된 서아시아 세계를 다시 통일하였으며 (나) 왕조를 수립하였다. 이후 다리우스 1세는 이집트와 지중해 연안에서부터 인더스강에 이르는 대제국을 건설하여 왕조의 전성기를 맞이하였다.

① (가) – 피정복민의 전통과 신앙을 존중하였다.
② (가) – 정복한 민족에게 관용 정책을 실시하였다.
③ (나) – 페니키아인들의 무역 활동을 보호하였다.
④ (나) – 강압적 통치로 각지에서 반란이 일어났다.
⑤ (나) – 피정복민을 강제로 이주시키고 세금을 거두었다.

02 중요 자료에 관련된 종교에 대한 설명으로 옳은 것은?

(가) 다리우스 1세의 전승 기념비 비문	(나) 불이 새겨진 사산 왕조 페르시아의 화폐
왕이 말하노라. 나에게 속한 이 나라들은 아후라 마즈다의 높으신 뜻에 따라 나를 왕으로 섬겼고 나에게 공물을 바쳤다.	

① 카스트에 따른 의무 수행을 중시하였다.
② 우파니샤드 철학을 바탕으로 성립되었다.
③ 불교 사상을 수용하여 교리를 정비하였다.
④ 유대교의 율법주의를 배격하며 등장하였다.
⑤ 이원론의 입장에서 이 세상을 선, 악의 대립으로 보았다.

03 다음은 6세기 후반 교역로와 관련된 지도이다. 당시 상황에 대한 설명으로 옳지 않은 것은?

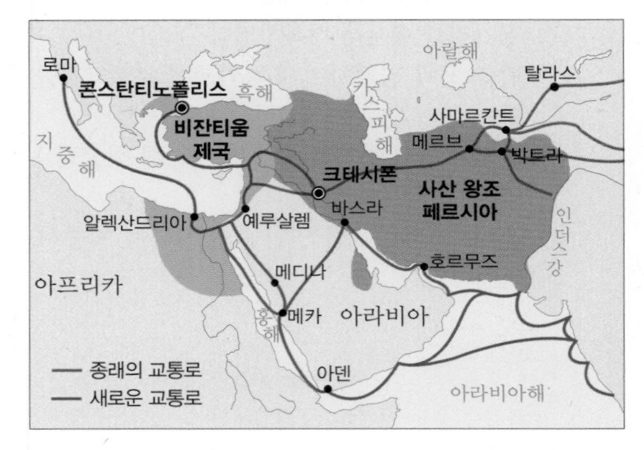

① 셀주크 튀르크가 아나톨리아로 진출하였다.
② 메카, 메디나와 같은 해안 도시가 번성하였다.
③ 무함마드가 이슬람교를 창시하는 배경이 되었다.
④ 일부 귀족만 상업의 부를 독점하여 빈부격차가 심해졌다.
⑤ 사산 왕조 페르시아와 비잔티움 제국의 대립으로 새로운 교통로가 발달하였다.

04 중요 자료와 관련된 도시를 지도에서 옳게 찾은 것은?

아바스 왕조의 칼리프 만수르는 티그리스강 기슭에 원형으로 이 도시를 건설하였다. 도시의 중앙에는 칼리프의 궁전이 있었고, 외부로 통하는 4개의 문에서 방사형으로 도로가 뻗어나갔다. 외부와 연결된 이 도로를 통해 이슬람교도는 물론 크리스트교도, 유대인, 중앙아시아인 등 다양한 사람들이 드나들었다. 9세기 무렵에는 인구도 100만 명이 넘어 당의 장안, 비잔티움 제국의 콘스탄티노폴리스 등과 견줄만 하였다.

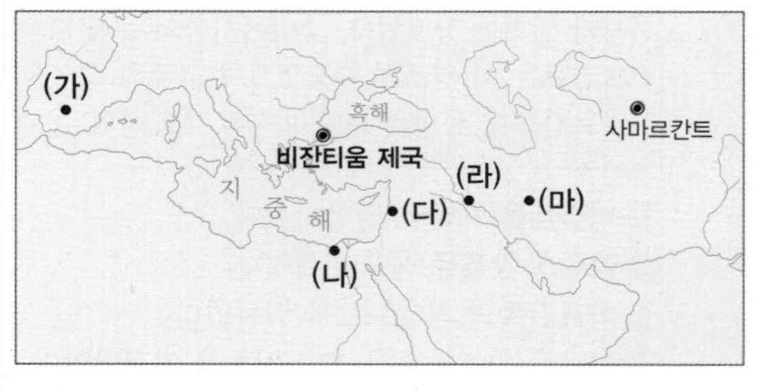

① (가) ② (나) ③ (다) ④ (라) ⑤ (마)

총 문항수 8 | 처음 푼 날 월 일
정답과 해설 60쪽 | 오답 푼 날 월 일

05 중요 **(가)에 들어갈 내용으로 가장 적절한 것은?**

〈탐구 활동 계획서〉

○ 탐구 주제: 아바스 왕조의 동서 교역
○ 탐구 활동
- 동서 교역로 장악의 계기: ______(가)______
- 대표적인 도시: 바그다드, 코르도바
- 교역품: 중국의 비단, 도자기, 인도의 향신료 등
- 결과: 금융업 발달

① 탈라스 전투　② 레판토 해전
③ 십자군 전쟁　④ 에데사 전투
⑤ 투르 · 푸아티에 전투

06 **자료에 관련된 왕에 대한 설명으로 옳은 것은?**

오스만 제국의 술탄은 테오도시우스 성벽을 통해 공성전을 감행하기로 결정하고, 90여일 동안 공격하여 콘스탄티노폴리스를 함락하였다. 당시 도시의 인구는 4만여 명이었는데, 죽은 사람은 4천명에 이르렀다. 이로서 비잔티움 제국은 멸망하였다(1453).

① 이스탄불로 천도하였다.
② 맘루크 왕조를 정복하였다.
③ 레판토 해전에서 패배하였다.
④ 인두세(지즈야)를 폐지하였다.
⑤ 칭기즈 칸의 후예임을 자처하였다.

07 **오스만 제국이 쇠퇴하게 된 경제적 원인으로 옳은 것은?**

① 델로스 동맹으로부터의 재정 수입을 빼앗겼다.
② 흑사병으로 인구가 크게 줄어 장원이 점차 해체되었다.
③ 중산층 자유 시민이 몰락하여 콜로나투스가 확산되었다.
④ 유럽의 신항로 개척으로 지중해의 중요성이 감소하였다.
⑤ 비단 산업의 국영 전환 등 중상주의 정책을 실시하였다.

08  **빈칸에 들어갈 내용으로 바르게 짝지어진 것은?**

오스만 제국의 술탄은 관료와 군대를 바탕으로 한 중앙 집권적 통치 기구를 통해 지배하였다. 촌락에 거주하는 기병에게 토지에 대한 징세권을 주고 그 대가로 전쟁에 참여하도록 한 [(가)] 제도, 발칸반도 농촌의 크리스트교도 청소년을 징발하는 [(나)] 제도가 대표적이다. 또 비이슬람교도를 종교, 종파 단위로 장악하기 위해 최고 성직자를 임명하여 자치를 허용한 [(다)] 제도를 실시하여 안정된 국가를 유지하였다.

	(가)	(나)	(다)
①	티마르	밀레트	데브시르메
②	티마르	데브시르메	밀레트
③	밀레트	티마르	데브시르메
④	밀레트	데브시르메	티마르
⑤	데브시르메	티마르	밀레트

심화 수능 유형 익히기

총 문항수 2	처음 푼 날 월 일
정답과 해설 61쪽	오답 푼 날 월 일

01 (가) 종교에 대한 설명으로 옳지 않은 것은?

검색 (가)의 성립

소개글
6세기 후반 사산 왕조 페르시아와 비잔티움 제국이 대립하자 새로운 교역로가 발달하여 메카, 메디나와 같은 해안 도시가 번성하였다.

키워드
메카, 메디나, 알라

▲ 메카의 카바 신전　▲ 술탄 아흐메드 사원

① 알라를 유일신으로 하여 우상 숭배를 철저히 배격하였다.
② 아라베스크 무늬 등으로 장식한 모스크 양식이 발달하였다.
③ 교도들은 『쿠란』의 가르침을 생활양식 그 자체로 받아들였다.
④ 신 앞에 모든 인간은 평등하다고 강조하여 민중의 지지를 받았다.
⑤ 이원론의 입장에서 이 세상을 선의 신과 악의 신이 싸우는 장소로 파악하였다.

유형 분석
빈칸 추론하기의 일종으로 가상의 인터넷 검색 페이지라는 형식을 사용한 문제 유형이야.

해결 비법
자료 속의 검색 결과의 내용을 토대로 (가)에 들어갈 종교를 유추해서 해결할 수 있어.

02 밑줄 친 전투가 일어난 시기를 연표에서 옳게 고른 것은?

오스만 제국은 술레이만 1세 때 전성기를 맞이하였다. 그는 헝가리를 정복하고 빈을 포위 공격하였으며, 유럽의 연합 함대를 무찔러 지중해 해상권을 장악하였고, 홍해와 아라비아해 연안까지 차지하여 지중해 교역의 이익을 독점하였다. 그러나 새로운 항로가 이용되어 지중해의 중요성이 감소하고 <u>레판토 해전</u>에서 오스만 제국이 패배하였다. 그러한 상황에서도 오스만 제국은 여전히 우세한 군사력을 바탕으로 유럽에 공세를 퍼부었다.

부와이 왕조 멸망	(가)	십자군 전쟁 발발	(나)	비잔티움 제국 멸망	(다)	맘루크 왕조 멸망	(라)	헝가리 상실	(마)	탄지마트 시행

① (가)　② (나)　③ (다)　④ (라)　⑤ (마)

유형 분석
제시된 지문이 설명하는 시기를 연표에서 고르는 문제야.

해결 비법
제시문의 앞부분은 밑줄 친 레판토 해전을 보조하는 중요한 설명들이야. 앞의 설명을 통해 이 시기가 오스만 제국이며 전성기 이후의 상황임을 알 수 있지. 연도를 모른다고 당황하지 말고 제시문과 연표를 비교해 오스만 제국의 역사 범위 내에서 골라보자.

심화 기출 지문 활용하기

총 문항수 6 | 처음 푼 날 월 일
정답과 해설 61쪽 | 오답 푼 날 월 일

2016학년도 수능

(가) 제4대 칼리프 알리는 유프라테스강 상류에 위치한 싯핀에서 무아위야의 군대와 최후의 결전을 벌이게 되었다. …… 그러나 알리의 추종 세력들이 이탈하고 그를 지지했던 동맹군이 결속력을 상실하자 그의 권위는 실추되고 말았다. 결국 알리는 자신의 본거지였던 쿠파에서 암살당하였다. 이후 권력을 장악한 무아위야는 자신이 칼리프임을 선언하였다.

(나) 시아파의 지원으로 새로운 왕조가 수립된 이후에 제2대 칼리프 알 만수르는 도읍을 새로 정하고 다음과 같이 선포하였다. "알라의 이름을 찬미하는 나의 백성과 군대를 온전히 부양할 수 있는 곳은 바로 여기 바그다드이다. 이제 각지의 물품들은 유프라테스강과 티그리스강, 운하 등을 통해 이 도시로 집결되어 우리에게 풍요로움을 많이 선사해 줄 것이다."

서술형 문제

01 (가), (나)의 왕조를 적어 보자.

수능 문제

02 (가), (나) 사이의 시기에 있었던 사실로 옳은 것은?

① 사산 왕조 페르시아가 멸망하였다.
② 군사적 봉건제인 티마르제가 실시되었다.
③ 이슬람 세력이 아라비아반도를 통일하였다.
④ 술탄의 친위부대인 예니체리가 창설되었다.
⑤ 이슬람 군대가 투르 · 푸아티에 전투에서 패배하였다.

활용 문제

03 (가), (나) 사이의 시기에 있었던 사실로 옳은 것은?

① (가) – 당과의 탈라스 전투에서 승리하였다.
② (가) – 성립을 계기로 수니파와 시아파로 나뉘어졌다.
③ (나) – 페르시아어를 공용어로 사용하였다.
④ (나) – 이베리아반도까지 영토를 확장하였다.
⑤ (가), (나) – 범이슬람 제국으로 발전하였다.

2017학년도 수능

중앙아시아에서 발원한 유목민 일파가 니샤푸르와 이스파한 등지로 세력을 확장하면서 부와이 왕조와 대결하였다. 그 후 이 일파는 바그다드로 입성하여 정치적 실권을 장악하였고, 마침내 이슬람 세계의 지배자로 등장하며 거대한 제국을 형성하였다.

서술형 문제

04 밑줄 친 '제국'의 이름을 쓰고 바그다드 입성 후 아바스 왕조에게 무엇을 위임받았는지 적어 보자.

수능 문제

05 밑줄 친 '제국'에 대한 설명으로 옳은 것은?

① 이베리아반도를 정복하였다.
② 사파비 왕조와 전투를 벌였다.
③ 사산 왕조 페르시아와 대결하였다.
④ 소아시아(아나톨리아)로 진출하였다.
⑤ 오스만 제국과 대립하며 이스파한으로 천도하였다.

활용 문제

06 밑줄 친 '제국'의 영토 확장의 결과로 옳은 것은?

① 수사를 점령한 후 지구라트를 파괴하였다.
② 수니파 이슬람인 오스만 제국과 대립하였다.
③ 이베리아반도를 차지하고 코르도바로 천도하였다.
④ 비잔티움 제국을 압박하여 십자군 전쟁이 일어났다.
⑤ 유럽의 연합 함대를 무찔러 지중해 해상권을 장악하였다.

주제 7

인도의 역사와 다양한 종교 · 문화의 출현

주제 흐름 읽기

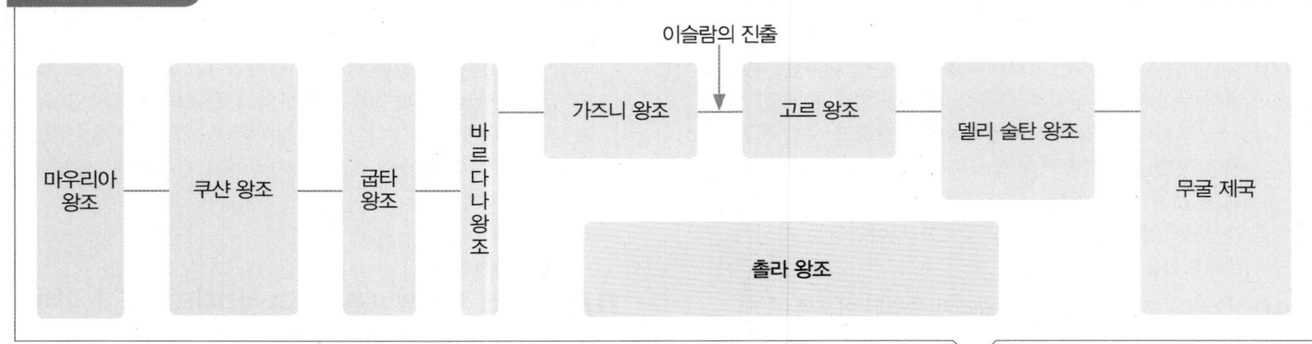

1 불교의 성립과 통일 제국의 등장

고대 인도의 통일 제국들은 불교 발전에 어떤 영향을 주었을까요?

1. 불교와 자이나교의 출현

(1) **출현 배경** 우파니샤드 철학의 등장

① 크샤트리아와 바이샤 세력의 성장: 도시 국가 간의 전쟁, 상업 발달 때문

② 형식화한 브라만교, 브라만 중심의 사회 비판: 신분 차별에 반대 → 우주와 인간의 본질을 탐구하는 우파니샤드 철학❶의 등장

What? 신이 아닌 인간에 주목했다는 특징이 있어.

(2) **특징**

자이나교	엄격한 계율, 고행을 통한 해탈 → 상인들의 지지
불교	• 석가모니 창시 • 인간 평등 강조, 윤리적 실천을 통한 해탈

(3) **불교와 자이나교의 공통점**

① 브라만교의 윤회 사상 수용

② 지나친 권위주의, 엄격한 신분 차별에 대한 반대

2. 마우리아 왕조의 북인도 통일

(1) **찬드라굽타 마우리아** 마우리아 왕조 수립, 북인도 통일

(2) **아소카왕** 자료 1

① 인도 대륙 대부분 통일: 칼링가 병합 → 마우리아 왕조의 전성기

② 불교를 통한 제국의 통합: 불경 정리, 스투파(불탑) 건립, 불교 포교

③ 상좌부 불교❷의 발전: 개인의 해탈 강조, 스리랑카, 태국 등으로 전파

3. 쿠샨 왕조와 대승 불교의 발전

(1) **특징** 중국~인도~이란을 연결하는 무역로 독점(중계 무역)

(2) **카니슈카왕** 최대 영토 확보, 불교 보호(불경 정리와 포교), 쿠샨 왕조의 전성기

(3) **대승 불교❸** 대중의 구제 목적, 부처를 신앙의 대상으로 삼기 시작

What? 평범한 중생이 믿고 따르는 대상이야.

(4) **간다라 양식❹** 인도 문화 + 헬레니즘 문화, 불상 제작 → 중국, 한국, 일본 전파 자료 2

❶ **우파니샤드 철학**
'우파'는 '가까이', '니'는 경건하게, '샤드'는 '앉다'라는 의미이며 우주와 인간의 본질을 탐구하는 철학이다. 우주의 본체(브라만)와 인간의 본체(아트만)가 같다고 보며 이를 한문으로는 '범아일여'라고 부른다. 인간에 주목하였다는 특징이 있으며 인간은 수행을 통해 윤회의 속박에서 해탈할 수 있다고 주장하였다.

❷ **상좌부 불교**
개인의 해탈을 강조하며, 고대 인도의 팔리어로 전승된 불교 경전을 정통적인 것으로 받아들인다. 주로 스리랑카, 태국 등 동남아시아로 전파되었다.

❸ **대승 불교**
대승은 큰 수레를 의미하는 것으로 대중의 구제를 강조한다. 여러 사람들을 큰 수레에 실어 깨달음을 얻는 열반의 경지로 나르는 불교라는 의미로 이타적 성격을 가진다. 주로 중국, 한국, 일본 등으로 전파되었다.

❹ **간다라 양식**
알렉산드로스 원정 이래 간다라 지방에서 유행한 헬레니즘 미술의 영향을 받아 형성되었다. 부처를 인간의 모습으로 표현한 불상이 대표적이며 비단길을 따라 중국, 한국, 일본으로 전파되었다.

자료 1 아소카왕의 통치

아소카왕의 제12 석주 비문

종교마다 기본 교리는 다 다를 수 있으므로 …… 자신의 종교는 자랑하고 남의 종교를 비판하는 일을 삼가야 하리. …… 자신의 종교를 선전하느라 남의 종교를 비하하는 것은 …… 자신의 종교에 오히려 큰 해악을 가져다줄 뿐이다. 조화가 최선이라. 모두 다른 사람의 가르침에 귀 기울이고 존경할지라. …… 그리하면 자신의 종교도 발전하게 되고 진리도 더욱 빛나게 되리.

*사자 지혜와 용기의 상징
*수레바퀴 불교 교의의 상징

아소카왕은 종교 간의 갈등에 대해 어떤 입장일까?

아소카왕은 각 종교들의 교리의 차이를 인정하고 모든 종교의 조화와 협력을 강조했어. 이를 전국 여러 곳에 새겨두어 사람들에게 자신의 생각을 알리기도 했어.

아소카왕이 믿었던 종교는 무엇일까?

사진 자료를 통해 볼 때 아소카왕은 불교 신자임을 알 수 있어. 아소카왕은 기원전 297년 자신이 일으킨 전쟁으로 많은 사람들이 희생당한 것을 뉘우치는 의미로 불교로 개종한 후 불경을 정리하고 산치 대탑과 같은 스투파(불탑)을 세워 불교를 보호하고 포교하는데 힘썼어. 그리고 사랑과 자비의 정신으로 나라를 다스리려고 했지. 그래서 아소카왕은 진리의 수레바퀴를 돌린다는 의미의 전륜성왕으로 불리기도 했어.

자료 2 간다라 양식

▲ 그리스 신상

→ 영향

▲ 간다라 불상(인도)

→ 전파

▲ 룽먼 불상(중국)

→

▲ 석굴암 불상(한국 경주)

조각상들의 생김새를 통해 무엇을 알 수 있을까?

그리스, 인도, 중국, 한국이라는 멀리 떨어진 나라에서 만들어진 조각상들이 조금씩 닮아있음을 확인할 수 있어. 알렉산드로스의 원정으로 헬레니즘 문화가 인도에 영향을 끼쳤는데, 인도의 불교가 동아시아로 전파되며 인도의 불상이 중국과 한국의 불상 제작에도 영향을 주었지. 이렇게 동서의 문화가 융합된 미술 양식을 간다라 양식이라고 해.

왜 부처를 인간의 모습으로 표현했을까?

쿠샨 왕조의 카니슈카왕이 다스리던 시기에 대중의 구제를 목적으로 하는 대승 불교가 발전했어. 그 때 평범한 중생들이 믿고 따르는 대상이 필요했지. 그래서 부처를 신처럼 모시기 시작했고, 이를 위해 불상을 조각했어. 그전까지 부처는 보리수, 연꽃, 수레바퀴, 탑으로 표현되었는데, 간다라 양식의 유행으로 인간의 모습으로 표현하기 시작했지.

뜯어보기 포인트

아소카왕은 마우리아 왕조의 전성기를 이끌었던 왕이었음을 기억하자.

Q1 아소카왕이 강조했던 종교를 선택해 보자.

㉠ 불교
㉡ 힌두교
㉢ 마니교
㉣ 이슬람교
㉤ 자이나교

뜯어보기 포인트

쿠샨 왕조의 중심인 간다라 지방에 알렉산드로스 제국의 헬레니즘 문화가 영향을 끼쳤음을 기억하자.

Q2 헬레니즘 미술의 영향을 받은 인도의 미술 양식을 선택해 보자.

㉠ 굽타 양식
㉡ 간다라 양식
㉢ 모스크 양식
㉣ 비잔티움 양식
㉤ 르네상스 양식

답 Q1 ㉠ / Q2 ㉡

주제 7 인도의 역사와 다양한 종교 · 문화의 출현

2 굽타 왕조와 인도 고전 문화의 발전

굽타 왕조에서 발전한 인도 고전 문화는 어떤 것들이 있을까요?

1. 굽타 왕조의 성립과 발전

(1) **찬드라굽타 2세** 북인도 통일, 중앙 집권 체제 강화

(2) **쇠퇴** 에프탈의 침략, 왕위를 둘러싼 내분

2. 힌두교❺의 성립

(1) **특징** 자료 3

① 다양한 성격: 브라만교 + 민간 신앙 + 불교 → 창시자, 체계적 교리 없음

② 다양한 신 숭배: 브라흐마(창조), 비슈누(유지), 시바(파괴), 화신 관념

③ 업(카르마)와 카스트 중시

(2) **경전** 『마누 법전』, 『마하바라타』, 『라마야나』 등

(3) **영향**

① 카스트제의 정착

② 일상생활에 『마누 법전』의 영향력 확대

③ 브라만교 전통의 강화

3. 인도 고전 문화의 발전 자료 4

(1) **배경** 이민족의 침략과 통일을 거치며 민족의식 향상

(2) **내용**

종교	• 힌두교의 발전 • 불교 쇠퇴: 불교 교리 연구는 계속, 날란다 사원 • 다양한 석굴 사원: 엘로라 석굴, 아잔타 석굴
문학	• 산스크리트 문학 발달 •『마하바라타』, 『라마야나』, 『마누 법전』, 『샤쿤탈라』 등
미술	• 굽타 양식❻ 등장: 간다라 양식 + 인도 고유 특색 • 아잔타 석굴 사원, 엘로라 석굴 사원의 불상과 벽화 • 중앙아시아, 중국, 한국 등에 전파
수학	영(0)과 10진법 사용 → 아라비아 숫자 형성에 기여
천문학	지구 구형, 자전, 월식의 원리 등 → 자연 과학 발달에 기여

3 인도의 이슬람화와 무굴 제국

이슬람 세력의 침입은 인도 사회에 어떤 영향을 주었을까요?

1. 이슬람 세력의 인도 진출

(1) **북인도 지역** 가즈니 왕조 – 고르 왕조 – 델리 술탄 시대

(2) **델리 술탄 시대**❼

① 힌두교에 대한 관대한 정책: 지즈야(인두세)만 부담하면 종교 인정

② 카스트제에 대한 불만, 신분 평등을 주장하는 이슬람교 → 이슬람교 확대

(3) **남인도 지역** 촐라 왕조(동남아시아, 서아시아 등과 교역(면직물 등), 힌두 문화 전파)

❺ **힌두교**
'힌두'라는 말은 '인도'라는 뜻이다. 인도에서 발생하였으며 다른 종교와 달리 창시자가 없다. 또한 브라만교를 바탕으로 민간 신앙과 불교가 융합되어 종교 형태를 갖추었기 때문에 체계적인 교리를 찾아보기 어려우며 매우 복잡한 성격을 가지고 있다. 창조의 신 브라흐마와 유지의 신 비슈누, 파괴의 신 시바를 중시하며, 굽타 왕조의 왕들은 자신을 비슈누에 비유하며 권위를 높였다.

❻ **굽타 양식**
굽타 왕조 시기에 발전한 미술 양식으로, 옷 주름의 선을 생략하고 인체의 윤곽을 그대로 드러내어 인도 고유의 색채를 보여준다. 아잔타 석굴 사원과 엘로라 석굴 사원의 불상과 벽화가 대표적이며 중앙아시아와 중국을 거쳐 한국에도 전파되었다.

▲ 아잔타 제1 석굴의 연화수 보살상

❼ **델리 술탄 시대**
13세기 초 델리를 수도로 세워진 이슬람 왕조이다. 노예 왕조, 할지 왕조, 투글루크 왕조, 사이드 왕조, 로디 왕조의 다섯 왕조로 이어졌으며, 이후 델리는 19세기까지 북인도의 정치 중심지가 되었다. 델리 술탄 왕조 시대를 연 아이바크가 델리를 정복하고 세운 쿠트브 미나르는 이슬람의 인도 지배를 상징하는 건축물이다.

자료 3 힌두교의 특징

1. 업(카르마)과 카스트의 중시

창조주는 …… 각자의 업을 정하였도다. 브라만에게는 『베다』를 가르치며 제사를 지내는 일을, 크샤트리아에게는 백성을 보호하고 다스릴 것을, 바이샤에게는 농사를 짓고 짐승을 기를 것을 명령하셨다. 마지막으로 수드라에게는 앞선 세 신분의 사람들에게 봉사하는 임무를 명령하셨다. -『마누 법전』-

2. 다양한 신과 종교에 대한 포용성, 화신 관념

아소카왕 이후 약해진 교세를 확장하기 위해 브라만교는 민간 시앙과 비슈누, 시바 같은 토속 신앙을 포용하였는데, 이때 이용된 것이 화신(아바타라) 관념이다. 화신은 비슈누가 다른 인물이나 동물 등 다양한 모습으로 세상에 나타난다는 것으로, 여러 부족과 다양한 카스트가 숭배하는 신을 비슈누에 통합하는 근거가 되었다.

뜯어보기 포인트
힌두교는 다양한 종교가 융합되어 나타났다는 것을 기억하자.

◎ 힌두교는 인도 사회에 어떤 영향을 주었을까?

힌두교에서는 카스트에 따른 의무 수행을 중시하였어. 그래서 힌두교의 확산과 함께 카스트제가 인도 사회에 정착되어 갔어. 『마누 법전』에서는 각 계급이 각각 신의 입, 팔, 넓적다리, 발에서 나왔으므로 모든 사람은 태어난 계급에 맞는 역할과 의무를 이행해야 한다고 강조했지.

◎ 2번 자료를 통해 볼 때 힌두교의 특징은 무엇일까?

힌두교에서는 다양한 신을 숭배하였어. 특히 브라흐마, 비슈누, 시바를 중시하였으며, 이 신 중에 하나를 믿고 헌신하면 해탈할 수 있다고 믿었어. 특히 비슈누가 다른 인물이나 동물 등 다양한 모습으로 세상에 나타난다는 화신 관념은 여러 부족과 다양한 카스트가 숭배하는 신을 비슈누에 통합하는 근거가 되었고, 왕은 비슈누에 자신을 비유하며 권위를 높이고 힌두교를 보호했어.

Q3 힌두교와 관련하여 옳은 것을 모두 선택해 보자.

㉠ 시바
㉡ 비슈누
㉢ 아소카왕
㉣ 『마누 법전』
㉤ 간다라 양식

자료 4 굽타 왕조의 문화(인도 고전 문화)

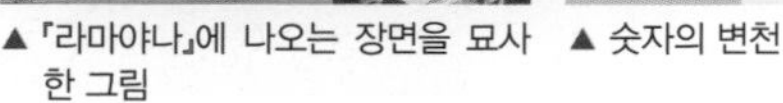
▲ 『라마야나』에 나오는 장면을 묘사한 그림

인도	० १ २ ३ ४ ५ ६ ७ ८ ९
아라비아	٠ ١ ٢ ٣ ٤ ٥ ٦ ٧ ٨ ٩
현대	0 1 2 3 4 5 6 7 8 9

▲ 숫자의 변천

▶ 사르나트에서 출토된 불상

뜯어보기 포인트
굽타 왕조 시기에 다양한 분야에서 인도 고전 문화가 발전했음을 기억하자.

◎ 굽타 왕조 시기에 발전한 문화는 무엇이 있을까?

굽타 왕조 시기에는 종교, 문학, 수학, 미술 등 다양한 방면에서 문화가 발전했어. 종교에서는 힌두교가 발전했는데, 이로 인해 산스크리트 문학이 발달할 수 있었어. 『마하바라타』, 『라마야나』, 『마누 법전』, 『샤쿤탈라』 등이 대표적이지. 수학도 발달해서 인도인들은 영(0)과 10진법을 사용했어. 특히 영(0)은 불교의 공(空)사상의 영향을 받았지. 이러한 성과들은 현대 수 체계의 바탕이 되었어. 미술에서도 간다라 양식과 인도 고유의 특색이 융합된 굽타 양식이 등장했어. 이러한 문화들은 인도 고유의 색채가 강조되었다는 특징이 있지.

Q4 굽타 왕조의 문화에 대한 설명으로 옳은 것을 선택해 보자.

㉠ 우르두어가 사용되었다.
㉡ 쿠트브 미나르가 건립되었다.
㉢ 불교와 자이나교가 출현하였다.
㉣ 아소카왕이 산치 대탑을 세웠다.
㉤ 『샤쿤탈라』 등 산스크리트 문학이 발달하였다.

답 Q3 ㉠, ㉡, ㉣ / Q4 ㉤

2. 무굴 제국의 성립과 발전

(1) **바부르**[8] 몽골의 후예 자처, 무굴 제국 건국

(2) **아크바르 황제** 자료 5

① 영토 확대: 전 인도 통일(남부 지역 일부 제외)

② 중앙 집권 체제 확립: 관료제와 지방 행정 기구 정비

③ 종교적 자유 허용: 힌두교도와 이슬람교도 관료 임명, 지즈야 폐지

(3) **아우랑제브 황제**

① 영토 확대: 남인도 대부분 정복하여 최대 영토 확보 → 재정난 발생

② 이슬람 제일주의: 힌두교 사원 파괴, 지즈야 부활

(4) **무굴 제국의 쇠퇴**

① 시크교도, 마라타 왕국[9] 반란: 세금 감소로 아우랑제브 황제 사후 제국 축소

② 후계자 계승 분쟁, 각 지방 토호의 저항 등

3. 힌두 · 이슬람 문화의 발전

(1) **힌두 · 이슬람 문화** 이슬람 문화 + 힌두 문화

What? 이슬람 문화
= 아랍의 전통 + 페르시아 문화 + 튀르크 풍습

(2) **내용**

구분	내용
언어	• 일상: 우르두어, 힌두어 사용 • 공식 문서와 외교: 페르시아어 사용
종교	시크교[10]
회화	무굴 회화: 페르시아 세밀화 + 인도 양식
건축	타지마할: 이슬람 건축 양식, 인도의 섬세한 문양 자료 6

특집 문화의 용광로, 동남아시아의 역사[11]

1. 베트남

지역	내용
북부	• 오랫동안 중국의 지배 받음 → 유교 문화 발전(과거제, 문묘) • 『대월사기』편찬, 쯔놈 문자
중남부	참파: 해상 무역 발전

2. 메콩강 주변의 여러 나라 인도의 영향

나라	내용	나라	내용
캄보디아(앙코르)	앙코르 와트	라오스(란창)	힌두 문화 + 불교문화
태국(수코타이)	상좌부 불교, 타이 문자	미얀마(파간)	상좌부 불교

3. 섬 지역의 여러 나라

지역	내용
자와섬 (샤일렌드라)	• 힌두교의 영향 • 이후 불교 수용: 보로부두르 유적
필리핀 (마자파힛)	• 14세기에 이슬람교 개종 • 중국, 이슬람 상인과 교역: 향신료 무역 독점

[8] **바부르**
중앙아시아 출신으로, 부계는 티무르, 모계는 칭기즈 칸의 혈통을 이어받았다. 자신을 스스로 몽골의 후예라 생각하여 나라 이름을 '무굴(몽골을 의미하는 페르시아어의 변형)'이라 하였다.

[9] **마라타 왕국**
마라타 왕국을 세운 마라타족은 18세기 초, 힌두교도들을 모아 마라타 동맹을 결성하여 무굴 제국에 저항하였다. 마라타 동맹은 쇠퇴하던 무굴 제국을 대신해 인도 중서부의 모든 지역을 차지하고 인도 북부와 동부까지 세력을 확대하였다.

[10] **시크교**
나나크가 인도 서북부 펀자브 지역에서 창시한 종교이다. 이슬람교와 힌두교에 구애받지 않고 통합하고자 하였으며, 우상 숭배와 카스트제를 반대하고 유일신을 숭배하였다. 이슬람 제일주의를 내세운 무굴 제국의 핍박에 저항하고자 전사단을 만들었는데, 전사는 머리카락과 수염을 길러 터번을 쓰고 단검을 차고 다녔으며, 이는 시크교도의 특징이 되었다.

[11] **오늘날의 동남아시아**

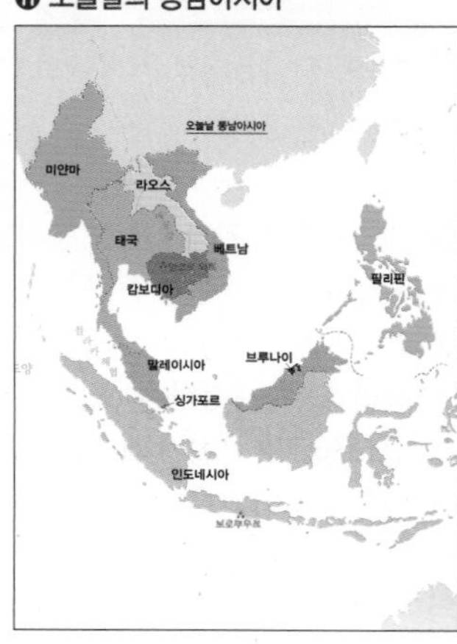

자료 5 무굴 제국의 발전

> 나는 나의 신앙에 일치시키려고 다른 사람들을 박해하였으며, 그것이 신에 대한 귀의라고 생각하였다. 그러나 …… 강제로 개종시킨 사람에게서 어떤 성실성을 기대할 수 있을까? …… 모든 사람은 자신의 처지에 따라 각각 자기가 최고로 여기는 존재에 각기 다른 이름을 붙여 놓는다. 그러나 인간의 힘으로 이해할 수 없는 존재에 이름을 붙이는 것은 부질없는 짓이다.
>
> – 아크바르 황제, 『아크바르나마』 –

아크바르 황제는 종교에 대해서 어떤 입장일까?

아크바르 황제는 종교적으로 관용 정책을 펼쳤어. 힌두교와 이슬람교의 융합을 추구했고 종교의 자유를 허용했어. 이를 위해 힌두교와 이슬람교도 모두를 관료로 임명하였고, 힌두교도들의 지즈야를 폐지하여 힌두교도의 환영을 받고 황제로서 인정받았어. 관용적인 종교 정책으로 사회를 통합시킨 아크바르 황제 덕분에 무굴 제국은 약 1세기 동안 번영을 누릴 수 있었지.

아크바르 황제 이후 무굴 제국의 종교 정책은 어땠을까?

무굴 제국의 제6대 황제인 아우랑제브 황제는 이슬람 제일주의를 내세워 힌두교 사원을 파괴하고, 정복 활동으로 인해 일어난 재정난을 해소하기 위해 지즈야를 부활시켰어. 이에 각지에서 반란이 일어났지.

뜯어보기 포인트

무굴 제국의 대표적인 황제인 아크바르 황제와 아우랑제브 황제가 상반된 종교 정책을 펼쳤음을 기억하자.

Q5 아크바르 황제의 정책으로 옳은 것을 선택해 보자.

㉠ 이슬람 제일주의를 내세웠다.
㉡ 불교를 통한 제국의 통합에 힘썼다.
㉢ 불교를 보호하고 대승 불교를 발전시켰다.
㉣ 힌두교도와 이슬람교도를 관료로 임명하였다.
㉤ 힌두 문화의 바탕 위에 불교 문화를 꽃피웠다.

자료 6 힌두 · 이슬람 문화의 상징, 타지마할

▲ 타지마할

타지마할에서 힌두교 양식과 이슬람 양식은 어떤 것이 있을까?

차도리(작은 탑), 아치문과 돔의 연꽃무늬 장식은 힌두 양식이야. 아치문은 이슬람의 모스크 양식이고, 벽면에 이슬람의 경전인 『쿠란』이 조각되어 있어. 지붕의 돔 역시 이슬람의 건축 양식이며, 미너렛도 모스크 양식의 대표적인 건축물이지.

이를 통해 알 수 있는 타지마할의 특징은 무엇일까?

무굴 제국의 샤자한이 세운 타지마할은 모스크 양식과 힌두 양식의 조화가 특징인 건축물이야. 그래서 타지마할은 힌두 · 이슬람 문화의 걸작으로 평가받고 있지.(참고! 샤자한은 무굴 제국의 제5대 황제야. 종교적으로 관용 정책을 추구했던 아크바르 황제는 무굴 제국의 제3대 황제였어.)

뜯어보기 포인트

이슬람 세력이 인도에 진출하면서 힌두 문화와 이슬람 문화가 융합된 힌두 · 이슬람 문화가 발전했음을 기억하자.

Q6 무굴 제국에 대한 설명으로 옳은 것을 선택해 보자.

㉠ 아잔타 석굴 사원을 조성하였다.
㉡ 시크교도들의 반란을 진압하였다.
㉢ 찬드라굽타가 세운 통일 국가이다.
㉣ 대승 불교와 간다라 미술이 발전하였다.
㉤ 『샤쿤탈라』 등 산스크리트 문학이 발달하였다.

답 Q5 ㉣ / Q6 ㉡

개념 익히기

정답과 해설 ▸ 62쪽

01 서로 관련 있는 내용끼리 연결해 보자.

ⓐ 아소카왕 • • ㉠ 쿠샨 왕조

ⓑ 카니슈카왕 • • ㉡ 무굴 제국

ⓒ 아우랑제브 황제 • • ㉢ 마우리아 왕조

02 아래 설명이 맞으면 O표, 틀리면 X표를 해 보자.

(1) 불교는 인간 평등을 강조하며 윤리적 실천을 통한 해탈을 주장하였다. ( )

(2) 쿠샨 왕조 시기에 대승 불교가 발전하였다. ( )

(3) 자이나교에서는 카스트에 따른 의무 수행을 중시하였다. ( )

(4) 13세기 초, 델리를 중심으로 이슬람 왕조가 수립되었다. ( )

(5) 아크바르 황제는 이슬람 제일주의를 내세웠다. ( )

03 빈칸에 알맞은 말을 채워 보자.

(1) 개인의 해탈을 강조하는 ( )은/는 아소카왕 시기에 발전하여 스리랑카, 태국 등 동남아시아에 전파되었다.

(2) 쿠샨 왕조에서는 인도 문화와 헬레니즘 문화가 융합된 ( )이/가 나타났다.

(3) 굽타 왕조 시기에는 브라만 계급의 언어가 공용어가 되면서 ( ) 문학이 발달하였다.

(4) 16세기 경 나나크는 이슬람교와 힌두교를 융합한 새로운 종교인 ( )을/를 창시하였다.

(5) 힌두교도들이 모여 결성한 ( )의 반란은 무굴 제국의 쇠퇴를 촉진하였다.

04 | 보기 |에서 각 왕조와 관련된 내용들을 골라보자.

보기		
아소카왕	우르두어	타지마할
무굴 회화	굽타 양식	『마누 법전』
카니슈카왕	간다라 양식	아크바르 황제

(1) 마우리아 왕조 :

(2) 쿠샨 왕조 :

(3) 굽타 왕조 :

(4) 무굴 제국 :

05 | 보기 |의 사건들을 순서대로 나열해 보자.

보기	
ㄱ. 델리 술탄 시대	ㄴ. 에프탈의 침입
ㄷ. 시크교도의 반란	ㄹ. 굽타 왕조의 북인도 통일

06 설명과 관련된 종교의 이름을 적어 보자.

> 기원전 7세기경 갠지스강 유역에서는 도시 국가 간의 전쟁과 상업 발달로 크샤트리아와 바이샤 세력이 성장하였다. 이들은 제사 의식을 중시하는 형식화한 브라만교에 반대하고 브라만 중심 사회를 비판하였다. 이러한 비판이 퍼지면서 우주와 인간의 본질을 탐구하는 우파니샤드 철학이 나타났고, 이를 바탕으로 새로운 종교가 출현하였다.

07 아래의 표를 완성해 보자.

( )	• 마우리아 왕조 시기에 발전 • 개인의 해탈 강조
( )	• 쿠샨 왕조 시기에 발전 • 대중의 구제 강조

2단계 내신 유형 익히기

총 문항수 12	처음 푼 날 월 일
정답과 해설 62쪽	오답 푼 날 월 일

01 불교와 자이나교의 특징으로 옳은 것은?

① 카스트에 따른 의무 수행을 중시하였다.
② 이슬람교와 힌두교의 융합을 도모하였다.
③ 우파니샤드 철학을 바탕으로 등장하였다.
④ 유대교와 크리스트교의 영향을 받아 성립하였다.
⑤ 최후의 심판, 죽은 자의 부활 등의 교리를 주장하였다.

02 (가) 왕조에 대한 설명으로 옳은 것은?

> 고대 북인도 지역은 많은 소국으로 분열되어 있었다. 알렉산드로스가 인더스강 유역을 침공한 사건은 통일을 자극하였고, 찬드라굽타 마우리아가 기원전 4세기경 [(가)] 왕조를 세우고 최초로 북인도를 통일하였다.

① 간다라 양식이 나타났다.
② 상좌부 불교가 발전하였다.
③ 우르두어를 널리 사용하였다.
④ 에프탈의 침략으로 쇠퇴하였다.
⑤ 예루살렘과 아나톨리아로 진출하였다.

03 밑줄 친 '이 양식'에 대한 설명으로 옳은 것은?

빈출

> 쿠샨 왕조의 중심지였던 서북 인도의 간다라 지방에서는 인도 문화와 헬레니즘 문화가 융합된 이 양식이 나타났다. 이 양식은 중국을 거쳐 한국과 일본에까지 전해졌다.

① 모자이크 벽화를 제작하였다.
② 아라베스크 무늬가 유행하였다.
③ 인간을 개성적인 존재로 파악하였다.
④ 산스크리트어로 쓰인 문학이 발달하였다.
⑤ 대승 불교의 발전으로 부처를 인간 모습으로 표현하였다.

04 쿠샨 왕조에 대한 설명으로 옳은 설명을 | 보기 |에서 고른 것은?

> **보기**
> ㄱ. 일상에서 우르두어를 널리 사용하였다.
> ㄴ. 대중의 구제를 목적으로 하는 대승 불교가 발전하였다.
> ㄷ. 힌두교도는 지즈야만 부담하면 자신의 종교를 믿을 수 있었다.
> ㄹ. 중국과 이란을 연결하는 무역로를 독점하고 중계 무역으로 번영하였다.

① ㄱ, ㄴ ② ㄱ, ㄷ ③ ㄴ, ㄷ
④ ㄴ, ㄹ ⑤ ㄷ, ㄹ

05 다음 자료의 빈칸에 들어갈 문장으로 옳은 것은?

> 쿠샨 왕조가 쇠퇴한 후 이민족의 침입으로 혼란한 북인도에 굽타 왕조가 일어났다. 찬드라굽타 2세는 북인도를 통일하고 중앙 집권 체제를 강화하여 전성기를 누렸다. 그러나 5세기 중엽 이후 ______________

① 알렉산드로스에게 정복당하였다.
② 사산 왕조 페르시아에 멸망하였다.
③ 유목민 에프탈의 침략으로 쇠퇴하였다.
④ 헝가리를 상실하면서 점차 쇠퇴하였다.
⑤ 마라타 왕국의 반란으로 점차 쇠퇴하였다.

06 (가) 왕조의 역사적 의의로 옳은 것은?

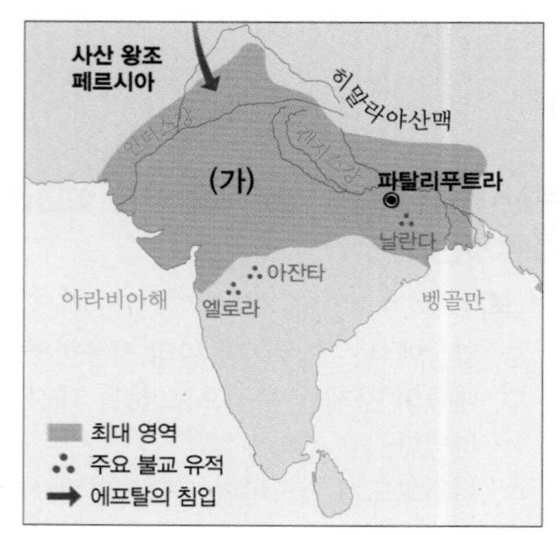

① 카스트제를 만들었다.
② 브라만교를 성립시켰다.
③ 북인도를 재통일하였다.
④ 간다라 양식을 발전시켰다.
⑤ 이슬람이 인도를 지배하였다.

07 빈출 다음 자료의 종교에 대한 설명으로 옳은 것은?

① 브라만교를 바탕으로 다양한 신을 숭배하였다.
② 엄격한 계율과 고행을 통한 해탈을 추구하였다.
③ 인간 평등을 강조하여 신분 차별에 반대하였다.
④ 세상을 선의 신과 악의 신이 싸우는 장소로 파악하였다.
⑤ 알라를 유일신으로 하며 우상 숭배를 철저히 배격하였다.

08 (가)에 들어갈 내용으로 가장 적절한 것은?

> 〈탐구 활동 계획서〉
>
> ○ 탐구 주제: 굽타 왕조 시기 인도 고전 문화의 발전
> ○ 탐구 활동
> • 종교
> – 힌두교 발전
> – 불교 쇠퇴: ______(가)______에서 불교 교리 연구 계속
> • 문학: 산스크리트 문학 발달
> • 미술: 굽타 양식 발달

① 타지마할　② 윈강 석굴
③ 룽먼 석굴　④ 날란다 사원
⑤ 쿠트브 미나르

09 다음 자료와 관련된 왕조에 대한 설명으로 옳은 것은?

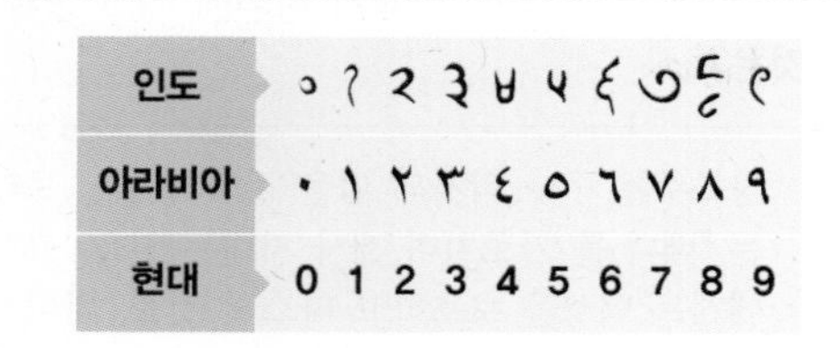

인도	० १ २ ३ ४ ५ ६ ७ ८ ९
아라비아	٠ ١ ٢ ٣ ٤ ٥ ٦ ٧ ٨ ٩
현대	0 1 2 3 4 5 6 7 8 9

① 지즈야를 폐지하였다.
② 힌두교가 형성되었다.
③ 과거제를 처음으로 시행하였다.
④ 우파니샤드 철학이 등장하였다.
⑤ 불교를 통해 제국을 통합하였다.

10 지도에 표시된 왕조에 대한 설명으로 옳은 것은?

① 세포이의 항쟁이 일어났다.
② 우르두어를 널리 사용하였다.
③ 마라타 동맹의 반란으로 쇠퇴하였다.
④ 이슬람 제일주의에 따라 통치하였다.
⑤ 동남아시아, 서아시아 등과 활발히 교류하였다.

서술형 문제

11 다음 자료는 쿠샨 왕조의 카니슈카왕과 관련된 자료이다. 자료를 보고 물음에 답해 보자.

빈출

카니슈카왕은 간다라 지방을 중심으로 활발한 정복 전쟁을 벌여 북인도와 중앙아시아에 이르는 최대 영토를 확보하여 왕조의 전성기를 열었다.

(1) 카니슈카왕 시기에 발전한 종교를 써보자.

(2) (1)의 종교의 특징을 당시 미술 문화와 연관지어 설명해 보자.

서술형 문제

12 다음 자료를 보고 물음에 답해 보자.

빈출

(1) 자료에 나타난 건축물은 어떠한 문화인지 써 보자.

(2) 이 문화의 사례를 구체적으로 설명해 보자.

01 (가), (나) 사이의 시기에 있었던 사실로 옳은 것은?

(가) 기원전 7세기 경 갠지스강 유역에는 도시 국가 간의 전쟁과 상업 발달로 크샤트리아와 바이샤 세력이 성장하였다. 이들은 제사 의식을 중시하는 형식화한 브라만교에 반대하고 브라만 중심 사회를 비판하였다.

(나) 찬드라굽타 마우리아가 기원전 4세기 경 마우리아 왕조를 세우고 최초로 북인도를 통일하였다. 이어 3대 아소카왕은 남부를 제외한 인도 대륙 대부분을 통일하여 전성기를 맞이하였다.

① 타지마할이 건축되었다.
② 간다라 양식이 유행하였다.
③ 가즈니 왕조가 성립되었다.
④ 산스크리트 문학이 발달하였다.
⑤ 불교와 자이나교가 출현하였다.

02 중요 다음 자료에 나타난 왕에 대한 설명으로 옳은 설명을 | 보기 |에서 고른 것은?

| 보기 |
ㄱ. 칼링가를 병합하였다.
ㄴ. 불경을 정리하고 불탑을 건립하였다.
ㄷ. 힌두교도와 이슬람교도를 관료로 임명하였다.
ㄹ. 이슬람 제일주의를 내세워 지즈야를 부활시켰다.

① ㄱ, ㄴ ② ㄱ, ㄷ ③ ㄴ, ㄷ
④ ㄴ, ㄹ ⑤ ㄷ, ㄹ

03 중요 다음 자료와 관련된 종교가 사회에 끼친 영향으로 옳은 것은?

창조주는 …… 각자의 업을 정하였도다. 브라만에게는 『베다』를 가르치며 제사 지내는 일을, 크샤트리아에게는 백성을 보호하고 다스릴 것을, 바이샤에게는 농사를 짓고 짐승을 기를 것을 명령하셨다. 마지막으로 수드라에게는 앞선 세 신분의 사람들에게 봉사하는 임무를 명령하셨다.

– 『마누 법전』 –

① 황제가 지즈야를 폐지하였다.
② 이슬람교가 인도를 지배하였다.
③ 카스트제가 인도 사회에 정착되었다.
④ 모든 종교에 대한 평등과 신앙의 자유를 보장하였다.
⑤ 신분 차별에 반대하여 크샤트리아의 환영을 받았다.

04 자료와 같은 문화 양식이 나타나게 된 배경으로 가장 적절한 것은?

① 이슬람 세력의 진출로 이슬람 문화가 융합되었다.
② 사후 세계와 태양신을 섬기는 사상이 전파되었다.
③ 북인도를 통일하는 과정에서 민족의식이 높아졌다.
④ 알렉산드로스의 원정으로 헬레니즘 문화가 전파되었다.
⑤ 아리아인들이 선주민 지배를 위해 카스트제를 만들었다.

05 다음 자료와 관련있는 왕조에 대한 설명으로 옳은 것은?

① 델리를 중심으로 한 이슬람 왕조이다.
② 간다라 지방을 중심으로 한 불교 왕조이다.
③ 다마스쿠스를 중심으로 한 이슬람 왕조이다.
④ 남인도 지역을 중심으로 한 힌두교 왕조이다.
⑤ 북인도 지역을 중심으로 한 힌두교 왕조이다.

06 중요 자료에 나타난 지배자들의 공통적인 목적으로 옳은 것은?

(가) 종교마다 기본 교리는 다 다를 수 있으므로 …… 자신의 종교는 자랑하고 남의 종교를 비판하는 일을 삼가야 하리. …… 조화가 최선이라. 모두 다른 사람의 가르침에 귀기울이고 존경할지라.
(나) 나는 나의 신앙에 일치시키려고 다른 사람들을 박해하였으며, 그것에 신에 대한 귀의라고 생각하였다. 그러나 …… 모든 사람은 자신의 처지에 따라 각각 자기가 최고로 여기는 존재에 각기 다른 이름을 붙여 놓는다. 그러나 인간의 힘으로 이해할 수 없는 존재에 이름을 붙이는 것은 부질없는 짓이다.

① 브라만 중심의 사회를 비판하기 위함이다.
② 『쿠란』의 가르침으로 일상을 지배하기 위함이다.
③ 정복 활동으로 발생한 재정난을 만회하기 위함이다.
④ 관용적인 종교 정책으로 사회를 통합하기 위함이다.
⑤ 부처를 신앙의 대상으로 삼아 불상을 만들기 위함이다.

07 (나) 황제에 대한 설명으로 옳은 것은?

① 『샤쿤탈라』의 저술을 지시하였다.
② 힌두교도의 지즈야를 폐지하였다.
③ 산치 대탑을 세우는 등 불교를 보호하였다.
④ 왕비를 추모하기 위해 타지마할을 건축하였다.
⑤ 이슬람 제일주의를 내세워 힌두교 사원을 파괴하였다.

08 시크교에 대한 설명으로 옳은 설명을 | 보기 |에서 모두 고른 것은?

| 보기 |
ㄱ. 무함마드가 창시하였다.
ㄴ. 개인의 해탈을 강조하였다.
ㄷ. 힌두교와 이슬람교를 융합하였다.
ㄹ. 우상 숭배와 카스트제를 반대하였다.

① ㄱ, ㄴ ② ㄱ, ㄷ ③ ㄴ, ㄷ
④ ㄴ, ㄹ ⑤ ㄷ, ㄹ

총 문항수 2 | 처음 푼 날 월 일
정답과 해설 65쪽 | 오답 푼 날 월 일

01 (가)에 들어갈 인물에 대한 설명으로 옳은 것은?

> 제○○호 **세계사 신문** ○○년
>
> 특집 : ___(가)___, 인도 대륙 대부분을 차지하다.
>
> 최근 ___(가)___은/는 칼링가를 병합하는 등 인도 대륙 대부분을 통일하는데 성공하였다. 한편 전쟁 중 희생당한 수많은 목숨들에 대한 뉘우침의 의미로 불교로 개종하였는데, 불경을 정리하고 스투파를 세우는 데 한창이다. 다르마(법)의 가르침을 충실이 따르며 백성들에게 다르마의 가르침을 지도하는데 전념 중이며 이에 따라 진리의 수레바퀴를 돌린다는 뜻의 전륜성왕으로 불리고 있다. ___(가)___은/는 이러한 뜻을 알리기 위해 각지에 석주를 세우고 포고문을 새기고 있다.

① 산치 대탑을 건립하였다.
② 밀레트 제도를 시행하였다.
③ 자신을 비슈누에 비유하였다.
④ 엘로라 석굴 사원을 건축하였다.
⑤ 힌두교도에 대한 지즈야를 폐지하였다.

유형 분석
가상 문서인 세계사 신문을 보고 적절한 내용을 선택하는 문제 유형이야.

해결 비법
문제를 해결하는 힌트가 크게 두 가지가 있어. 하나는 사진, 하나는 기사야. 사진의 사자는 지혜와 용기의 상징, 수레바퀴는 불교의 상징이었지. 사진이 어렵다면 기사를 보면 돼. 영토를 확장하고 불교를 통해 국가를 통치하는 모습을 설명하고 있지. 영토를 넓히고 불교를 장려했던 왕이 누군지 떠올려보자.

02 밑줄 친 '나'에 대한 설명으로 옳은 것은?

> 나는 황제가 되기 위해 형제와도 싸움을 했으며 아버지도 유폐시켰다. 하지만 나는 남인도 대부분을 정복하여 최대의 영토를 확보하기도 했다. 그러나 전쟁 자금이 너무 막대해 재정난에 부딪힐 수밖에 없었다.
>
> 이에 따라 이슬람교를 믿지 않는 이교도들에게 지즈야를 다시 부과하였던 것이다. 이에 대해 반란을 일으킨 마라타족은 마땅히 격파되어야 했다. …….

① 델리를 중심으로 이슬람 왕조를 수립하였다.
② 간다라 양식에 따른 불상을 다수 제작하였다.
③ 왕비를 추모하기 위해 타지마할을 건축하였다.
④ 상좌부 불교를 발전시켜 동남아시아에 전파하였다.
⑤ 이슬람 제일주의를 내세워 힌두교 사원을 폐지하였다.

유형 분석
가상 문서 중 자서전을 분석하는 문제 유형이야.

해결 비법
자료 속의 인물이 설명하고 있는 자신의 치세에 대한 설명을 차근차근 읽어보면 누구인지 유추할 수 있어.

심화 기출 지문 활용하기

총 문항수 6	처음 푼 날 월 일
정답과 해설 65쪽	오답 푼 날 월 일

2016학년도 수능

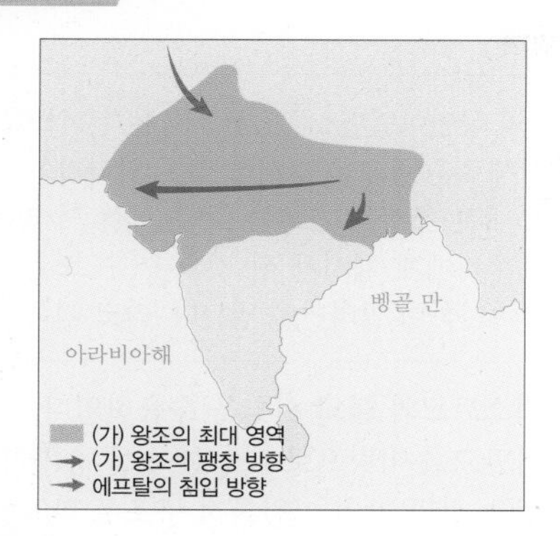

서술형 문제

01 (가) 왕조의 이름과 (가) 왕조 시기에 발달한 종교를 적어 보자.

수능 문제

02 (가) 왕조의 문화에 대한 설명으로 옳은 것은?

① 우르두어가 사용되었다.
② 쿠트브 미나르가 건립되었다.
③ 불교와 자이나교가 출현하였다.
④ 아소카왕이 산치 대탑을 세웠다.
⑤『샤쿤탈라』등 산스크리트 문학이 발달하였다.

활용 문제

03 (가) 왕조 시기의 모습에 대한 설명으로 옳지 않은 것은?

① 우르두어를 사용하였다.
② 카스트제가 인도 사회에 정착되었다.
③ 브라흐마, 비슈누, 시바를 중시하였다.
④ 날란다 사원에서 불교 교리를 연구하였다.
⑤ 브라만교를 바탕으로 힌두교가 형성되었다.

2017학년도 수능

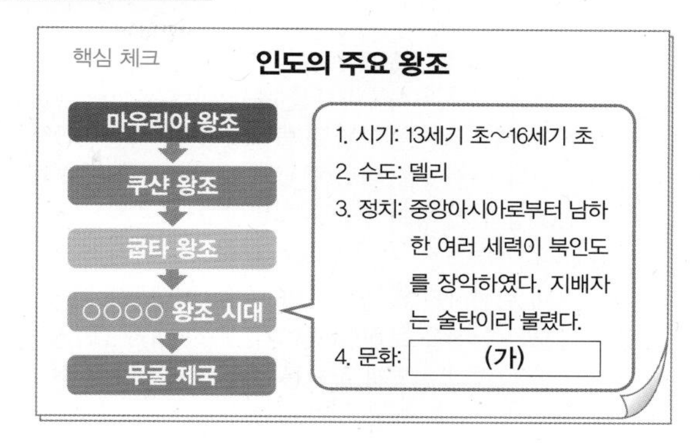

서술형 문제

04 빈칸에 들어갈 왕조의 이름과 이 왕조가 시행한 종교 정책을 적어 보자.

수능 문제

05 (가)에 들어갈 내용으로 옳은 것은?

① 힌두교가 출현하였다.
② 이슬람교도가 늘어났다.
③ 간다라 미술이 나타났다.
④ 산치 대탑이 건설되었다.
⑤ 상좌부 불교가 성행하였다.

활용 문제

06 빈칸에 들어갈 왕조의 종교 정책으로 옳은 것은?

① 대승 불교를 발전시켜 불상을 다수 제작하였다.
② 상좌부 불교의 보호와 포교를 적극 추진하였다.
③ 이슬람 제일주의를 내세워 힌두교 사원을 파괴하였다.
④ 브라만 중심 사회를 비판하며 자이나교를 창시하였다.
⑤ 힌두교도에게 지즈야만 부담하면 종교의 자유를 주었다.

대주제 3 마무리하기

난이도 / 상●●● / 중●●○ / 하●○○
정답률 / 50% 미만 / 50~70% / 70%이상

01 (가), (나) 국가에 대한 옳은 설명을 | 보기 |에서 고른 것은?

> (가) 나는 수사의 지구라트를 부숴 버렸다. …… 나는 엘람의 사원을 파멸로 몰아넣었다. 나는 그들의 신과 여신들을 바람에 날려버렸다. 나는 그들의 조상과 옛 왕의 무덤을 짓밟았고 ……
> (나) 나 키루스는 …… 수메르와 아카드의 영토를 절대 위협하지 않을 것이다. 나는 백성들과 그곳의 모든 신전을 보전할 것이다. …… 내가 살아있는 한 너희의 전통과 종교를 존중할 것이다. ……

| 보기 |

ㄱ. (가) – 피정복민을 강압적으로 통치하였다.
ㄴ. (가) – '왕의 길'이라 불리는 도로를 건설하였다.
ㄷ. (나) – 마니교를 국교로 지정하였다.
ㄹ. (나) – 그리스 · 페르시아 전쟁에서 패배하였다.

① ㄱ, ㄴ ② ㄱ, ㄷ ③ ㄱ, ㄹ
④ ㄴ, ㄹ ⑤ ㄷ, ㄹ

02 자료에 나타난 종교와 관련된 문화재로 옳은 것은?

> 조로아스터교는 이원론의 입장에서 이 세상을 선의 신 아후라 마즈다와 악의 신 아리만이 싸우는 장소로 파악하고, 인간은 선의 신에게 은혜를 입어 최후의 심판을 통해 천국으로 갈 수 있다고 믿었다. 천국과 지옥, 죽은 자의 부활, 그리고 최후의 심판 등의 교리는 이후 유대교, 크리스트교, 이슬람교 등에 영향을 끼쳤다.

① 
② 
③ 
④ 
⑤ 
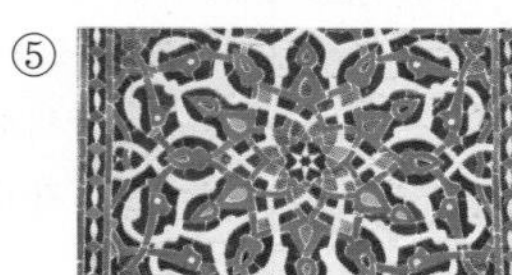

03 빈칸 (가)에 들어갈 인물이 창시한 종교에 대한 설명으로 옳은 것은?

> 메카의 상인이었던 [(가)] 은/는 알라의 계시를 받아 새로운 종교를 창시하였다. 알라가 [(가)] 에게 내린 계시를 기록한 『쿠란』에는 '우리는 알라를 믿고 우리에게 계시가 된 것과 …… 그 누구도 구별하지 아니하며 알라만을 믿는다.'라고 기록되어 있다.

① 크리스트교와 불교 사상을 수용하였다.
② 브라만교를 바탕으로 다양한 신을 숭배하였다.
③ 세상을 선과 악의 이원론적 구조로 파악하였다.
④ 개인의 해탈을 강조하며 동남아시아에 전파되었다.
⑤ 6신과 5행을 기본 교리로 삼아 생활양식으로 삼았다.

04 지도에 표시된 영역과 관련 있는 왕조에 대한 설명으로 옳은 것은?

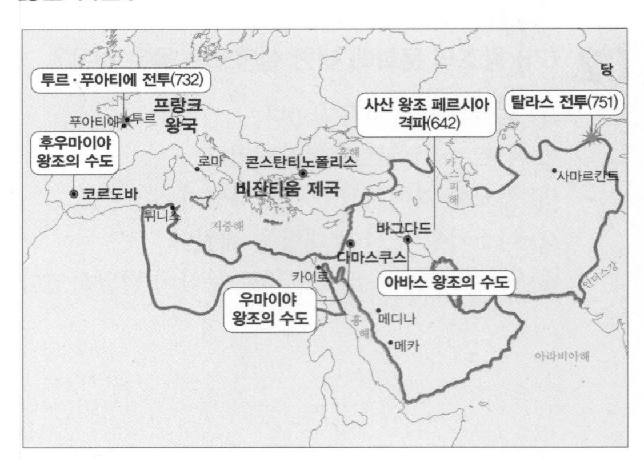

① 부와이 왕조를 무너뜨리고 바그다드에 입성하였다.
② 다마스쿠스를 중심으로 이베리아반도까지 진출하였다.
③ 유럽의 연합 함대를 무찔러 지중해 해상권을 장악하였다.
④ 탈라스 전투에서 승리하여 동서 무역의 중심지가 되었다.
⑤ '샤' 칭호를 사용하여 페르시아의 민족의식을 부흥시켰다.

05 교사의 질문에 대한 학생의 답변으로 옳은 것은?

교사: 이곳은 이슬람교의 사원인 모스크입니다. 돔은 이슬람의 정신인 평화를, 초승달은 헤지라의 밤에 떠있던 초승달을 의미하지요. 이 외에 이슬람 건축의 특징은 무엇이 있을까요?

① 진명: 굽타 양식으로 벽화를 그렸어요.
② 준영: 조각상을 간다라 양식으로 만들었어요.
③ 소현: 스테인드글라스로 신성함을 강조했어요.
④ 지섭: 무굴 회화로 내부를 화려하게 장식했어요.
⑤ 혜진: 아라베스크 무늬로 모스크 안팎을 장식했어요.

06 오스만 제국의 통치 제도로 옳지 않은 것은?

① 군사적 봉건제인 티마르 제도를 실시하였다.
② '왕의 길'이라 불리는 도로와 역참제를 정비하였다.
③ 데브시르메 제도를 통해 예니체리 군단을 창설하였다.
④ 콘스탄티노폴리스를 이스탄불로 개칭하여 수도로 삼았다.
⑤ 비이슬람교도의 장악을 위해 밀레트 제도를 실시하였다.

07 빈칸 (가)에 들어갈 설명으로 옳은 것은?

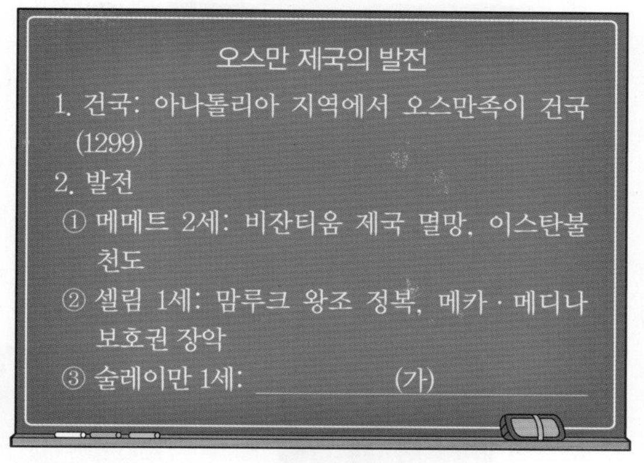

① 헝가리 정복, 빈 포위 공격
② 『의학전범』, 『여행기』 저술
③ 이슬람교 창시, 메디나 피신
④ 힌두교도 관료 임명, 지즈야 폐지
⑤ 시아파 이슬람교 국교 지정, '샤' 칭호 사용

08 밑줄 친 '왕'에 대한 설명으로 옳은 것은?

마우리아 왕조의 이 왕은 기원전 3세기 경 남부를 제외한 인도 대륙 대부분을 통일하여 전성기를 맞이하였다. 이 왕은 인도 남동부의 칼링가 지역을 치열한 전쟁 끝에 정복하였다. 이 칼링가 전투에서 15만 명이 포로로 이송되었고 10만 명이 살해되었다. 그리고 그 몇 배가 죽은 것을 보고 그는 번민하게 되었다.

① 왕비를 추모하기 위해 타지마할을 건축하였다.
② 동남아시아와 교역하며 힌두 문화를 전파하였다.
③ 자신을 비슈누에 비유하면서 힌두교를 보호하였다.
④ 대승 불교와 간다라 양식을 동아시아에 전파하였다.
⑤ 불경을 정리하고 스투파를 세우는 등 불교를 보호하였다.

정답과 해설 ▸ 66쪽

09 다음과 같은 표현 방식의 변화가 나타나게 된 배경으로 옳은 것은?

① 우파니샤드 철학이 발전하였다.
② 『쿠란』이 이슬람 문화권에 전파되었다.
③ 대승 불교와 간다라 양식이 발달하였다.
④ 니케아 공의회에서 정통 교리를 확립하였다.
⑤ 델리를 중심으로 이슬람 왕조가 수립되었다.

10 힌두교의 특징에 대한 설명으로 옳지 않은 것은?

① 『마누 법전』 등이 대표적인 경전이다.
② 카스트에 따른 의무 수행을 중시하였다.
③ 브라흐마, 시바 등 다양한 신을 숭배하였다.
④ 굽타 왕조에서는 왕을 비슈누에 비유하였다.
⑤ 엄격한 계율과 고행을 통한 해탈을 추구하였다.

11 다음 대화에 대한 탐구 활동으로 가장 적절한 것은?

이 시기에는 산스크리트어가 공용어가 되면서 산스크리트 문학이 많이 나왔다며?

『마하바라타』, 『라마야나』 등이 있다고 하더라.

미술에서도 간다라 양식과 인도 고유의 특색이 섞인 새로운 양식이 등장했대!

① 타지마할의 건축 배경을 조사한다.
② 대승 불교의 발전 과정을 조사한다.
③ 굽타 양식의 대표적 작품을 조사한다.
④ 쿠트브 미나르의 건립 배경을 조사한다.
⑤ 아소카왕의 석주 제작 과정을 조사한다.

12 자료와 관련된 제국에 대한 설명으로 옳은 것은?

① 이스파한을 수도로 삼았다.
② 비잔티움 제국을 멸망시켰다.
③ 힌두 · 이슬람 문화를 발전시켰다.
④ 예루살렘과 아나톨리아로 진출하였다.
⑤ 상좌부 불교를 동남아시아로 전파하였다.

정답과 해설 ▸ 67쪽

❖ 다음을 읽고 물음에 답해 보자.

(가) 인도의 종교 분포

인도 대륙에서는 힌두교, 불교, 자이나교, 시크교 등이 창시되었고, 이슬람 세력과 영국의 지배로 이슬람교, 크리스트교 등 외래 종교가 전파되어 여러 종교가 공존하고 있다. 특히 크리스트교는 유럽과는 다른 계통의 크리스트교도 인도에 남아있다. 전체 인구 비중에서는 힌두교도가 압도적으로 많으나, 이슬람교, 크리스트교 등 소수 종교도 인도인의 생활에 깊숙이 자리하고 있다.

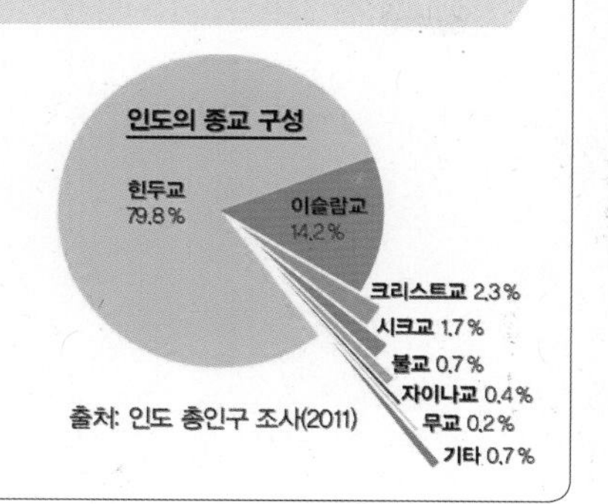

(나) 인도의 종교 갈등

인도에서는 다양한 종교가 공존하는 만큼 종교 간의 갈등이 계속되고 있다. 그중 힌두교도와 이슬람교도의 갈등은 역사적 뿌리가 깊지만, 특히 인도를 손쉽게 지배하기 위해 갈등을 부추긴 영국 식민지 정책으로 더욱 커졌다. 이들 종교 간의 극단적 대립으로, 결국 1947년 인도와 파키스탄은 영국에서 분리 독립을 하였다. 그러나 여전히 인도의 힌두교도와 이슬람교도는 치열한 분쟁을 치르고 있고, 아직도 종교적인 골이 깊이 남아 있다.

더 알아보기

'종교의 나라'로 불릴 만큼 인도에서는 다양한 종교가 분포되어 있다. 이는 종교와 철학의 발전을 이끌어 내기도 하지만 종교 간의 갈등으로 폭력 사태가 벌어지기도 한다. 현대 사회에서는 종교적 자유와 인권 보호를 위해 국가적 차원을 넘어서 다양한 방법을 논의하고 있다.

논술 갈라잡이

각 종교들이 어떠한 상황을 배경으로 등장하였으며, 그 종교의 사회적 목적이 무엇인지 생각하며 서술하자.

01 (가)를 바탕으로 현재 인도의 종교 분포를 역사적 사실과 연관시켜 서술해 보자.

02 (나)를 바탕으로 종교적 갈등을 해소하기 위한 방안을 서술해 보자.

대주제 4

유럽·아메리카 지역의 역사

학습 계획표

- 자신의 일정에 맞게 계획을 세우고, 실제 학습일을 적어 봅시다.
- 학습을 마무리한 후 스스로가 얼마나 학습 목표를 달성하였는지 점검해 봅시다.

주제 8 고대 지중해 세계	쪽수	계획일	학습일	목표 달성도
Day 22 개념 정리, 자료 뜯어보기	120 ~ 125쪽	월 일	월 일	☆☆☆☆☆
Day 23 개념 익히기, 내신 유형 익히기	126 ~ 129쪽	월 일	월 일	☆☆☆☆☆
Day 24 내신 만점 도전하기, 수능 유형 익히기, 기출 지문 활용하기	130 ~ 133쪽	월 일	월 일	☆☆☆☆☆

주제 9 유럽 세계의 형성과 동요	쪽수	계획일	학습일	목표 달성도
Day 25 개념 정리, 자료 뜯어보기	134 ~ 141쪽	월 일	월 일	☆☆☆☆☆
Day 26 개념 익히기, 내신 유형 익히기	142 ~ 145쪽	월 일	월 일	☆☆☆☆☆
Day 27 내신 만점 도전하기, 수능 유형 익히기, 기출 지문 활용하기	146 ~ 149쪽	월 일	월 일	☆☆☆☆☆

주제 10 유럽 세계의 변화	쪽수	계획일	학습일	목표 달성도
Day 28 개념 정리, 자료 뜯어보기	150 ~ 153쪽	월 일	월 일	☆☆☆☆☆
Day 29 개념 익히기, 내신 유형 익히기	154 ~ 157쪽	월 일	월 일	☆☆☆☆☆
Day 30 내신 만점 도전하기, 수능 유형 익히기, 기출 지문 활용하기	158 ~ 161쪽	월 일	월 일	☆☆☆☆☆

주제 11 시민 혁명과 산업 혁명	쪽수	계획일	학습일	목표 달성도
Day 31 개념 정리, 자료 뜯어보기	162 ~ 171쪽	월 일	월 일	☆☆☆☆☆
Day 32 개념 익히기, 내신 유형 익히기	172 ~ 175쪽	월 일	월 일	☆☆☆☆☆
Day 33 내신 만점 도전하기, 수능 유형 익히기, 기출 지문 활용하기	176 ~ 179쪽	월 일	월 일	☆☆☆☆☆
Day 34 대주제 마무리하기, 비판적 사고 기르기	180 ~ 183쪽	월 일	월 일	☆☆☆☆☆

주제 8

고대 지중해 세계

주제 흐름 읽기

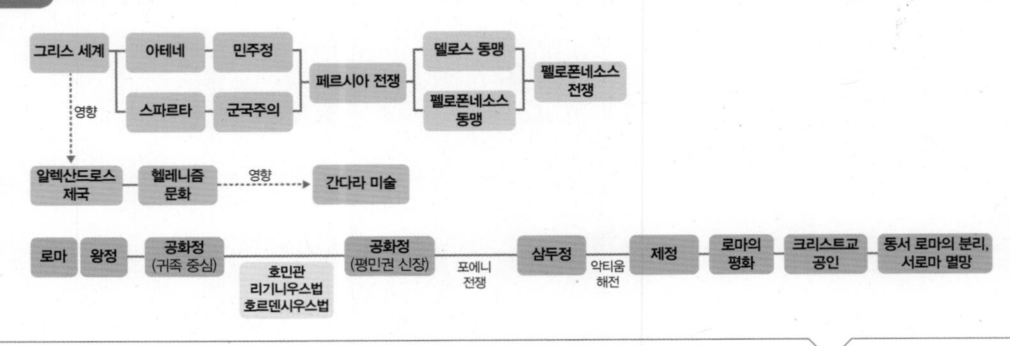

1 그리스 세계의 발전 { 아테네와 스파르타는 어떻게 발전했을까요?

1. 폴리스의 성립 산지가 많은 지형적인 조건, 아크로폴리스와 아고라로 구성

2. 아테네와 스파르타의 발전

(1) 아테네

초기	• 귀족들이 경제와 군사 지배 • 평민들이 중방 보병 밀집대의 주력 → 평민의 정치 발언권 강화
기원전 6세기	• 솔론의 개혁: 귀족과 평민의 대립을 조정 → 금권정 → 귀족과 평민의 대립 지속 (What? 재산에 따라 정치적 권리를 차등 분배한거야.) • 참주의 등장: 페이시스트라토스 – 무력으로 권력 장악 • 클레이스테네스: 혈연 중심의 부족제를 거주지 중심의 부족제로 개편, 500인 평의회 설치, 도편 추방제❶ 도입 (Why? 참주의 출현을 막기 위해서야.)
기원전 5세기	• 페리클레스: 민회의 입법권 강화 – 모든 성인 남성 참여, 수당 제도, 추첨 제도 자료 1 • 여성, 거류 외국인, 노예에게는 참정권이 부여되지 않음

(2) 스파르타

① 성립: 도리스인이 원주민을 정복하고 세움 → 정복당한 원주민(헤일로타이 – 예속 농민), 반자유인(페리오이코이 – 상공업에 종사), 시민으로 구성❷

② 특징: 강력한 군국주의 체제 발전, 엄격한 군사 훈련

2 그리스 세계의 번영과 몰락 { 그리스·페르시아 전쟁이 그리스 세계에 끼친 영향은 무엇일까요?

1. 그리스·페르시아 전쟁 자료 2

배경	기원전 5세기 초 서아시아 세계를 통일한 아케메네스 왕조 페르시아가 지중해로 세력 확대 → 그리스 세계와 충돌
전개 및 결과	• 세 차례에 걸친 전쟁에서 그리스 세계가 승리 • 델로스 동맹❸의 맹주로서 아테네의 발전 → 막대한 재정 수입으로 민주 정치 확대, 고전 문화 발달

2. 펠로폰네소스 전쟁

배경	아테네의 세력 확대로 불만을 가진 스파르타가 펠레폰네소스 동맹을 결성하여 델로스 동맹과 대립
전개 및 결과	• 스파르타가 전쟁에서 승리하였으나 그리스 세계는 내분에 휩쓸림 • 마케도니아 필리포 2세의 그리스 세계 정복

❶ **도편 추방제**
이른 봄 민회에서 도편 추방제 시행의 가부를 거수로 결정하고, 아고라에서 국가에 해를 끼칠 위험한 인물의 이름을 도편(오스트라콘)에 기입하는 비밀 투표를 하였다. 위험 인물이 결정되면 10년 동안 외국으로 추방하였다.

❷ **스파르타의 인구 구성비**

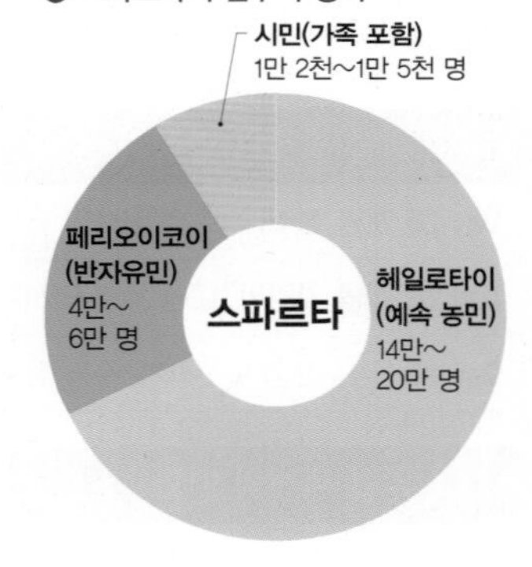

❸ **델로스 동맹**
아테네를 중심으로 주로 소아시아 연안의 그리스 도시와 에게해의 섬들로 구성되었다. 명목은 페르시아의 내습에 대비하고 그 지배하에 있는 그리스 도시국가들을 독립시키는 것이었으나, 이 목적을 달성한 후에도 해산하지 않고 아테네의 지배 도구가 되었다. 본래 제1차 아테네 해상 동맹으로 일컬어졌으나, 그 본부 및 동맹 기금을 수납하는 금고가 델로스 섬에 있었기 때문에 후에 델로스 동맹이라 하였다.

자료 1 페리클레스 시대의 민주정

페리클레스가 전몰자들을 위한 연설자로 지명되어 다음과 같이 말하였다. "우리의 정치 제도를 민주 정치라고 합니다. 왜냐하면 소수의 특권 계급이 아닌 시민의 손으로 통치하기 때문입니다. …… 어떤 사람이 국가에 봉사할 능력이 있다면 그가 가난하다고 해서 정치에서 소외되지 않습니다. …… 아테네에서는 정치에 관심 없는 시민은 시민의 자격이 없는 자로 여깁니다. 우리는 민회에서 정책을 결정하거나 적절한 토론에 부칩니다. …… 이 점이 우리가 다른 나라와 다른 점입니다."

– 투키디데스, 『역사』 –

왜 아테네의 정치 제도를 민주 정치라고 할까?

아테네는 소수의 특권 계급이 아니라 다수의 시민들이 통치하였어. 모든 성년 남자 시민이 참여하는 민회의 권한이 강화되어 민회가 실질적인 입법권을 갖게 되었지. 하지만 여성, 거류 외국인, 노예에게는 참정권이 부여되지 않았다는 한계가 있어.

왜 아테네는 수당제를 도입했을까?

아테네의 정치는 10개의 부족에서 파견되는 50명씩의 평의원으로 구성된 500인회가 중요 정무를 처리하였어. 각 부족을 대표하는 50명의 평의원은 각 데모스(demos, 구)에서 선출된 대표 중에서 추첨으로 뽑인 자들이였지. 그런데 이렇게 추첨으로 뽑힌 민회원들은 평상시엔 생업에 종사해야 하는 평민들이었어. 수당제는 이들이 정치에 전념할 수 있도록 하기 위해 도입된 제도였어.

뜯어보기 포인트

페리클레스 시대에 아테네의 민주 정치가 발전했음을 기억하자.

Q1 아테네 민주 정치의 특성으로 옳은 것을 모두 선택해 보자.

㉠ 수당제를 실시하였다.
㉡ 소수의 시민이 통치하였다.
㉢ 관리의 추첨 제도를 도입하였다.
㉣ 여성, 노예에게도 참정권이 있었다.
㉤ 재산에 따라 정치적 권리를 차등 분배하였다.

자료 2 그리스 · 페르시아 전쟁

왜 그리스 · 페르시아 전쟁이 발발했을까?

기원전 6세기 중엽 페르시아는 소아시아, 시리아, 이집트 등을 정복하여 대제국을 건설하였어. 이러한 상황 아래 소아시아 서부의 이오니아의 여러 도시들도 페르시아의 지배 하에 들어가게 되었지. 기원전 5세기 초 이오니아의 그리스인 도시들이 반란을 일으켰을 때 그리스 본토의 아테네가 원군을 보내 이들을 도운 것을 구실삼아 페르시아는 전쟁을 일으켰어.

뜯어보기 포인트

그리스 · 페르시아 전쟁이 발생한 배경과 당시 주요 전투를 기억하자.

Q2 다음 중 그리스 · 페르시아 전쟁 당시에 해당하는 전투로 옳은 것을 모두 선택해 보자.

㉠ 마라톤 전투
㉡ 악티움 해전
㉢ 포에니 전쟁
㉣ 살라미스 해전
㉤ 펠로폰네소스 전쟁

답 Q1 ㉠, ㉢, ㉤ / Q2 ㉠, ㉣

2 인간 중심의 합리적인 그리스 문화 자료 3 { 그리스 문화의 특징은 무엇일까요?

구분	내용
초기	• 자유로운 시민 문화에 바탕을 둔 독특한 문화 • 합리적이고 인간 중심적
철학 및 역사	• 자연 철학 → 소피스트[4]의 등장(진리의 상대성과 주관성 강조) → 소크라테스(진리의 보편성과 절대성 주장), 플라톤, 아리스토텔레스 등 • 헤로도토스(그리스 · 페르시아 전쟁을 다룬 『역사』), 투키디데스(펠레폰네소스 전쟁을 다룬 『역사』)
문학 및 문화	• 문학: 서사시와 연극 유행 • 건축물과 조각품: 조화와 균형의 미 강조 → 파르테논 신전

3 알렉산드로스 제국의 형성 { 알렉산드로스 제국은 이후에 어떤 영향을 끼쳤을까요?

(1) 제국의 형성

① 배경: 알렉산드로스가 기병대와 중장 보병 밀집대를 앞세워 동방 원정에 나섬. → 페르시아 제국과 이집트 정복, 인더스강 유역까지 진출 → 유럽 · 아시아 · 아프리카에 이르는 대제국 건설

② 헬레니즘 시대[5]의 전개: 현지 제도와 관습 존중, 정복지 곳곳에 '알렉산드리아'[6]를 건설하여 그리스인 이주, 그리스인과 페르시아인의 결혼 장려

③ 몰락: 알렉산드로스 사후 제국의 분열, 로마에 정복

(2) 헬레니즘 문화의 특징 자료 4

구분	내용
특징	• 그리스 문화를 바탕으로 다양한 문화 요소 융합 • 세계 시민주의[7]적 성격: 작고 협소한 폴리스의 테두리를 벗어나 넓고 개방된 문화
철학 및 과학	• 철학: 감정을 절제하고 이성적인 삶을 추구하는 스토아학파와 삶의 행복을 위해 마음의 평정을 추구하는 에피쿠로스학파 • 자연 과학: 수학, 기하학, 물리학, 천문학 등의 발전
예술	• 인간의 육체와 감정을 사실적으로 표현하여 현실적이고 관능적인 미를 추구 – '밀로의 비너스', '라오콘 군상', '니케상' 등 • 인도의 간다라 양식 성립에 영향

How? 불교에서 불상을 조각하는 데 영향을 주었어.

4 로마의 발전 { 로마 공화정은 어떻게 발전했을까요?

1. 로마 공화정의 성립

구분	내용
왕정	기원전 8세기 중엽: 라틴인이 테베레강 하류에 도시 로마 국가 건설
공화정의 발전	• 특징: 귀족으로 구성된 원로원과 집정관, 다양한 민회 • 평민권의 신장 – 배경: 상공업 발달로 부유해진 평민이 중장 보병으로 정복 전쟁에 참여 → 정치적 권리 요구 – 호민관직 설치, 평민회 설치, 12표법[8] 제정 – 리키니우스법: 집정관 중 1명은 평민에서 선출 – 호르텐시우스법: 평민회의 결의가 법적인 구속력을 갖게 됨 → 형식적으로나마 평민과 귀족이 동등해짐

2. 로마의 팽창과 위기 { 로마 공화정은 어떻게 변화하였을까요?

(1) **대외 팽창** 이탈리아 반도 통일 → 카르타고와 포에니 전쟁에서 승리 → 마케도니아와 그리스 정복

---

❹ 소피스트
기원전 5세기부터 기원전 4세기까지 그리스를 중심으로 활동했던 철학 사상가이자 교사들이다. 이 시기에는 자연과 세상을 바라보는 다양한 철학적 사유들이 등장했으며, 이로 인해 철학 사상들 사이의 모순과 충돌, 논리적 검증에 대한 필요성이 점차 늘어났다.

❺ 헬레니즘 시대
알렉산드로스 대왕의 사망 후(기원전 323) 계승자들이 저마다 국가를 세운 때부터 로마의 옥타비아누스가 프톨레마이오스 왕조의 이집트를 정복(기원전 30)할 때까지를 지칭한다.

❻ 알렉산드리아
알렉산드로스 대왕은 정복지에 약 30여 개의 알렉산드리아를 건설하였는데 그 중 이집트의 알렉산드리아가 가장 발전하였다. 이곳은 도시 계획에 따라 지중해 부근의 나일 강가에 세워졌다. 왕궁과 신전, 왕립 학문 연구소와 거기에 딸린 도서관, 천문대 등을 갖추었으며, 세계 각지에서 많은 학자들이 모여들었다.

❼ 세계 시민주의
개인이 국가와 민족을 초월하여 자신을 세계 시민 사회의 일원으로 파악하는 사상이다.

❽ 12표법
법에 관한 지식과 공유지 사용을 독점하였던 귀족이 평민의 반항에 타협한 결과 제정되었다. 그러나 귀족층이 주도권을 잡고 제정하였으므로 여전히 가혹한 채무법이나 귀족과 평민과의 통혼 금지 규정 등이 포함되어 있었으므로 평민의 불만이 충분히 해소되지 않았다.

자료 3 그리스 문화의 특징

▲ 파르테논 신전

▲ 원반 던지는 사람

◎ 파르테논 신전의 특징은 무엇일까?

아테네인들이 아테네의 수호신 아테나에게 바친 것으로, 도리스식으로 지어졌어. 신전은 전체적으로 매우 아름다운 황금비를 구현하고 있지. 신전의 안정된 비례와 장중함은 그리스 정신의 집대성이라고 할 수 있어.(참고! 도리스식이란 기둥이 굵고 윗부분이 차츰 가늘어지며, '엔타시스'라는 불룩한 부분이 있는 것을 말해. 기둥 윗부분은 얇은 사발 모양의 주관(柱冠)과 네모진 모양의 판관(板冠)으로 되어 있어.)

◎ 그리스 조각의 특징은 무엇일까?

'원반 던지는 사람'은 그리스의 조각가인 미론의 청동상을 본따 만든 대리석 작품이야. 미론은 원반 던지는 선수가 순간적으로 정지한 상태를 포착했는데, 이때 나타난 조화와 균형의 미를 잘 드러냈지. 이처럼 그리스 조각은 인체의 아름다움을 표현하였으며, 조화와 균형을 강조하였어.

뜰어보기 포인트

그리스 문화의 특징이 조화와 균형임을 기억하자.

Q3 그리스 문화와 관련하여 옳은 것들을 모두 선택해 보자.

㉠ 인간 중심적이었다.
㉡ 조화와 균형을 강조하였다.
㉢ 세계 시민주의적인 성격을 띠었다.
㉣ 현실적이고 관능적인 미를 추구하였다.
㉤ 법률, 토목 등 실용적인 분야가 발달하였다.

자료 4 헬레니즘 문화의 특징

*라오콘 군상
트로이의 신관인 라오콘과 그의 두 아들이 포세이돈의 저주를 받는 장면을 묘사한 조각이다.

◎ 헬레니즘 조각의 특징은 무엇일까?

그리스의 균형 잡힌 이상적인 미의 세계는 헬레니즘 시대로 넘어와 더욱 개성화되고 현실화되었어. 라오콘 군상에서는 죽음의 고통에 처한 강렬한 감정의 표현을, 승리의 여신인 니케상에서는 동적인 성격을 볼 수 있어. 밀로의 비너스상은 인간의 육체가 가진 관능적인 아름다움을 표현하고 있지.

뜰어보기 포인트

헬레니즘 예술의 특징이 현실적이고 관능적인 아름다움을 추구했음을 기억하자.

Q4 헬레니즘 문화와 관련하여 옳은 것들을 모두 선택해 보자.

㉠ 크리스트교를 공인하였다.
㉡ 조화와 균형의 미를 강조하였다.
㉢ 콜로세움을 세우는 등 건축이 발달하였다.
㉣ 인간의 육체와 감정을 사실적으로 표현하였다.
㉤ 현실적이고 관능적인 아름다움을 추구하였다.

답 Q3 ㉠, ㉡ / Q4 ㉣, ㉤

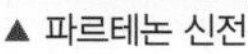

(2) **영향** 유력자들의 노예 노동을 이용한 대농장(라티푼디움) 성행, 중소 자영농의 몰락 → 그라쿠스 형제의 개혁(농지법과 곡물법) 실패 자료 5 Why? 귀족들의 반대에 부딪혀 뜻을 이루지 못했어.

(3) **결과** 귀족(벌족)파와 평민(민중)파 사이의 갈등, 내전 발생, 스파르타쿠스의 노예 반란[9] → 군인 정치가의 등장, 제1차, 제2차 삼두 정치[10] → 악티움 해전의 승리로 옥타비아누스의 권력 장악

3. 로마 제국의 발전과 쇠퇴, 멸망

(1) **옥타비아누스** 아우구스투스(존엄한 자)라는 칭호를 받음, 자신을 프린켑스(제1시민)이라 부름, 군 지휘권과 주요 관직 독차지 → 제정의 시작

(2) **로마의 평화 시대** 200년간 5현제와 같은 유능한 황제들의 등장

(3) **로마 제국의 쇠퇴** 군인 황제 시대의 전개, 속주와 변경에서의 반란과 이민족의 침입, 도시와 상공업 쇠퇴, 부자유 소작농(콜로누스)에게 토지를 경작하게 하는 콜로나투스[11]가 확산

(4) **로마 제국의 멸망**

구분	내용
디오클레티아누스 황제	• 제국을 넷으로 나누어 효율적으로 통치 • 황제권 강화, 화폐 개혁과 군사 개혁
콘스탄티누스 황제	• 크리스트교 공인 • 제국을 하나로 합치고, 수도를 콘스탄티노폴리스로 천도
멸망	• 테오도시우스 황제 사후 동서로 분리 • 서로마 제국은 게르만족의 침입으로 멸망, 동로마는 1000여 년간 지속

5 크리스트교의 성립과 로마 문화 { 로마 문화의 특징은 무엇일까요?

1. 크리스트교의 성립과 전파

(1) **크리스트교의 성립** 로마의 속주가 된 유대 지방의 주민들이 구세주 메시아의 출현을 고대 → 예수가 보편적인 사랑과 평등을 설교함. → 예수의 십자가 처형, 제자들을 통해 제국 전역에 전파되어 각지에 교회 건설

(2) **세계 종교로의 발전** 황제 숭배 거부로 크리스트교도를 탄압했지만 교세 확장 지속 → 콘스탄티누스 황제의 밀라노 칙령으로 공인 자료 6, 니케아 공의회[12]에서 아타나시우스파를 정통으로 인정 → 테오도시우스 황제 때 국교화

2. 로마의 문화

구분	내용
특징	• 합리적이고 인간 중심적인 그리스 · 헬레니즘 문화를 수용하여 고전 문화 완성 • 법률, 건축, 토목 등 실용적인 분야 발달 • 크리스트교라는 보편적인 유일신 신앙 수용
법률	• 12표법 → 시민법으로 발전 → 만민법으로 확대 • 비잔티움 제국에서 『유스티니아누스 법전』으로 집대성
건축	• 도시들을 잇는 도로망 건설 • 도시에 원형 경기장(콜로세움), 개선문, 공중 목욕탕 건설
문학 및 역사	• 라틴 문학의 발달 • 역사: 리비우스 『로마사』, 타키투스 『게르마니아』, 카이사르 『갈리아 전기』, 플루타르코스 『영웅전』

⑨ 스파르타쿠스의 난
기원전 37년 캄푸아 검투사 양성소의 검투 노예였던 스파르타쿠스는 동료 검투사들을 이끌고 자유를 위해 봉기하였다. 3년이나 지속되면서 로마를 흔들었던 봉기는 결국 실패하였지만 이 사건을 계기로 노예의 처우가 개선되었다.

⑩ 삼두 정치
원로원과 민회를 배제한 채 3명의 실력자가 동맹하여 국가 권력을 독점하는 정치 형태이다.
제1차: 카이사르, 크라수스, 폼페이우스
제2차: 옥타비아누스, 안토니우스, 레피두스

⑪ 콜로나투스
정복 전쟁 후 노예 공급이 중단되어 라티푼디움을 운영하기 어려워지자 소작제가 나타났다. 이로써 종래의 노예나 몰락한 농민은 소작인으로 전락하였다. 3세기 말부터는 이들이 토지에 얽매이게 되어 부자유 소작인(콜로누스)이 되었는데, 이들을 이용한 농장 경영을 콜로나투스라고 한다. 콜로누스는 중세 농노의 기원이 되었다.

⑫ 니케아 공의회

325년 로마 황제 콘스탄티누스 1세가 소집하였다. 회의의 동기는 아리우스 논쟁 즉, 예수 그리스도의 신성(神性)을 부정하는 아리우스파를 이단으로 단죄하여 분열된 교회를 통일시키고, 로마 제국의 안정을 이루기 위한 것이었다.

자료 5 **그라쿠스 형제의 개혁**

이탈리아를 위해 싸우고 죽어 가는 사람들이 가진 것이라고는 공기와 햇볕밖에 없으며, 집도 안식처도 없이 처자를 이끌고 거리를 방황하고 있다.…… 그들은 다른 사람의 부귀와 사치를 위해 싸우다 죽지만…… 한 뼘의 땅도 갖지 못한 것이다.

– 티베리우스 그라쿠스의 연설 –

▲ 그라쿠스 형제

뜯어보기 포인트
그라쿠스 형제가 유력자들의 대토지 경영(라티푼디움) 확산에 반대했음을 기억하자.

그라쿠스는 왜 이런 연설을 했을까?
로마의 유력자들은 오랜 대외 전쟁으로 인해 몰락한 중소 농민의 토지를 독차지했어. 또한 전쟁의 결과로 얻은 많은 노예를 이용하여 대농장(라티푼디움)을 경영하였지. 이로 인해 빈부의 차가 심해졌고, 군대의 주력이 중장 보병 시민이었던 로마는 군사력 약화라는 심각한 위기에 빠졌어. 이에 그라쿠스 형제는 유력자들의 토지 소유 면적을 제한하여 빈민에게 분배하려 하였으나 실패하였어.

그라쿠스 형제의 개혁 실패가 로마에 끼친 영향은 무엇일까?
이후 로마의 지배층은 원로원을 중심으로 기득권과 현상을 유지하려는 벌족파와 그들에 대항하여 민중의 이익을 옹호하려는 민중파로 갈라져 약 100여 년간 내란이라 할 정도로 치열한 정권 싸움을 벌였어.

Q5 그라쿠스 형제의 개혁과 관련하여 옳은 것을 모두 선택해 보자.

㉠ 귀족과 평민의 법률적인 평등을 주장하였다.
㉡ 콜로나투스의 확산 때문에 개혁을 주장하였다.
㉢ 대토지 경영을 제한하는 '농지법'을 주장하였다.
㉣ 이후 벌족파와 평민파가 대립하게 된 배경이 되었다.
㉤ 개혁을 실시한 배경은 유력자들의 라티푼디움 확산 때문이다.

자료 6 **밀라노 칙령**

신앙은 각자 자신의 양심에 비추어 결정해야 할 일이라고 생각해 왔다. …… 크리스트교도만이 아니라 어떤 종교를 신봉하는 자에게도 각자가 원하는 신을 믿을 권리를 완전히 인정하는 것이다. 그 신이 무엇이든, 통치자인 황제와 그 신하인 백성에게 평화와 번영을 가져다 준다면 인정해야 마땅하다. …… 오늘부터 크리스트교든 다른 어떤 종교든 관계없이 각자 원하는 종교를 믿고 거기에 따르는 제의에 참석할 자유를 완전히 인정받는다.

– 밀라노 칙령(313) –

뜯어보기 포인트
밀라노 칙령으로 크리스트교가 공인되었음을 기억하자.

콘스탄티누스 황제는 왜 밀라노 칙령을 발표했을까?
크리스트교도들은 황제에 대한 숭배를 우상 숭배라 생각하여 거절하였어. 이에 로마 황제로부터 극심한 탄압을 받았지. 하지만 오히려 이런 박해를 통해 크리스트교는 하층 시민이나 노예들 사이에 더욱 널리 퍼지게 되었어. 4세기에 이르러서는 더 이상 국가 권력으로서도 어찌할 수 없는 세력으로 성장하였지.

밀라노 칙령은 어떤 영향을 끼쳤을까?
밀라노 칙령은 크리스트교를 공인하는 데 그치지 않고, 로마 제국에서 크리스트교를 보호하고 장려하는 계기가 되었어. 콘스탄티누스 황제가 죽은 뒤, 율리아누스 황제가 로마의 전통을 부활시키기 위해 크리스트교를 탄압했지만, 테오도시우스 황제 시기에 이교의 신에 대한 숭배 의식이 전면 금지되어 크리스트교는 로마 제국의 국교가 되었지.

Q6 밀라노 칙령과 관련하여 옳은 것을 모두 선택해 보자.

㉠ 크리스트교가 공인되었다.
㉡ 크리스트교의 탄압을 명하였다.
㉢ 콘스탄티누스 황제가 반포하였다.
㉣ 크리스트교의 국교화를 선포하였다.
㉤ 아타나시우스파를 정통으로 승인하였다.

답 Q5 ㉢, ㉣, ㉤ / Q6 ㉠, ㉢

개념 익히기

정답과 해설 ▸ 68쪽

01 서로 관련 있는 내용끼리 연결해 보자.

ⓐ 도편 추방제 •
ⓑ 밀라노 칙령 •
ⓒ 알렉산드리아 •

• ㉠ 콘스탄티누스 황제가 크리스트교 공인
• ㉡ 알렉산드로스 대왕이 정복지 곳곳에 건설한 도시
• ㉢ 참주가 될 위험이 있는 인물을 도기 조각에 적어 투표한 후, 추방

02 아래 설명이 맞으면 O표, 틀리면 X표를 해 보자.

(1) 솔론은 재산에 따라 정치적 권리를 차등 분배하였다. (　　)
(2) 펠레폰네소스 전쟁 이후 그리스는 델로스 동맹의 맹주가 되어 크게 발전하였다. (　　)
(3) 알렉산드로스는 그리스인과 페르시아인의 결혼을 장려하였다. (　　)
(4) 옥타비아누스는 안토니우스를 포에니 전쟁에서 격파하여 로마의 지배권을 장악하였다. (　　)
(5) 테오도시우스 황제 때에는 크리스트교가 로마의 국교가 되었다. (　　)

03 빈칸에 알맞은 말을 채워 보자.

(1) 아테네는 (　　　　)와의 전쟁 이후 페리클레스의 지도 하에 민주 정치가 발전하였다.
(2) (　　　　)은/는 소수의 시민이 다수의 피지배층을 감시하고 통제해야 했으므로 강력한 군국주의 체제가 발전하였다.
(3) (　　　　) 문화는 작고 협소한 폴리스의 테두리를 벗어나 넓고 개방된 세계에서 발전한 문화로서, 개인적이고 세계 시민주의적인 성격을 띠었다.
(4) 로마의 (　　　　)은/는 집정관 중 1명은 평민에서 선출하는 것이다.
(5) (　　　　)은/는 농지법과 곡물법을 제정하여 개혁을 추진하였다.

04 다음에 해당하는 인물을 써 보자.

아테네의 민주 정치는 그의 시대에 전성기를 맞이하였다. 수당 제도를 통해 가난한 시민도 정치에 참여할 수 있었고, 추첨 제도를 통해 시민들이 관직과 배심원직을 맡았다.

05 다음 | 보기 |의 사건을 순서대로 나열해 보자.

| 보기 |

ㄱ. 포에니 전쟁　　ㄴ. 12표법 제정
ㄹ. 악티움 해전　　ㄷ. 콘스탄티노폴리스 천도

06 (가)에 들어갈 용어를 써 보자.

옥타비아누스는 로마의 군대와 재정을 장악하고 혼란을 수습하였다. 이에 원로원은 그에게 (가) 라는 칭호를 부여하였다. 그는 반대파를 안심시키기 위해 자신을 '프린켑스(제1시민)'이라 불렀다.

07 다음 표를 완성해 보자.

(　　)	아테네에서 아테나 여신을 위해 세운 신전으로, 도리스 양식의 건물임
헬레니즘 미술	• 인간의 육체와 감정을 사실적으로 표현 • 북인도로 전파되어 (　　) 양식의 성립에 영향을 줌
(　　)	약 5만 명의 관중을 수용할 수 있는 로마의 원형 경기장

2단계 내신 유형 익히기

총 문항수 12	처음 푼 날 월 일
정답과 해설 68쪽	오답 푼 날 월 일

01 빈출 **다음 자료는 어느 두 폴리스의 인구 구성을 나타낸 것이다. (가), (나) 폴리스에 대한 설명으로 옳은 것은?**

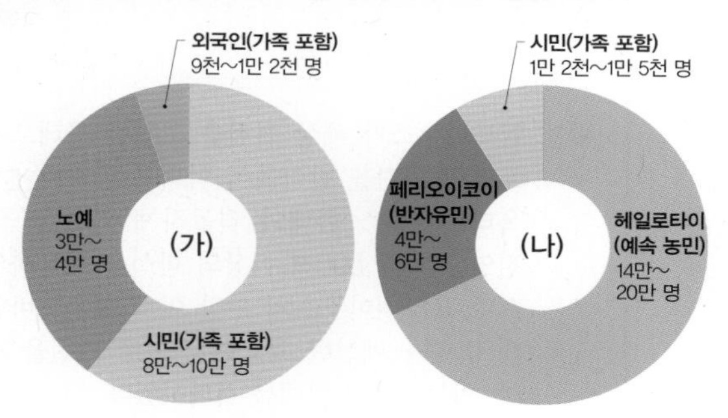

① (가)는 강력한 군국주의 체제가 발전하였다.
② (가)는 도리스인이 원주민을 정복하고 세웠다.
③ (나)는 델로스 동맹의 맹주로서 번영을 누렸다.
④ (나)는 참주의 출현을 막기 위해 도편 추방제를 도입하였다.
⑤ (가)와 (나)의 대립으로 펠레폰네소스 전쟁이 일어났다.

02 **다음에 제시된 아테네의 민주 정치 발전 과정을 시기 순으로 옳게 나열한 것은?**

(가) 참주가 등장하여 권력을 장악하였다.
(나) 수당 제도와 추첨 제도를 도입하였다.
(다) 재산에 따라 정치적 권리를 차등 분배하였다.
(라) 부족제를 개편하여 500인 평의회를 설치하였다.

① (가) – (나) – (다) – (라)
② (다) – (가) – (나) – (라)
③ (다) – (가) – (라) – (나)
④ (라) – (다) – (가) – (나)
⑤ (라) – (다) – (나) – (가)

03  빈출 **그리스 문화에 대한 옳은 설명을 | 보기 |에서 고르면?**

| 보기 |
ㄱ. 스토아 철학이 발전하였다.
ㄴ. 헤로도토스가 『역사』를 저술하였다.
ㄷ. 원형 경기장인 콜로세움이 만들어졌다.
ㄹ. 조화와 균형을 강조한 파르테논 신전이 건축되었다.

① ㄱ, ㄴ ② ㄱ, ㄷ ③ ㄴ, ㄷ
④ ㄴ, ㄹ ⑤ ㄷ, ㄹ

04  빈출 **헬레니즘 문화에 대한 설명으로 옳은 것은?**

① 개선문 등을 세우고 상수도 시설을 마련하였다.
② 법률에 큰 자취를 남겨 12표법 등을 제정하였다.
③ 소피스트들이 진리의 상대성과 주관성을 강조하였다.
④ 헤로도토스와 투키디데스가 역사학 발전에 기여하였다.
⑤ 인간의 육체와 감정을 사실적으로 표현한 라오콘 군상이 유명하다.

05 빈출 (가)에 들어갈 내용으로 옳은 것은?

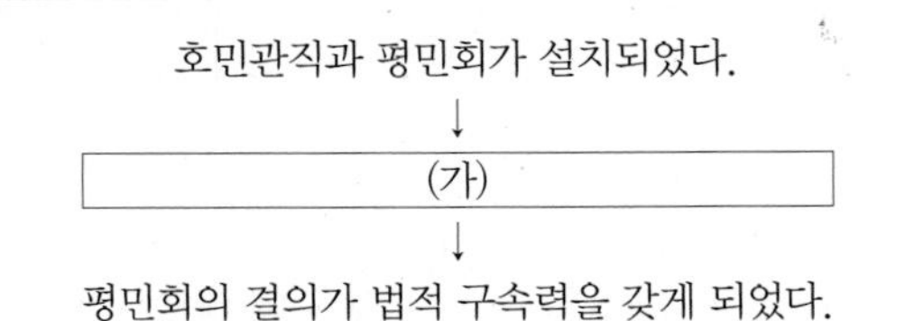

① 삼두 정치가 전개되었다.
② 크리스트교가 공인되었다.
③ 포에니 전쟁에서 승리하였다.
④ 콘스타니노폴리스로 천도하였다.
⑤ 집정관 중 1명이 평민에서 선출되었다.

06 다음 개혁이 실시된 배경으로 적절한 것은?

> 티베리우스는 귀족들이 불법으로 점유한 토지를 몰수하여, 무산 시민에게 분배하려는 개혁안을 제시하였다. 가이우스는 가난한 시민에게 시장 가격보다 싸게 곡물을 판매하고, 식민시를 건설하여 무산 시민을 이주시키려 하였다.

① 로마가 동서로 분리되었다.
② 스파르타쿠스가 난을 일으켰다.
③ 포에니 전쟁 이후 라티푼디움이 성행하였다.
④ 군인 정치가가 등장하여 삼두 정치가 전개되었다.
⑤ 부자유 소작농에게 토지를 경작하게 하는 콜로나투스가 확산되었다.

07 (가) 전쟁이 로마에 끼친 영향으로 옳은 것은?

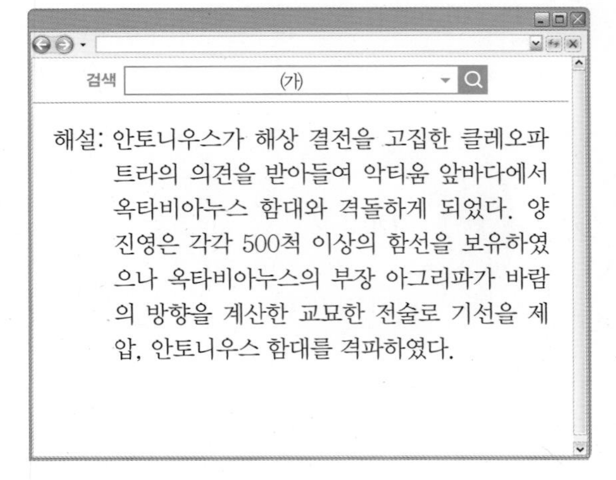

① 삼두 정치가 전개되었다.
② 로마 제국이 동서로 분열되었다.
③ 황제가 등장하여 제정이 시작되었다.
④ 군인 출신 황제가 연이어 등장하였다.
⑤ 평민과 귀족이 법률상 동등한 권리를 누리게 되었다.

08 다음과 같은 상황에서 나타난 사실로 옳은 것은?

> 마르쿠스 아우렐리우스 황제 이후, 군대가 정치에 개입하여 황제를 마음대로 폐위하고 옹립하는 '군인 황제 시대'가 펼쳐졌고 속주와 변경에서는 반란과 이민족의 침입이 계속되었다. 또한 정복 전쟁이 끝나면서 토지와 노예, 전리품의 공급이 끊겨 경제는 어려움에 직면하였다.

① 그라쿠스 형제가 개혁을 단행하였다.
② 부자유 소작인인 콜로누스가 증가하였다.
③ 벌족파와 민중파 사이에 정쟁이 치열해졌다.
④ 평민회의 결의가 법적인 구속력을 갖게 되었다.
⑤ 군인 정치가들이 권력을 장악하고 삼두 정치가 실시되었다.

09 밑줄 친 '이 종교'에 대한 설명으로 옳은 것은?

교사: "이곳은 카타콤바라는 지하 무덤으로, 초기에 이 종교의 교도들이 박해를 피해 예배를 보던 곳입니다."

① 광명의 신을 숭배하였다.
② 밀라노 칙령으로 공인되었다.
③ 유대교의 성립에 영향을 주었다.
④ 실천을 통한 해탈을 강조하였다.
⑤ 사산 왕조 페르시아에서 국교로 숭배하였다.

10 로마의 문화에 대한 설명으로 옳은 것을 | 보기 |에서 고르면?

빈출

| 보기 |

ㄱ. 밀로의 비너스상이 유명하다.
ㄴ. 12표법이 만민법으로 확대되었다.
ㄷ. 콜로세움, 개선문 등을 건설하였다.
ㄹ. 소크라테스가 진리의 절대성을 강조하였다.

① ㄱ, ㄴ　② ㄱ, ㄷ　③ ㄴ, ㄷ　④ ㄴ, ㄹ　⑤ ㄷ, ㄹ

서술형 문제

11 다음 지도를 보고 물음에 답해 보자.

(1) 위 지도와 같이 전개된 전쟁의 이름을 써 보자.

(2) 위 전쟁이 그리스 세계에 끼친 영향을 아테네를 중심으로 서술해 보자.

서술형 문제

12 다음 지도를 보고 물음에 답해 보자.

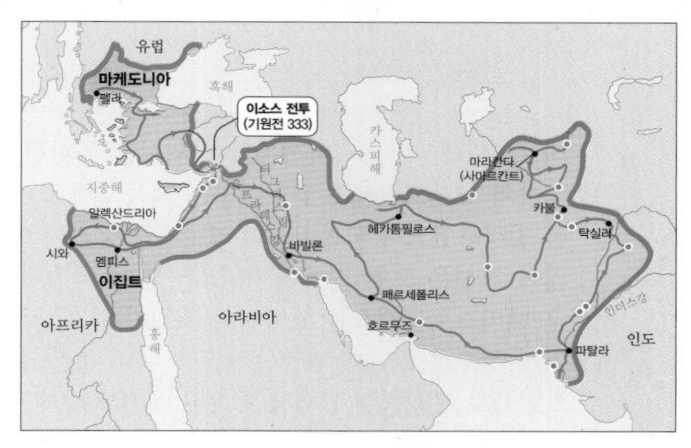

(1) 위와 같은 제국을 건설한 인물을 써 보자.

(2) 위 인물의 정책을 서술해 보자.

3단계 내신 만점 도전하기

01 중요 밑줄 친 '그'에 대한 설명으로 옳은 것은?

> 참주들을 몰아낸 지 4년 만에 그는 우선 모든 사람을 혈연 중심의 4개 부족 대신에 거주지 중심의 10개 부족으로 분산시켰다. …… 그 다음에 그는 각 부족에서 50명씩 선발하여 협의회 구성원이 500명이 되게 하였다. 전에는 100명씩 선발하여 400명이었다.

① 수당 제도를 실시하였다.
② 도편 추방제를 도입하였다.
③ 밀라노 칙령을 반포하였다.
④ 자신을 프린켑스라 불렀다.
⑤ 재산에 따라 정치적 권리를 분배하였다.

02 다음 전쟁 이후 아테네에서 나타난 정치 상황으로 옳은 것은?

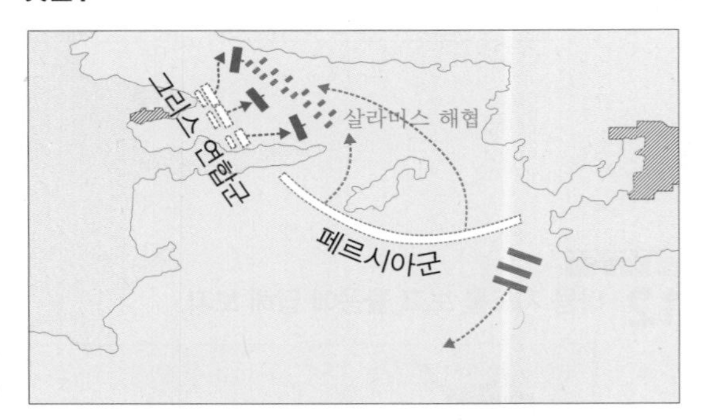

> 테르모필레 · 아르테미시온의 방위선을 돌파한 페르시아의 크세르크세스 1세 대군은 파죽지세로 아티카를 점령하였으나 살라미스의 그리스군 공격이 여의치 않아 전선은 교착 상태에 빠졌다. 이때 아테네의 장군 테미스토클레스는 노약자와 부녀자를 피난시키고 거짓 정보를 보내어 페르시아군을 폭이 좁은 살라미스만으로 유인하여 11시간 계속된 해전에서 페르시아군을 격파하였다. 이때 활약한 전함이 아테네 해군이 이끄는 삼단의 노를 갖춘 갤리선인 트리레메였다.

① 참주가 등장하였다.
② 500인회를 설치하였다.
③ 도편 추방제를 도입하였다.
④ 수당제와 추첨제를 실시하였다.
⑤ 재산에 따라 참정권을 부여하였다.

03 (가)에 들어갈 국가에 대한 설명으로 옳은 것은?

> 페리클레스가 전몰자들을 위한 연설자로 지명되어 다음과 같이 말하였다. "우리의 정치 제도를 민주 정치라고 합니다. 왜냐하면 소수의 특권 계급이 아닌 시민의 손으로 통치하기 때문입니다. …… (가) 에서는 정치에 관심이 없는 시민은 시민의 자격이 없는 자로 여깁니다.

① 도시에 콜로세움을 세웠다.
② 리키니우스법을 제정하였다.
③ 델로스 동맹의 맹주가 되었다.
④ 펠로폰네소스 동맹을 결성하였다.
⑤ 정복지에 알렉산드리아를 건설하였다.

04 중요 밑줄 친 '이 문화'에 대한 옳은 설명을 | 보기 |에서 고른 것은?

교사: "이것은 인간의 육체와 감정을 사실적으로 표현한 이 문화의 대표적인 조각상입니다."

| 보기 |
ㄱ. 소피스트들이 활약하였다.
ㄴ. 인도의 간다라 양식에 영향을 주었다.
ㄷ. 스토아학파와 에피쿠로스학파가 나타났다.
ㄹ. 법률과 건축 등 실용적인 분야가 발달하였다.

① ㄱ, ㄴ ② ㄱ, ㄷ ③ ㄴ, ㄷ
④ ㄴ, ㄹ ⑤ ㄷ, ㄹ

05 중요 **다음 주장이 제기된 배경으로 적절한 것은?**

이탈리아를 위해 싸우고 죽어 가는 사람들이 가진 것이라고는 공기와 햇볕 밖에 없으며, 한 뼘의 땅도 갖지 못했다. 유력자의 대토지 소유를 제한하여, 빈민에게 토지를 분배해야 한다.

① 귀족과 평민이 동등한 권리를 갖게 되었다.
② 포에니 전쟁 이후 라티푼디움이 확산되었다.
③ 재산에 따라 정치적 권리가 차등 분배되었다.
④ 부자유 소작농에 의한 콜로나투스가 확대되었다.
⑤ 군인 황제가 권력을 장악한 삼두 정치가 전개되었다.

06 **(가)에 들어갈 인물에 대한 설명으로 옳은 것은?**

악티움에서 승리한 후에 신세대가 태어났으며, 구세대의 대다수도 내란 기간에 태어났다. 공화국을 본 자들이 얼마나 남았는가? 그래서 체제는 변모하였다. 그리고 과거의 좋았던 생활방식 가운데 남은 것은 전혀 없었다. 평등을 빼앗긴 탓에, 모든 사람이 현실을 제대로 파악하지 못한 채 한 명의 (가) 이/가 지시하는 대로 따랐다.

① 도편 추방제를 실시하였다.
② 크리스트교를 국교로 하였다.
③ 제1차 삼두 정치를 주도하였다.
④ 부족제를 개편하여 500인 평의회를 설치하였다.
⑤ 원로원으로부터 아우구스투스라는 칭호를 받았다.

07 중요 **다음 칙령을 반포한 황제에 대한 설명으로 옳은 것은?**

크리스트교도만이 아니라 어떤 종교를 신봉하는 자에게도 각자가 원하는 신을 믿을 권리를 완전히 인정하는 것이다. 그 신이 무엇이든, 통치자인 황제와 그 신하인 백성에게 평화와 번영을 가져다 준다면 인정해야 마땅하다. …… 오늘부터 크리스트교든 다른 어떤 종교든 관계없이 각자 원하는 종교를 믿고 거기에 따르는 제의에 참석할 자유를 완전히 인정받는다.

① 크리스트교를 국교로 정하였다.
② 제국을 넷으로 나누어 통치하였다.
③ 페르시아와의 전쟁에서 승리하였다.
④ 수도를 콘스탄티노폴리스로 천도하였다.
⑤ 악티움 해전에서 안토니우스를 격파하였다.

08 **(가), (나) 문화유산을 남긴 국가에 대한 설명으로 옳은 것은?**

(가)

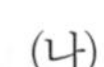
(나)

① (가) – 프톨레마이오스가 천동설을 주장하였다.
② (가) – 개방적이고 세계 시민주의적 경향을 띠었다.
③ (나) – 법률, 건축 등 실용적인 문화가 발달하였다.
④ (나) – 수사와 변론을 가르치는 소피스트가 활약하였다.
⑤ (가), (나) – 이성을 중시하는 스토아 철학이 유행하였다.

수능 유형 익히기

총 문항수 2	처음 푼 날 월 일
정답과 해설 70쪽	오답 푼 날 월 일

01 (가)에 들어갈 내용으로 적절한 것은?

> 아테네에서 '조정자'라고 불린 그는 귀족과 평민의 갈등을 조정하기 위해 개혁을 추진하였다. 그는 시민들을 재산 보유 정도에 따라서 네 개의 등급으로 나누고 그 등급에 따라 정치에 참여할 수 있는 권리와 의무를 정하였다. 또한 그는 부채로 인하여 노예로 전락하였던 시민들을 해방시켰다. 하지만 귀족과 평민의 대립은 여전하였으며, 혼란 속에서 (가) .

① 참주가 출현하였다.
② 수당제가 시행되었다.
③ 도편 추방제가 실시되었다.
④ 헬레니즘 문화가 완성되었다.
⑤ 페르시아와 전쟁을 전개하였다.

유형 분석
지문을 읽고 이후의 상황을 추론해 내는 유형이야

해결 비법
먼저 제시된 지문이 누구에 대한 것인지, 어떤 상황에 대한 것인지 파악해야 해. 그러면 자연스럽게 이후의 상황을 추론해 낼 수가 있어. 제시된 자료에는 상황을 알아 낼 수 있는 힌트가 반드시 포함되기 마련이야.

02 밑줄 친 '그'에 대한 설명으로 옳은 것은?

① 정복지 곳곳에 알렉산드리아를 건설하였다.
② 악티움 해전에서 안토니우스를 격파하였다.
③ 수도와 지방을 잇는 '왕의 길'을 건설하였다.
④ 제국의 통치를 위해 크리스트교를 공인하였다.
⑤ 부족제를 개편하여 500인 평의회를 설치하였다.

유형 분석
대화를 통해 인물을 추론해 내는 문제 유형이야.

해결 비법
대화형 지문에서 문제를 풀 수 있는 힌트들이 있어. 중요한 인물의 업적을 간략히 제시하는 경우가 있으니까, 교과서에 나오는 인물들의 업적을 상세히 기억해 두는 게 좋아.

심화 기출 지문 활용하기

총 문항수 6	처음 푼 날 월 일
정답과 해설 71쪽	오답 푼 날 월 일

2016학년도 수능

(가) 그가 갈리아에서 루카에 왔을 때 많은 사람들이 만나러 갔는데, 그중에는 폼페이우스와 크라수스도 있었다. 세 사람을 비밀 회담을 통해 나라 전체의 운영을 자신들의 손에 넣기로 결정하였다.

(나) 그는 악티움에서 이집트의 클레오파트라와 결탁한 안토니우스의 군대를 물리쳤다. 그는 로마로 귀환한 후 스스로를 프린켑스라 칭하면서 사실상의 제정을 수립하였다.

서술형 문제

01 (가), (나)에 해당하는 인물의 이름을 쓰고, 밑줄 친 '프린켑스'의 의미와 이렇게 칭한 이유를 서술해 보자.

수능 문제

02 (가), (나) 인물에 대한 설명으로 옳은 것은?

① (가) – 호민관 제도를 만들었다.
② (가) – 12표법 제정을 주도하였다.
③ (나) – 아우구스투스라는 칭호를 받았다.
④ (나) – 스파르타쿠스의 난을 진압하였다.
⑤ (가), (나) – 포에니 전쟁에서 활약하였다.

활용 문제

03 (가)의 상황이 나타난 배경으로 가장 적절한 것은?

① 카르타고와의 전쟁에서 승리하였다.
② 밀라노 칙령으로 크리스트교가 공인되었다.
③ 귀족과 평민이 법률적으로 동등하게 되었다.
④ 귀족파와 평민파 사이에 권력 투쟁이 벌어졌다.
⑤ 부자유 소작농이 토지를 경작하는 콜로나투스가 확산되었다.

2015학년도 수능

(가) 그는 원로원으로부터 '아우구스투스'라는 칭호를 받았다. 이 칭호는 '존엄한 자'라는 뜻이다. 그는 제국의 통치권을 장악하고 있었지만 원로원을 국정의 동반자로 삼았다.

(나) 그는 제국의 당면한 문제들을 강력하고 효과적으로 해결하기 시작하였다. 그는 로마 제국의 새로운 황금 시대를 이루기 위하여 흑해 입구에 '또 하나의 로마'를 건설하고 330년에 그 도시로 수도를 옮겼다.

서술형 문제

04 (가), (나)에 해당하는 인물의 이름을 쓰고, (가)의 상황이 나타난 배경을 서술해 보자.

수능 문제

05 (가), (나) 인물에 대한 설명으로 옳지 않은 것은?

① (가) – 스스로 프린켑스라 불렀다.
② (가) – 악티움 해전에서 승리하였다.
③ (나) – 밀라노 칙령을 반포하였다.
④ (나) – 니케아 공의회를 개최하였다.
⑤ (가), (나) – 제국을 4분할 체제로 통치하였다.

활용 문제

06 밑줄 친 '제국의 당면한 문제들'에 가장 적절한 것은?

① 삼두 정치가 전개되었다.
② 라티푼디움이 성행하였다.
③ 제국이 넷으로 나뉘어 있었다.
④ 스파르타쿠스의 난이 발발하였다.
⑤ 평민들이 정치적 권리를 요구하였다.

주제 9 유럽 세계의 형성과 동요

주제 흐름 읽기

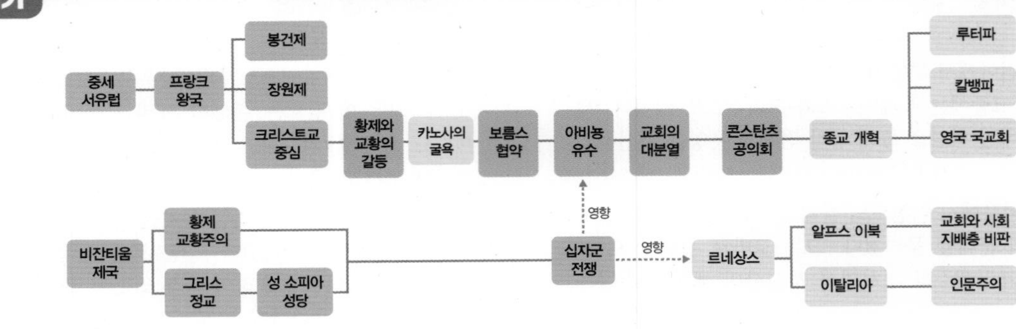

1 서유럽 봉건 사회의 성립 { 서유럽 봉건 사회의 주요 특징은 무엇일까요?

1. 프랑크 왕국의 성립과 발전

(1) **게르만족의 이동** 훈족❶의 압박 → 서고트족의 이동 → 서로마 제국의 멸망 자료 1

(2) **프랑크 왕국**

① 번영 지속 배경: 본거지를 유지, 로마 가톨릭교로 개종

② 발전

클로비스	• 메로비우스 왕조 개창 • 로마 가톨릭교로 개종
카롤루스 마르텔	이슬람 침입 격퇴(투르 · 푸아티에 전투)
피핀	• 카롤루스 왕조 개창 • 교황에게 이탈리아 중부 지역 기증
카롤루스 대제	• 서로마 제국의 영토 회복 • 궁정 학교 건립, 고전 연구 → 카롤루스 르네상스 • 교황이 서로마 황제로 대관

Why? 교황이 동로마 제국의 간섭으로부터 벗어나기 위해서야.

③ 쇠퇴: 카롤루스 대제 사후 동 · 중 · 서프랑크로 분열

2. 봉건제의 형성

(1) **배경** 정치적 분열, 노르만족의 이동 → 전사 계급의 성장

(2) **특징** 자료 2

주종 관계	• 봉토를 매개로 주군과 봉신의 쌍무적 계약 관계 • 불입권❷ → 왕권 약화, 지방 분권화 촉진
장원제	• 영주 직영지, 농노 보유지, 공동 경작지로 구분, 삼포제 방식 • 농노: 혼인권, 농지 보유권 인정, 부역과 공납의 의무, 장원 이탈 금지

3. 봉건 국가의 발전

프랑스	카페 왕조 개창: 왕권 약화, 전형적인 지방 분권적 봉건 국가
동프랑크(독일)	• 오토 1세: 교황으로부터 서로마 황제로 대관 → 신성 로마 제국의 기원 • 황제가 제후의 선거로 선출되어 왕권 약화
영국	• 노르망디 공국의 윌리엄이 잉글랜드 정복 • 강력한 왕권 행사, 『둠즈데이 북』❸이라는 토지 대장 작성

❶ **훈족**
오랫동안 알타이 산맥 아래 머물러 살다가, 지도자 아틸다를 따라 서쪽으로 이동하였다. 이들의 서진은 게르만족이 이동하는 계기를 제공하였으며, 5세기 중엽에는 서쪽으로 라인강, 동쪽으로는 카스피해에 이르는 대제국을 건설하였다.

❷ **불입권**
봉신이 국가 관리의 출입을 거부할 수 있는 권리를 말한다. 주종 관계가 세습되고 봉토에 대한 봉신의 지배권이 영구적으로 되면서 봉신의 자신의 지배 영역에서 왕의 간섭 없이 재판권과 징세권을 행사하였다.

❸ **『둠즈데이 북』**
윌리엄 1세는 정복지의 통치상, 특히 조세 징수의 목적으로 토지 대장을 작성하였다. 양피지 2권에 라틴어로 쓰인 이 조사부에는 각 주별로 정복 전과 조사 당시의 영주명 및 직할지 면적, 쟁기의 수, 비자유민 노동자의 수, 자유 농민의 수, 삼림 · 목초지 · 방목지 등의 공유지 면적, 정복에 의한 변동 규모, 각 토지의 평가액, 자유 농민의 보유지 면적, 토지의 잠재적인 경제 가치 등에 이르기까지 매우 자세한 내용이 기록되어 있고, 그 대상 범위도 거의 전국적이다.

자료 1 게르만족의 이동

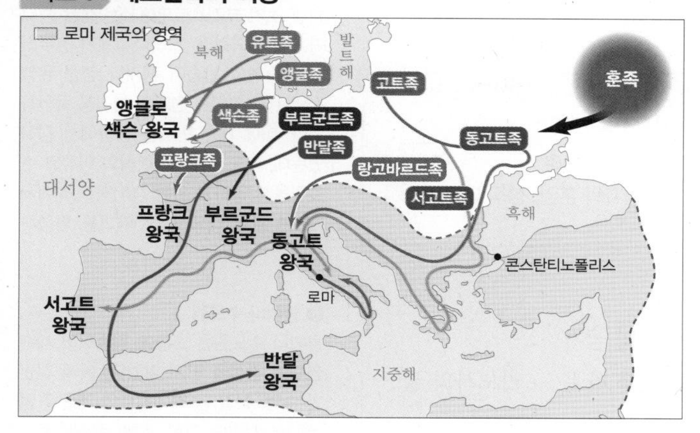

뜯어보기 포인트
프랑크 왕국이 번영할 수 있었던 이유를 기억하자.

◎ 게르만족은 왜 이동하였을까?

게르만족은 원래 스칸디나비아반도의 남부와 발트해 연안의 북쪽 지방에 살고 있었어. 그런데 3세기경 로마 제국의 내정이 문란해지고 국경 방비가 소홀해지자 국경을 넘기 시작했지. 그러다가 4세기 후반 훈족(흉노족의 일파로 추측)이 서쪽으로 이동하여 흑해 북쪽에 자리 잡고 있던 동고트족을 치고, 이어서 서고트족에 압박을 가하자 이에 밀린 서고트족들이 대거 이동해 왔던 거야.

Q1 프랑크 왕국이 번영할 수 있었던 이유와 관련하여 옳은 것을 모두 선택해 보자.

㉠ 본거지를 버리지 않았다.
㉡ 아리우스파를 받아들였다.
㉢ 로마 가톨릭으로 개종하였다.
㉣ 아프리카 지역으로 이주하였다.
㉤ 거주지를 버리고 멀리 이동하였다.

자료 2 봉건제의 특징

(1) **주종 관계**

타인의 권력에 몸을 의탁한 자로서 …… 나는 다음과 같이 처신한다. 나의 봉사와 공로에 따라 당신은 나에게 음식과 의복을 주어 나를 부양해야 한다.
…… 둘 중 한 명이 계약을 파기하려고 한다면, 그는 상대방에게 얼마간 돈을 지급해야 할 것이며, 그로써 계약은 모든 효력을 잃을 것이다.

– 메로베우스 왕조와 카롤루스 왕조 시대의 계약서 –

(2) **중세 장원의 모습**

뜯어보기 포인트
봉건제의 특징이 주종 관계와 장원제였음을 기억하자.

◎ 주종 관계의 특징은 무엇일까?

상급자인 주군과 하급자인 봉신은 서로 의무와 권리가 있었어. 주군은 봉신에게 토지를 하사하고 봉신을 보호할 의무가 있었고, 봉신은 주군에게 충성을 맹세하고 봉사해야 했어. 이처럼 주군과 봉신은 쌍방의 의무 수행을 전제로 맺어진 쌍무적 계약 관계였지.

◎ 장원은 어떤 구조로 되어 있었을까?

장원의 중심부에는 영주나 그 대리자가 사는 영주의 성(영주관)이 있었고, 교회나 농민들이 거주하는 집들이 한곳에 따로 모여 있었어. 토지는 경작지와 목장지, 임야, 황무지 등으로 나뉘어 있었는데 삼포제에 의해 경작되었어. 대부분이 영주에게 예속된 농노에 의해 경작되었지.

Q2 장원과 관련하여 옳은 것을 모두 선택해 보자.

㉠ 영주는 국왕의 간섭을 받았다.
㉡ 농노는 거주 이전의 자유가 있었다
㉢ 경작지는 삼포제에 의해 경작되었다.
㉣ 토지는 경작지, 목장지, 삼림 등으로 나뉘어 있었다.
㉤ 경작지는 영주 직영지와 농노 보유지로 구분되었다.

답 Q1 ㉠, ㉢ / Q2 ㉢, ㉣, ㉤

2 크리스트교 중심의 서유럽 문화 { 크리스트교가 중세 유럽 사회에 끼친 영향은 무엇일까요?

1. 크리스트교 세계의 분열과 로마 가톨릭교회의 성장

동서 교회의 분열	비잔티움 제국 황제의 성상 파괴령(726)❹ → 로마 교회의 거부 → 교황 중심의 로마 가톨릭교회와 비잔티움 황제 중심의 그리스 정교회로 분열
로마 가톨릭교회의 발전	• 유럽인의 정신 세계와 일상생활 지배, 국왕의 통치에 권위 부여 • 교회의 세속화: 성직자 임명권의 세속 권력 차지, 성직자의 혼인, 성직 매매 → 클뤼니 수도원❺ 중심의 교회 개혁 운동

2. 교황과 황제의 대립 자료 3

(1) **배경** 교황 그레고리우스 7세의 교회 개혁과 세속 군주의 성직자 서임 금지

(2) **대립** 교황과 신성 로마 제국의 하인리히 4세의 대립 → 교황의 황제 파문 → 카노사의 굴욕(1077)

(3) **보름스 협약(1122)** 교황이 성직자 서임권 차지, 교황의 권위 강화

3. 중세 서유럽의 문화

학문	• 철학은 신학의 보조 학문으로 발전('철학은 신학의 시녀') • 아우구스티누스의 교부 철학 → 스콜라 철학❻ 유행(토마스 아퀴나스의 『신학대전』)
교육	교회나 수도원 중심 → 대학❼(교수나 학생의 조합에서 시작)
문학	기사 문학의 유행: 『롤랑의 노래』, 『니벨룽겐의 노래』
건축	• 교회, 수도원 중심의 건축 • 로마네스크 양식(원형의 아치) → 고딕 양식(첨탑과 스테인드글라스)

What? 볼로냐와 파리에서 설립된 것을 시작으로 점차 유럽 각지에 세워졌어.

3 비잔티움 제국 { 비잔티움 제국은 중세 서유럽 세계와 어떤 차이가 있을까요?

1. 비잔티움 제국의 발전

(1) **특징** 이슬람 세력에 맞서 크리스트교 세계 수호

(2) **정치** 강력한 황제권, 황제가 교회를 지배하는 황제 교황주의, 수도 – 콘스탄티노폴리스(동서 교통의 중심지, 상공업과 무역의 중심지)

(3) **유스티니아누스 황제** 옛 로마 제국 영토 회복, 『유스티니아누스 법전』 편찬, 성 소피아 성당 건립

(4) **쇠퇴 및 멸망** 유스티니아누스 황제 사후 외침이 거듭되자, 군관구제와 둔전병제❽ 실시 → 지방 유력자의 대토지 사유화 경향 극심, 황제권 약화 → 셀주크 튀르크의 침입으로 영토 상실 → 오스만 제국에 의해 멸망

2. 비잔티움 문화의 발전

특징	그리스 정교를 바탕으로 그리스 · 로마 문화 융합, 그리스어 공용, 그리스 고전의 수집과 연구 → 르네상스 자극
건축	비잔티움 양식: 웅장한 돔과 내부의 화려한 모자이크 벽화(성 소피아 성당) 자료 4
영향	• 슬라브족에 영향 • 러시아의 키예프 공국: 그리스 정교를 국교로 채택, 성 소피아 성당 건립

❹ 성상 파괴령
원래 초기 크리스트교에서는 성상 숭배가 이단시되었다. 그러나 4세기 경부터 성상 숭배의 관습이 생겨나 점점 유행하였는데, 교회도 선교의 편의상 묵인하였다. 이에 대한 반대는 동방에서 강하였는데, 레오 3세는 신학상의 이유와 수도원을 억압하기 위한 정치적 목적에서 726년 교회 내의 성상 파괴를 명령하였다.

❺ 클뤼니 수도원
클뤼니 수도원은 교황에 직속되어 세속 권력의 간섭을 받지 않았다. 이에 청빈과 순명, 정결 등 베네딕트의 계율을 엄격하게 지키며 교회 개혁 운동을 주도할 수 있었다. 그 영향력 또한 막강하여 우르바누스 2세와 같은 교황을 배출하기도 하였다. 수도원은 노동을 존중하여 세속인의 모범이 되었을 뿐만 아니라, 학문 연구를 권장하여 학문과 교육의 중심지였고 고전 보존과 문화 발달에 기여하였다.

❻ 스콜라 철학
교부 철학에 의해 세워진 기독교 신앙을 체계적으로 정리하고 이를 이성적인 사유를 통하여 논증하고 이해하려 했던 중세 철학 흐름이다. 중세 사람들의 사유와 삶에 큰 영향을 끼쳤으며 이후의 사상 발달에도 중요한 역할을 했다.

❼ 대학
중세 유럽의 대학은 교회에서 배울 수 없는 고급 학문을 가르치기 위한 일종의 교육 길드였다. 입학은 남자만 가능하고, 7개 교양 교과와 법학, 의학, 신학 등의 전공 교과가 운영되었다. 특히 파리 대학은 신학, 볼로냐 대학은 법률로 유명하였다. 전공별로 운영된 학위 과정은 수공업자 길드에서 도제가 장인이 되는 과정과 비슷하였다.

❽ 군관구제와 둔전병제
- 군관구제: 전국을 여러 개의 군관구로 나누고, 황제가 직접 임명한 사령관에게 군사권, 행정권, 사법권을 준 제도이다.
- 둔전병제: 농민에게 군역에 종사하는 대가로 토지를 주고, 이들이 계속해서 군역에 종사한다는 조건에서 토지를 상속하게 한 제도이다. 자영농을 육성하고 국방력을 강화하는 데 도움이 되었다.

자료 3 교황과 황제의 대립

(1) 평신도 서임권에 대한 훈령

우리는 황제와 왕을 포함한 모든 평신도가 성직자에게 감독의 직책, 대수도원 또는 교회에 대한 서임을 줄 수 없음을 법령으로 선포하였다. 그러므로 누군가가 평신도로부터 서임을 받더라도 그 서임은 효력이 없는 것이며, 스스로 서임을 취소하기 전까지는 파문 상태에 처할 것이다. - 그레고리우스 7세 -

(2) 교회에 양도된 서임권

독일 왕국에서 주교와 수도원장의 서임은 그대(신성 로마 제국 황제)의 입회하에 이루어질 것이다. …… 신성 로마 제국 황제인 나, 하인리히는 모든 서임권*을 성스러운 로마 가톨릭교회에 바친다. 그리고 짐의 왕국과 제국 내 모든 교회에서 교회법에 따른 주교와 수도원장의 선출과 성직 수임의 자유를 보장하는 것에 동의한다. - 보름스 협약 -

*서임(권) 성직자 임명권

뜰어보기 포인트
교황과 황제의 대립이 서임권 문제로부터 비롯되었음을 기억하자.

◎ 그레고리우스 7세와 하인리히 4세는 왜 대립했을까?

클뤼니 수도원 출신의 그레고리우스 7세는 단호하게 성직자의 결혼과 성직매매를 금지하고, 성직의 서임권을 세속 군주의 손에서 빼앗아 교황이 가지도록 하였어. 그러나 이것은 영토 안의 많은 교회에 대한 실제 지배권을 가지고 있던 신성 로마 제국의 황제(하인리히 4세)의 이해 관계와 정면으로 충돌하는 처사였지. 그는 교황의 명을 무시하였고, 교황은 황제를 파문했어. 이에 맞서 교황을 폐위하려던 황제는 제후와 주교의 지지를 잃자, 카노사에 있던 교황을 찾아가 사죄했어. 이 사건이 바로 카노사의 굴욕이야.

Q3 교황과 황제의 대립과 관련하여 옳은 것을 모두 선택해 보자.

㉠ 성직자 서임권 문제가 배경이었다.
㉡ 로마 가톨릭과 그리스 정교의 분열의 배경이 되었다.
㉢ 보름스 협약에서 결국 황제가 서임권을 갖게 되었다.
㉣ 하인리히 4세가 카노사에서 그레고리우스 7세에게 사죄하였다.
㉤ 클뤼니 수도원 출신의 그레고리우스 7세가 성직자의 결혼과 성직 매매를 금지하였다.

자료 4 성 소피아 성당

뜰어보기 포인트
비잔티움 양식의 대표적인 건물과 주요 특징을 기억하자.

◎ 성 소피아 성당의 특징은 무엇일까?

외관상으로 보듯이 가장 큰 특징 중 하나는 가운데에 있는 지름이 32m에 이르는 돔이야. 그리고 비잔티움 양식의 건축 특징 중 하나가 겉모습보다는 내부 장식에 치중하는 것인데, 내부의 조형물로는 비잔티움 특유의 아름다운 대리석 기둥과 화려한 모자이크로 장식된 벽면이 유명해. 성당 옆에 보이는 4개의 첨탑은 오스만 제국의 지배를 받을 때 만들어진 거야.

Q4 성 소피아 성당과 관련하여 옳은 것을 모두 선택해 보자.

㉠ 원형의 아치가 특징이다.
㉡ 가운데 커다란 돔이 있다.
㉢ 높은 첨탑을 특징으로 하고 있다.
㉣ 내부는 스테인드글라스로 되어 있다.
㉤ 내부는 화려한 모자이크로 장식되어 있다.

답 Q3 ㉠, ㉣, ㉤ / Q4 ㉡, ㉤

4 중세 유럽 세계의 성장과 변화 { 십자군 전쟁 이후 중세 유럽은 어떻게 변화했을까요?

1. 십자군 전쟁 자료 5

배경	• 서유럽 세계의 발전: 농업 생산력 향상, 인구 증가 → 개간 사업과 대외 팽창 • 이베리아반도의 크리스트교 국가들의 재정복 운동
전개	• 셀주크 튀르크의 위협 → 비잔티움 제국의 황제의 요청 및 교황의 전쟁 호소 • 제1차(예루살렘 회복) → 라틴 제국[9] 성립 등 세속적 목적 강화, 성지 탈환 실패
결과	• 교황권 쇠퇴, 제후와 기사 계층의 몰락, 왕권 강화 • 동방과의 교역 및 문화 접촉 → 상공업 발달, 도시 성장, 서유럽 문화의 발전 자극

2. 도시의 성장과 장원의 해체

(1) **도시의 성장**

① 배경: 시장에 상인과 수공업자가 모임, 십자군 전쟁 이후 원거리 무역 활발, 거래 규모 확대

② 대표적인 도시들

㉠ 베네치아, 제노바: 동방 무역으로 번영

㉡ 한자 동맹[10]: 함부르크와 뤼베크 등 북독일 도시

㉢ 샹파뉴 지방: 지중해와 북방을 연결하는 정기시 개설

③ 자치권 획득: 도시민이 시의회 구성, 길드[11] 조직

(2) **장원의 해체**

① 농민의 지위 상승: 화폐 경제의 발달로 농노들이 화폐 지대 납부, 화폐 가치의 하락으로 경제적 지위 상승, 흑사병으로 인구 감소

② 영주들의 농노 억압: 자크리의 난(프랑스), 와트 타일러의 난(영국) 발생

3. 교황권의 쇠퇴

(1) **아비뇽 유수** 교황 보니파키우스 8세와 프랑스 왕 필리프 4세가 성직자 과세 문제로 대립 → 교황의 굴복, 교황청이 아비뇽으로 이동

(2) **교회의 대분열** 교황청이 다시 로마로 갔으나 아비뇽에서도 교황 선출

(3) **교회 개혁 시도** 위클리프와 후스의 교회 비판 자료 6, 성서에 기반을 둔 신앙 강조 → 콘스탄츠 공의회 개최 (후스 처형, 로마 교황의 정통성 인정, 단일 교황 선출)

4. 왕권의 강화와 중앙 집권 체제의 발전

왕권 강화	• 영주 약화, 교황권 쇠퇴 • 상공업자의 지원 → 사법권, 과세권 확대, 상비군과 관료 양성
영국	존왕이 무거운 세금 부과 → 「대헌장」 승인 → 모범 의회 소집 → 백년 전쟁, 장미 전쟁 → 헨리 7세의 튜더 왕조
프랑스	• 필리프 2세: 프랑스 안의 영국령 대부분 획득 • 필리프 4세: 삼부회[12] 소집 • 백년 전쟁에서 잔 다르크의 활약으로 승리
독일	분열 상태 지속, 대공위 시대, 「황금 문서」[13]로 제후가 황제 선출
이탈리아	교황령, 베네치아, 피렌체 등의 도시 국가와 나폴리 왕국으로 분열
이베리아 반도	• 에스파냐 왕국: 이슬람 세력에 대한 재정복 운동 • 포르투갈 왕국: 카스티야로부터 독립, 인도 항로 개척

Why? 플랑드르 지방에 대한 지배권을 둘러싸고 영국과 프랑스가 대립하던 상황에서 영국 왕이 프랑스의 왕위 계승을 주장하자 발발하였어.

⑨ 라틴 제국
제4차 십자군이 베네치아 상인의 조정으로 콘스탄티노폴리스를 점령한 뒤 세운 국가이다. 주변 국가의 저항에 시달리다 멸망하였다. 이후 비잔티움 제국이 부활하였다.

⑩ 한자 동맹
한자'는 독일어로 '조합', '동료'라는 뜻으로, 13세기 북부 유럽의 도시 동맹을 말한다. 북유럽의 무역을 독점하고, 해군력을 보유하여 강력한 군사력을 갖추었다.

⑪ 길드
상인과 수공업자들이 만든 동업 조합으로, '노동 시간, 생산 기술, 상품 가격 등을 정한 규정'을 만들어 규정을 어긴 회원에게는 벌금을 부과하였다. 처음에는 상인 중심으로 조직되었는데, 점차 대상인이 길드 운영과 도시 행정을 독점하자 수공업자도 길드를 만들어 대항하였다.

⑫ 삼부회
성직자, 귀족, 평민 출신 의원으로 구성된 프랑스의 신분제 의회이다.

⑬ 「황금 문서」(1356)
「황금 문서」는 독일의 대공위 시대의 혼란을 해결하고 황제를 선출하는 절차와 선출권을 가진 제후의 권리를 확정하기 위해 작성되었다. 문서의 명칭은 황제의 황금 도장을 찍은 데서 유래하였다.

자료 5 십자군 전쟁

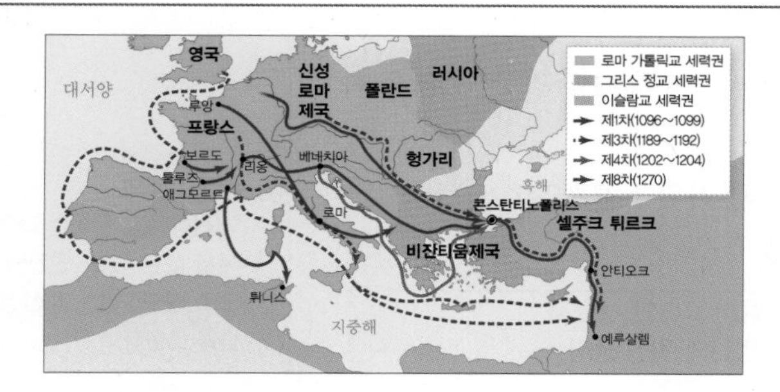

예루살렘, 안티오크 및 그 밖의 도시들에서 크리스트교도가 박해를 받고 있다. 신을 믿지 않는 튀르크인의 진출은 그칠 줄 모르고 콘스탄티노폴리스로 다가오고 있으니, 성지의 형제들을 구하자. …… 예수의 성묘가 있는 곳으로 가지 않겠는가? 젖과 꿀이 흐르는 땅은 신이 그대들에게 내린 토지이다. 이 땅에서 불행한 자와 가난한 자는 그 땅에서 번영할 것이다.

– 교황 우르바누스 2세의 클레르몽 공의회 연설 –

십자군 전쟁은 어떻게 진행되었을까?

제1차 십자군만이 예루살렘 왕국을 세우는 성과를 이루었을 뿐, 이후 십자군은 목표를 이루지 못했어. 특히 제4차 십자군은 베네치아 상인의 조종으로 콘스탄티노폴리스를 점령하고 라틴 제국을 세우는 등 세속적인 이해 관계에 따라 움직였지. 당시 지중해 무역에서 콘스탄티노폴리스의 상인들과 맞서 있던 베네치아 상인들의 이익을 위해 십자군이 성지 회복이라는 원래의 목적을 저버렸던 거야.

뜯어보기 포인트

십자군 전쟁의 배경이 셀주크 튀르크의 위협이었음을 기억하자.

Q5 십자군 전쟁과 관련하여 옳은 것들을 모두 선택해 보자.

㉠ 모든 십자군이 성공을 거두었다.
㉡ 프랑크 제국의 황제가 도움을 요청하였다.
㉢ 교황이 클레르몽 공의회에서 참여를 호소하였다.
㉣ 제4차 십자군의 경우 베네치아 상인의 조종으로 움직였다.
㉤ 셀주크 튀르크의 예루살렘 정복이 계기가 되어 발발하였다.

자료 6 위클리프의 주장

현재 교황은 예수의 바른 길을 밟지 않고 사탄의 잘못된 길을 가고 있다. 예수께서 교황청이나 추기경 회의를 설립하셨다는 말은 어디에도 없다. 예수께서는 반드시 교황이 있어야 한다고 말씀하시지 않았다. 이를테면 백 명의 교황이 있고 모든 수도사가 추기경이 된다고 해도 신앙에서 『성서』와 일치할 때만 찬성해야 한다.

– 위클리프, 『교황에 대한 저항』 –

위클리프는 왜 교회 개혁을 주장했을까?

당시 교회는 교황이 로마와 아비뇽에서 각각 선출되는 등 이른바 교회의 대분열 시대를 겪고 있었어. 그리고 여러 세속 권력들이 각각의 교황을 지지했지. 대립하는 두 교황과 세속 군주와의 결탁은 교황권의 위엄을 손상시킴은 물론, 교회 전체를 타락시켰지.

위클리프는 어떤 주장을 하였을까?

그는 교회의 부와 사치를 공격하여 유명해졌어. 그는 또한 죄를 범한 성직자가 집전한 성사는 무효이며, 성사 그 자체가 영혼의 구제에 본질적인 것이 아니라고 주장하였어. 크리스트교 신자의 생활방식은 교회의 가르침에 있는 것이 아니라, 성경에서 구해야 한다고 했지.

뜯어보기 포인트

위클리프가 교회 개혁을 주장하였음을 기억하자.

Q6 위클리프와 관련하여 옳은 것을 모두 선택해 보자.

㉠ 위클리프는 교회의 부와 사치를 공격하였다.
㉡ 위클리프는 인간의 구원이 미리 예정되어 있다고 주장하였다.
㉢ 위클리프는 교황의 면벌부 판매를 비판하며 「95개조 반박문」을 내걸었다.
㉣ 위클리프는 성사 그 자체가 영혼의 구제에 본질적인 것은 아니라고 주장하였다.
㉤ 위클리프가 교회 개혁을 주장한 배경은 당시 교회가 분열되어 있었기 때문이다.

답 Q5 ㉢, ㉣, ㉤ / Q6 ㉠, ㉣, ㉤

5 르네상스와 종교 개혁 { 르네상스와 종교 개혁으로 유럽인의 세계관은 어떻게 바뀌었을까?

1. 이탈리아 르네상스 자료 7

(1) **배경** 옛 로마 제국의 중심지로 고전 문화의 전통 보존, 비잔티움 제국 멸망 후 많은 학자의 피신으로 고전 연구 활발, 북부 도시의 상인과 군주의 지원

(2) **성격** 인간의 개성과 합리성 추구, 인문주의⑭ 발달, 인간과 자연을 묘사

(3) **대표적인 인물들**

인문주의자	• 페트라르카: 라틴어 고전 연구, 진솔한 감정을 표현한 서정시 • 보카치오: 『데카메론』 – 사회의 타락상과 인간의 위선 풍자 • 마키아벨리: 『군주론』 – 강력한 군주의 필요성 강조
예술	• 미술: 레오나르도 다빈치, 미켈란젤로, 라파엘로 – 인간과 자연의 아름다움을 사실적으로 표현 • 건축: 성 베드로 대성당 – 르네상스 양식

2. 알프스 이북 르네상스와 과학 기술의 발달 자료 7

(1) **성격** 봉건 세력과 교회의 영향력 잔존 → 교회와 사회 지배층 비판, 성서 연구 활발 → 종교 개혁

(2) **대표적인 인물들**

인문주의자	• 에라스뮈스: 『우신예찬』 – 교회의 허식과 성직자의 타락 비판 • 토머스 모어: 『유토피아』 – 부조리한 현실 비판, 이상 사회 제시
미술	• 반에이크 형제: 유화 기법 개발 • 브뤼헐: 서민의 생활 모습을 생동감 있게 표현
문학	• 모국어로 쓴 국민 문학 발달 • 세르반테스의 『돈키호테』, 셰익스피어 『햄릿』 등의 희곡

(3) **과학 기술의 발달과 영향**

① 화약: 봉건 기사의 몰락

② 나침반: 원거리 항해 가능으로 유럽 세계 팽창

③ 활판 인쇄술⑮: 구텐베르크가 고안, 제지술과 함께 새로운 지식과 사상 전파

3. 종교 개혁과 종교 전쟁

(1) **종교 개혁의 전개** 자료 8

Why? 성 베드로 성당의 증축 비용을 마련하기 위해서야.

루터	• 교황의 면벌부 판매 → 「95개조 반박문」 발표, 인간의 구원이 신앙과 은총에 달려 있고, 신앙의 근거는 '성서'라고 주장 • 아우크스부르크 화의⑯에서 인정
칼뱅	• 인간의 구원이 신에 의해 미리 정해져 있다는 예정설 주장 • 근면하고 검소한 직업 생활 강조 → 자본주의의 확산과 맞물려 영국, 네덜란드, 프랑스 등으로 확산
영국	• 헨리 8세: 이혼 문제로 교황과 대립 → 수장법 선포 • 엘리자베스 1세: 통일법⑰ 반포 – 영국 국교회 확립

(2) **로마 가톨릭교회의 대응** 트리엔트 공의회 개최(교황의 권위와 교리를 재확인), 종교 재판소 설치, 로욜라의 예수회 설립

(3) **종교 전쟁의 발발** 네덜란드 – 신교도(고이센)가 에스파냐에 반발하여 독립, 프랑스 – 위그노 전쟁 → 낭트 칙령으로 예배의 자유 허용, 독일 – 30년 전쟁 발발 → 베스트 팔렌 조약⑱(1648)의 체결로 신앙의 자유 인정

⑭ 인문주의
'사람다움'을 뜻하는 라틴어 'humanitas'에서 나온 말로, 인간의 본성을 적극적으로 탐구하려는 정신 및 이에 대한 학습을 뜻한다.

⑮ 구텐베르크의 인쇄술
구텐베르크는 금화에 문양을 새기는 방식을 이용해 금속 활자를 만들고, 포도주와 기름 등을 짜던 압축기를 활용한 인쇄기를 고안하였다(1455). 그의 활판 인쇄술은 정보의 전달과 축적에 큰 변화를 가져왔다. 예를 들어 1517년 발표 즉시 활판으로 인쇄된 루터의 「95개조 반박문」은 독일 전역에 퍼져 종교 개혁을 뒷받침하였다.

⑯ 아우크스부르크 화의
개인이 아닌 제후와 자유 도시가 루터파와 가톨릭교회 사이에서 종교 선택권을 가질 수 있다는 내용을 담고 있다. 이로써 교황의 지배를 벗어난 새로운 교회가 처음 인정받았다.

⑰ 통일법
엘리자베스가 즉위하여 1559년 수장법에 의해 국왕의 지상권을 확립하고, 동시에 다시 통일법을 발표하였다. 이에 따라 예배와 기타 모든 의식은 에드워드 6세가 공포한 『기도서』에 따를 것이 결정됨으로써 국교회 재건의 지주가 마련되었다. 이것이 청교도 혁명 후인 1662년 『클레런던 법전』의 하나로서 공포되었다.

⑱ 베스트팔렌 조약(1648)
칼뱅파가 공인받고 스위스와 네덜란드의 독립이 정식으로 승인되었다. 또한 신성 로마 제국 제후들의 정치적인 독립권이 인정되어 신성 로마 제국이 유명무실해졌다.

자료 7 이탈리아와 알프스 이북 르네상스의 차이점

이탈리아의 인문주의

숙녀들을 좋아하는 나의 타고난 본성을 어떻게 하겠습니까? 내가 숙녀를 좋아하고 또한 그네들의 사랑을 받으려고 노력한다는 것은 나도 틀림없는 사실로 인정합니다. 그러나 대체 그것이 무엇이 나쁘냐고 묻고 싶습니다. …… 정숙함에 조금이라도 도취할 줄 아는 사람이라면 내가 나쁘다는 말을 하지 못할 것입니다.

– 보카치오, 『데카메론』 –

알프스 이북의 인문주의

요즘 교황은 가장 어려운 일들은 베드로와 바울에게 맡기고 호화로운 의식과 즐거운 일만 찾는다. 교황은 바로 나, 우신(愚神) 덕분에 우아한 생활을 하고 있다. 왜냐하면 연극이나 다름없는 화려한 교회 의식을 통해 축복이나 저주의 말을 하고 감시의 눈만 번쩍이면 충분히 그리스도에게 충성하였다고 생각하기 때문이다.

– 에라스뮈스, 『우신예찬』 –

뜯어보기 포인트

알프스 이북 르네상스의 특징이 사회와 종교에 비판적이었음을 기억하자.

◎ 이탈리아와 알프스 이북 르네상스의 차이점의 배경은 무엇일까?

알프스 이북에서도 도시가 발달하고 봉건 사회가 무너지고 있었으나, 정치의 중심은 여전히 절대 군주였어. 또한 이탈리아에 있어 고전은 직접적인 문화전통이었으나 알프스 이북의 경우는 반드시 그렇지도 않았지. 이쪽 지역은 고전 문화권 밖에 있었기 때문에, 고전에 대하여 훨씬 더 냉정할 수 있었어. 그래서 보다 학구적이고 비판적인 태도를 견지했지.

Q7 르네상스와 관련하여 옳은 것을 모두 선택해 보자.

㉠ 이탈리아에서는 에라스무스 등이 유명하다.
㉡ 이탈리아에 있어 고전은 직접적인 문화전통이었다.
㉢ 이탈리아에서는 자유로운 인간 정신을 탐구하였다.
㉣ 알프스 이북에서는 보카치오가 『데카메론』을 저술하였다.
㉤ 알프스 이북에서는 현실 사회와 교회에 대해 비판적이었다.

자료 8 루터와 칼뱅의 주장

제6조 교황은 신의 용서를 선언 또는 시인하는 외에 어떠한 죄도 용서할 권한이 없다.
제21조 설교자가 교황의 면벌부로 모든 죄에서 벗어날 수 있다면서 이를 판매 하는 것은 잘못이다.
제36조 진실로 회개한 크리스트교는 면벌부가 없어도 징벌이나 죄에 서 완전히 해방되는 것이다.

– 루터의 「95개조 반박문」 –

일찍이 신께서는 영원불변의 섭리를 통해 구제해 주고자 하는 자들과 파멸에 빠뜨리고자 하는 자들을 결정하였다. 선택된 자에게 이와 같은 섭리는 인간의 자질과는 아무런 관계가 없다는 신의 자비에 근거한 것이며, 또 반대로 신께서 지옥에 떨어뜨리려고 하는 모든 자에게 생명으로 나아가는 길이 막혀 있음을 뜻하는 것이다.

– 칼뱅, 『크리스트교 강요』 –

뜯어보기 포인트

루터와 칼뱅이 각각 주도한 종교 개혁의 주요 내용을 비교하여 기억하자.

◎ 루터는 왜 「95개조 반박문」을 작성했을까?

원래 면벌부(indulgence)는 중세 후반기에 십자군 참가자나 자선 행위자에게 교황이 발급하는 것으로 가벼운 죄를 교회에 누적된 성자의 공덕으로 면제해 주는 것이었어. 그런데 교황 레오 10세가 성 베드로 대성당의 개축 비용을 마련하기 위해 면벌부를 발급하자, 루터 「95개조 반박문」을 작성하였어.

◎ 상공업자들은 왜 칼뱅의 주장에 호응했을까?

칼뱅은 각 개인이 신에 의해 이미 예정된 자신의 소명(직업)을 근면 · 성실하게 수행하여 신의 뜻을 완수해야 한다고 주장했어. 이러한 주장을 토대로 상공업자들은 직업 활동을 통한 이윤 추구를 정당화할 수 있었어.

Q8 루터와 칼뱅과 관련하여 옳은 것을 모두 선택해 보자.

㉠ 칼뱅은 예정설을 주장하였다.
㉡ 루터는 면벌부 판매에 비판적이었다.
㉢ 루터는 「95개조 반박문」을 게시하였다.
㉣ 칼뱅은 직업에서 근면하게 종사하는 것을 비판하였다.
㉤ 루터는 직업이 신의 영광을 나타내는 곳이라고 생각했다.

답 Q7 ㉡, ㉢, ㉤ / Q8 ㉠, ㉡, ㉢

개념 익히기

정답과 해설 ▸ 72쪽

01 서로 관련 있는 내용끼리 연결해 보자.

ⓐ 루터 •	• ㉠ 수장법
ⓑ 칼뱅 •	• ㉡ 예정설
ⓒ 헨리 8세 •	• ㉢「95개조 반박문」

02 아래 설명이 맞으면 O표, 틀리면 X표를 해 보자.

(1) 카롤루스 대제는 궁정 학교를 세우고 고전을 연구하였다. ( )
(2) 농노는 혼인권, 농지 보유권, 거주 이전의 자유가 있었다. ( )
(3) 보름스 협약을 통해 교황이 서임권을 차지하게 되었다. ( )
(4) 유스티니아누스 황제는 군관구제와 둔전병제를 실시하였다. ( )
(5) 십자군 전쟁 이후 교황권이 쇠퇴하였다. ( )

03 빈칸에 알맞은 말을 채워 보자.

(1) ( )은 카롤루스 왕조를 열고, 교황에게 이탈리아 중부 지역을 기증하였다.
(2) 장원의 경작지는 ( ) 방식으로 경작되었다.
(3) 하인리히 4세는 ( )에서 그레고리우스 7세를 찾아가 사죄하였다.
(4) 함부르크와 뤼베크 등 북독일 도시는 ( )을/를 맺고 북해와 발트해 연안의 무역을 독점하였다.
(5) 백년 전쟁에서 ( )의 활약으로 프랑스가 승리하였다.

04 다음에 해당하는 건축물의 이름을 써보자.

유스티니아누스 황제의 명령으로 5년 만에 그리스 정교회 성당으로 완공되었다. 외부는 웅장한 돔으로 되어 있으며, 내부를 장식한 화려한 모자이크 벽화 등이 특징이다.

05 | 보기 |의 사건들을 순서대로 나열해 보자.

| 보기 |
ㄱ. 아비뇽 유수　　ㄴ. 보름스 협약
ㄷ. 카노사의 굴욕　　ㄹ. 교회의 대분열 시대

06 다음에 해당하는 사건의 이름을 적어 보자.

14, 15세기에 봉건 사회의 질서가 흔들리고 교회의 권위가 쇠퇴하면서, 인간의 개성과 합리성 그리고 세속적 욕구를 그리스와 로마의 고전 문화에서 찾으려는 문화 운동을 말한다. 재생, 부활의 의미를 지니고 있다.

07 다음 표를 완성해 보자.

보카치오	( )에서 사회의 타락상과 인간의 위선 풍자
마키아벨리	( )에서 분열된 이탈리아의 통일을 위해 강력한 군주의 필요성을 강조
( )	『우신예찬』에서 교회의 허식과 성직자의 타락상을 풍자
( )	『유토피아』에서 부조리한 현실 사회를 비판하고 빈부 격차가 없는 이상 사회 제시

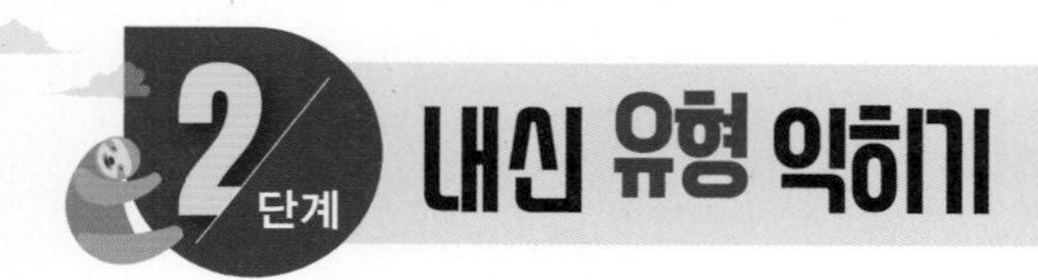

총 문항수 12	처음 푼 날 월 일
정답과 해설 72쪽	오답 푼 날 월 일

01 (가) 인물에 대한 설명으로 옳은 것은?

> 분열된 서유럽 세계를 정치적 · 문화적으로 통일한 (가) 의 정신은 현재에도 계속되고 있다. 1950년부터 매년 유럽의 통합과 발전에 공헌한 인물에게 그의 프랑스어 이름을 붙인 '샤를마뉴 상'이 수여되고 있으며, 2016년에는 프란치스코 교황이 수상하였다.

① 서로마 제국을 멸망시켰다.
② 카롤루스 왕조를 개창하였다.
③ 투르 · 푸아티에 전투에서 승리하였다.
④ 궁정 학교를 세우고 고전을 연구하였다.
⑤ 교황에게 이탈리아 중부 지역을 기증하였다.

02 그림에 대한 설명으로 옳지 않은 것은?

빈출

① 삼포제 방식으로 경작되었다.
② 거주하는 농민은 대개 농노였다.
③ 농업 중심의 자급자족적 경제 단위였다.
④ 내부 시설물을 누구나 무료로 사용할 수 있었다.
⑤ 경작지는 영주 직영지와 농노 보유지로 구분되었다.

03 다음 서적을 제작한 국가에 대한 설명으로 옳은 것은?

> 각 지역 사정을 조사하여 경작지의 면적, 소유자의 이름, 노예와 자유민의 수 등을 기록하였는데, 중세 최고의 행정 업적으로 손꼽힌다. 『둠즈데이 북』이라는 이름은 '집계' 혹은 '계산'을 의미하는 고대 영어 단어 '돔'(dom)에서 왔다.

① 그리스 정교회를 믿었다.
② 위그 카페가 왕으로 추대되었다.
③ 황제들이 제후의 선거로 선출되었다.
④ 노르망디 공국의 윌리엄이 건국하였다.
⑤ 봉건 국가의 모습이 가장 전형적으로 나타났다.

04 다음 상황이 계기가 되어 나타난 사실로 옳은 것은?

> 원래 초기 크리스트교에서는 성상 숭배가 이단시되었으나, 4세기 경부터 성상 숭배의 관습이 생겨나 점점 유행을 하였다. 교회도 선교의 편의상 묵인해 왔다. 이에 대한 반대는 동방에서 강하였는데, 레오 3세는 신학상의 이유와 수도원을 억압하기 위한 정치적 목적에서 726년 교회 내의 성상 파괴를 명령하였다.

① 십자군 전쟁이 발발하였다.
② 콘스탄츠 공의회가 개최되었다.
③ 루터가 「95개조 반박문」을 게시하였다.
④ 로마 가톨릭교와 그리스 정교회로 분리되었다.
⑤ 교황이 두 명 선출되는 교회의 대분열이 지속되었다.

05 빈출 다음 상황이 나타나게 된 배경으로 옳은 것은?

"황제 하인리히 4세는 클뤼니 수도원장과 카노사 성주 백작 부인에게 아뢰옵니다. 부디 교황께 잘 말씀드려 저의 뜻을 전해주소서."

① 로마 교황과 아비뇽 교황이 대립하였다.
② 위클리프가 교회의 세속화를 비판하였다.
③ 셀주크 튀르크가 예루살렘을 정복하였다.
④ 서임권을 둘러싸고 교황과 황제가 대립하였다.
⑤ 교회가 로마 가톨릭과 그리스 정교로 분리되었다.

06 빈출 (가) 제국에 대한 설명으로 옳은 것은?

① 왕이 「대헌장」을 승인하였다.
② 셀주크 튀르크에 의해 멸망하였다.
③ 고딕 양식의 성당이 다수 건축되었다.
④ 황제가 교회를 지배하는 황제 교황주의가 발전하였다.
⑤ 「황금 문서」가 만들어져 유력한 제후가 황제를 선출하였다.

07 다음 문서에 대한 설명으로 옳은 것은?

> 제12조 짐의 왕국에서는 전체의 자문에 따르지 않고는 일체의 군역 면제세 혹은 부조금은 부과되지 않을 것이다.
>
> 제39조 자유인은 …… 합법적 재판이나 국법에 따르지 않고는 체포되지도, 옥에 갇히지도, 재산을 빼앗기지도 않으며, 어떤 방식으로도 파멸되지 않을 것이며, 짐도 그 사람을 소송하거나 처벌하지 않을 것이다.

① 모범 의회의 논의를 거쳐 승인되었다.
② 존왕의 과세에 대한 반발로 작성되었다.
③ 교황의 면벌부 판매에 대한 항의로 게시되었다.
④ 유력한 제후에 의한 황제 선출을 규정하고 있다.
⑤ 윌리엄이 토지 파악과 세금 징수를 위해 작성하였다.

08 다음 교사의 질문에 대한 대답으로 옳은 것은?

교사: 이 작품은 플랑드르 화가인 브뤼헐의 '농가의 혼례'라는 작품이에요. 16세기경 알프스를 넘어서 북유럽으로 확산된 르네상스는 이탈리아와는 다른 경향을 보였어요. 어떤 점이 달랐을까요?

① 마키아벨리즘이 대두하였어요.
② 현실 사회와 교회를 비판하였어요.
③ 부유한 상인들이 문예 활동을 지원하였어요.
④ 건축에서는 로마네스크 양식이 유행하였어요.
⑤ 기사의 모험을 다룬 기사 문학이 널리 만들어졌어요.

09 다음 문서를 작성한 인물에 대한 설명으로 옳은 것은?

빈출

> 제6조 교황은 신의 용서를 선언 또는 시인하는 이외에 어떠한 죄도 용서할 권한이 없다.
>
> 제21조 설교자가 교황의 면벌부로 모든 죄에서 벗어날 수 있다면서 이를 판매하는 것은 잘못이다.
>
> 제36조 진실로 회개한 크리스트교도는 면벌부가 없어도 징벌이나 죄에서 완전히 해방되는 것이다.

① 예수회를 세웠다.
② 통일법을 반포하였다.
③ 수장법을 선포하였다.
④ 신앙의 근거는 『성서』라고 주장하였다.
⑤ 인간의 구원이 미리 예정되어 있다고 주장하였다.

10 빈칸에 들어갈 적절한 말을 | 보기 |에서 고른 것은?

빈출

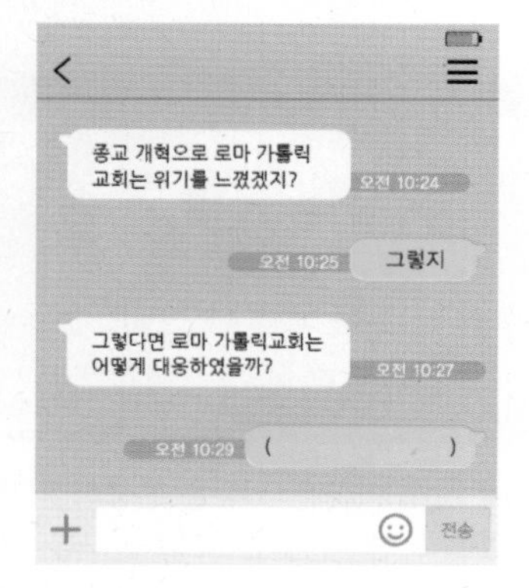

| 보기 |

ㄱ. 낭트 칙령을 반포하였어.
ㄴ. 종교 재판소를 설치하였지.
ㄷ. 트리엔트 공의회를 열었어.
ㄹ. 영국 국교회를 확립하였지.

① ㄱ, ㄴ　② ㄱ, ㄷ　③ ㄴ, ㄷ
④ ㄴ, ㄹ　⑤ ㄷ, ㄹ

서술형 문제

11 다음 지도를 보고 물음에 답해 보자.

빈출

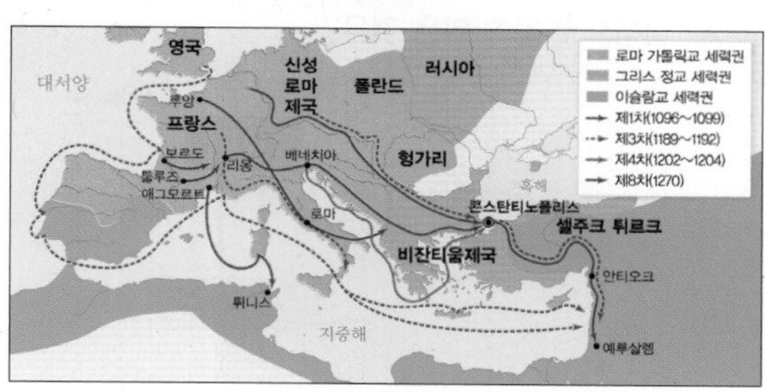

(1) 위 지도와 같이 전개된 전쟁의 이름을 써 보자.

(2) 위 전쟁이 일어난 배경과 결과를 설명해 보자.

서술형 문제

12 다음 그림을 보고 물음에 답해 보자.

(1) 위 성당의 건축 양식을 써 보자.

(2) 위 건축 양식의 특징을 설명해 보자.

3단계 내신 만점 도전하기

01 중요 중세 유럽 사회를 도식화한 다음 표의 (가)~(다)에 대한 설명으로 옳지 않은 것은?

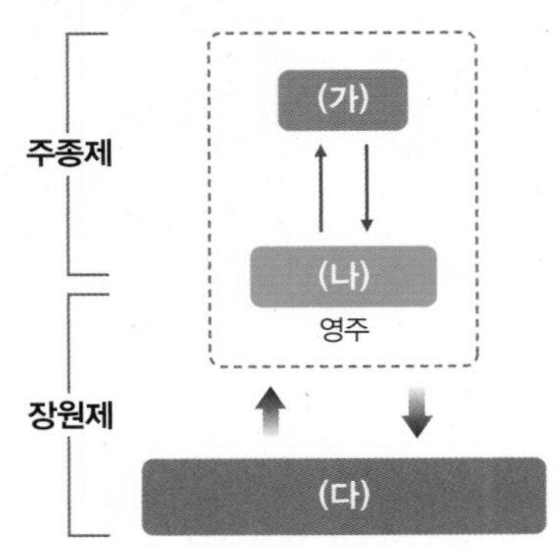

① (가)와 (나)는 혈연관계로 맺어졌다.
② (가)는 (나)에게 봉토 지급의 의무가 있었다.
③ (나)는 (다)를 보호할 의무가 있었다.
④ (나)는 (가)에게 충성 · 봉사할 의무가 있었다.
⑤ (다)는 (나)에게 경제 외적인 구속을 받았다.

02 밑줄 친 '그'에 대한 설명으로 옳은 것은?

> 클로비스의 사후 그의 영토는 네 아들에 의해 분할 상속되었다가 다시 그중 하나에 의해 재통일되었는데, 이러한 분열과 통일이 그 후에도 계속 되풀이되는 가운데 왕은 유명무실하게 되어 정치의 실권은 궁재의 수중에 들어가게 되었다. 특히 궁재인 그의 아들은 새로운 왕조를 개창하기도 하였다.

① 성 소피아 대성당을 건축하였다.
② 카노사에서 교황에게 사죄하였다.
③ 교황으로부터 서로마 황제로 대관하였다.
④ 이탈리아 중부 지역을 로마 교황에게 기증하였다.
⑤ 투르 · 푸아티에 전투에서 이슬람 세력을 물리쳤다.

03 (가), (나) 시기 사이에 있었던 사실로 옳은 것은?

> (가) 신성 로마 제국 황제인 나, 하인리히는 모든 서임권을 성스러운 로마 가톨릭교회에 바친다. 그리고 짐의 왕국과 제국 내 모든 교회에서 교회법에 따른 주교와 수도원장의 선출과 성직 수임의 자유를 보장하는 것에 동의한다.
>
> (나) 현재 교황은 예수의 바른 길을 밟지 않고 사탄의 잘못된 길을 가고 있다. 예수께서 교황청이나 추기경 회의를 설립하셨다는 말은 어디에도 없다. 예수께서는 반드시 교황이 있어야 한다고 말씀하시지 않았다.

① 교황청이 아비뇽으로 옮겨졌다.
② 콘스탄츠 공의회가 개최되었다.
③ 루터가 「95개조 반박문」을 게시하였다.
④ 엘리자베스 1세가 통일법을 반포하였다.
⑤ 카노사에서 황제가 교황에게 사죄하였다.

04 밑줄 친 '이곳'에 대한 설명으로 옳은 것은?

> 중세 시대 이곳은 노동을 존중하여 세속인의 모범이 되었을 뿐만 아니라, 학문 연구를 권장하여 학문과 교육의 중심지였고 고전 보존과 문화 발달에 기여하였다.

① 교회 개혁 운동을 전개하였다.
② 교황이 예배를 드리던 곳이었다.
③ 길드가 생산과 교역을 통제하였다.
④ 교수나 학생의 조합에서 비롯되었다.
⑤ 영주 직영지와 농민 보유지로 구분되었다.

05 밑줄 친 '그'에 대한 설명으로 옳은 것은?

교사: 이 성당은 그의 명령으로 5년 만에 그리스 정교회 성당으로 완공되었어요. 내부에는 화려한 모자이크 벽화가 유명해요.

① 성상 파괴령을 선포하였다.
② 카롤루스 왕조를 개창하였다.
③ 카노사에서 교황에게 사죄하였다.
④ 성지 회복을 위한 전쟁을 호소하였다.
⑤ 로마법을 집대성하여 법전을 편찬하였다.

06 지도와 같은 변화를 가져온 전쟁에 대한 설명으로 옳은 것은?

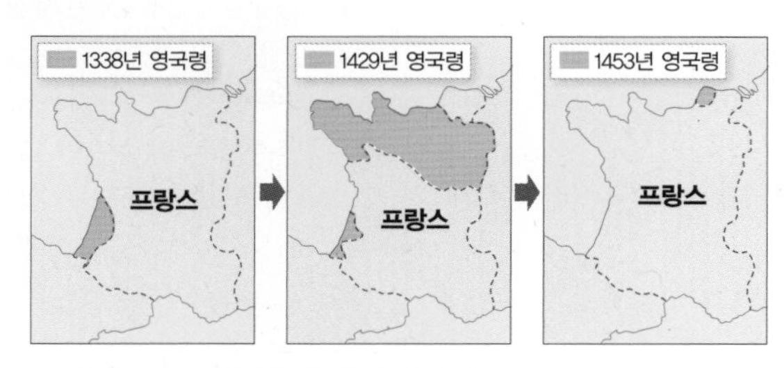

① 카롤루스 마르텔이 활약하였다.
② 영국에서의 왕위 계승 전쟁이다.
③ 베스트팔렌 조약 체결로 마무리되었다.
④ 잔 다르크의 활약이 승패를 결정지었다.
⑤ 셀주크 투르크의 위협으로부터 시작되었다.

07 중요 다음 자료가 나타난 배경으로 적절한 것은?

> 요즘 교황은 가장 어려운 일들은 베드로와 바울에게 맡기고 호화로운 의식과 즐거운 일만 찾는다. 교황은 바로 나, 우신(愚神) 덕분에 우아한 생활을 하고 있다.
> – 에라스뮈스 –
>
> 그렇게 온순하고 조금씩만 먹던 양들이 요즘에는 지나치게 많이 먹고 또 사나워져서 과장하면 인간들까지 다 먹어 치우고 있습니다.
> – 토마스 모어 –

① 30년 전쟁이 발발하였다.
② 십자군 전쟁이 전개되었다.
③ 트리엔트 공의회가 개최되었다.
④ 루터가 「95개조 반박문」을 게시하였다.
⑤ 봉건 세력과 교회의 영향력이 여전히 강하였다.

08 다음을 주장한 인물에 대한 설명으로 옳은 것은?

> 일찍이 신께서는 영원불변의 섭리를 통해 구제해 주고자 하는 자들과 파멸에 빠뜨리고자 하는 자들을 결정하였다. 선택된 자에게 이와 같은 섭리는 인간의 자질과는 아무런 관계가 없다는 신의 자비에 근거한 것이며, 또 반대로 신께서 지옥에 떨어뜨리려고 하는 모든 자에게 생명으로 나아가는 길이 막혀 있음을 뜻하는 것이다.

① 근면하고 검소한 생활을 강조하였다.
② 아우크스부르크 화의에서 인정받았다.
③ 성당에 「95개조의 반박문」을 게시하였다.
④ 통일법을 반포하여 영국 국교회를 확립하였다.
⑤ 콘스탄츠 공의회에서 이단으로 몰려 처형당하였다.

심화 **수능 유형 익히기**

총 문항수 2 | 처음 푼 날 월 일
정답과 해설 75쪽 | 오답 푼 날 월 일

01 (가)에 들어갈 내용으로 옳은 것은?

> 압둘 라하만이 이끄는 우마이야 왕조의 군대가 피레네산맥을 넘어서 보르도를 함락하고 아키텐 공 에우데스를 격파한 후 투르 근방으로 진격하였다. 에우데스의 요청으로 프랑크 왕국에서는 (가) . 결국 압둘 라하만은 전사하였다.

① 크리스트교를 공인하였다.
② 포에니 전쟁에서 승리하였다.
③ 카롤루스 마르텔이 활약하였다.
④ 델로스 동맹을 결성하여 싸웠다.
⑤ 악티움 해전에서 이슬람 세력을 격파하였다.

유형 분석
제시된 자료를 통해 같은 시기에 있었던 내용을 찾는 문제 유형이야.

해결 비법
역사는 항상 시간과 공간을 중심으로 만들어져. 그래서 같은 시간 대 주변이나 다른 지역에서 일어났던 사건을 같이 알아둬야 해. 또는 같은 사건을 중심으로 다른 국가에서 벌어졌던 일을 같이 알아둬야 해.

02 밑줄 친 '황제'에 대한 설명으로 옳은 것은?

"그레고리우스 7세시여, 당신은 세속 권력에 맞서 교회의 권위를 바로 세우신 진정한 사도입니다."

"특히 서임권 문제로 당신께 도전한 황제를 파문하신 일은 오래 기억될 것입니다."

① 「대헌장」을 승인하였다.
② 자신을 '프린켑스'라 불렀다.
③ 카노사에서 교황에게 사죄하였다.
④ 알렉산드리아라는 도시를 건설하였다.
⑤ 궁정 학교를 세우고 고전을 연구하였다.

유형 분석
대화를 통해 인물을 추론해 내는 유형이야.

해결 비법
대화형 지문에서 문제를 풀 수 있는 힌트들이 있어. 어려운 문제는 주요 인물을 제외한 정보만을 제공하기도 해. 그러니 교과서에 나오는 중요한 인물들의 업적을 배경과 같이 기억해 두는 게 좋아.

심화 기출 지문 활용하기

총 문항수 6	처음 푼 날 월 일
정답과 해설 75쪽	오답 푼 날 월 일

2013학년도 수능

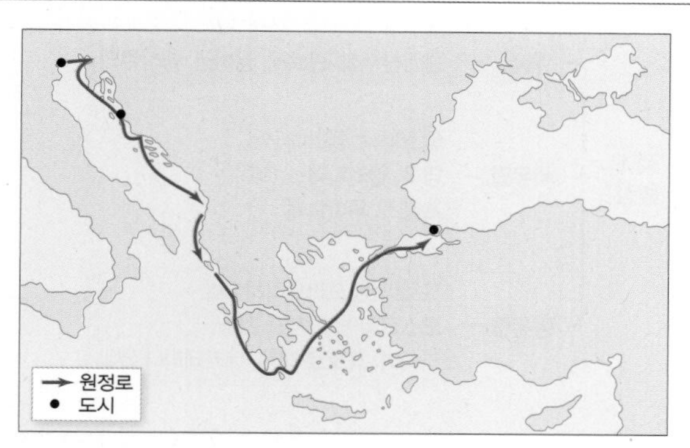

저들의 악행을 어찌 모두 기록할 수 있겠는가! 베네치아에서 출발하여 자라를 점령하고 우리 도시에 침입한 저들은 오직 성물을 약탈하고 금은보화를 차지하는데 혈안이 되었다. 심지어 성 소피아 성당의 제단을 깨뜨려 병사들에게 나누어 주고 권좌를 찬탈하였다!

서술형 문제

01 위 전쟁의 명칭을 적고, 위 전쟁이 일어난 배경을 서술해 보자.

수능 문제

02 밑줄 친 '저들'에 대한 설명으로 옳은 것은?

① 라틴 제국을 건설하였다.
② 후우마이야 왕조를 건설하였다.
③ 클레르몽 공의회 소집을 주도하였다.
④ 성지를 회복하고 예루살렘 왕국을 건설하였다.
⑤ 콘스탄티노폴리스를 점령하고 이스탄불로 개칭하였다.

활용 문제

03 위 전쟁의 영향으로 옳지 않은 것은?

① 왕권이 강화되었다.
② 교황권이 쇠퇴하였다.
③ 이슬람 문화가 유입되었다.
④ 동방과의 교역이 활발해졌다.
⑤ 봉건 제후와 기사 계층이 성장하였다.

2016학년도 수능

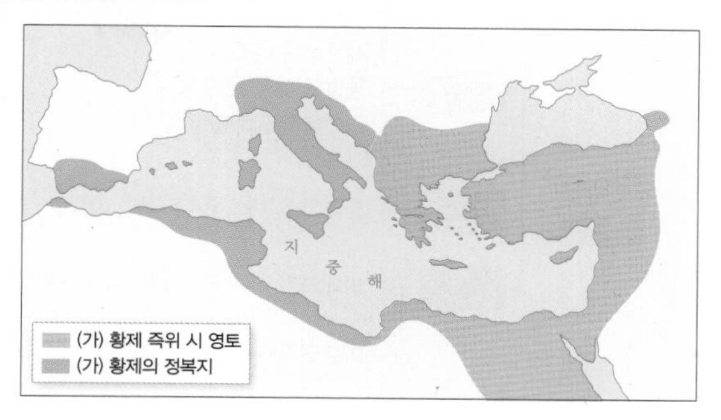

서술형 문제

04 (가) 황제의 이름을 쓰고, (가) 황제가 세운 대표적인 건축물의 특징을 서술해 보자.

수능 문제

05 (가) 황제에 대한 설명으로 옳은 것은?

① 로마법을 집대성하였다.
② 성상 숭배 금지령을 발표하였다.
③ 콘스탄티노폴리스로 수도를 옮겼다.
④ 이탈리아 일부 지역을 교황령으로 기증하였다.
⑤ 전제 군주제를 확립하고 제국을 4분할 통치하였다.

활용 문제

06 (가) 황제 사후 제국에서 있었던 사실로 옳은 것은?

① 「대헌장」이 승인되었다.
② 낭트 칙령이 반포되었다.
③ 「황금 문서」가 만들어졌다.
④ 성상 파괴령을 선포하였다.
⑤ 군관구제와 둔전병제를 실시하였다.

주제 10 유럽 세계의 변화

주제 흐름 읽기

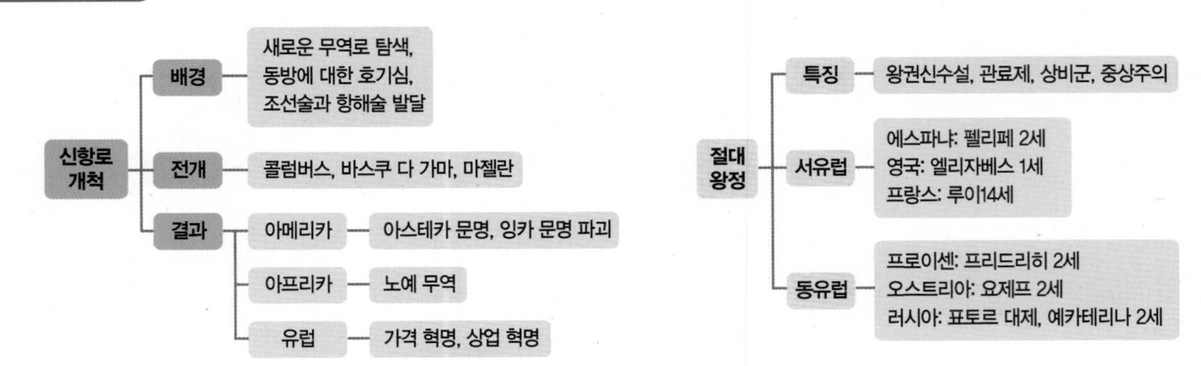

1 신항로 개척과 유럽 교역망의 확장 { 신항로 개척은 세계를 어떻게 변화시켰을까요?

1. 신항로 개척의 배경과 전개

(1) **배경** 자료 1

① 오스만 제국이 지중해 교역권 장악 → 새로운 무역로 탐색

② 마르코 폴로의 『동방견문록』❶ → 동방에 대한 호기심 자극

③ 조선술과 항해술의 발달 → 원양 항해 가능

Why? 유럽인은 동방과 직접 교역할 수 있는 안전한 무역로를 찾아야만 했어.

(2) **전개** 에스파냐와 포르투갈이 주도

Why? 대서양 연안에 위치하여 기존 지중해 무역에서 소외되었기 때문이야.

① 콜럼버스 → 에스파냐의 후원으로 서인도 제도 도착(1492)

② 바스쿠 다 가마 아프리카 남단 희망봉을 돌아 인도 캘리컷 도착

③ 마젤란 → 에스파냐의 후원으로 대서양과 태평양을 건너 필리핀 도착 → 마젤란 사망 후 남은 일행이 인도양을 거쳐 세계 일주 성공 → 지구 구형설❷ 입증

2. 아메리카 문명의 파괴

(1) **아메리카 문명** 유럽인이 침입하기 전 독자적인 문명 발전 자료 2

마야 문명	• 피라미드형 신전 건설, 천문학 발전, 0과 20진법 사용 • 급격한 인구 증가로 10세기 이후 쇠퇴
아스테카 문명	• 그림 문자 사용, 피라미드형 신전 건설 • 에스파냐(코르테스)의 침입으로 파괴
잉카 문명	• 역법 · 직물업 · 건축술 등 발달, 옥수수와 감자 재배 • 에스파냐(피사로)의 침입으로 파괴

(2) **영향**

① 유럽인의 살육과 수탈, 전염병의 유입으로 원주민 감소

② 원주민과 흑인 노예를 이용한 막대한 금·은 채굴

③ 대농장에서 사탕수수와 담배 등을 재배(플랜테이션 농업)❸

④ 백인과 원주민 사이의 혼혈(메스티소)❹ 등장

❶ 『동방견문록』
이탈리아의 마르코 폴로가 1271년부터 1295년까지 동방 지역을 다녀간 경험을 담은 여행기로, 서아시아, 중앙아시아, 중국 등에 관한 기록이 풍부하다. 책의 내용이 매우 신기하고 과장되어 처음에는 사람들이 잘 믿지 않았으나, 이후 많은 사람들이 아시아 지역을 여행함으로써 이 책의 내용이 정확함을 알게 되었고, 콜럼버스의 아메리카 대륙 발견 등 신항로 개척에 큰 역할을 하였다.

❷ 지구 구형설
지구의 외형이 둥글다는 주장으로, 중세에는 기독교의 신앙적인 압박에 의해서 금기시되었다. 지구가 둥글다고 하는 주장이 끊임없이 제기되었고, 마침내 신항로 개척 시기에 마젤란 일행에 의해서 입증되었다

❸ 플랜테이션 농업
서양인이 자본과 기술을 제공하고 열대의 노동에 견딜 수 있는 원주민이나 노예의 값싼 노동력을 이용하여 단일 작물을 재배하는 농업 방식이다. 주요 농작물은 무역품으로서 가치가 큰 커피, 사탕수수, 바나나, 담배 등이다. 신항로 개척 이후 남아메리카에서 많이 이루어졌으며, 오늘날까지도 그 지역 경제의 큰 문제점으로 남아 있다.

❹ 메스티소
아메리카 원주민과 에스파냐계 · 포르투갈계 백인과의 혼혈 인종으로, 오늘날 멕시코를 비롯한 중남미 지역에는 인구의 60~70%, 많게는 90% 이상을 차지하는 곳도 있다.

자료 1 유럽의 신항로 개척

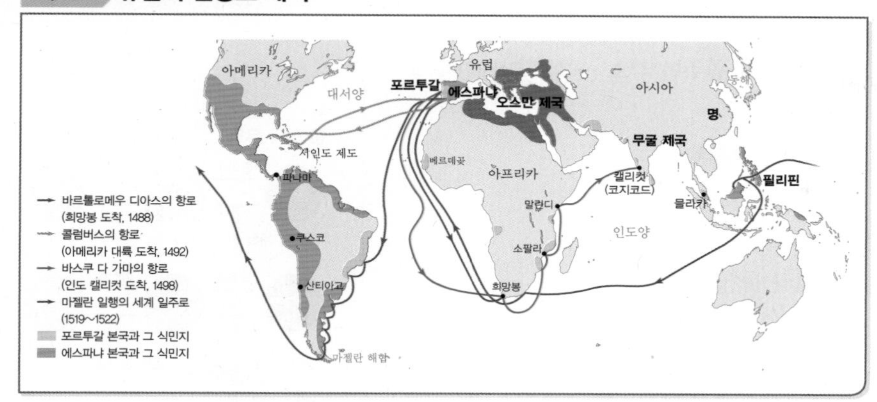

◎ 신항로 개척이 이루어진 배경은 무엇일까?

유럽은 오래전부터 동방과 무역했어. 동방 무역로는 멀고 험했지만, 이탈리아 도시들은 향신료, 비단 등 동방 산물에 대한 무역을 주도해 부를 축적했지. 그러나 오스만 제국이 지중해 교역권을 장악하면서 새로운 무역로를 찾아야만 했어. 마침 마르코 폴로의 『동방견문록』도 동방에 대한 호기심을 자극했지. 조선술과 항해술의 발달로 원양 항해가 가능해지면서 유럽인들은 본격적으로 새로운 항로 개척에 나섰어.

뜯어보기 포인트
신항로 개척으로 유럽이 세계 각국으로 진출하게 되었음을 기억하자.

Q1 신항로 개척에 대한 설명으로 옳지 않은 것을 모두 선택해 보자.

㉠ 이탈리아의 주도로 이루어졌다.
㉡ 콜럼버스는 세계 일주에 성공하였다.
㉢ 조선술과 항해술의 발달로 가능하였다.
㉣ 마젤란 일행은 지구 구형설을 입증하였다.
㉤ 바스쿠 다 가마는 인도 항로를 개척하였다.

자료 2 아메리카 문명의 파괴

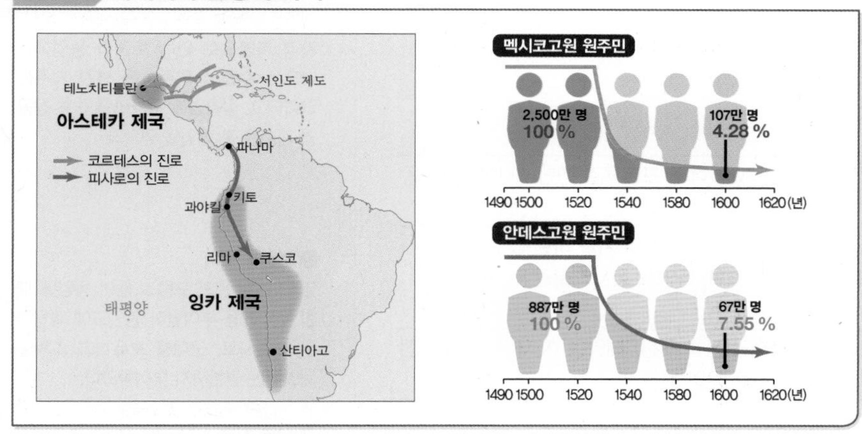

◎ 아메리카 문명은 어떻게 파괴되었을까?

유럽인이 침입하기 전 아메리카에는 독자적인 문명이 발전하고 있었어. 멕시코고원의 아스테카 문명과 안데스고원의 잉카 문명이 대표적이지. 번영을 누리던 이들 문명은 에스파냐인의 침략으로 각각 파괴되었고 인구도 크게 줄어들었어.

◎ 신항로 개척이 아메리카에 미친 영향은 무엇일까?

유럽인의 극심한 착취와 수탈, 그리고 그들이 가져온 천연두와 홍역 등으로 원주민 수는 크게 감소했어. 정복자들은 막대한 양의 금과 은을 채굴해가고, 대농장에서 사탕수수와 담배 등을 재배했지(플랜테이션 농업). 백인과 원주민 사이의 혼혈인 메스티소가 생겨나기도 했어.

뜯어보기 포인트
신항로 개척으로 아메리카 문명이 파괴되고 큰 변화를 겪었음을 기억하자.

Q2 신항로 개척이 아메리카에 미친 영향으로 옳지 않은 것을 모두 선택해 보자.

㉠ 잉카 문명이 더욱 번성하였다.
㉡ 플랜테이션 농업이 이루어졌다.
㉢ 아메리카 원주민 수가 증가하였다.
㉣ 아메리카에 새로운 전염병이 들어왔다.
㉤ 백인과 원주민 사이의 혼혈이 생겨났다.

답 Q1 ㉠, ㉡ / Q2 ㉠, ㉢

3. 노예 무역과 유럽 교역망의 확장

(1) 노예 무역

① 신항로 개척 이후 가혹한 노동과 질병으로 아메리카 원주민 감소 → 아프리카인을 노예로 삼아 아메리카 농장에 투입

② 유럽, 아메리카, 아프리카를 잇는 삼각 무역[5] 성립 자료 3

(2) 교역망의 확장

① 삼각 무역으로 이익을 얻은 유럽이 아시아에 진출

② 가격 혁명[6]: 아메리카 금 · 은의 유입으로 유럽의 물가 폭등

③ 상업 혁명: 대서양 삼각 무역을 비롯하여 세계적으로 교역 활성화

2 절대 왕정의 발전 { 절대 왕정의 의미와 특징은 무엇일까요?

1. 절대 왕정의 등장

(1) 절대 왕정 — When? 16~18세기에 유럽 각국에서 중앙 집권 체제가 발전하면서 등장했어.

① 봉건 국가의 지방 분권적 성격을 극복한 중앙 집권적 국가

② 봉건 국가에서 국민 국가로 옮겨 가는 과도기적 정치 형태

③ 군주에게 권력이 집중되어 군주가 큰 제약 없이 전권을 행사하는 정치 체제

(2) 특징 자료4

① 왕권신수설: '국왕의 권력은 신으로부터 주어진 것' → 절대 왕정을 뒷받침

② 관료제와 상비군: 시민 계급의 지원으로 재정 충당 → 경제 활동 지원

③ 중상주의 정책: 수출 증대, 수입 억제, 국내 산업 보호, 식민지 획득 — What? 절대 왕정은 상업과 무역이 국가의 부를 늘리는 수단이라 여겼어.

2. 서유럽의 절대 왕정

에스파냐	펠리페 2세: 레판토 해전에서 오스만 제국 격파, 포르투갈 병합 → 네덜란드 독립, 무적함대 패배로 쇠퇴
영국	• 헨리 8세: 종교 개혁 단행, 해군 육성 → 절대 왕정의 기틀 마련 • 엘리자베스 1세: 에스파냐의 무적함대 격파, 동인도 회사[7] 설립 → 영국 절대 왕정의 전성기
프랑스	루이 14세: 콜베르를 등용하여 중상주의 정책 추진, '태양왕' 자처 → 무리한 전쟁으로 인한 재정난, 낭트 칙령[8] 폐지로 산업 위축

3. 동유럽의 절대 왕정

(1) 성립 상공업과 도시의 발달이 늦어 서유럽보다 1세기 정도 늦음

프로이센	프리드리히 2세: 오스트리아와의 전쟁으로 슐레지엔 지방 차지, '국가 제일의 공복' 자처, 산업 장려, 종교적 관용 정책
오스트리아	요제프 2세: 계몽 전제 군주 자처, 내정 개혁 시도 → 보수 귀족의 반발로 실패
러시아	• 표트르 대제: 서유럽의 기술과 문물 수용, 청과 네르친스크 조약 체결, 발트해 진출, 상트페테르부르크[9] 건설 • 예카테리나 2세: 계몽 전제 군주 자처, 폴란드 분할 점령

Where? 자원이 풍부하고 산업이 발달하여 중요한 지역이었어. (슐레지엔)

What? 이 조약으로 청과 국경선을 정했어. (네르친스크 조약)

(2) 특징 봉건 귀족이 여전히 강력한 세력 유지 → 영주권 · 농노제 강화

❺ 삼각 무역

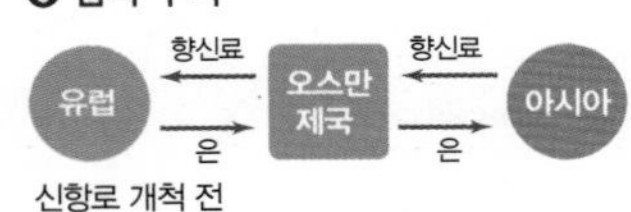

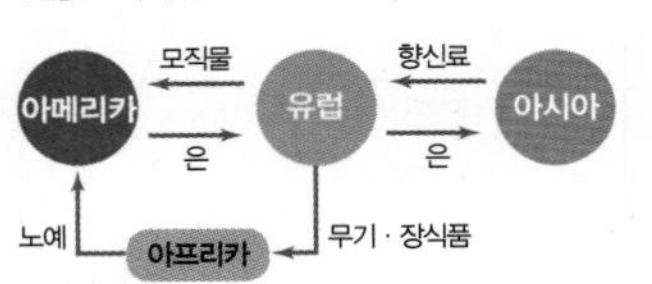

❻ 가격 혁명

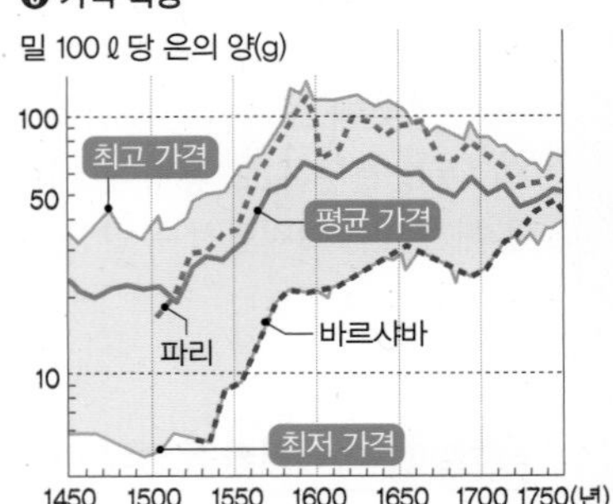

가격 혁명으로 인해 토지와 농업에서 나오는 수입에 의존하던 봉건 지주는 약화되고, 상공업에 종사하던 신흥 상공업 계층은 큰 이익을 얻었다.

❼ 동인도 회사
영국, 네덜란드, 프랑스 등이 동양에 대한 무역권을 부여받아 동인도에 설립한 무역 회사로, 군대를 보유하고 조약을 체결하는 권한까지 부여받았다.

❽ 낭트 칙령
프랑스 신교도인 위그노에게 조건부 신앙의 자유를 허용하면서 약 30년간 지속된 위그노 전쟁을 종식시킨 조약이다. 루이 14세 때 폐지되면서 상공업에 종사하던 많은 신교도가 프랑스를 떠나 산업이 위축되었다.

❾ 상트페테르부르크
바다의 중요성을 인식한 표트르 대제가 바다와 가까운 곳에 새로운 수도를 건설한 후 자신의 이름을 따서 상트페테르부르크라 불렀다.

자료 3 신항로 개척 후 무역

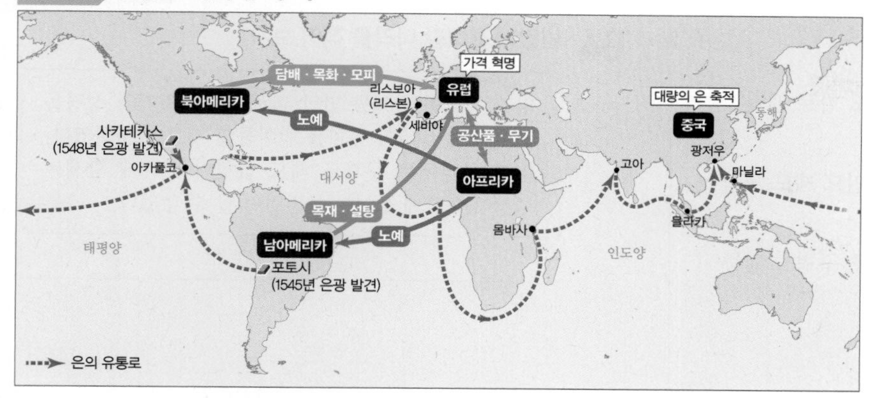

○ 신항로 개척 후 무역은 어떻게 이루어졌을까?

신항로 개척 이후 가혹한 노동과 질병으로 아메리카 원주민 인구가 급감하자, 유럽인은 아프리카인을 노예로 삼아 아메리카 농장에 투입했어. 공산품이나 총 등을 아프리카에 가져가 노예와 맞바꾼 후 아메리카의 플랜테이션 농장에 팔고, 아메리카의 농장에서 생산된 설탕, 커피, 담배 등을 싣고 유럽으로 오는 대서양 삼각 무역을 한 거야.

뜯어보기 포인트

신항로 개척 후 아프리카 노예 무역과 대서양 삼각 무역이 이루어졌음을 기억하자.

Q3 대서양 삼각 무역과 관련하여 옳은 것을 모두 선택해 보자.

㉠ 유럽의 물가가 안정되었다.
㉡ 아메리카에 대농장이 생겨났다.
㉢ 아프리카인이 노예로 팔려나갔다.
㉣ 유럽, 오스만 제국, 중국이 주축이었다.
㉤ 유럽의 교역망이 지중해에 국한되었다.

자료 4 서유럽 절대 왕정의 구조

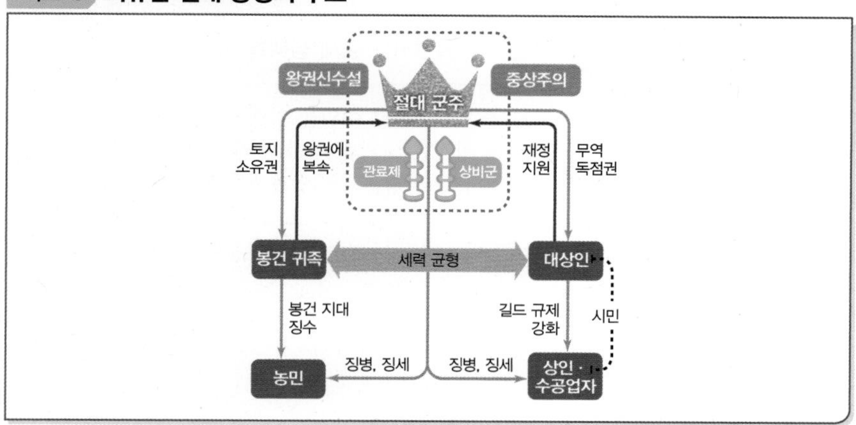

○ 절대 왕정을 뒷받침하는 제도와 사상은 무엇일까?

절대 왕정은 왕권신수설을 이용하여 통치를 정당화하고, 관료제와 상비군을 통해 왕권을 강화했어. 이에 필요한 재정은 시민 계급의 후원으로 충당했기 때문의 신흥 상공업자와 같은 시민 계급의 경제 활동을 지원했지.

○ 절대 왕정이 중상주의 정책을 실시한 목적은 무엇일까?

절대 왕정은 군대와 관료를 유지하는 데 많은 재정이 필요했어. 당시에는 상업과 무역이 국가의 부를 늘리는 수단이라 여겨졌지. 그래서 각 나라는 금과 은 등을 부의 원천이라 생각하여 수출을 늘리고 수입을 억제하려 했던 거야.

뜯어보기 포인트

절대 왕정은 군주에게 권력이 집중된 정치 체제라는 점을 기억하자.

Q4 서유럽의 절대 왕정과 관련하여 옳은 것을 모두 선택해 보자.

㉠ 봉건 귀족의 후원을 받았다.
㉡ 관료제와 상비군을 운영하였다.
㉢ 동유럽에 비해 늦게 성립하였다.
㉣ 자유로운 무역 활동을 보장하였다.
㉤ 왕의 권력은 신이 준 것이라 하였다.

답 Q3 ㉡, ㉢ / Q2 ㉡, ㉤

정답과 해설 ▸ 76쪽

01 서로 관련 있는 내용끼리 연결해 보자.

ⓐ 마젤란 •　　　　• ㉠ 인도 항로 개척

ⓑ 콜럼버스 •　　　　• ㉡ 서인도 제도 도착

ⓒ 바스쿠 다 가마 •　　　　• ㉢ 지구 구형설 입증

02 아래 설명이 맞으면 O표, 틀리면 X표를 해 보자.

(1) 신항로 개척은 대서양 연안의 에스파냐와 포르투갈이 앞장섰다. (　　)

(2) 아스테카 제국과 잉카 제국은 포르투갈인에 의해 파괴되었다. (　　)

(3) 유럽의 물가가 크게 오른 가격 혁명은 봉건 지주에게 유리하였다. (　　)

(4) 절대 왕정은 국가의 부를 늘리기 위해 중상주의 정책을 시행하였다. (　　)

(5) 동유럽은 서유럽보다 근대 시민 사회로의 발전이 늦었다. (　　)

03 빈칸에 알맞은 말을 채워 보자.

(1) 멕시코고원에서 발달한 (　　　　) 문명 사람들은 그림 문자를 사용하였다.

(2) 유럽인의 아메리카 진출로 백인과 원주민 사이의 혼혈인 (　　　　)이/가 생겨났다.

(3) 절대 군주는 왕의 권력은 신으로부터 주어진 것이라는 (　　　　)을/를 이용하여 통치를 정당화하였다.

(4) 프랑스의 (　　　　)은/는 콜베르를 등용하여 중상주의 정책을 펼쳤다.

(5) 러시아의 표트르 대제는 청과 (　　　　)을/를 체결하여 국경선을 확정하였다.

04 빈칸에 들어갈 나라를 적어 보자.

> 잉카 제국의 황제를 만난 피사로는 십자가와 성경을 건네며 (　　)의 통치를 받아들일 것을 요구하였다. 잉카 문명에는 문자도 책도 없었기 때문에 황제는 성경이 어디에 쓰이는 물건인지 알 수 없었다.

05 다음 도표에 나타난 무역 형태를 적어 보자.

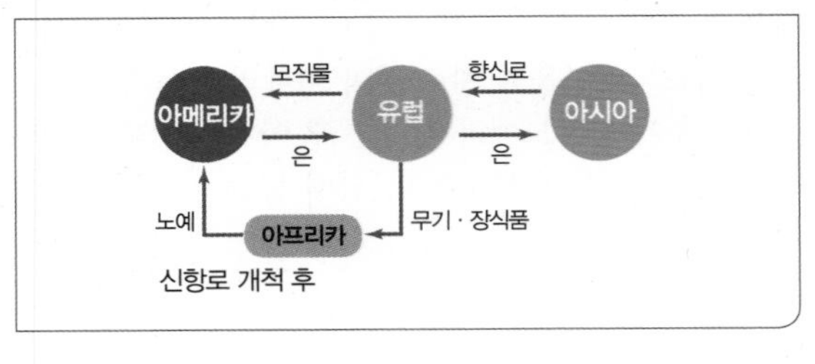

06 다음에서 설명하는 경제 정책을 적어 보자.

> 수출을 증대하고 수입을 억제하려는 경제 정책으로, 절대 왕정은 국가의 부를 늘리기 위해 국내 산업을 보호하고, 완성품의 수입과 원료의 수출을 금지하였으며, 관세 장벽을 높이고 식민지 획득에 나섰다.

07 다음 표를 완성해 보자.

(　　)	• 레판토 해전에서 오스만 격파 • 포르투갈 병합
엘리자베스 1세	• 에스파냐의 무적함대 격파 • (　　) 설립
(　　)	• 슐레지엔 지방 차지 • '국가 제일의 공복' 자처
표트르 대제	• 서유럽 문물 수용에 적극적 • (　　　　) 건설

내신 유형 익히기

총 문항수 12	처음 푼 날 월 일
정답과 해설 76쪽	오답 푼 날 월 일

01 빈출 유럽이 신항로 개척에 나서게 된 배경을 | 보기 |에서 고른 것은?

| 보기 |
ㄱ. 동방 산물에 대한 수요가 증가하였다.
ㄴ. 산업 혁명 이후 식민지 확보에 나섰다.
ㄷ. 오스만 제국이 지중해 교역을 장악하였다.
ㄹ. 아메리카에서 막대한 금, 은이 유입되었다.

① ㄱ, ㄴ ② ㄱ, ㄷ ③ ㄴ, ㄷ
④ ㄴ, ㄹ ⑤ ㄷ, ㄹ

02 (가)에 들어갈 인물에 대한 설명으로 옳은 것은?

1492년 10월 12일 (가) 은/는 아메리카에 도착해 원주민과 우호적인 만남을 가졌다. 그러나 이것은 유럽이 아메리카를 식민 지배하는 출발점이 되었다. 현재 아메리카 여러 나라에서는 (가) 의 도착을 기념하는 행사를 개최하고 있다.

① 대서양과 태평양을 건너 필리핀에 도착하였다.
② 아프리카 남단 희망봉을 돌아 인도에 도착하였다.
③ 세계 일주에 성공하여 지구 구형설을 입증하였다.
④ 에스파냐의 후원을 받아 서인도 제도에 도착하였다.
⑤ 동방에 대한 정보가 담긴 『동방견문록』을 저술하였다.

03 (가), (나) 문명에 대한 설명으로 옳지 않은 것은?

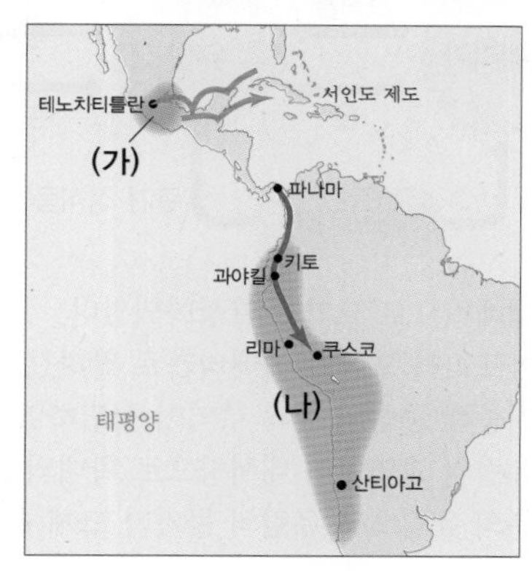

① (가) – 그림 문자를 사용하였다.
② (가) – 피라미드형 신전을 만들었다.
③ (나) – 골짜기에 계단식 밭을 개간하였다.
④ (나) – 새끼줄 매듭으로 숫자를 표시하였다.
⑤ (가), (나) – 포르투갈인의 침입으로 멸망하였다.

04 다음 사건 이후에 아메리카에서 볼 수 있는 모습으로 옳지 않은 것은?

1519년 코르테스가 병사를 이끌고 아스테카의 수도에 도착했을 때 그는 아스테카 제국의 황제로부터 극진한 환대를 받았다. 그 곳 원주민들은 한 번도 본 적이 없는 말과 요란한 소리를 내는 총을 가진 백인들이 그들이 기다리던 창조의 신이라고 착각하였던 것이다. 그러나 코르테스는 황제를 인질로 삼아 권력을 장악해 버렸다.

① 천연두에 걸려 죽어가는 원주민
② 광산에서 은을 채굴하는 원주민
③ 다양한 작물이 자라고 있는 대농장
④ 사탕수수 농장에서 일하는 흑인 노예
⑤ 백인과 원주민 사이에서 태어난 혼혈인

05 빈출 다음 도표에 대한 설명으로 옳지 않은 것은?

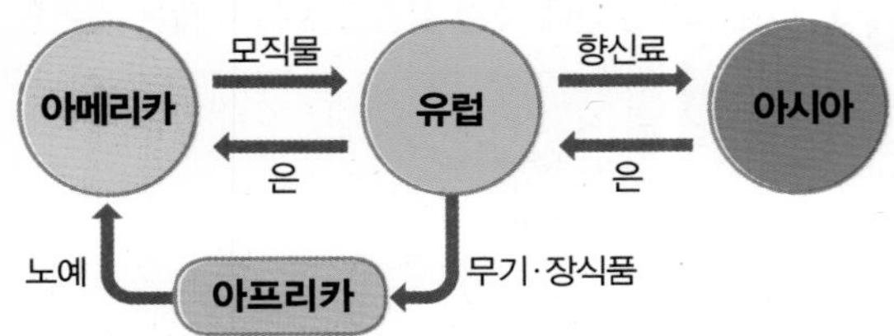

① 세계적으로 교역이 활성화되었다.
② 아프리카 노예가 아메리카로 팔려갔다.
③ 지중해 중심의 삼각 무역이 성립하였다.
④ 유럽의 교역망이 대서양으로 확대되었다.
⑤ 은의 유입으로 유럽의 물가가 크게 올랐다.

06 다음 사상이 뒷받침하는 정치 체제에 대한 설명으로 옳은 것은?

> 왕의 권력은 신에게서 나온다. 신은 왕을 그의 사자로 만드셔서 왕을 통해 백성을 지배한다. 이미 보아 왔듯이 모든 권력은 신에게서 나온다. …… 왕은 절대적인 권위를 갖지 않고는 선을 이룰 수도, 악을 막을 수도 없다. 왕의 권력은 누구도 그것으로부터 도망치려고 마음 먹을 수 없는 권력이어야 한다.
>
> – 보쉬에, 「성서의 말씀에서 인용한 정치 –

① 영주 중심의 지방 분권 체제였다.
② 자유주의 경제 정책을 추구하였다.
③ 사회계약설을 바탕으로 성립하였다.
④ 주군과 봉신의 쌍무적 계약 관계였다.
⑤ 시민 계급의 경제 활동을 지원하였다.

07 빈출 빈칸에 들어갈 국가에 대한 설명으로 옳은 것은?

> (　　　)는 일찍이 재정복 운동을 통해 중앙 집권적 통일 국가를 형성하였고, 아메리카를 식민지로 삼아 대제국을 건설하였다. 아메리카에서 들어오는 막대한 양의 금과 은을 바탕으로 유럽에서 가장 먼저 절대 왕정을 확립하였으나, 국내 산업 기반이 취약한 데다가 상공업이 발달한 네덜란드가 독립하면서 급속히 쇠퇴하였다.

① 무적함대를 격파하였다.
② 포르투갈을 병합하였다.
③ 종교 개혁을 단행하였다.
④ 낭트 칙령을 폐지하였다.
⑤ 동인도 회사를 설립하였다.

08 다음과 관련 있는 왕에 대한 옳은 설명을 | 보기 |에서 고른 것은?

| 보기 |

ㄱ. 레판토 해전에서 오스만 제국을 격파하였다.
ㄴ. 콜베르를 등용하여 중상주의 정책을 펼쳤다.
ㄷ. 산업을 장려하고 종교적 관용 정책을 펼쳤다.
ㄹ. '태양왕'을 자처하며 절대 권력을 과시하였다.

① ㄱ, ㄴ　② ㄱ, ㄷ　③ ㄴ, ㄷ　④ ㄴ, ㄹ　⑤ ㄷ, ㄹ

09 다음과 같이 주장한 왕에 대한 설명으로 옳은 것은?

빈출

> 군주의 가장 중요한 책임은 정의를 실현하는 것이다. 군주가 지배하는 인민에게 무엇보다 중요한 것이 정의이므로, 군주는 자신의 그 어떤 이익보다 정의에 최우선을 두어야 한다. 적나라한 사리사욕과 세력 확장의 추구, 야심 추구와 폭정을 권장하는 마키아벨리는 대체 무엇이란 말인가? 군주는 결코 자기가 지배하고 있는 인민의 절대적인 주인이 아니라, 국가 제일의 공복에 지나지 않는다.

① 상트페테르부르크를 수도로 삼았다.
② 청과 네르친스크 조약을 체결하였다.
③ 스웨덴을 공략하여 발트해로 진출하였다.
④ 콜베르를 등용하여 중상주의 정책을 시행하였다.
⑤ 오스트리아와의 전쟁으로 슐레지엔을 차지하였다.

10 다음을 통해 알 수 있는 동유럽 절대 왕정의 특징으로 옳지 않은 것은?

> (러시아에서) 지주에게 속한 농민은 마치 농기구나 소 떼처럼 그의 개인 재산이다. …… 지주는 농노를 어떤 식으로 고용하든, 그리고 어떤 강요를 하든 법적으로 아무런 제재를 받지 않는다. 그는 농노의 시간과 노동의 절대적 주인이다. 그는 일부 농노를 농업에 고용하고 일부는 자신의 하인으로 쓰면서 임금은 주지 않는다. 또 다른 농노에게는 매년 세금을 걷는다.

① 봉건 귀족의 영향력이 점차 약화되었다.
② 귀족을 관료로 등용하고 특권을 보장해 주었다.
③ 농노제가 그대로 유지되거나 오히려 강화되었다.
④ 서유럽보다 근대 시민 사회로의 발전이 늦어졌다.
⑤ 상공업 발달이 늦어 시민 계급이 성장하지 못하였다.

서술형 문제

11 다음을 읽고 물음에 답해 보자.

> 치핑구는 중국에서 동쪽으로 해상 1,500마일 떨어진 곳에 있는 매우 큰 섬이다. …… 그곳에는 헤아릴 수 없이 많은 금이 난다. 그러나 어떤 사람도 대륙에서 그곳으로 가지 않기 때문에 아무도 그 섬에서 금을 가지고 나오지 못한다.

(1) 위 책의 제목과 저자를 써보자.

(2) 위 책이 유럽에 미친 영향을 서술해 보자.

서술형 문제

12 다음을 읽고 물음에 답해 보자.

> 짐은 곧 국가이다. 우리가 신민으로부터 받는 복종과 존경은 그들이 우리에게 기대하는 정의와 보호의 대가로 지불한다. 그들이 우리를 존경해야만 하듯이 우리는 그들을 보호하고 지켜주어야 한다.

(1) 위 글에 나타난 정치 체제를 써보자.

(2) 위 체제를 뒷받침하는 제도와 사상을 서술해 보자.

3단계 내신 만점 도전하기

01 (중요) (가)~(다) 인물에 대한 옳은 설명을 | 보기 |에서 고른 것은?

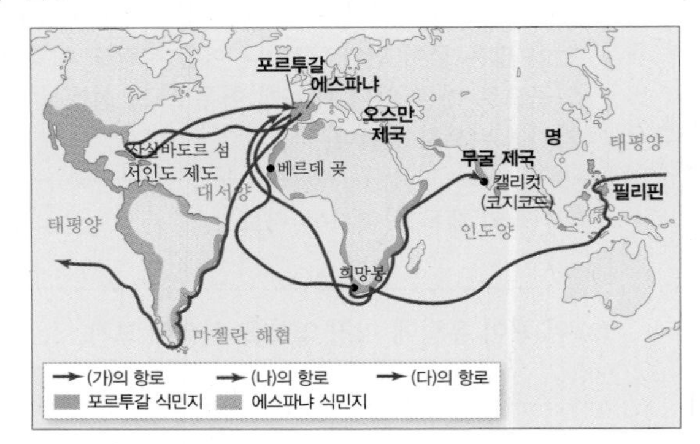

| 보기 |

ㄱ. (가) – 『동방견문록』을 저술하였다.
ㄴ. (나) – 아스테카 문명을 파괴하였다.
ㄷ. (다) – 인도로 가는 항로를 개척하였다.
ㄹ. (가), (나) – 에스파냐 왕의 후원을 받았다.

① ㄱ, ㄴ ② ㄱ, ㄷ ③ ㄴ, ㄷ
④ ㄴ, ㄹ ⑤ ㄷ, ㄹ

02 (중요) 다음 상황이 나타나게 된 배경을 알아보기 위한 탐구 활동으로 적절하지 않은 것은?

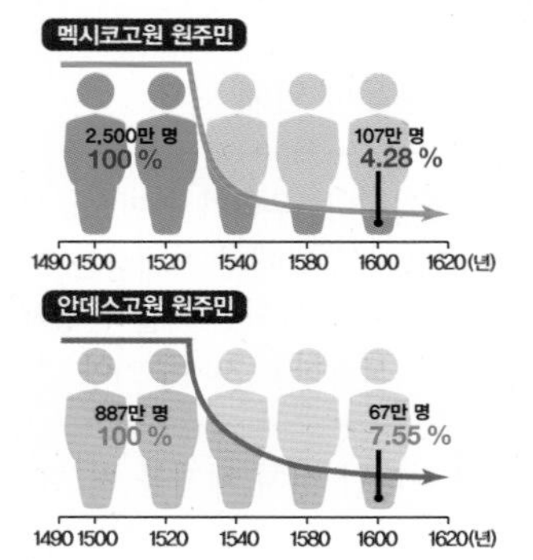

① 마야 문명의 쇠퇴 이유를 찾아본다.
② 금광과 은광에서의 노동량을 조사한다.
③ 플랜테이션 농장의 운영 방식을 찾아본다.
④ 유럽인들과 함께 유입된 전염병을 조사한다.
⑤ 코르테스와 피사로의 정복 활동을 알아본다.

03 다음 상황이 나타나게 된 배경으로 적절한 것은?

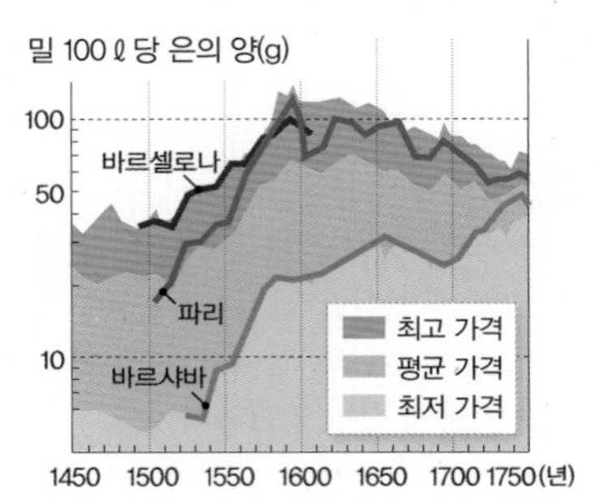

① 십자군 전쟁으로 무역이 활발해졌다.
② 자급자족적인 장원 경제가 발달하였다.
③ 많은 양의 금과 은이 유럽에 유입되었다.
④ 상공업에 종사하던 시민 계층이 성장하였다.
⑤ 산업 혁명으로 공장제 기계 공업이 발달하였다.

04 다음 대화의 공통된 주제로 가장 적절한 것은?

> 정은: 사탕수수는 콜럼버스가 아메리카에 전파한 농작물이래.
> 지수: 새로운 전염병으로 많은 아메리카 원주민들이 죽기도 했지.
> 윤호: 아메리카가 원산지인 감자는 유럽에 전해져 많이 재배되었대.

① 아메리카 문명은 어떻게 발달하였을까?
② 흑사병은 전 세계에 어떤 영향을 주었을까?
③ 유럽이 신항로 개척에 나선 이유는 무엇일까?
④ 아메리카의 독립 운동은 어떻게 전개되었을까?
⑤ 신항로를 따라 바다를 건넌 것들은 무엇이 있을까?

05 다음과 같은 정치 체제에 대한 설명으로 옳지 않은 것은?

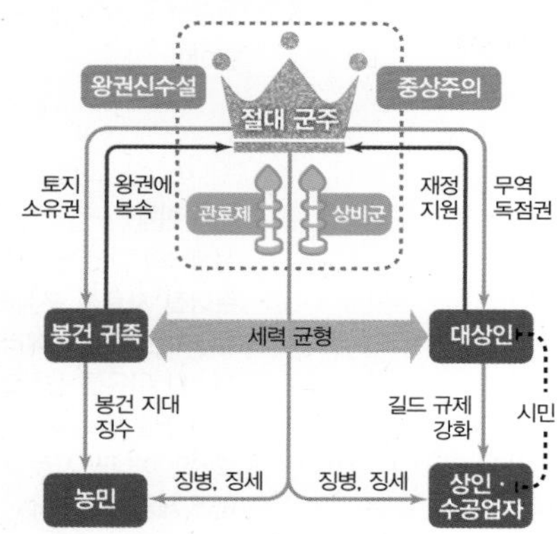

① 봉건 귀족의 재정 지원을 받으면서 그들의 특권을 인정하였다.
② 신흥 상공업자를 비롯한 시민 계급의 경제 활동을 지원하였다.
③ 왕권을 뒷받침하는 군대와 관료를 유지하며 권력을 강화하였다.
④ 봉건 국가의 지방 분권적 성격을 극복한 중앙 집권적 체제이다.
⑤ 봉건 국가에서 국민 국가로 옮겨 가는 과도기적 정치 형태이다.

06 다음에 나타난 경제 정책과 관련 없는 것은?

> 귀족들이 자신들의 사치에 필요한 직물을 구하기 위해 얼마나 많은 돈을 외국으로 지출하고 있는가? 프랑스는 그런 물품을 생산할 능력과 원료가 있고, 외국에서 수입하는 것보다 훨씬 더 싼 값으로 공급할 수 있다. 그래서 나는 직물 공장 설립을 결정하였다.
> – 루이 14세의 회고록 –

① 식민지 확보　② 원료 수출 금지
③ 국내 산업 보호　④ 관세 장벽 철폐
⑤ 완성품 수입 금지

07 (가), (나) 국가에 대한 설명으로 옳은 것은?

> (가) 앙리 4세가 종교 분쟁을 수습하고 절대 왕정의 기초를 마련하였다.
> (나) 헨리 8세가 종교 개혁을 단행하고 해군을 육성하는 등 절대 왕정의 기틀을 마련하였다.

① (가) – 에스파냐의 무적함대를 격파하였다.
② (가) – 엘리자베스 1세 때 전성기를 맞이하였다.
③ (나) – 낭트 칙령을 폐지하여 산업이 위축되었다.
④ (나) – 동인도 회사를 세워 해외 시장을 개척하였다.
⑤ (가), (나) – 국내 산업이 발달하지 못하여 쇠퇴하였다.

08 중요 (가)에 들어갈 왕에 대한 옳은 설명을 | 보기 |에서 고른 것은?

> 서유럽 여러 나라를 돌아보고 그들의 기술과 문물을 적극 받아들이려 한 (가) 은/는 러시아의 풍속과 관습까지 철저히 서구화하려 하였다. 심지어 턱수염 깎기를 거부하는 사람들에게는 수염세를 부과하기도 하였다.

| 보기 |
ㄱ. 발트해로 진출하였다.
ㄴ. 청과 국경선을 확정하였다.
ㄷ. 슐레지엔 지방을 차지하였다.
ㄹ. '국가 제일의 공복'을 자처하였다.

① ㄱ, ㄴ　② ㄱ, ㄷ　③ ㄴ, ㄷ
④ ㄴ, ㄹ　⑤ ㄷ, ㄹ

총 문항수 2	처음 푼 날 월 일
정답과 해설 78쪽	오답 푼 날 월 일

01 교사의 질문에 대한 대답으로 옳지 않은 것은?

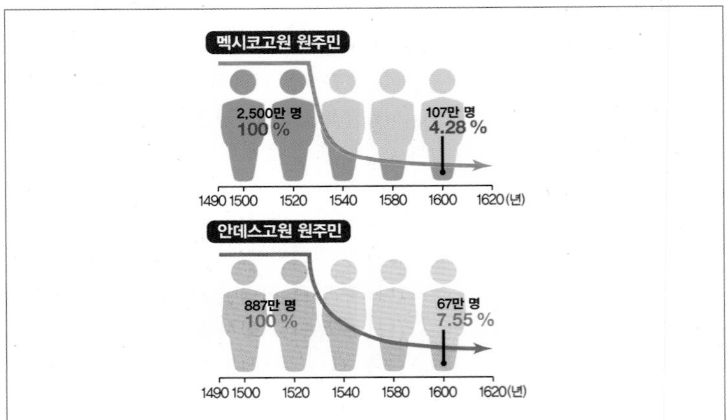

교사: 16세기에 멕시코고원 원주민이 이렇게 줄어든 이유는 무엇일까요?

① 정복자들의 극심한 살육과 수탈 때문이에요.
② 금광, 은광 등에서 힘들게 일했기 때문이에요.
③ 피라미드형 신전을 짓는 데 동원됐기 때문이에요.
④ 유럽에서 홍역 같은 전염병이 들어왔기 때문이에요.
⑤ 에스파냐인의 침략으로 문명이 파괴되었기 때문이에요.

유형 분석
자료를 통해 시대 상황을 유추하는 유형이야.

해결 비법
선생님의 질문 형식을 취했지만 핵심은 주어진 자료를 분석하여 당시 상황을 유추하는 거야. 아메리카 인구가 급속히 감소한 이유를 신항로 개척 이후 유럽인의 진출에서 찾아야 해. 자료는 그래프뿐만 아니라 사료, 지도, 사진 등 다양하게 제시되고 있어.

02 다음 편지에서 (가)에 들어갈 내용으로 가장 적절한 것은?

> 모든 공업을, 심지어 사치품 공업도 다시 살리거나 새로 세워야 합니다. 관세와 관련해서는 보호 무역 제도를 확립해야 합니다. 생산자와 상인을 수공업 길드에 편입시켜야 합니다. 백성에게 해를 끼치는 국가 재정 적자를 줄여야 합니다. 국산품의 해상 운송을 프랑스가 다시 맡도록 해야 합니다. 그리고 ______(가)______
>
> – 콜베르의 의견서 –

① 봉건 귀족을 지원해야 합니다.
② 새로운 수도를 건설해야 합니다.
③ 종교의 자유를 인정해야 합니다.
④ 많은 식민지를 확보해야 합니다.
⑤ 수출과 수입을 장려해야 합니다.

유형 분석
가상 문서를 분석하는 유형이야.

해결 비법
실제 있는 사료를 일기, 편지, 보고서 등 다양한 형태의 가상 문서로 만들어 제시하고 있어. 형태가 어떻든 주어진 글의 시대와 의도를 잘 파악해야 해. 특히 빈칸 내용을 추론하는 문제는 글의 전체적인 흐름을 잘 이해해야 풀 수 있어.

심화 기출 지문 활용하기

총 문항수 6	처음 푼 날 월 일
정답과 해설 78쪽	오답 푼 날 월 일

2017학년도 수능

> 프랑수아 1세 폐하
> 저 나라는 일찍이 콜럼버스를 앞세워서 새로운 항로 개척을 주도하며 위세를 크게 떨쳐 왔습니다. 그런데 최근에 제가 카리브해를 통과하던 저 나라의 선박 세 척을 나포하였습니다. 두 척에는 금과 은이, 나머지 한 척에는 사탕수수가 가득하였습니다. 폐하께서는 제가 확보한 노획물로 좀 더 강력한 대포를 구입하여 적들을 제압하실 수 있을 것입니다.
> 폐하의 충직한 신하 조반니 다 베라차노 올림

서술형 문제

01 밑줄 친 '저 나라'가 신항로 개척에 앞장선 이유를 서술해 보자.

수능 문제

02 밑줄 친 '저 나라'에 대한 설명으로 옳은 것은?

① 펠리페 2세의 무적함대를 격파하였다.
② 영국과의 플라시 전투에서 패배하였다.
③ 재정복 운동을 통해 그라나다를 함락시켰다.
④ 고아, 믈라카 등지에 무역 거점을 개척하였다.
⑤ 스웨덴과의 북방 전쟁을 통해 발트해로 진출하였다.

활용 문제

03 위 편지가 쓰여진 시기의 무역에 대한 설명으로 옳지 않은 것은?

① 무기, 공산품 등이 유럽으로 들어왔다.
② 아프리카 노예가 아메리카로 팔려갔다.
③ 세계의 교역망이 합쳐지기 시작하였다.
④ 아메리카 은이 교역의 매개체가 되었다.
⑤ 대서양 중심의 삼각 무역이 성립하였다.

2016학년도 수능

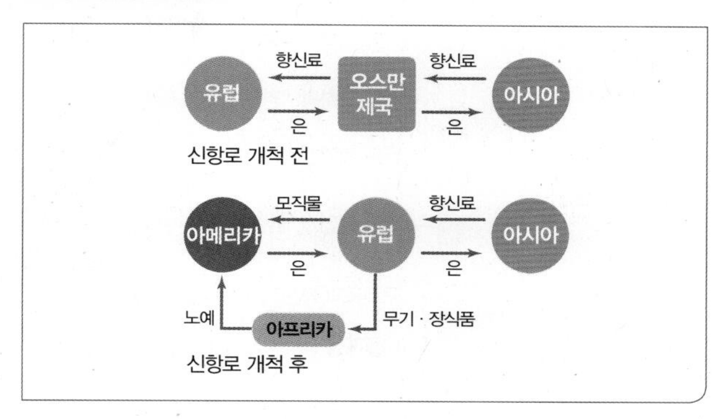

서술형 문제

04 도표에 나타난 무역 구조를 설명해 보자.

수능 문제

05 도표에 나타난 무역에 대한 탐구 활동으로 적절하지 않은 것은?

① 가격 혁명의 배경을 파악한다.
② 동인도 회사의 활동을 조사한다.
③ 신항로 개척의 영향을 분석한다.
④ 대서양 삼각 무역의 구조를 살펴본다.
⑤ 샹(상)파뉴 정기 시장의 형성 배경을 알아본다.

활용 문제

06 도표에 나타난 무역의 결과로 옳지 않은 것은?

① 유럽의 물가가 크게 올랐다.
② 아프리카 인구가 감소하였다.
③ 상공 시민 계층이 성장하였다.
④ 유럽이 신항로 개척에 나섰다.
⑤ 세계적으로 교역이 활성화되었다.

주제 11

시민 혁명과 산업 혁명

주제 흐름 읽기

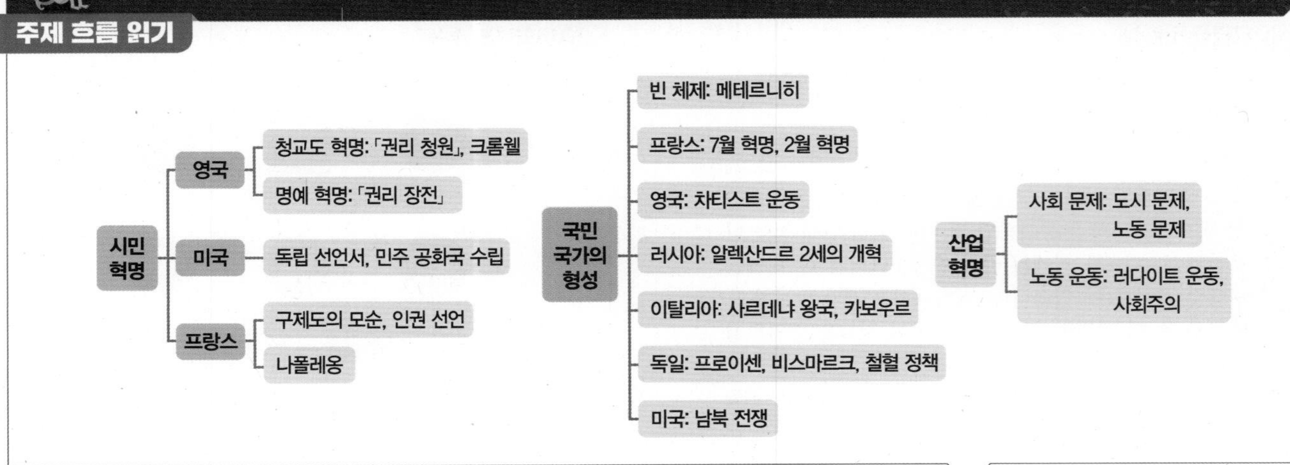

1 근대 의식의 발전 { 과학의 발달은 인간의 이성에 어떤 영향을 주었을까요?

1. 과학 혁명 16, 17세기에 나타난 과학의 발전과 세계관의 변화

(1) 배경

① 이슬람의 과학 기술 수용, 망원경 · 현미경 등의 발명

② 베이컨 · 데카르트❶의 근대적 연구 방법론 제시

(2) 과학의 발달 자료 1 — What? 과학 혁명을 거치며 사람들은 점차 합리적인 사고를 하게 되었고, 이는 계몽사상의 토대가 되었어.

코페르니쿠스	천동설에 의문을 품고 지동설 주장
케플러	화성의 타원 운동을 밝혀 지동설 수정 · 입증
갈릴레이	망원경으로 천체를 관측하여 지동설 옹호, 낙하 실험
뉴턴	'만유인력의 법칙' 발견, 기계론적 우주관❷ 확립
의학 분야	• 베살리우스: 인체 해부학의 토대 마련 • 하비: 혈액 순환의 원리 발견

2. 사회 계약설과 계몽사상의 확산 자료 2

(1) 사회 계약설 자연법사상❸을 바탕으로 개인들의 계약을 통해 국가가 출현한다는 주장

① 홉스❹: 평화와 안전을 위해 정부에 자연권 양도, 절대 군주제 옹호

② 로크: 혁명권 · 저항권❺ 인정, 명예혁명 옹호 — Why? 홉스는 지배자에게 절대 권력을 주지 않으면 '만인의 만인에 대한 투쟁'인 자연 상태로 돌아간다고 보았어.

(2) 계몽사상 인간의 이성으로 낡은 관습과 미신을 타파하여 사회가 진보할 수 있다고 믿는 사상 → 미국 독립 혁명, 프랑스 혁명에 영향

볼테르	계몽 전제 군주 지지, 신앙과 언론의 자유 강조
몽테스키외	입법 · 행정 · 사법의 삼권 분립 주장
루소	일반 의지에 따르는 국가 운영 주장, 자유 · 평등 · 국민 주권 이념 제시
디드로·달랑베르	『백과전서』 편찬 — What? 당대의 과학적이고 실용적인 지식을 집대성한 책이야.
애덤 스미스	『국부론』 편찬, 개인의 자유로운 경제 활동 주장 → 고전 경제학의 토대 마련

❶ 베이컨과 데카르트
베이컨은 실험과 관찰의 결과에서 출발하여 일반 법칙을 만드는 귀납법을 옹호하였고, 데카르트는 대전제에 근거하여 개별 사례를 끌어내는 연역법을 주장하였다.

❷ 기계론적 우주관
정신 세계와 구별되는 물질 세계는 거대한 기계처럼 스스로 운동하며, 인간 이성이 이를 주관적인 요소나 초자연적인 힘에 의지하지 않고 객관적이고 합리적으로 파악할 수 있다는 주장이다.

❸ 자연법사상
현실의 법 위에 존재하는 근원적이고 보편타당한 원리가 있다는 믿음으로, 인간이 태어나면서부터 가지는 권리가 자연권이다.

❹ 홉스의 사상
홉스는 『리바이어던』에서 자신이 생각하는 국가를 성서에 나오는 괴물에 비유하였는데, 이 괴물의 몸체는 수많은 국민들로 이루어져 있다.

❺ 혁명권과 저항권
로크는 사회 계약으로 수립된 정부가 생명, 자유, 재산 등 자연권을 지켜주지 못하면 정부에 저항하고 정부를 교체할 수 있다고 주장하였다.

자료 1 우주관의 변화

❶ 코페르니쿠스의 천구도

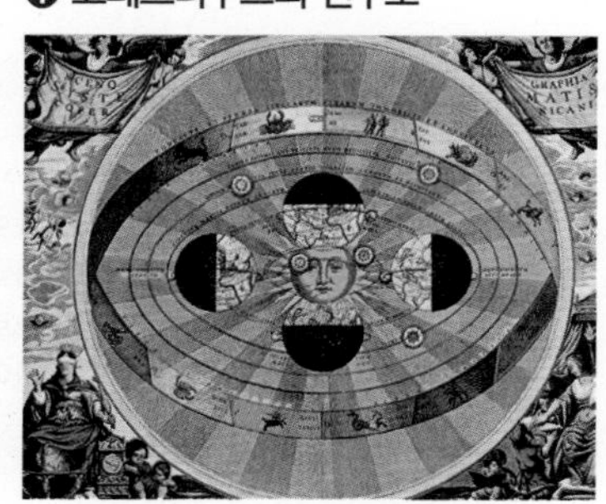

❷ 뉴턴의 연구

나는 기술이 아니라 철학을, 인공적인 힘이 아니라 자연의 힘을 설명하고자 한다. …… 다시 말하면 운동 현상으로부터 자연의 여러 힘을 연구하고 이렇게 알게 된 힘들로부터 다른 자연 현상들을 설명하는 것이다. …… 나는 우리가 다른 자연 현상들도 이렇게 역학적인 사고방식으로 설명할 수 있다고 믿는다.

– 뉴턴, 『프린키피아』 –

뜯어보기 포인트
과학 혁명으로 인간의 이성이 발달하였음을 알아두자.

코페르니쿠스의 천구도를 보고 알 수 있는 우주관의 변화는 무엇일까?
그리스의 천문학자인 프톨레마이오스는 지구를 중심으로 태양이 돈다는 천동설을 주장하였어. 이러한 주장은 중세까지 이어지다가 16세기 폴란드의 과학자 코페르니쿠스가 태양을 중심으로 지구가 돈다는 지동설을 주장하였지. 이후 케플러, 갈릴레이 등을 거치면서 지동설이 옳다는 것이 증명되었어.

뉴턴의 연구가 미친 영향은 무엇일까?
뉴턴은 우주와 자연계를 신의 섭리가 아닌 일정한 원리에 따라 운영되는 기계라 보고, 그 인과 관계를 인간의 이성으로 파악할 수 있다고 봤어. 이처럼 과학이 발달하면서 사람들은 점차 합리적인 사고를 존중하게 되었고, 이는 계몽사상의 토대가 되었지.

Q1 과학 혁명의 내용으로 옳지 않은 것을 모두 선택해 보자.
㉠ 케플러는 지동설을 입증하였다.
㉡ 코페르니쿠스는 천동설을 주장하였다.
㉢ 뉴턴은 기계론적 우주관을 확립하였다.
㉣ 하비는 '만유인력의 법칙'을 발견하였다.
㉤ 갈릴레이는 망원경으로 천체를 관측하였다.

자료 2 사회 계약설

❶ 홉스

정치권력이 존재하지 않는 자연 상태에서 인간은 …… 서로 싸우는 전쟁 상태에 있다. …… (이를) 벗어나기 위해 강력한 정부가 요구되므로, 인간은 개인행동의 자유를 지배자의 손에 맡기기 위한 일종의 합의나 계약을 하게 된다. 그러나 이 경우 지배자에게 무제한의 절대적 권력을 줘야 한다. 그렇지 않으면 …… 사회는 또다시 '만인의 만인에 대한 투쟁'인 자연 상태로 돌아가기 때문이다.

– 『리바이어던』, 1651. –

❷ 로크

자연 상태는 살기에 불편하므로 사람들은 공동 관심사인 사회와 정부를 세우기 위해 계약을 맺는다. 인간은 자연권인 생명, 자유, 소유의 권리를 가지고 있다. 인간은 이러한 모든 권리가 잘 보장되도록 정부를 세우는 데 합의(계약)하는 것이다. …… 만일 정부가 자연권인 생명, 자유, 소유의 권리를 보장하지 않고 방자해진다면 물러나야 하며, 극단의 경우 혁명으로 타도할 수 있다.

– 『시민 정부론』, 1690. –

뜯어보기 포인트
자연법사상을 바탕으로 사회 계약설이 나타났음을 기억하자.

홉스와 로크의 주장의 차이는 무엇일까?
홉스는 자연 상태에서 인간은 서로 싸우는 전쟁 상태이기 때문에 계약을 통해 정부를 구성하고 지배자에게 절대 권력을 줘야한다고 주장했어. 반면 로크는 사회 계약으로 수립된 정부가 생명, 자유, 재산 등 자연권을 지켜주지 못하면 혁명을 통해 정부를 교체할 수 있다고 했지.

Q2 사회 계약설에 대한 설명으로 옳은 것을 모두 선택해 보자.
㉠ 자연법사상을 바탕으로 하였다.
㉡ 홉스는 입헌 군주제를 옹호하였다.
㉢ 루소의 주장은 명예혁명을 뒷받침하였다.
㉣ 계약을 통해 국가가 출현한다는 주장이다.
㉤ 로크는 일반 의지에 따르는 국가 운영을 주장하였다.

답 Q1 ㉡, ㉣ / Q2 ㉠, ㉣

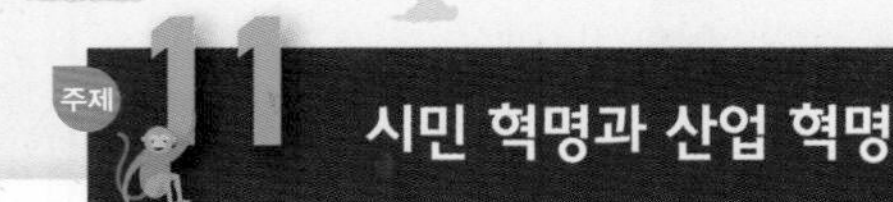

2 영국 혁명 { 혁명을 통해 영국 사회는 어떻게 달라졌을까요?

1. 청교도 혁명 자료 3

(1) 배경

① 16, 17세기 영국 장원제 붕괴, 자영 농민층 형성

② 젠트리[6] 및 시민 계급 성장 → 대부분 청교도, 왕실의 부패 비판

(2) 전개

① 제임스 1세 · 찰스 1세의 전제 정치 → 의회의 「권리 청원」 제출 → 찰스 1세의 승인 및 의회 해산 → 스코틀랜드와의 전쟁을 위해 의회 소집 → 왕당파와 의회파 사이의 내란 → 크롬웰이 이끄는 의회파 승리 → 찰스 1세 처형, 공화정 수립

How? 의회의 동의 없이 과세하고 청교도를 박해했어.

Why? 전쟁 비용이 필요하여 일단 동의했지만 곧 의회를 해산하고 한동안 소집하지 않았어.

② 크롬웰의 독재 정치: 아일랜드 정복, 항해법[7] 제정, 의회 해산 → 국민들의 반감으로 크롬웰 사후 왕정 복고(찰스 2세)

Why? 아일랜드는 왕당파의 거점이었어.

2. 명예혁명 자료 3

(1) 전개 찰스 2세의 전제 정치 → 의회는 심사법과 인신 보호법[8] 제정 → 제임스 2세의 전제 정치 → 의회는 제임스 2세를 폐위하고 메리와 그의 남편 윌리엄을 공동 왕으로 추대 → 「권리 장전」 승인 → 의회 중심의 입헌 군주제 확립

How? 친가톨릭 정책을 펼치고 심사법과 인신 보호법을 폐지했어.

What? 유혈 사태 없이 이루어졌기 때문에 명예혁명이라고 불러.

(2) 입헌 정치의 발전 대영 제국 성립(스코틀랜드 병합), 내각 책임제[9] 시작

Why? 독일 출신 조지 1세가 즉위하면서 영국 사정에 어두워 정치에 관여하지 못했기 때문이야.

3 미국 혁명 { 미국의 독립 운동은 왜 시민 혁명이라 불릴까요? 자료 4

배경	영국의 식민지 정책 변화: 7년 전쟁[10]으로 재정 부족 → 식민지에 중상주의적 통제 강화(인지세[11], 차세 부과) → 식민지인의 반발('대표 없는 곳에 과세 없다.')
전개	보스턴 차 사건[12] → 대륙 회의 → 독립 전쟁 시작 → 「독립 선언문」 발표 → 식민지 군대의 승리(요크타운 전투) → 파리 조약으로 독립 승인
결과	헌법 제정(연방주의, 삼권 분립), 아메리카 합중국 탄생 → 최초의 민주 공화국, 프랑스 혁명에 영향

Who? 초대 대통령으로 워싱턴을 선출되었어.

How? 영국과 경쟁하던 프랑스, 에스파냐 등의 도움을 받았어.

4 프랑스 혁명 { 프랑스 혁명의 원인과 영향은 무엇일까요?

1. 구제도의 모순으로 일어난 혁명

(1) 구제도의 모순

① 제1 신분(성직자)과 제2 신분(귀족)은 막대한 부를 소유하며 면세 특권

② 제3 신분(평민)은 봉건적 의무와 무거운 세금 부담

→ 구제도에 대한 비판

Why? 계몽사상과 미국 혁명의 영향을 받았어.

(2) 왕실의 재정 위기 계속된 전쟁, 왕실의 사치 → 루이 16세가 삼부회 소집 → 표결 방식을 놓고 대립 → 국민 의회 구성

How? 제1 신분과 제2 신분은 신분별 표결을, 제3 신분은 머릿수 표결을 주장했어.

▲ 구제도의 모순을 풍자한 그림

❻ 젠트리
장원제가 무너지면서 나타난 지주층으로 인클로저 운동으로 부를 쌓아 사회 지도층이 되었다. 도시에서 상공업으로 성장한 시민과 함께 의회에 진출하여 다수를 차지하였다.

❼ 항해법
영국과 영국 식민지에 상품을 운반하는 선박은 영국과 식민지, 수출국의 선박에 한정한 법으로 네덜란드 중계 무역에 타격을 주었다.

❽ 심사법과 인신 보호법
찰스 2세가 가톨릭교도를 우대하고 전제 정치를 펼치자 의회는 비국교도의 공직 취임을 금지하는 심사법과 불법적인 체포 및 구속을 금지하는 인신 보호법을 제정하였다.

❾ 내각 책임제
의회 다수당이 내각을 구성하여 정치하는 형태로 '왕은 군림하나 통치하지 않는다.'는 영국 특유의 전통이 세워졌다.

❿ 7년 전쟁
오스트리아가 왕위 계승 전쟁 때 빼앗긴 땅을 되찾으려고 프로이센과 벌인 전쟁으로 영국, 프랑스 등 유럽 각국이 참전하였다.

⓫ 인지세
식민지에서 발행되는 각종 문서, 신문, 잡지, 학위 증서에까지 영국 정부가 발행한 인지를 사서 붙여야 했다.

⓬ 보스턴 차 사건
식민지인들이 아메리카 원주민으로 위장하여 보스턴항에 정박 중이던 영국 동인도 회사 배의 차를 바다에 버린 사건이다. 이에 영국이 보스턴항을 봉쇄하자 식민지 대표는 대륙 회의를 열어 영국에 항의하였다.

자료 3 영국 혁명

❶ 「권리 청원」(1628)

현재 의회에 소집된 성직자, 귀족, 평민은 지극히 높으신 국왕 폐하께 다음과 같이 탄원한다.

제1조 | …… 폐하의 신민은 의회에서 만장일치로 동의한 것이 아니면 어떠한 세금, 차입금, 기부금 및 기타 이와 유사한 부조금을 내도록 강제당하지 않을 자유를 누린다.

제3조 | …… 누구도 적법한 판결과 국법에 따르지 않고서 함부로 체포·구속되지 않는다. 자유인은 소유권과 특권 및 개인의 자유를 보장하는 관습을 침해당하거나, 법의 보호 밖에 방치되고 추방되는 …… 일이 없다.

❷ 「권리 장전」(1689)

제1조 | '왕은 의회의 동의 없이 법률의 효력 정지 및 집행 정지를 할 권한이 있다.'라는 주장은 위법이다.

제4조 | 왕이 대권을 구실로 하여 의회의 동의 없이 …… 왕이 쓰기 위한 비용을 과세하는 것은 위법이다.

제6조 | 의회의 동의가 없는 한, 평상시에 상비군을 징집, 유지하는 것은 위법이다.

제9조 | 의회에서 말하고 토론하고 의논한 내용으로 의회 아닌 어떤 곳에서도 고발당하거나 심문당하지 않는다.

뜯어보기 포인트
영국 혁명 과정에서 나온 문서들의 의미를 잘 파악하자.

「권리 청원」과 「권리 장전」에 나타난 의회의 요구는 무엇일까?
「권리 청원」은 의회의 동의 없는 과세 금지, 이유의 명시 없는 체포나 구속 금지 등을 담고 있고, 「권리 장전」은 의회의 입법권과 과세권, 의원 면책권 등을 규정하고 있어.

명예혁명 이후 영국의 정치 체제는 어떻게 변화했을까?
명예혁명 이후 의회 중심의 입헌 군주제가 확립되었고, 조지 1세 즉위 후 내각 책임제가 시작되면서 '왕은 군림하나 통치하지 않는다.'는 영국 특유의 전통이 세워졌어.

Q3 청교도 혁명과 관련하여 옳은 것을 모두 선택해 보자.

㉠ 왕은 「권리 장전」을 승인하였다.
㉡ 젠트리가 의회에 다수 진출하였다.
㉢ 왕당파와 의회파의 내란이 발생하였다.
㉣ 의회 중심의 입헌 군주제가 수립되었다.
㉤ 엘리자베스 1세의 절대 왕정에 반발하였다.

자료 4 미국 「독립 선언문」

모든 사람은 평등하게 태어났으며, 창조주로부터 생명 · 자유 · 행복 추구를 포함하여 타인에게 양도할 수 없는 확실한 권리를 부여받았다. 이 권리를 지키기 위해 사람들은 정부를 만들었으며, 이 정부의 정당한 권력은 통치를 받는 사람들의 동의로부터 나오는 것이다. 만일 어떠한 형태의 정부이든 이러한 권리를 침해한다면, 사람들은 그 정부의 형태를 바꾸거나 폐지하여 인민의 안전과 행복을 가장 잘 이룩할 수 있는 새로운 정부를 조직하는 것이 인민의 권리인 것이다.

뜯어보기 포인트
미국 「독립 선언문」에 나타난 시민 혁명의 요소를 잘 파악하자.

미국이 「독립 선언문」에 나타난 민주주의 원칙은 무엇일까?
미국 혁명 과정에서 발표된 「독립 선언문」에는 천부 인권과 국민 주권, 저항권 등이 나타나 있어. 이 때문에 미국 혁명은 영국의 지배에서 벗어나려는 독립 혁명인 동시에, 보다 민주적인 사회를 건설하려고 한 시민 혁명이기도 한 거야.

Q4 미국 혁명과 관련하여 옳지 않은 것을 모두 선택해 보자.

㉠ 공화주의 국가가 탄생하였다.
㉡ 프랑스 혁명의 영향을 받았다.
㉢ 의회가 「권리 청원」을 제출하였다.
㉣ 프랑스, 에스파냐 등의 지원을 받았다.
㉤ 영국의 중상주의적 통제에 반발하였다.

답 Q3 ㉡, ㉢ / Q4 ㉡, ㉢

2. 혁명의 발발

국민 의회	테니스코트의 서약[13] → 국왕의 국민 의회 탄압 → 파리 시민들이 바스티유 감옥 습격 → 혁명의 지방 확산 → 봉건제 폐지 선언, 「인간과 시민의 권리 선언(인권 선언)」 발표 → 국왕의 국외 탈출 시도 → 입헌 군주제에 기초한 새 헌법 제정 → 입법 의회 소집 자료 5
입법 의회	혁명전쟁 시작 → 파리 민중이 왕궁을 습격하여 왕권 정지 → 새 헌법 제정을 위해 국민 공회 소집

Why? 혁명의 전파를 우려한 오스트리아와 프로이센이 프랑스를 위협하자 혁명전쟁을 시작했어.

3. 혁명의 과격화

국민 공회	공화정 선포, 루이 16세 처형 → 자코뱅파[14]의 정권 장악 → 로베스피에르의 공포 정치(혁명 재판소 설치, 봉건적 공납 무상 폐지, 최고 가격제 도입, 징병제 실시) → 공포 정치에 대한 불만으로 로베스피에르 몰락(테르미도르의 반동) → 총재 정부 수립

What? 프랑스 혁명력 제11월을 뜻해.

Who? 5명의 총재가 이끌었어.

4. 프랑스 혁명의 영향

(1) **총재 정부** 취약하고 무능하여 반대파의 비난 → 나폴레옹의 쿠데타 → 통령 정부 수립

What? 이로써 프랑스 혁명은 사실상 끝을 맺었다고 볼 수 있어.

(2) **프랑스 혁명의 의의** 자유 · 평등 · 우애의 이념 전파 → 근대 시민 사회와 국민 국가 성립의 계기

5. 나폴레옹의 개혁과 전쟁 자료 6

(1) **내정 개혁** 『나폴레옹 법전』[15] 편찬, 프랑스 은행 설립, 국민 교육 제도 정비

(2) **제1 제정** 나폴레옹이 황제에 즉위 → 신성 로마 제국 해체, 대륙 봉쇄령[16] → 러시아 원정 실패로 몰락(워털루 전투)

What? 10세기 후반부터 19세기 초까지 이어진 독일 제국의 옛 명칭이야.

Why? 러시아가 대륙 봉쇄령을 어기고 영국과 통상을 계속했거든.

(3) **의의** 유럽 각국에 자유주의 · 민족주의 이념 전파

How? 나폴레옹에 저항하는 과정에서 유럽 각국에 민족주의가 발전했어.

5 국민 국가의 형성 { 자유주의와 민족주의의 발전은 유럽에 어떤 영향을 주었을까?

1. 빈 체제의 성립

(1) **빈 체제**

What? 유럽 각국의 지배권과 영토를 프랑스 혁명 이전으로 되돌리기로 했어.

① 오스트리아의 메테르니히 주도, '정통성의 원칙'에 따른 보수 반동 체제

② 신성 동맹 · 4국 동맹 결성 → 자유주의 · 민족주의 운동 탄압

(2) **빈 체제에 대한 저항**

① 독일의 학생 조합(부르셴샤프트) 운동, 아탈리아의 카르보나리단 활동 → 오스트리아의 간섭과 정부의 탄압

② 그리스의 독립: 오스만 제국의 지배에 저항, 영국 · 프랑스 · 러시아의 지원, 유럽 지식인들의 후원

Why? 그리스 고전 문화를 동경한 유럽 낭만주의자들이 그리스의 독립을 후원했어.

③ 라틴아메리카의 독립: 볼리바르 · 산마르틴 등의 활약, 영국의 지원, 미국의 먼로 선언[17] 영향

Why? 영국은 새로운 상품 시장을 확보하기 위해 라틴아메리카의 독립을 지원했어.

---

⑬ 테니스코트의 서약

제3 신분은 머릿수 표결 요구가 받아들여지지 않자 국민 의회를 구성하였고, 회의 장소가 폐쇄되자 실내 테니스코트에 모여 새로운 헌법이 마련될 때까지 해산하지 않을 것을 결의하였다.

⑭ 자코뱅파
파리의 자코뱅 수도원을 중심으로 활동한 급진 공화파로 중소 시민의 이익을 대변하였고 통제 경제와 강력한 중앙 집권을 주장하였다.

⑮ 「나폴레옹 법전」
프랑스 혁명 이전의 법과 혁명 당시 제정한 법들을 집대성한 것으로 자유 · 평등의 이념과 사유 재산 원칙이 반영되어 있다. 나폴레옹 전쟁 과정에서 유럽 각국에 전파되어 근대 법전 성립에 영향을 주었다.

⑯ 대륙 봉쇄령
영국과의 트라팔가르 해전에서 패배한 후 영국을 경제적으로 고립시키기 위해 영국과 유럽 대륙의 교역을 금지한 조치이다. 그러나 이는 큰 효과를 발휘하지 못했고 오히려 영국보다 대륙 국가들이 더 큰 고통을 받았다.

⑰ 먼로 선언
미국 대통령 먼로가 밝힌 외교 방침으로 미국의 유럽에 대한 불간섭 원칙, 유럽의 아메리카에 대한 불간섭 원칙을 천명하였다.

자료 5 「인간과 시민의 권리 선언」

> 제1조 | 인간은 자유롭게 그리고 평등한 권리를 가지고 태어났다.
> 제2조 | 모든 정치적 결사의 목적은 자유, 소유, 안전 그리고 압제에 대한 저항이라는, 그 무엇도 침해할 수 없는 인간의 자연권을 보전하는 데 있다.
> 제3조 | 모든 주권의 원천은 본래 국민에게 있다. 어떤 개인이나 단체라 하더라도 국민에게서 나오지 않은 권리를 행사할 수 없다.
> 제6조 | 법은 일반 의지의 표현이다. 모든 시민은 직접 또는 대표를 통해서 법 제정에 참여할 수 있는 권리를 갖는다. 법의 보호, 법에 따른 처벌에 있어서 만민은 평등하다.
> 제17조 | 소유권은 그 무엇도 침해할 수 없는 신성한 권리이므로, 공적인 필요성이 명백하여 그것이 합법적으로 인정되고, 또 미리 정당한 보상을 제시하지 않고는 누구도 침해할 수 없다.

◎ 위 선언문에 담겨 있는 인간의 기본권은 무엇일까?
프랑스 혁명 초기에 발표된 「인권 선언」은 루소의 사상에서 영향을 받았어. 인간의 자유와 평등, 압제에 대한 저항, 국민 주권, 언론과 사상의 자유, 소유권 보장 등 인간의 기본권과 근대 시민 사회의 정치 이념이 명확히 나타나 있지.

뜯어보기 포인트
「인권 선언」에 나타난 인간의 기본권을 잘 파악하자.

Q5 「인권 선언」에 대한 설명으로 옳지 않은 것을 모두 선택해 보자.
㉠ 국민 주권 사상이 나타나 있다.
㉡ 미국 혁명 과정에서 발표되었다.
㉢ 루소의 사상에 영향을 받았다.
㉣ 군주의 절대 권력을 인정하였다.
㉤ 소유권의 신성불가침을 주장하였다.

자료 6 나폴레옹 전쟁

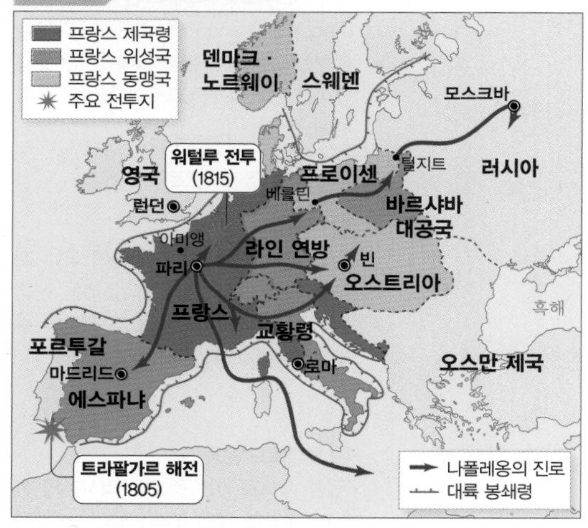

◎ 나폴레옹이 대륙 봉쇄령을 내린 이유는 무엇일까?
나폴레옹이 유럽을 정복하려고 하자 영국을 중심으로 대프랑스 동맹이 결성됐어. 오스트리아, 프로이센, 러시아 등은 격파했지만 영국과의 트라팔가르 해전에서는 패배했지. 이에 나폴레옹은 영국을 굴복시키기 위해 영국과 유럽 대륙의 교역을 금지하는 대륙 봉쇄령을 내렸어.

◎ 나폴레옹 전쟁이 유럽에 미친 영향은 무엇일까?
나폴레옹은 정복 전쟁을 통해 프랑스 혁명의 이념을 전파했고, 나폴레옹에 정복당한 국가에서는 프랑스에 저항하는 과정에서 민족주의가 발전했어.

뜯어보기 포인트
나폴레옹 전쟁으로 프랑스 혁명의 이념이 전파되었음을 기억하자.

Q6 나폴레옹의 활동으로 옳은 것을 모두 선택해 보자.
㉠ 항해법을 제정하였다.
㉡ 러시아 원정에 성공하였다.
㉢ 프랑스 은행을 설립하였다.
㉣ 국민 교육 제도를 정비하였다.
㉤ 신성 로마 제국을 해체하였다.

답 Q5 ㉡, ㉣ / Q6 ㉢, ㉣, ㉤

2. 프랑스의 7월 혁명과 2월 혁명

7월 혁명⑱	샤를 10세의 전제 정치(How? 언론을 탄압하고 의회를 해산했어.) → 자유주의자와 시민이 샤를 10세를 내쫓고 루이 필리프를 왕으로 추대 → 입헌 군주제 수립
2월 혁명⑲	중하층 시민 계급과 노동자가 선거권 확대를 요구하며 봉기(Why? 7월 왕정에서는 소수의 대지주와 부유한 시민에게만 선거권이 주어졌거든.) → 루이 필리프가 물러나고 공화정 수립(제2 공화정)
파리 코뮌	루이 나폴레옹이 대통령에 당선 → 나폴레옹 3세로 황제 즉위(제2 제정) → 프로이센과의 전쟁에서 패하여 몰락 → 파리 코뮌 수립(What? 시민과 노동자들의 혁명적 자치 정부야.) → 프랑스 정부에 의해 진압 → 제3 공화정 수립

3. 영국의 자유주의 개혁

종교 개혁	• 국교도에게만 관직을 허용하던 심사법 폐지 • 가톨릭 해방법을 제정하여 종교 차별 금지
정치 개혁	• 제1차 선거법 개정: 부패 선거구, 신흥 상공업자에게 선거권 부여 • 차티스트 운동⑳ 으로 선거권 요구, 「인민헌장」 발표 자료 7
경제 개혁	곡물법㉑과 항해법 폐지

4. 러시아의 발전

Why? 19세기 러시아는 군사 대국이었으나 전제 정치와 농노제가 유지되고 있었어.

(1) **데카브리스트의 봉기** 자유주의 사상의 영향을 받은 젊은 장교들이 입헌 군주제 주장 → 실패

What? 12월에 일어났기 때문에 12월을 뜻하는 러시아어 '데카브리'에서 유래했어.

(2) **남하 정책 추진** 오스만 제국과 크림 전쟁 → 패배

(3) **알렉산드르 2세의 개혁** 농노 해방령 선포, 지방 의회 창설 → 불완전한 개혁

Why? 농노 해방은 농민들에게 실질적인 혜택을 주지 못했어.

(4) **브나로드 운동㉒** 지식인들이 주도한 민중 계몽 운동 → 실패

(5) **무정부주의자** 알렉산드르 2세 암살 → 전제 정치 강화

5. 이탈리아의 통일 자료 8

(1) **19세기 이탈리아** 여러 나라로 분열, 마치니의 청년 이탈리아당 운동 → 실패

(2) **사르데냐의 통일 운동** 카보우르 주도 → 오스트리아와의 전쟁에서 승리(프랑스의 지원) → 중 · 북부 이탈리아 통합

(3) **가리발디의 활동** 이탈리아 남부 원정에 나서 시칠리아 · 나폴리 점령 → 사르데냐 왕에게 바치면서 이탈리아 왕국 수립 → 베네치아 · 로마 교황령 점령

6. 독일의 통일 자료 8

(1) **관세 동맹** 프로이센 주도, 독일 내 국가들 사이의 관세 철폐

(2) **프랑크푸르트 의회** 정치적 통일 방안 논의 → 실패

How? 프로이센 중심의 통일안(소독일주의)과 오스트리아를 포함하는 통일안(대독일주의)이 대립했어.

(3) **프로이센의 통일 운동** 비스마르크 주도, 강력한 군비 확장 정책(철혈 정책㉓) → 오스트리아와의 전쟁에서 승리 → 북독일 연방 창설 → 프랑스와의 전쟁에서 승리 → 독일 제국 수립, 빌헬름 1세 즉위

Who? 나폴레옹 3세가 몰락하게 된 계기야.

What? 독일 제국에서 제외된 오스트리아는 오스트리아 · 헝가리 제국을 세웠어.

⑱ 7월 혁명

7월 혁명을 묘사한 그림으로, 자유의 여신이 오른손에는 프랑스 혁명 정신을 상징하는 삼색기를, 왼손에는 총을 들고 민중을 이끌고 있다.

⑲ 2월 혁명
2월 혁명의 영향으로 유럽 여러 나라에서는 자유주의와 민족주의 운동이 일어났는데, 특히 오스트리아에서는 3월 혁명이 일어나 메테르니히가 몰락하고 빈 체제가 붕괴되었다.

⑳ 차티스트 운동
6개 조항으로 이루어진 「인민헌장(People's Charter)」을 요구했기 때문에 붙여진 이름이다. 결국 실패했지만 훗날 연이은 선거법 개정으로 선거권이 점차 확대되었다.

㉑ 곡물법
수입 곡물에 관세를 부과하여 국내 지주를 보호하던 법으로, 나폴레옹 전쟁 직후 곡물 가격이 폭락하자 곡물의 수입을 제한하기 위해 제정되었다.

㉒ 브나로드 운동
'민중 속으로'라는 뜻으로 러시아의 현실에 절망한 많은 지식인들이 농민 계몽을 통한 사회 변혁에 나섰으나, 농민들의 공감을 얻지 못하고 정부의 탄압을 받아 실패하였다.

㉓ 철혈 정책
'독일의 통일은 연설과 다수결이 아니라 철과 피로써 해결할 수 있다.'는 비스마르크의 주장으로, 군비 확장에 힘쓴 결과 독일은 오스트리아와 프랑스를 물리치고 통일을 이루었다.

자료 7 차티스트 운동

❶ 차티스트 운동의 6개 요구 사항

1. 21세 이상 모든 남자의 선거권 인정
2. 유권자 보호를 위해 비밀 투표제 시행
3. 하원 의원의 재산 자격 조항 폐지
4. 하원 의원에게 보수 지급
5. 인구 비례에 따른 동등한 선거구 설정
6. 의원 임기를 1년으로 하여 매년 선거 시행

– 「인민헌장」, 1838 –

❷ 영국의 선거법 개정

구분	확대된 유권자
개정 전	귀족, 젠트리
제1차(1832)	도시의 신흥 상공업자
제2차(1867)	도시의 소시민과 노동자
제3차(1884)	농촌·광산의 노동자
제4차(1918)	21세 이상의 남자, 30세 이상의 여자
제5차(1928)	21세 이상의 남녀
제6차(1969)	보통 선거(18세 이상의 남녀)

뜯어보기 포인트
차티스트 운동은 노동자들의 선거권 확대 운동임을 기억하자.

차티스트 운동은 왜 일어났을까?
영국은 산업 혁명 이후 도시 인구가 증가하고 신흥 상공업자가 성장하면서 선거법을 개정했어. 제1차 선거법 개정으로 부패 선거구가 없어지고 신흥 상공업자에게 선거권이 확대되었지. 그러나 여전히 선거권을 받지 못한 노동자들은 「인민헌장」을 내걸고 차티스트 운동을 벌였어.

Q7 「인민헌장」에 대한 설명으로 옳지 않은 것을 모두 선택해 보자.

㉠ 비밀 선거를 주장하였다.
㉡ 차티스트 운동과 관련이 있다.
㉢ 선거권 확대 요구를 담고 있다.
㉣ 프랑스 혁명 과정에서 발표되었다.
㉤ 영국의 제1차 선거법 개정에 반영되었다.

자료 8 이탈리아와 독일의 통일

❶ 이탈리아의 통일 운동

이탈리아는 지금 매우 어려운 상황에 놓여 있습니다. 가리발디는 자신의 방식대로 나아가고 있습니다. ……
우리는 이 위기에서 벗어나, 반동적인 사람들의 완고함과 공화주의자들의 어리석은 생각에도 불구하고, 질서와 자유의 굳건한 기반 위에 우리의 국가를 건설할 것입니다. ……

– 카보우르의 의회 연설, 1860. –

❷ 독일의 철혈 정책

독일이 당면 과제를 수행하기 위해 눈여겨보아야 할 것은 프로이센의 자유주의가 아니라 군비일 것입니다. ……
연설과 과반수의 찬성으로 당면한 문제가 해결되지는 않습니다. 그것이 1848년과 1849년의 중대한 실수였습니다. 문제의 해결은 무엇보다도 '철과 피'를 통해서 가능합니다.

– 비스마르크의 의회 연설, 1862. –

뜯어보기 포인트
이탈리아와 독일의 통일로 국민 국가 체제가 형성되었음을 알아두자.

이탈리아는 어떻게 통일을 이루었을까?
이탈리아의 통일은 사르데냐 왕국을 중심으로 이루어졌어. 재상 카보우르는 오스트리아에 맞서 통일 전쟁을 일으켜 중·북부 이탈리아를 통합하였고, 남부에서는 가리발디가 시칠리아와 나폴리를 점령하여 이를 사르데냐 왕에게 바쳤지. 이로써 남북을 통합한 이탈리아 왕국이 탄생했고, 이후 베네치아와 로마 교황령을 점령하여 통일을 완성했어.

철혈 정책은 무슨 의미일까?
프로이센의 재상 비스마르크는 강력한 군비 확장(철)과 무력(혈)을 통한 통일 정책을 추진하여 빠른 속도로 독일을 통일시켰어.

Q8 독일 통일과 관련하여 옳은 것을 모두 선택해 보자.

㉠ 오스트리아 주도로 이루어졌다.
㉡ 가리발디가 남부 지역을 점령하였다.
㉢ 비스마르크가 철혈 정책을 추진하였다.
㉣ 베네치아와 로마 교황령을 점령하였다.
㉤ 관세 동맹으로 경제적 통일을 꾀하였다.

답 Q7 ㉣, ㉤ / Q8 ㉢, ㉤

7. 미국의 발전

(1) **독립 후 발전** 서부 개척, 태평양 연안까지 영토 확장, 산업 혁명 시작

(2) **남북 전쟁** 남부와 북부의 대립[24] → 링컨의 대통령 당선 → 남부 7주가 연방에서 탈퇴하면서 남북 전쟁 시작 → 링컨의 노예 해방 선언 → 북부 승리

Who? 노예 폐지와 연방주의를 내세웠어.

(3) **전후 미국의 발전** 대륙 횡단 철도 개통, 이민자 유입 → 강력한 자본주의 국가로 성장

㉔ 남부와 북부의 대립

남부	북부
대농장 발달	상공업 발달
노예제 찬성	노예제 반대
자유 무역	보호 무역
분권주의	연방주의

6 산업 혁명과 산업 사회의 형성 { 산업 혁명이 유럽에 가져온 변화는 무엇일까요?

1. 영국에서 시작된 산업 혁명

(1) **초기 자본주의의 발전** 신항로 개척 이후 상업 혁명, 인구 증가 → 선대제, 매뉴팩처 확산

(2) **산업 혁명** 기계의 발명과 기술의 혁신으로 일어난 산업상의 대변혁 자료 9

Where? 18세기 후반 영국에서 시작됐어.

① 배경: 철 · 석탄 등 풍부한 자원, 식민지 개척으로 넓은 시장 확보, 풍부한 노동력(인클로저 운동[25]), 자본 축적, 정치적 안정

Why? 다른 나라에 비해 일찍 시민 혁명을 겪었기 때문에 비교적 정치가 안정되었어.

② 면방직 기계 발명: 실을 뽑는 방적기와 천을 짜는 방직기 발명 → 공장제 기계 공업 확산

▲ 아크라이트의 수력 방적기

㉕ 인클로저 운동
16세기에 모직물 산업이 발달하면서 농경지에 울타리를 쳐서 방목지로 만들던 것이 1차 인클로저 운동이고, 18세기에 도시의 인구 증가로 곡물 가격이 오르자 지주들이 대농장을 확대한 것이 2차 인클로저 운동이다.

2. 동력 혁명과 교통 · 통신 혁명

동력	증기 기관 개량(제임스 와트) → 모든 기계의 동력으로 이용
교통	증기 기관차(스티븐슨), 증기선(풀턴) → 철도 부설, 도로와 운하 건설
통신	유선 전신(모스), 전화(벨), 무선 전신(마르코니)

3. 산업화의 확산 18세기 후반 영국 → 19세기 전반 벨기에(광업 · 제철), 프랑스(섬유) → 19세기 후반 독일(정부 주도, 중화학 공업), 미국(중화학 공업)

4. 산업 사회의 형성과 사회 문제

(1) **산업 혁명 이후 사회 변화** 공장제 기계 공업과 자본주의 경제 체제 확립 → 생산성 향상, 도시 인구 증가, 중간 계급 성장

Who? 산업 자본가나 전문직 종사자로 성장한 부유층으로 정치에 참여하며 영향력을 확대했어.

(2) **노동 문제** 열악한 작업 환경, 저임금 · 장시간 노동, 여성과 아동 노동 자료 10

5. 노동 운동과 사회주의의 등장

(1) **노동 운동** 기계 파괴 운동(러다이트 운동[26]), 노동조합 결성

(2) **공장법 제정** 장시간 노동 제한, 여성과 아동 보호

Where? 19세기에 영국에서 제정되었어.

(3) **사회주의의 등장**

① 초기 사회주의[27]: 생시몽 · 오언, 빈부 격차 없는 이상적 공동체 구상

② 과학적 사회주의[28]: 마르크스 · 엥겔스, 자본가와 노동자 사이의 계급 투쟁 주장

㉖ 러다이트 운동
기계의 도입이 일자리를 빼앗는다고 생각한 일부 노동자들이 '러드'라는 가상의 인물을 내세운 비밀조직을 만들어 기계 파괴 운동을 벌였다.

㉗ 초기 사회주의
산업 사회의 경쟁 체제와 빈부 격차를 비판하고 경쟁 대신 협동을 강조하였다. 대표적으로 프랑스의 생시몽과 푸리에는 이상적인 공동체를 구상하였고, 영국의 공장주 오언은 직접 영국과 미국에 협동촌을 건설하였다.

㉘ 과학적 사회주의
마르크스와 엥겔스는 초기 사회주의자들의 비현실성을 비판하면서 '과학적 사회주의'를 주창하였다. 그들은 자본주의 체제의 운동 법칙을 과학적으로 해명하려 하였고, 자본가와 노동자 사이의 계급 투쟁을 통해 평등한 공산주의 사회가 도래할 것이라고 주장하였다.

자료 9 산업 혁명

❶ 주요 국가의 공업 생산 비율

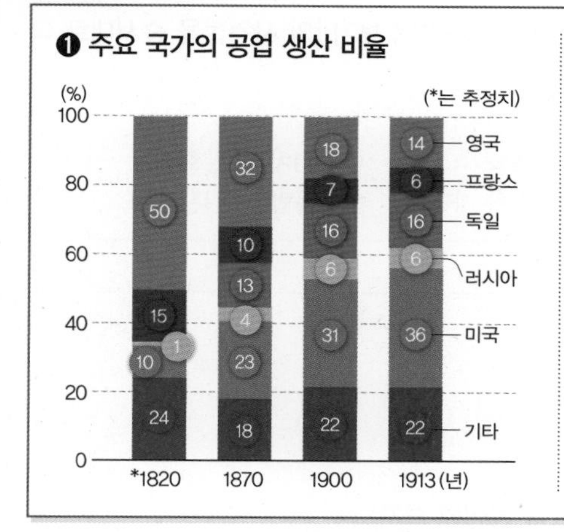

❷ 주요 공업 도시

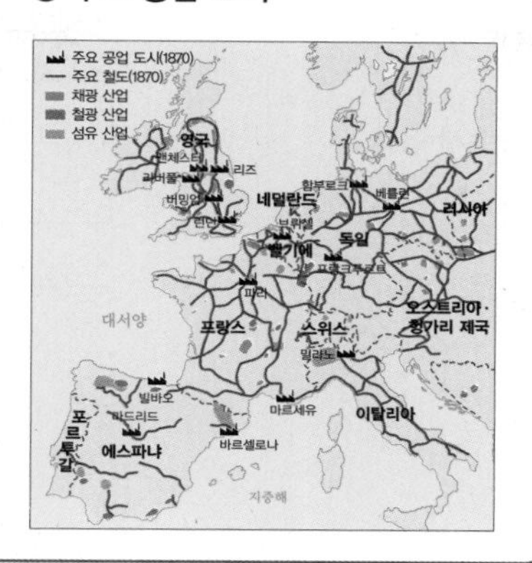

◎ 영국에서 가장 먼저 산업 혁명이 시작된 이유는 무엇일까?

영국은 철·석탄 등의 자원이 풍부하였고, 식민지 개척으로 넓은 시장이 있었으며, 인클로저 운동으로 토지를 잃은 농민들이 도시로 몰려들면서 노동력이 풍부했어. 게다가 모직물 공업으로 상당한 자본을 축적했고, 시민 혁명을 거치면서 정치도 안정되어 있었기 때문에 가장 먼저 산업 혁명이 시작됐어.

뜯어보기 포인트
영국에서 가장 먼저 산업 혁명이 시작된 이유를 잘 알아두자.

Q9 영국에서 가장 먼저 산업 혁명이 시작된 이유를 모두 선택해 보자.

㉠ 지하자원이 풍부하였다.
㉡ 사회주의 사상이 발달하였다.
㉢ 농노제가 오랫동안 유지되었다.
㉣ 절대 왕정이 산업 혁명을 후원하였다.
㉤ 토지에서 밀려난 노동력이 풍부하였다.

자료 10 노동 문제

질문 하루에 몇 시간씩 일했습니까?
답변 아침 5시부터 저녁 7시까지인데, 바쁘면 9시까지 한 적도 있습니다.
질문 일을 게을리하면 채찍질을 당했다는데 사실입니까?
답변 예, 사실입니다.

– 영국 의회에 제출된 『아동 노동 실태 보고서』, 1830. –

◎ 산업 혁명 이후 어떤 사회 문제가 나타났을까?

산업 혁명으로 생산성이 향상되고 생활도 풍요로워졌지만 노동자들의 생활은 비참했어. 열악한 작업 환경에서 장시간 노동에 시달렸고, 여성과 아동까지 일터로 내몰렸지. 급속한 도시화로 도시 인구가 너무 많아져 상하수도를 비롯한 위생 문제도 심각했어.

◎ 노동 문제를 해결하기 위한 노력은 무엇이었을까?

일부 노동자들은 기계 파괴 운동(러다이트 운동)을 벌였고 노동조합을 결성하기도 했어. 영국에서는 공장법을 제정하여 장시간 노동을 제한하고 여성과 아동을 보호하려 했지. 일부 지식인들은 자본주의를 비판하면서 사회주의 사상을 주장하기도 했어.

뜯어보기 포인트
산업 혁명 이후 각종 사회 문제가 발생하였고, 이를 해결하기 위한 노력도 있었음을 기억하자.

Q10 산업 혁명 이후 나타난 사회 변화를 모두 선택해 보자.

㉠ 중간 계급이 성장하였다.
㉡ 농촌 인구가 크게 증가하였다.
㉢ 노동자들의 생활이 풍요로워졌다.
㉣ 여성과 아동까지 일터로 내몰렸다.
㉤ 선대제 가내 수공업이 확산되었다.

답 Q9 ㉠, ㉤ / Q10 ㉠, ㉣

개념 익히기

정답과 해설 ▸ 79쪽

01 서로 관련 있는 내용끼리 연결해 보자.

ⓐ 홉스 • 　　　　• ㉠ 저항권 인정

ⓑ 로크 • 　　　　• ㉡ 절대 군주제 옹호

ⓒ 루소 • 　　　　• ㉢ 일반 의지에 따르는 국가 운영 주장

02 아래 설명이 맞으면 O표, 틀리면 X표를 해 보자.

(1) 애덤 스미스는 절대 왕정의 중상주의 정책을 뒷받침하였다. ( )

(2) 미국 혁명으로 의회 중심의 입헌 군주제 국가가 수립되었다. ( )

(3) 빈 체제는 유럽 각국의 자유주의와 민족주의 운동을 탄압하였다. ( )

(4) 차티스트 운동 결과 성인 남자의 보통 선거가 이루어졌다. ( )

(5) 독일은 국가 주도로 중화학 공업 분야에서 급속한 산업화를 이루었다. ( )

03 빈칸에 알맞은 말을 채워 보자.

(1) 영국 왕위에 오른 메리와 윌리엄은 의회가 제정한 ( )을/를 승인하였다.

(2) 재정 위기를 해소하기 위해 루이 16세는 ( )을/를 소집하였다.

(3) 미국은 ( )을/를 통해 아메리카에 대한 유럽의 불간섭을 주장하였다.

(4) 러시아의 ( )은/는 농노 해방령을 선포하고 개혁에 나섰다.

(5) 영국에서는 ( )이/가 제정되어 장시간 노동을 제한하고 여성과 아동을 보호하였다.

04 미국 혁명과 관련하여 | 보기 |의 사건들을 순서대로 나열해 보자.

| 보기 |

ㄱ. 파리 조약　　　ㄴ. 제1차 대륙 회의

ㄷ. 보스턴 차 사건　　　ㄹ. 「독립 선언문」 발표

05 아래의 표를 완성해 보자.

( )	• 바스티유 감옥 습격 • 「인권 선언」 발표
입법 의회	• 혁명전쟁 시작 • 왕권 정지
( )	• ( ) 처형 • 봉건적 공납 무상 폐지
총재 정부	( ) 몰락으로 성립
통령 정부	( )의 쿠데타로 성립

06 | 보기 |에서 혁명 결과 공화정이 수립된 것들을 적어 보자.

| 보기 |

명예혁명　　　미국 혁명　　　7월 혁명

2월 혁명　　　청교도 혁명

07 | 보기 |에서 독일의 통일과 관련 있는 것들을 적어 보자.

| 보기 |

마치니　가리발디　카보우르　프로이센　관세 동맹

비스마르크　사르데냐 왕국　프랑크푸르트 의회

2단계 내신 유형 익히기

총 문항수 12	처음 푼 날 월 일
정답과 해설 79쪽	오답 푼 날 월 일

01 밑줄 친 '과학 혁명'에 해당하지 않는 것은?

> 17세기를 전후한 시기에 일어난 과학의 발전과 세계관의 변화를 과학 혁명이라고 한다. 과학 혁명을 거치며 사람들은 점차 합리적인 사고를 존중하게 되었고, 이는 계몽사상의 토대가 되었다.

① 다윈은 「종의 기원」을 발표하였다.
② 케플러는 화성의 타원 운동을 밝혔다.
③ 코페르니쿠스는 지동설을 주장하였다.
④ 뉴턴은 '만유인력의 법칙'을 발견하였다.
⑤ 갈릴레이는 망원경으로 천체를 관측하였다.

02 빈출 (가), (나) 주장에 대한 설명으로 옳지 않은 것은?

> (가) 정치권력이 존재하지 않는 자연 상태에서 인간은 …… 서로 싸우는 전쟁 상태에 있다. …… (이를) 벗어나기 위해 강력한 정부가 요구되므로 인간은 개인행동의 자유를 지배자의 손에 맡기기 위한 일종의 합의나 계약을 하게 된다. 그러나 이 경우 지배자에게 무제한의 절대적 권력을 줘야 한다.
> (나) 자연 상태는 살기에 불편하므로 사람들은 공동 관심사인 사회와 정부를 세우기 위해 계약을 맺는다. …… 만일 정부가 자연권인 생명, 자유, 소유의 권리를 보장하지 않고 방자해진다면 물러나야 하며, 극단의 경우 혁명으로 타도할 수 있다.

① (가) – 절대 군주제를 옹호하였다.
② (가) – 자연 상태를 투쟁 상태로 보았다.
③ (나) – 정부에 저항하고 교체할 수 있다고 하였다.
④ (나) – 일반 의지에 따르는 국가 운영을 주장하였다.
⑤ (가), (나) – 계약을 통해 국가가 출현한다고 보았다.

03 빈출 다음 법령이 제정된 시기를 연표에서 옳게 고른 것은?

> • 유럽 이외 지방의 산물을 영국 및 그 식민지로 수입하는 경우 영국이나 그 식민지 선박으로 할 것
> • 외국품의 선적은 산지국 또는 최초의 선적국 항구에 한할 것

(가)	(나)	(다)	(라)	(마)

「권리 청원」 제출 – 찰스 1세 처형 – 심사법 제정 – 「권리 장전」 승인

① (가) ② (나) ③ (다) ④ (라) ⑤ (마)

04 교사의 질문에 대한 학생의 답으로 가장 적절한 것은?

교사: 이 그림을 통해 알 수 있는 것은 무엇일까요?

① 산업 혁명기 노동자의 삶을 표현하고 있어요.
② 아프리카 노예 노동의 실태를 고발하고 있어요.
③ 왕권에 저항하는 의회의 투쟁을 보여주고 있어요.
④ 봉건적 의무에 시달리는 제3 신분을 나타내고 있어요.
⑤ 무거운 세금을 부담하는 식민지인을 나타내고 있어요.

05 다음 문서에 대한 옳은 설명을 | 보기 |에서 고른 것은?

빈출

> 제1조 인간은 자유롭게 그리고 평등한 권리를 가지고 태어났다.
> 제2조 모든 정치적 결사의 목적은 자유, 소유, 안전 그리고 압제에 대한 저항이라는 그 무엇도 침해할 수 없는 인간의 자연권을 보전하는 데 있다.
> 제3조 모든 주권의 원천은 본래 국민에게 있다. 어떤 개인이나 단체라 하더라도 국민에게서 나오지 않은 권리를 행사할 수 없다.
> 제4조 법은 일반 의지의 표현이다. 모든 시민은 직접 또는 대표를 통해서 법 제정에 참여할 수 있는 권리를 갖는다. 법의 보호, 법에 따른 처벌에 있어서 만민은 평등하다.

| 보기 |

ㄱ. 미국 혁명 초기에 발표되었다.
ㄴ. 루소의 사상에 영향을 받았다.
ㄷ. 국민 주권 사상이 나타나 있다.
ㄹ. 입헌 군주제의 토대가 마련되었다.

① ㄱ, ㄴ ② ㄱ, ㄷ ③ ㄴ, ㄷ
④ ㄴ, ㄹ ⑤ ㄷ, ㄹ

06 밑줄 친 '이 체제'에 대한 저항으로 옳지 않은 것은?

> 나폴레옹 몰락 이후 성립한 이 체제는 보수적인 질서를 지키고자 러시아를 중심으로 신성 동맹을 결성하고, 곧이어 4국 동맹을 수립하여 유럽 각국의 자유주의와 민족주의 운동을 탄압하였다.

① 독일에서 부르셴샤프트 운동이 일어났다.
② 이탈리아에서 카르보나리단이 활동하였다.
③ 그리스가 오스만 제국으로부터 독립하였다.
④ 라틴아메리카에서 여러 나라가 독립하였다.
⑤ 파리 시민들이 바스티유 감옥을 습격하였다.

07 다음 법령이 발표되던 시기의 러시아 상황으로 옳은 것은?

> 농노는 적절한 시기에 자유로운 농민으로서의 모든 권리를 갖는다. 지주가 허락한다면 영구 사용권이 주어진 경지나 그 밖의 쓸모 있는 땅도 개인 소유로 할 수 있다. 농노는 토지를 지주로부터 되사는 방법으로 지주에 대한 의무에서 벗어나 진정 자유로운 농민의 신분이 된다.

① 신항로 개척에 나서 많은 식민지를 거느렸다.
② 오스만 제국과 크림 전쟁을 벌였으나 패하였다.
③ 인클로저 운동으로 농민들이 토지에서 밀려났다.
④ 시민 혁명을 거치며 정치적으로 안정되어 있었다.
⑤ 노예제 문제를 둘러싸고 남부와 북부가 대립하였다.

08 다음 국가의 통일 운동에 대한 설명으로 옳은 것은?

빈출

| 보기 |

ㄱ. 마치니가 청년 이탈리아당을 조직하였다.
ㄴ. 가리발디가 시칠리아와 나폴리를 점령하였다.
ㄷ. 관세 동맹을 통해 경제적 통합을 먼저 이루었다.
ㄹ. 프랑크푸르트 의회에서 통일 방안을 논의하였다.

① ㄱ, ㄴ ② ㄱ, ㄹ ③ ㄴ, ㄷ
④ ㄴ, ㄹ ⑤ ㄷ, ㄹ

09 (가), (나) 국가의 산업화에 대한 설명으로 옳지 않은 것은?

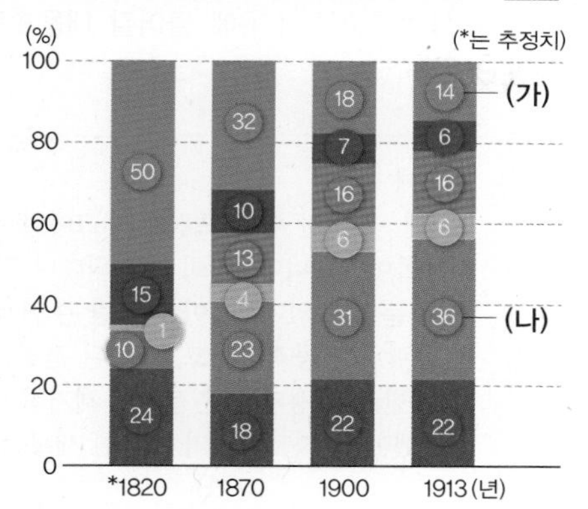

① (가) – 가장 먼저 산업 혁명이 시작되었다.
② (가) – 국가 주도로 급속한 산업화를 이루었다.
③ (가) – 노동 문제가 심각해지자 공장법을 제정하였다.
④ (나) – 풍부한 자원을 바탕으로 빠르게 성장하였다.
⑤ (나) – 대륙 횡단 철도가 개통되어 산업화를 촉진하였다.

10 밑줄 친 '이들'에 대한 옳은 설명을 | 보기 |에서 고른 것은?

> 산업 혁명 초기에 지식인들은 노동자들의 비참한 삶을 보고 큰 충격을 받았다. 그들은 노동자들의 불행이 자유 경쟁 체제 때문이라고 생각하여 협동과 공동체를 강조하였다. 이러한 초기 사회주의자들의 비현실성을 비판하면서 '과학적 사회주의'를 주창한 사람들도 있었는데, 이들은 자본주의 체제의 운동 법칙을 밝히면서 필연적으로 공산주의 사회가 도래할 것이라고 보았다.

| 보기 |
ㄱ. 마르크스, 엥겔스 등이 대표적이다.
ㄴ. 직접 영국과 미국에 협동촌을 건설하였다.
ㄷ. 기계 파괴 운동(러다이트 운동)을 주도하였다.
ㄹ. 자본가와 노동자 사이의 계급 투쟁을 강조하였다.

① ㄱ, ㄴ ② ㄱ, ㄹ ③ ㄴ, ㄷ
④ ㄴ, ㄹ ⑤ ㄷ, ㄹ

서술형 문제

11 다음을 읽고 물음에 답해 보자.

> 모든 사람은 평등하게 태어났으며, 창조주로부터 생명 · 자유 · 행복 추구를 포함하여 타인에게 양도할 수 없는 확실한 권리를 부여받았다. 이 권리를 지키기 위해 사람들은 정부를 만들었으며, 이 정부의 정당한 권력은 통치를 받는 사람들의 동의로부터 나오는 것이다. 만일 어떠한 형태의 정부이든 이러한 권리를 침해한다면, 사람들은 그 정부의 형태를 바꾸거나 폐지하여 인민의 안전과 행복을 가장 잘 이룩할 수 있는 새로운 정부를 조직하는 것이 인민의 권리인 것이다.

(1) 위 선언문이 발표된 혁명을 써보자.

(2) 위 선언문에 나타난 민주주의 이념을 서술해 보자.

서술형 문제

12 다음 글을 읽고 물음에 답해 보자.

> • 방직 공장에 9세 미만 아동의 노동을 금지한다.(1833)
> • 9~13세 아동은 하루에 8시간, 14~17세 청소년은 하루에 12시간을 초과하여 노동할 수 없다(1833).
> • 여성과 아동의 탄광 노동을 금지한다(1842).

(1) 위 법의 명칭을 써보자.

(2) 위 법이 제정되게 된 배경을 서술해 보자.

01 (가)에 들어갈 내용으로 적절하지 않은 것은?

> 1. 계몽사상
>
> (1) 의미: 인간의 이성으로 낡은 관습과 미신을 타파하여 사회가 진보할 수 있다고 믿는 사상
> (2) 대표사상가: ____(가)____
> (3) 영향: 프랑스 혁명에 영향

① 루소 – 사회계약설 주장
② 디드로 – 『백과전서』 편찬
③ 몽테스키외 – 삼권 분립 주장
④ 애덤 스미스 – 중상주의 뒷받침
⑤ 볼테르 – 신앙과 언론의 자유 강조

02 중요 (가), (나) 문서 사이의 시기에 있었던 사실로 옳지 않은 것은?

> (가) 현재 의회에 소집된 성직자, 귀족, 평민은 지극히 높으신 국왕 폐하께 다음과 같이 탄원한다.
> 제1조 …… 폐하의 신민은 의회에서 만장일치로 동의한 것이 아니면 어떠한 세금, 차입금, 기부금 및 기타 이와 유사한 부조금을 내도록 강제당하지 않을 자유를 누린다.
> (나) 제1조 '왕은 의회의 동의 없이 법률의 효력 정지 및 집행 정지를 할 권한이 있다.'라는 주장은 위법이다.
> 제4조 왕이 대권을 구실로 하여 의회의 동의 없이 …… 왕이 쓰기 위한 비용을 과세하는 것은 위법이다.

① 토리당과 휘그당이 의회에서 대립하였다.
② 찰스 1세가 처형되고 공화정이 수립되었다.
③ 크롬웰이 의회를 해산하고 호국경에 올랐다.
④ 왕당파와 의회파 사이에 내란이 발생하였다.
⑤ 의회 다수당이 내각을 구성하여 통치하였다.

03 다음 가상 편지에서 (가)에 들어갈 내용으로 적절하지 않은 것은?

> ○○께
> 지난 몇 년간 이곳 프랑스는 그야말로 혼돈의 소용돌이였습니다. 왕이 처형되다니 상상도 할 수 없는 일이었지요. 이에 놀란 주변국들은 우리 프랑스를 공격하였고, 계속된 전쟁으로 위기에 처한 자코뱅파는 온건파를 제거하고 권력을 장악했어요. 자코뱅파가 수립한 새로운 정부는 ____(가)____.

① 봉건적 공납을 무상으로 폐지했어요.
② 징병제를 통해 국민군을 조직했어요.
③ 혁명 재판소를 통해 반대파를 처형했어요.
④ 프랑스 은행을 설립하고 산업을 장려했어요.
⑤ 물가 안정을 위해 최고 가격제를 도입했어요.

04 중요 밑줄 친 '그'에 대한 옳은 설명을 | 보기 |에서 고른 것은?

> • 나는 얼마 전 프로이센의 부패한 관료 제도를 파괴하고 있는 그를 보고 '살아 있는 세계 정신'이라며 감격하였다. 보편적인 프랑스 혁명을 전파하는 그의 앞길에 영광이 있으라.
> • 지금 독일은 그의 침략을 받아 나락에 빠져 있다. 그는 자신이 가진 이상이 아무리 좋다고 해도 다른 나라의 주권과 자유를 짓밟는 침략자에 불과하다.

| 보기 |
ㄱ. 총재 정부를 무너뜨리고 권력을 장악하였다.
ㄴ. 항해법을 제정하여 네덜란드에 타격을 주었다.
ㄷ. 영국과의 교역을 금지하는 대륙 봉쇄령을 내렸다.
ㄹ. 빈 체제를 주도하며 자유주의 운동을 탄압하였다.

① ㄱ, ㄴ ② ㄱ, ㄷ ③ ㄴ, ㄷ
④ ㄴ, ㄹ ⑤ ㄷ, ㄹ

05 (가), (나)와 관련 있는 사건에 대한 설명으로 옳은 것은?

> (가) 반동적인 과두 정부(7월 왕정)는 파리 민중의 영웅적인 행위로 물러났다. …… 임시 정부는 공화정을 바란다.
>
> (나) 21세 이상 모든 남자의 선거권 인정. 유권자 보호를 위해 비밀 투표제 시행. 하원 의원의 재산 자격 조항 폐지. 하원 의원에게 보수 지급. 인구 비례에 따른 동등한 선거구 설정. 의원 임기를 1년으로 하여 매년 선거 시행

① (가) – 루이 필리프가 대통령에 당선되었다.
② (가) – 의회 중심의 입헌 군주제가 수립되었다.
③ (나) – 빈 체제가 붕괴하게 된 계기가 되었다.
④ (나) – '러드'라는 가상 인물을 내세워 전개되었다.
⑤ (가), (나) – 노동자들이 선거권 확대를 요구하였다.

06 (가), (나) 인물의 활동을 | 보기 |에서 고른 것은?

> (가) 이탈리아는 지금 매우 어려운 상황에 놓여 있습니다. 가리발디는 자신의 방식대로 나아가고 있습니다. …… 당파 싸움으로 쉽게 흔들리지 않는 정직하고 강한 정부는 의회를 통해 이익을 얻을 수 있습니다.
>
> (나) 비록 빈약한 우리 몸보다 군비가 무겁다 해도 그것이 우리에게 이롭다면 그것에 익숙해지려는 정열을 가져야 합니다. 독일이 당면 과제를 수행하기 위해 눈여겨보아야 할 것은 프로이센의 자유주의가 아니라 군비입니다.

보기

ㄱ. (가) – 시칠리아와 나폴리를 점령하였다.
ㄴ. (가) – 사르데냐 왕국의 재상으로 활동하였다.
ㄷ. (나) – 강력한 군비 확장 정책을 실시하였다.
ㄹ. (나) – 독일 제국을 선포하고 황제로 즉위하였다.

① ㄱ, ㄴ ② ㄱ, ㄹ ③ ㄴ, ㄷ
④ ㄴ, ㄹ ⑤ ㄷ, ㄹ

07 밑줄 친 '내전'이 일어나게 된 배경으로 옳지 않은 것은?

> 지금으로부터 87년 전 우리 조상들은 자유가 실현됨과 동시에 모든 인간은 천부적으로 평등하다는 원리가 충실하게 지켜지는 새로운 나라를 이 대륙에서 탄생시켰습니다. 우리는 지금 대대적으로 내전 상태에 휩싸인 채 우리 조상들이 그토록 자유가 실현되길 바라며 그토록 소중한 원리가 충실히 지켜지길 원했던 국가가 얼마나 오랫동안 존립할 수 있을지 우려되는 시련을 겪고 있습니다.

① 남부와 북부의 대립이 격화되었다.
② 남부 7개 주가 연방에서 탈퇴하였다.
③ 영국이 인지세, 차세 등을 부과하였다.
④ 노예제를 반대하는 대통령이 당선되었다.
⑤ 자유 무역론과 보호 무역론이 대립하였다.

08 다음 탐구 과제를 수행하기 위한 활동으로 적절하지 않은 모둠은?

> 〈탐구 계획서〉
> ○ 탐구 주제: 산업 사회의 빛과 그림자
> ○ 탐구 내용
> • 1모둠: 산업 혁명의 시작
> • 2모둠: 동력 혁명
> • 3모둠: 교통 · 통신 혁명
> • 4모둠: 산업 사회의 형성
> • 5모둠: 사회 문제

① 1모둠 – 독일의 산업 혁명 과정을 알아본다.
② 2모둠 – 증기 기관의 활용 범위를 찾아본다.
③ 3모둠 – 스티븐슨과 풀턴의 활동을 조사한다.
④ 4모둠 – 주요 국가의 도시화 비율을 알아본다.
⑤ 5모둠 – 여성과 아동의 노동 실태를 파악한다.

심화 수능 유형 익히기

총 문항수 2 | 처음 푼 날 월 일
정답과 해설 81쪽 | 오답 푼 날 월 일

01 (가) 체제에 대한 설명으로 옳지 않은 것은?

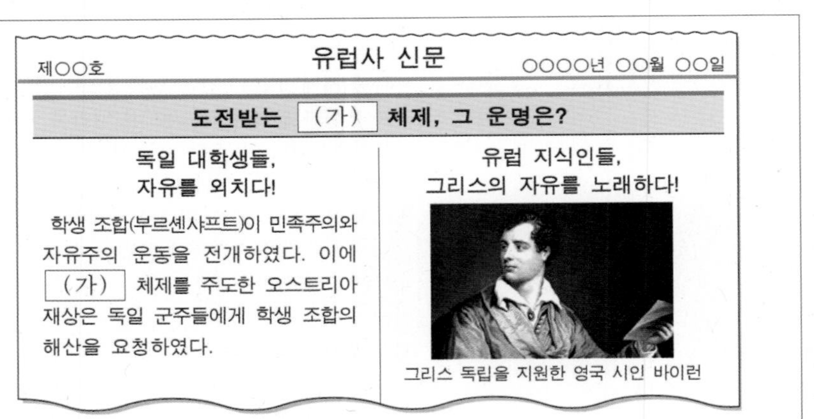

제○○호 유럽사 신문 ○○○○년 ○○월 ○○일

도전받는 (가) 체제, 그 운명은?

독일 대학생들, 자유를 외치다!

학생 조합(부르셴샤프트)이 민족주의와 자유주의 운동을 전개하였다. 이에 (가) 체제를 주도한 오스트리아 재상은 독일 군주들에게 학생 조합의 해산을 요청하였다.

유럽 지식인들, 그리스의 자유를 노래하다!

그리스 독립을 지원한 영국 시인 바이런

① 나폴레옹 몰락 후 성립하였다.
② 신성 동맹으로 결속이 강화되었다.
③ 정통주의와 세력 균형 원칙을 내세웠다.
④ 프로이센 · 프랑스 전쟁으로 붕괴되었다.
⑤ 자유주의와 민족주의 운동을 탄압하였다.

유형 분석
가상 문서를 분석하는 유형이야.

해결 비법
독일의 학생 조합 운동과 그리스의 독립 운동이 빈 체제에 저항한 것임을 알 수 있어. 빈 체제를 주도한 '오스트리아의 재상'은 메테르니히겠지. 신문뿐만이 아니라 가상으로 쓴 일기, 편지, 상소문 등 다양한 형식으로 출제되는데 그 내용을 보고 당시 상황을 잘 파악할 수 있어야 해.

02 다음 대화의 주제로 가장 적절한 것은?

① 크롬웰의 독재 정치
② 러시아의 근대화 운동
③ 나폴레옹의 내정 개혁
④ 이탈리아의 통일 운동
⑤ 영국의 자유주의 개혁

유형 분석
가상 대화 내용을 이해하는 유형이야.

해결 비법
가상 대화는 핵심이 간략하게 나와 있기 때문에 잘 파악해야 해. 게다가 셋의 공통된 주제를 찾을 때는 모든 내용을 아우를 수 있는 주제인지 생각해 봐야지. 대화는 당시 인물들의 대화일 수도 있고, 현재 학생들의 대화일 수도 있어. 당시 인물들의 대화라면 그림에서 좀 더 정보를 알아낼 수도 있어.

심화 기출 지문 활용하기

총 문항수 6	처음 푼 날 월 일
정답과 해설 81쪽	오답 푼 날 월 일

2017학년도 수능

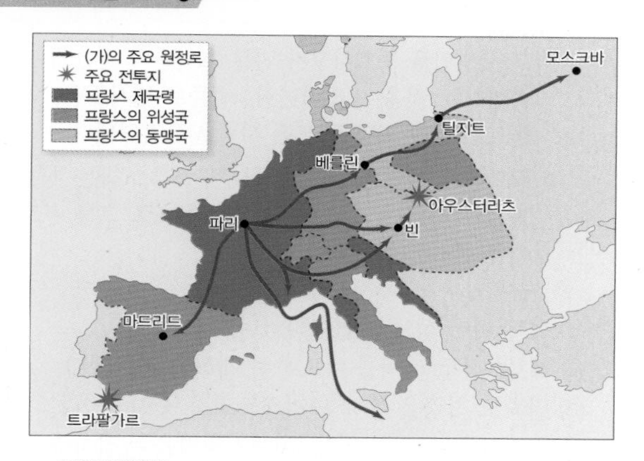

서술형 문제

01 (가) 인물의 정복 전쟁이 유럽 사회에 끼친 영향을 서술해 보자.

수능 문제

02 (가) 인물에 대한 설명으로 옳지 않은 것은?

① 대륙 봉쇄령을 내렸다.
② 총재 정부를 수립하였다.
③ 워털루에서 전투를 벌였다.
④ 이집트 원정을 단행하였다.
⑤ 노트르담 대성당에서 황제로 즉위하였다.

활용 문제

03 (가) 인물의 내정 개혁으로 옳지 않은 것은?

① 혁명 재판소를 설치하였다.
② 프랑스 은행을 설립하였다.
③ 국민 교육 제도를 정비하였다.
④ 명예 훈장 제도를 실시하였다.
⑤ 『나폴레옹 법전』을 편찬하였다.

2017학년도 수능

○ (가) 은/는 식민지 대표들이 본국에 대항하면서 발발하였다. 이들은 대륙 회의를 개최하여 대륙군을 창설하고 총사령관을 임명하였다. 대륙군은 요크타운 전투에서 승리를 거두며 전쟁을 종결지었다.

○ (나) 은/는 새로운 대통령이 당선되자 노예제 문제 등으로 북부와 갈등을 빚던 남부의 여러 주가 연방에서 탈퇴하면서 발발하였다. 연방 정부는 게티즈버그 전투에서 승리를 거두며 전쟁의 흐름을 주도하였다.

서술형 문제

04 (가) 전쟁 결과 수립된 국가의 정치 형태를 서술해 보자.

수능 문제

05 (가), (나) 전쟁에 대한 설명으로 옳은 것은?

① (가) – 프랑스가 군사적으로 개입하였다.
② (가) – 입법 의회가 혁명전쟁을 선포하였다.
③ (나) – 프랑스 혁명에 영향을 끼쳤다.
④ (나) – 파리 조약의 체결로 마무리되었다.
⑤ (가), (나) 사이의 시기에 7년 전쟁이 발발하였다.

활용 문제

06 (가), (나) 전쟁 사이의 시기에 미국에서 있었던 사실로 옳지 않은 것은?

① 새로운 헌법을 제정하였다.
② 대륙 횡단 철도가 완성되었다.
③ 파리 조약으로 독립을 승인받았다.
④ 태평양 연안까지 영토가 확대되었다.
⑤ 워싱턴이 초대 대통령으로 선출되었다.

대주제 4 마무리하기

난이도 / 상●●● / 중●●● / 하●●●
정답률 / 50% 미만 / 50~70% / 70%이상

01 다음 시기의 아테네 정치에 대한 설명으로 옳은 것은?

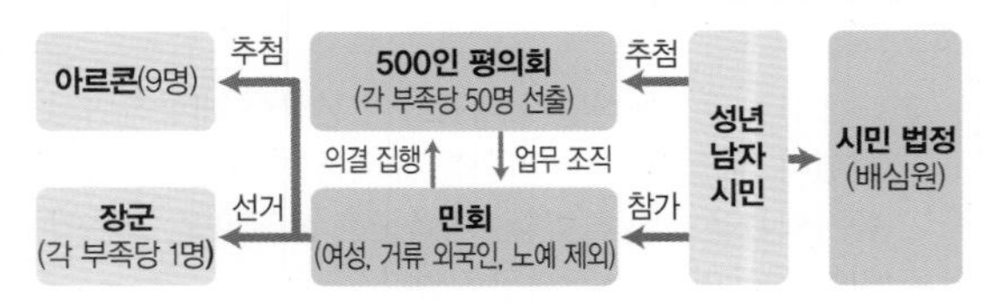

① 도편 추방제가 처음 도입되었다.
② 콘스탄티노폴리스를 수도로 하였다.
③ 재산 정도에 따라 참정권이 주어졌다.
④ 집정관 중 1명을 평민에서 선출하였다.
⑤ 공무를 담당하는 시민에게 수당이 지급되었다.

02 다음은 어느 인물의 원정로를 나타낸 지도이다. 이 인물에 대한 설명으로 옳은 것은?

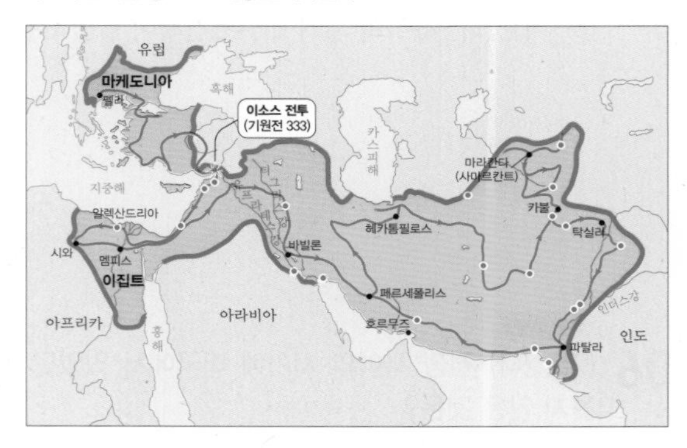

① 궁정 학교를 세우고 고전을 연구하였다.
② 주요 도시를 잇는 '왕의 길'을 정비하였다.
③ 악티움 해전에서 안토니우스를 격파하였다.
④ 제국을 4등분하여 효율적으로 통치하고자 하였다.
⑤ 정복지 곳곳에 자신의 이름을 딴 도시를 건설하였다.

03 밑줄 친 '그'에 대한 설명으로 옳은 것은?

> ○ 그는 평민을 보호하고자 만든 호민관의 권한에 만족한다는 것을 드러내면서, 선물로 병사들을, 곡물로 시민을, 평화로 모든 사람을 유혹하였다.
> ○ 원로원과 인민은 그에게 '아우구스투스'라는 칭호를 부여하였다. 그들은 특별한 칭호로 그를 부르기를 원하였다.

① 성 소피아 성당을 건축하였다.
② 제1차 삼두 정치를 주도하며 개혁을 이끌었다.
③ 밀라노 칙령을 통해 크리스트교를 공인하였다.
④ 스스로를 '프린켑스'라 부르며 권력을 독점하였다.
⑤ 투르·푸아티에 전투에서 이슬람 세력을 물리쳤다.

04 밑줄 친 '이 도시'에서 볼 수 있는 문화유산으로 옳은 것은?

> 이 도시는 기원전 7세기경 그리스인들에 의해 형성되었는데, 4세기 전반에 로마 제국의 새로운 수도가 되었다. 비잔티움 제국의 수도로서, 유럽과 아시아를 잇는 길목에 위치하여 동서 교통의 중심지이자 상공업과 무역의 중심지로 성장하였다. 1453년에는 술탄 메메트 2세가 이 도시를 점령하면서 오스만 제국의 수도가 되었다.

① 
②  
③ 
④ 
⑤  

05 다음 연설이 있었던 시기의 유럽 사회의 모습으로 옳은 것은?

> 예루살렘, 안티오크 및 그 밖의 도시들에서 크리스트교도가 박해를 받고 있다. 신을 믿지 않는 튀르크인의 진출은 그칠 줄 모르고 콘스탄티노폴리스로 다가오고 있으니, 성지의 형제들을 구하자. …… 예수의 성묘가 있는 곳으로 가지 않겠는가? 젖과 꿀이 흐르는 땅은 신이 그대들에게 내린 토지이다. 이 땅에서 불행한 자와 가난한 자는 그 땅에서 번영할 것이다.

① 교황청이 아비뇽으로 옮겨졌다.
② 고딕 양식의 건축이 유행하였다.
③ 삼포제의 도입으로 농업 생산력이 증대하였다.
④ 위클리프가 성서에 기초한 신앙을 강조하였다.
⑤ 영국과 프랑스의 대립으로 백년 전쟁이 전개되었다.

06 (가), (나) 인물에 대한 설명으로 옳은 것은?

① (가) – 영국 국교회를 확립하였다.
② (가) – 콘스탄츠 공의회에서 이단으로 규정되었다.
③ (나) – 「95개조 반박문」을 게시하였다.
④ (나) – 신흥 상공업자들의 큰 호응을 받았다.
⑤ (가), (나) – 아우크스부르크 화의에서 인정되었다.

07 (가)~(라)에 대한 옳은 설명을 | 보기 |에서 고른 것은?

발견기념비

보기

ㄱ. (가) – 포르투갈의 신항로 개척을 지원하였다.
ㄴ. (나) – 인도로 가는 새로운 통상로를 개척하였다.
ㄷ. (다) – 대서양을 건너 서인도 제도에 도착하였다.
ㄹ. (라) – 지구를 한 바퀴 돌아 세계 일주에 성공하였다.

① ㄱ, ㄴ ② ㄱ, ㄹ ③ ㄴ, ㄷ
④ ㄴ, ㄹ ⑤ ㄷ, ㄹ

08 다음 주장이 제기된 시기의 유럽 문화에 대한 설명으로 옳지 않은 것은?

> 나는 기술이 아니라 철학을, 인공적인 힘이 아니라 자연의 힘을 설명하고자 한다. …… 다시 말하면 운동 현상으로부터 자연의 여러 힘을 연구하고 이렇게 알게 된 힘들로부터 다른 자연 현상들을 설명하는 것이다. …… 나는 우리가 다른 자연 현상들도 이렇게 역학적인 사고방식으로 설명할 수 있다고 믿는다.

① 베이컨이 경험론의 토대를 마련하였다.
② 데카르트가 합리주의 철학을 수립하였다.
③ 갈릴레이가 새로운 운동 법칙을 발견하였다.
④ 베살리우스가 인체 해부학의 토대를 마련하였다.
⑤ 마키아벨리가 강력한 군주의 필요성을 역설하였다.

정답과 해설 ▸ 82쪽

09 다음 혁명의 결과로 옳은 것을 | 보기 |에서 고른 것은?

| 보기 |

ㄱ. 의회 중심의 입헌 군주제가 수립되었다.
ㄴ. 메리와 윌리엄이 공동 왕으로 추대되었다.
ㄷ. 찰스 1세가 처형되고 공화정이 수립되었다.
ㄹ. 크롬웰이 호국경에 올라 독재 정치를 펼쳤다.

① ㄱ, ㄴ ② ㄱ, ㄹ ③ ㄴ, ㄷ
④ ㄴ, ㄹ ⑤ ㄷ, ㄹ

10 다음 주장이 나타나게 된 계기로 가장 적절한 것은?

어떤 사람은 아메리카가 대영 제국과의 연계 속에서 번성했으며, 그러한 연대가 아메리카의 장래 번영에 필요하며 같은 결과를 가져다줄 것이라고 말한다. 이런 주장보다 더 거짓된 것은 없다. …… 우리가 영국과의 관계로 인해 받는 손해나 불이익은 헤아릴 수 없이 많다.

① 영국이 항해법을 제정하였다.
② 링컨이 노예 해방을 선언하였다.
③ 미국이 먼로 선언을 발표하였다.
④ 영국과 식민지 군대가 충돌하였다.
⑤ 라틴아메리카의 여러 나라가 독립하였다.

11 다음 가상 인터뷰에서 (가)에 들어갈 내용으로 가장 적절한 것은?

기자: 대륙 봉쇄령을 내린 이유는 무엇인가요?
나폴레옹: (가)

① 명예혁명이 확산되는 것을 막기 위해서입니다.
② 그리스의 독립 운동을 지원하기 위해서입니다.
③ 신성 동맹이 결성되는 것을 막기 위해서입니다.
④ 네덜란드에게 경제적 타격을 주기 위해서입니다.
⑤ 영국과 유럽 대륙의 교역을 금지하기 위해서입니다.

12 다음과 같은 문제를 해결하기 위한 노력으로 적절하지 않은 것은?

질문: 지금 몇 살이고 언제부터 공장에서 일했습니까?
답변: 올해 스물세 살이고 여섯 살 때부터 일했습니다.
질문: 하루에 몇 시간씩 일했습니까?
답변: 아침 5시부터 저녁 7시까지인데, 바쁘면 9시까지 한 적도 있습니다.
질문: 일을 게을리 하면 채찍질을 당했다는데 사실입니까?
답변: 예, 사실입니다.

① 사회주의 사상이 출현하였다.
② 영국에서 공장법이 제정되었다.
③ 노동자들이 노동조합을 결성하였다.
④ 마르크스가 계급 투쟁을 주장하였다.
⑤ 제임스 와트가 증기 기관을 개량하였다.

정답과 해설 ▸ 83쪽

❖ 다음을 읽고 물음에 답해 보자.

(가) 뉴턴의 우주관

나는 기술이 아니라 철학을, 인공적인 힘이 아니라 자연의 힘을 설명하고자 한다. …… 다시 말하면 운동 현상으로부터 자연의 여러 힘을 연구하고 이렇게 알게 된 힘들로부터 다른 자연 현상들을 설명하는 것이다. …… 나는 우리가 다른 자연 현상들도 이렇게 역학적인 사고방식으로 설명할 수 있다고 믿는다.

– 뉴턴, 『프린키피아』 –

(나) 루소의 주장

인간은 자연 상태에서 자유롭고 평등하지만 오직 본능에 따르기 때문에 개인의 자유와 재산을 보장할 수 없으므로 사회 계약을 맺는다. 인간은 계약을 맺음으로써 자연적 자유 대신 정의와 도덕에 의거하는 법적 자유를 얻는다. 계약을 통해 구성된 국가의 주권은 전체로서의 인민에 있으며, 전체 인민이 통치자라야 한다. 주권은 공공의 복리를 지향하는 초개인적 의사인 일반 의지의 작용이다.

– 루소, 『사회 계약론』 –

(다) 「인간과 시민의 권리 선언」

제1조 인간은 자유롭게, 그리고 평등한 권리를 가지고 태어났다.

제2조 모든 정치적 결사의 목적은 그 무엇도 침해할 수 없는 인간의 자연권을 보전하는 데 있다. 그 권리는 자유, 재산, 안전 및 압제에 대한 저항이다.

제3조 모든 주권의 원천은 본래 국민에게 있다. 어떤 개인이나 단체라 하더라도 국민에 게서 나오지 않은 권위를 행사할 수 없다.

제6조 법은 일반 의지의 표현이다. 모든 시민은 직접 또는 대표를 통해서 법 제정에 참여할 수 있는 권리를 갖는다. 법의 보호, 법에 의한 처벌에 있어서 만민은 평등해야 한다.

제17조 소유권은 그 무엇도 침해할 수 없는 신성한 권리이므로 공적인 필요성이 명백히 존재하여 그것이 합법적으로 인정되고, 또 미리 정당한 보상을 제시한 경우가 아니고는 어느 누구도 그것을 빼앗을 수 없다.

더 알아보기

코페르니쿠스, 케플러, 갈릴레이 등은 지동설을 주장하여 중세의 우주관에 의문을 제기하였고, 로크는 사회 계약으로 수립된 정부가 제 역할을 하지 못할 때 정부에 저항하거나 교체할 수 있다고 주장하였다. 대표적인 계몽사상가인 볼테르는 신앙과 언론의 자유를 강조하였고, 몽테스키외는 삼권 분립의 정치 형태를 주장하였다.

논술 갈라잡이

과학 혁명을 통해 발전한 합리적 사고가 사회 계약설, 계몽사상 등으로 이어졌고, 계몽사상이 시민 혁명의 이념적 바탕이 되었음을 서술하자.

01 (가)~(다)를 바탕으로 근대 의식의 발전이 시민 혁명에 어떻게 영향을 주었는지 서술하시오.

대주제 5

제국주의와 두 차례의 세계 대전

학습 계획표

- 자신의 일정에 맞게 계획을 세우고, 실제 학습일을 적어 봅시다.
- 학습을 마무리한 후 스스로가 얼마나 학습 목표를 달성하였는지 점검해 봅시다.

주제 12 제국주의와 민족 운동	쪽수	계획일	완료일	목표 달성도
Day 35 개념 정리, 자료 뜯어보기	186~193쪽	월 일	월 일	☆☆☆☆☆
Day 36 개념 익히기, 내신 유형 익히기	194~197쪽	월 일	월 일	☆☆☆☆☆
Day 37 내신 만점 도전하기, 수능 유형 익히기, 기출 지문 활용하기	198~201쪽	월 일	월 일	☆☆☆☆☆

주제 13 두 차례의 세계 대전	쪽수	계획일	완료일	목표 달성도
Day 38 개념 정리, 자료 뜯어보기	202~207쪽	월 일	월 일	☆☆☆☆☆
Day 39 개념 익히기, 내신 유형 익히기	208~211쪽	월 일	월 일	☆☆☆☆☆
Day 40 내신 만점 도전하기, 수능 유형 익히기, 기출 지문 활용하기	212~215쪽	월 일	월 일	☆☆☆☆☆
Day 41 대주제 마무리하기, 비판적 사고 기르기	217~219쪽	월 일	월 일	☆☆☆☆☆

주제 12

제국주의와 민족 운동

주제 흐름 읽기

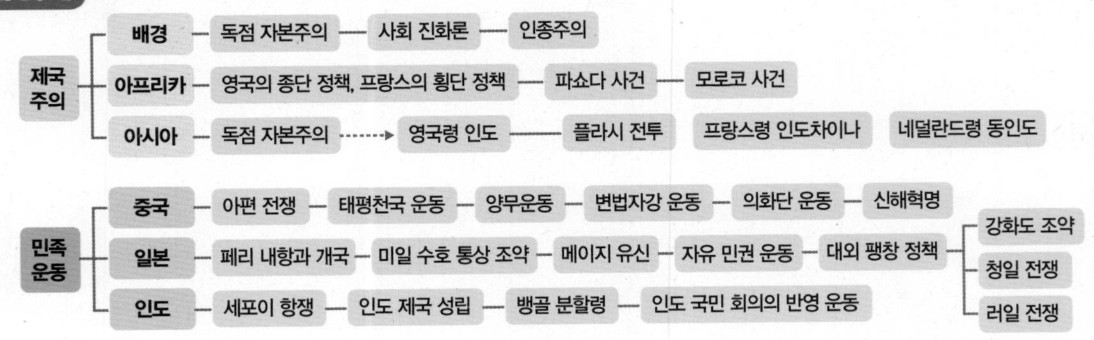

1 제국주의와 세계 분할

제국주의는 왜 생겼을까요?
그리고 그 결과는 무엇일까요?

1. 제국주의의 등장

(1) 제국주의[❶] When? 19세기 후반에서 20세기 초에 나타났어.

독점 자본주의	고도로 발달된 자본주의 경제로 값싼 원료 공급지와 제품의 판매 시장, 국내 잉여 자본의 투자처를 확보
인종주의 사회 진화론	"서양인은 미개한 비서양인을 문명화시켜야한다."는 인종주의와 다윈의 진화론을 바탕으로 "우수한 인종만이 생존하고 열등한 인종은 도태된다."는 사회 진화론[❷]을 바탕으로 식민지 쟁탈전에 참여

2. 열강의 아프리카 분할과 아시아 식민 지배

(1) 열강의 아프리카 분할

영국	이집트 카이로에서 케이프타운까지 잇는 종단 정책을 추진
프랑스	서아프리카(알제리)를 기점으로 마다가스카르까지 동서를 연결하는 횡단 정책을 펼침
파쇼다 사건 (1898)	영국의 종단 정책과 프랑스의 횡단 정책의 대립으로 영국과 프랑스는 파쇼다에서 충돌함
벨기에, 독일	독일, 벨기에 등도 아프리카 분할에 참가, 독일과 프랑스는 모로코에서 두 차례 충돌함(모로코 사건[❸])

(2) 열강의 아시아 식민 분할

영국 자료 1	• 인도: 17세기 초 동인도 회사를 앞세워 진출, 플라시 전투(1757)에서 프랑스를 이긴 후 19세기 중엽 인도 대부분 점령, 목화 재배 강요 · 영국의 면직물 판매 • 동남아시아: 자와섬에 농장 건설(차, 사탕수수)
네덜란드	인도네시아: 동인도 회사를 앞세워 진출, 차 · 사탕수수 농장 건설
프랑스	베트남, 캄보디아 일대: 프랑스령 인도차이나 연방 조직(1887) 자료 2
미국	필리핀: 에스파냐를 물리치고 식민지로 삼음(1898) 자료 2

❶ **제국주의**
19세기 후반 경제력과 군사력을 앞세워 식민지를 넓히기 위한 서구 열강의 적극적인 대외 팽창 정책이다.

❷ **사회 진화론**
다윈의 진화론에 주장된 적자생존의 원칙을 사회에 적용하여 체계화한 스펜서의 사회 진화론은 19세기 제국주의 정책을 뒷받침하였다.

❸ **모로코 사건**
1905년과 1911년 두 번에 걸쳐 독일과 프랑스가 아프리카 모로코 지역의 지배를 두고 충돌한 사건으로 두 차례 모두 영국이 프랑스를 지원하여 모로코에서의 독일 진출이 억제되었다.

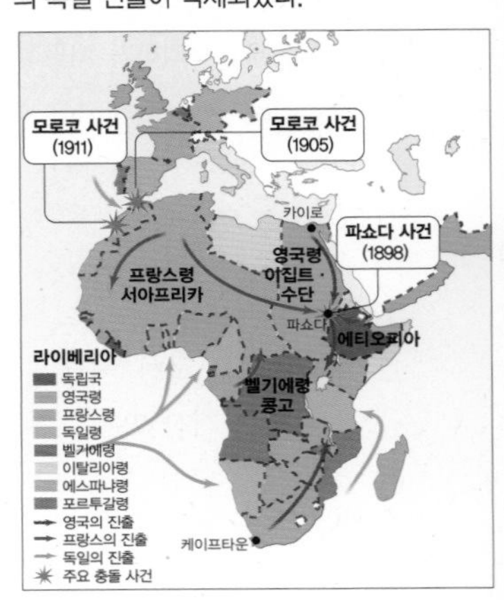

자료 1 동인도 회사, 인도와 영국의 면 공업

1. 동인도 회사(뭄바이)

2. 인도와 영국의 면공업

(만 파운드)
600
500
400
300
200
100
0
1770 1790 1810 1830 1850(년)
영국이 아시아에 수출한 면직물
인도가 유럽에 수출한 면직물

뜯어보기 포인트

동인도 회사는 영국에 경제적 성장을 가져왔지만 인도에는 경제적 파탄을 가져왔음을 기억하자.

동인도 회사는 어떤 일을 하였을까?

영국의 동인도 회사는 1600년 영국왕으로부터 특허장을 얻어 인도 무역의 독점권을 인정받았어. 무굴 제국 황제의 허락을 받아 무역을 통해 많은 이윤을 남겼으며, 자체적으로 군사력을 갖춰 점차 인도 지배에 나섰지. 플라시 전투(1757) 이후 이 회사는 무굴 황제에게 벵골 지방의 통치권과 조세 징수권을 인정받고 인도 전역을 장악하기 위한 발판을 마련하였어. 하지만 세포이 항쟁(1857)으로 영국은 동인도 회사를 해체하고 인도를 직접 지배하게 되었지.

Q1 19세기 초 인도와 영국에 대한 설명으로 옳은 것을 모두 선택해 보자.

㉠ 영국은 값싼 면직물을 아시아에 수출하였다.
㉡ 영국은 인도를 플라시 전투 이후 직접 지배하였다.
㉢ 영국은 인도를 플라시 전투 이후 동인도 회사를 통해 간접 지배하였다.
㉣ 영국의 값싼 면직물 수출로 인도의 많은 수공업자들은 일자리를 얻었다.
㉤ 영국은 인도 무역의 독점권을 인정받은 동인도 회사를 통해 인도 면직물 시장을 차지하였다.

자료 2 베트남과 필리핀의 민족 운동

(1) 베트남의 민족 운동

판보이쩌우는 베트남이 프랑스의 지배에서 벗어나려면 근대 개혁이 필요하다고 여겼다. 이에 베트남 유신회를 조직하고 청년들을 일본에 유학시켜 독립에 필요한 인재 양성에 힘섰다(동유 운동). 중국에서 신해혁명이 성공한 뒤에는 베트남 광복회를 조직하여 민주 공화국 건설을 꾀하였다. 『월남망국사』는 판보이쩌우가 1905년 일본에서 량치차오와 나눈 대담을 편집하여 출판한 책으로, 한국을 비롯한 동아시아 여러 나라에 큰 자극을 주었다.

(2) 필리핀의 민족 운동

호세 리살은 에스파냐에서 유학을 한 뒤 에스파냐의 식민 통치의 잔혹성과 필리핀인의 처절한 현실을 문학적으로 고발하려 노력하였다. 그의 작품 『나에게 손대지 마라』는 필리핀 청년들 사이에서 비밀리에 읽혔다. 에스파냐 정부는 호세 리살을 추방하였지만, 그의 독립 운동 의지를 꺾을 수 없었다. 그는 위험을 무릅쓰고 필리핀으로 돌아와 민족의 각성을 위해 헌신적인 활동을 이어갔다. 이에 에스파냐 정부는 그를 혁명의 주모자로 지목하여 처형하였다.

뜯어보기 포인트

베트남에서는 판보이쩌우, 필리핀에서는 호세 리살 등이 중심이 되어 독립 운동을 하였음을 기억하자.

베트남과 필리핀의 독립 운동은 어떻게 전개되었을까?

판보이쩌우는 1904년 베트남 유신회를 결성한 뒤 청년들을 일본에 유학을 시키는 동유 운동을 전개하였어. 1892년 호세 리살은 에스파냐인들과 동등한 대우를 요구하며 필리핀 민족 동맹을 조직하였지만 1896년 에스파냐 군부에 의해 처형되었어. 이후 필리핀 지배권을 두고 에스파냐와의 전쟁에서 승리한 미국은 필리핀을 식민지로 지배하였지.

Q2 19세기 베트남과 필리핀의 민족 운동에 대한 설명으로 옳지 않은 것을 모두 선택해 보자.

㉠ 판보이쩌우는 동유 운동을 통해 인재 양성에 힘썼다.
㉡ 호세 리살은 필리핀 민족 동맹을 조직하여 민족 운동을 이끌었다.
㉢ 필리핀의 지배권을 두고 에스파냐가 미국과의 전쟁에서 승리하였다.
㉣ 판보이쩌우의 『월남망국사』는 한국 등 동아시아 여러 나라에 큰 자극을 주었다.
㉤ 베트남은 동진하는 영국과 서진하는 프랑스의 완충 역할을 자처하며 독립을 유지하였다.

답 Q1 ㉠, ㉢, ㉤ / Q2 ㉢, ㉤

2 중국의 민족 운동 { 청은 왜 개방하였으며, 어떻게 근대화 운동을 추진하였을까요?

1. 아편 전쟁

How? 아편 전쟁의 결과로 맺은 난징 조약으로 중국은 문호를 개방하고 세계 제국주의 체제에 편입되게 돼.

(1) 제1차 아편 전쟁(1840~1842)

① 배경: 영국은 18세기 청과의 편무역으로 인한 무역 적자 해결을 위해 인도산 아편을 중국에 밀수출하는 삼각 무역을 실시

② 전개: 아편으로 사회 · 경제적 위기가 깊어지자, 청의 임칙서가 아편을 몰수함 → 영국이 전쟁을 일으켰고 청은 영국에 패배함.

③ 결과: 난징 조약❹(1842, 5개 항구 개항, 홍콩 할양, 공행 폐지)과 추가 조약(치외 법권❺ 및 최혜국 대우❻ 인정)

(2) 제2차 아편 전쟁(1856~1860)

① 배경: 애로호 사건❼, 프랑스 선교사 피살 사건

② 전개: 영국과 프랑스가 연합하여 전쟁을 일으켜 승리함.

③ 결과: 톈진 조약(1858, 10개 항구 추가 개항, 크리스트교 포교 인정, 외교 사절의 베이징 주재 인정), 베이징 조약(1860, 톈진 개항, 영국에 주룽 할양, 중재의 대가로 러시아에 연해주 할양)

2. 태평천국 운동과 양무운동

구분	내용
태평천국 운동 (1851~1864) 자료 3	• 배경: 청 왕조 권위 실추, 아편 전쟁 배상금으로 조세 부담 가중 • 전개: 홍수전이 상제회 조직 → 난징을 수도로 태평천국 건설 • 주장: 만주족 정권 타도(멸만흥한), 토지의 균등 분배(천조전무 제도), 변발과 전족 금지, 남녀평등 등 • 결과: 한족 관료 · 신사가 조직한 향용의 반격과 내부 분열 및 서양 세력의 청 정부 지원으로 붕괴됨(1864)
양무운동 (1860~1894) 자료 4	• 배경: 태평천국 진압 과정에서 서양의 군사학, 과학 기술을 수용 • 중심 인물: 증국번, 이홍장 • 내용: 군수 공업, 서양식 군대 · 해군 창설, 기선 회사 방직 공장 등 민영 기업의 운영을 통한 경제 발전 • 결과: 중체서용❽과 청일 전쟁에서 패배로 한계가 드러남

3. 변법자강 운동과 의화단 운동

구분	내용
변법자강 운동 (1895~1898) 자료 4	• 배경: 청일 전쟁 패배로 일본에 타이완 할양과 막대한 배상금 지불에 대한 반성 • 중심 인물: 캉유웨이, 량치차오 등이 광서제의 호응을 얻음 • 내용: 일본 메이지 유신을 본뜬 근대화 개혁으로 입헌 군주제 지향, 과거제 개혁 등 근대적 개혁 추진(무술개혁) • 결과: 서태후와 위안스카이 등 보수파의 반발로 좌절, 광서제 유폐(무술정변)
의화단 운동 (1898~1900) 자료 3	• 배경: 열강의 이권 침탈 심화, 반외세 감정 격화 • 전개: 백련교 계통의 비밀 결사인 의화단 조직하여 '청을 도와 서양 세력을 멸하자(부청멸양)'라는 구호를 내걸고 외국인과 교회, 철도 공격, 베이징 점령 → 8개국이 연합군을 결성하여 의화단을 진압함 • 결과: 신축 조약❾(베이징 의정서, 1901) → 막대한 배상금과 함께 외국 군대 베이징 주둔 인정

❹ **난징 조약**
이 조약으로 중국은 광저우 항구에서의 공행 무역(조공 무역)을 폐지하고 5개 항구(광저우, 샤먼, 푸저우, 닝보, 상하이)를 개항하고, 홍콩을 영국에 할양하였다.

❺ **치외 법권**
외국인이 자신이 체류하고 있는 국가의 법률과 규칙을 따르지 않아도 되는 권리이다.

❻ **최혜국 대우**
통상 · 항해 조약 등에서 한 나라가 어떤 외국에 부여하고 있는 가장 유리한 대우를 상대국에도 부여하는 것을 뜻한다.

❼ **애로호 사건**
1856년 중국 청 정부의 관헌이 광저우 항에 있던 영국 국적의 애로호 선박을 검문하여 중국인 선원을 체포하며 애로호의 영국 국기를 모독하였다는 이유로, 당시 프랑스인 선교사가 피살된 것에 대한 보복을 노리던 프랑스와 연합하여 중국 톈진까지 공격한 사건이다.

❽ **중체서용(中體西用)**
중체서용은 중국의 전통적 가치를 바탕으로 삼고 서양의 기술만 받아들인다는 것으로, 양무운동의 한계로 작용하였다.

❾ **신축 조약(베이징 의정서)**
의화단 운동이 실패한 뒤, 청과 서구 열강 사이에 체결한 조약으로 다음과 같은 내용이 포함되었다.
- 외세 배척 운동을 금지할 것
- 4억 5천만 냥의 배상금을 분할 지불할 것
- 베이징에 외국 공사관 구역을 설정할 것
- 외국 군대를 상주시킬 것

자료 3 태평천국 운동과 의화단 운동

1. 토지를 분배할 때는 사람 수를 기준으로 하되, 남녀 차별 없이 각 집의 가족 수에 따라 나눈다. …… 토지는 세상 사람들이 똑같이 경작하게 한다. ……

– 태평천국의 『천조전무 제도』 –

2. 신(神)이 의화단을 돕는 까닭은 도깨비 같은 놈들이 중국을 어지럽히기 때문이다. 그놈들은 크리스트교를 선전하고 다니면서 하늘을 모독하고 부처를 경배하지 않으며 조상을 돌보지 않는다. 철도를 부수고, 전선을 끊고, 커다란 기선을 파괴하자. ……

– 의화단 선전물의 일부 –

뜯어보기 포인트
태평천국 운동은 만주족(청)을 멸하고 한족을 흥하게 하자는 멸만흥한을 주장하였지만, 의화단 운동은 청 왕조를 도와 서양 세력을 몰아내자는 부청멸양을 주장하였음을 기억하자.

◎ 태평천국 운동에서 주장한 내용은 무엇일까?
태평천국 운동은 만주족 정권 타도(멸망흥한)를 주장하였어. 또한 크리스트교의 평등사상에 영향을 받아 자료 (1)에서와 같이 토지의 균등 분배와 공동 경작을 주장하는 천조전무 제도를 주장하였지. 그리고 남녀평등을 주장하며 전족과 축첩 금지를 주장했어.

◎ 의화단 운동에서 주장한 내용은 무엇일까?
의화단은 권법, 봉술, 도술 등을 익히며 종교 활동을 함께 한 단체야. 이 단체는 '청을 도와 서양 세력을 멸하자'라는 부청멸양의 구호를 내걸고 반크리스트교, 반제국주의 운동인 의화단 운동을 일으켰어. 그래서 서양이 세운 교회와 철도를 파괴하였고, 청 왕조의 후원도 받았지만, 8개국 연합군(영국, 독일, 러시아, 일본 등)에 의해 진압되었어. 이후 청은 신축 조약을 맺고 외국군의 베이징 주둔을 허용하였지.

Q3 태평천국 운동과 의화단 운동에 대한 설명으로 옳지 않은 것을 모두 선택해 보자.

㉠ 의화단 운동은 외국인과 교회, 철도 파괴를 주장하였다.
㉡ 태평천국 운동은 토지의 균등 분배와 공동 경작을 주장하였다.
㉢ 태평천국 운동은 청을 도와 서양 세력을 몰아내자고 주장하였다.
㉣ 의화단 운동은 만주족을 멸하고 한족을 흥하게 하자고 주장하였다.
㉤ 의화단 운동의 결과로 맺어진 신축 조약으로 인해 외국군이 베이징에 주둔하게 되었다.

자료 4 양무운동과 변법자강 운동

1. 서양식 기계는 농경이나 직포, 인쇄, 도자기 제조 등의 용구를 모두 제조할 수 있고, 백성의 생계와 일상 용품에 도움이 되는 것이기도 합니다. …… 잘 다스려 나라를 유지하고 제왕의 업적을 이룰 튼튼한 기초를 굳히는 방법은 원래부터 있었습니다. 하지만 위기를 안정으로 돌리고 허약함을 강력함으로 바꾸는 길은 전적으로 기기를 모방하여 제조하는 데서 비롯됩니다.

– 이홍장 전집 –

2. 변하면 보전할 수 있고 변하지 않으면 망합니다. 그 요점은 세 가지입니다. 첫째, 모든 신하와 크게 맹세하여 국사를 확정하고, 둘째 어진 인재를 뽑을 수 있는 대책을 수립하며, 셋째, 제도국을 설립하여 헌법을 제정하는 것입니다. 제도국을 설립하여 총괄하게 하고, 12국을 설립하여 그 일을 나누어 관장하게 합니다.

– 캉유웨이의 상소문 –

뜯어보기 포인트
양무운동은 중체서용을 바탕으로 서양의 과학 · 군사 기술을 받아들였고, 변법자강 운동은 일본 메이지 유신을 모델로 정치 제도의 개혁을 주장하였는 점을 기억하자.

◎ 양무운동과 변법자강 운동에서 주장한 내용은 무엇일까?
양무운동은 중체서용의 입장에서 제도와 정치 개혁보다는 서양의 과학 · 군사 기술을 받아들이는 정책이었어. 그러나 청일 전쟁의 패배로 양무운동의 한계가 드러나자, 캉유웨이 등은 변법자강 운동을 추진하였지. 변법자강 운동은 서양의 과학 · 군사 기술 뿐만 아니라 정치 제도까지 받아들여 국력을 강화하자는 운동이었어. 이 운동은 일본의 메이지 유신을 모델로 의회 개설, 헌법 제정, 과거 제도의 개혁 등을 주장하였어.

Q4 양무운동과 변법자강 운동에 대한 설명으로 옳지 않은 것을 모두 선택해 보자.

㉠ 양무운동은 일본 메이지 유신을 모델로 추진되었다.
㉡ 변법자강 운동은 청일 전쟁의 패배로 그 한계를 드러내었다.
㉢ 양무운동은 이홍장, 증국번 등 한인 신사층 중심으로 추진되었다.
㉣ 양무운동은 중체서용 입장에서 정치 제도의 개혁까지 주장하였다.
㉤ 변법자강 운동은 캉유웨이, 량치차오 등 개혁적 지식인 중심으로 추진되었다.

답 Q3 ㉢, ㉣ / Q4 ㉠, ㉡, ㉣

4. 신해혁명(1911)과 중화민국 자료 5

(1) **배경** 의화단 사건 이후 청 왕조 타도 목표로 혁명 운동 확산, 삼민주의를 바탕으로 쑨원의 중국 (혁명) 동맹회(1905)[10]가 중심 세력

(2) **경과** 청 정부의 민간 철도 국유화로 이에 저항하는 반대 운동 → 우창에서 신군 봉기로 전국 확산(신해혁명, 1911)

(3) **결과** 중국 최초의 공화제 국가인 중화민국 성립, 이후 위안스카이가 총통에 취임 → 군벌이 활거하는 혼란에 빠짐

3 일본의 근대화 운동 { 일본은 메이지 유신을 통해 어떻게 근대화하였을까요?

일본의 개국	• 배경: 미국 페리 제독이 무력 시위 → 미일 화친 조약(1854)[11], 미일 수호 통상 조약 체결(1858) • 막부 체제의 붕괴: 외국 상품의 수입으로 국내 경제가 타격 → 외세 배격 운동(양이 운동) → 사쓰마번과 조슈번이 존왕양이를 내걸고 막부를 타도하고 왕정을 복고(1868)하여 메이지 정부 수립
메이지 유신	• 행정: 다이묘가 통치하던 번들을 통폐합하여 현 설치(폐번치현[12]) → 중앙 집권의 기틀을 마련 • 교육: 서양식 교육 제도와 의무 교육, 유학생 · 이와쿠라 사절단[13] 해외 파견 • 사회: 신분제 폐지(사민평등), 징병제 시행 • 경제: 우편 · 철도 은행 등과 상공업 육성(식산흥업)
입헌제 국가 성립	• 배경: 서양식 입헌 제도를 도입하자고 요구하는 정치 운동 전개(자유 민권 운동[14]) → 정부의 탄압 • 입헌제 도입: 일본 제국 헌법 제정(1889), 의회 개설(1890) → 천황에게 정치적 대권과 군 통수권 부여(천황 중심 국가 체제)
일본의 대외팽창 자료 6	• 배경: 근대화 정책이 낳은 모순과 불만 해소, 자본주의 발전을 위한 해외 시장 확보 • 대외 침략: 1870년 이후 조선을 정벌하자는 정한론 제기 • 적극적인 대외 팽창 정책: 운요호 사건(1875)을 통해 조선과 불평등 조약 체결 → 타이완 침공, 류큐를 합병하여 오키나와현 설치(1879) → 청일 전쟁(1894)에서 승리하여 시모노세키 조약[15]을 체결 → 러일 전쟁(1904)으로 포츠머스 조약[16]을 체결하여 한반도와 만주에서 이권을 인정받음 → 대한 제국을 강제로 병합함(1910)

4 조선의 개항과 근대화 { 조선의 근대화를 위한 노력으로 어떤 것들이 있을까요?

1. 개항 운요호 사건을 계기로 강화도 조약을 체결하여 개항(1876, 불평등 조약)

2. 근대화 노력 급진 개화파가 갑신정변(1884)을 일으켰지만 3일만에 실패함 → 반봉건과 반외세를 주장하며 동학 농민 운동(1894)이 일어났지만 일본군과 정부군에 패함 → 청일 전쟁 중에 갑오개혁이 시작 → 아관파천으로 주도권을 되찾은 고종은 대한 제국을 선포하고 광무개혁을 실시함.

3. 강제 병합 러일 전쟁에 승리한 일본에 의해 대한 제국은 강제 병합됨(1910).

⑩ 중국 (혁명) 동맹회(1905)
쑨원이 중심으로 해외 유학생과 신식 교육을 받은 청년들이 조직한 단체이다.

⑪ 미일 화친 조약(1854)
일본이 문호를 개방하게 된 조약으로, 시모다와 하코다테의 2개 항구 개항, 미국 선박에 대한 식량 · 연료 · 식수 공급, 최혜국 대우 등의 내용을 담고 있다.

⑫ 폐번치현
다이묘가 통치하던 번들을 통폐합하여 현을 설치하고 중앙 정부가 임명한 지사를 파견하여 중앙 집권의 기틀을 다졌다.

⑬ 이와쿠라 사절단
서양 열강과 맺은 불평등 조약 개정을 위한 준비 교섭을 목적으로, 이와쿠라 도모미 등 40여 명의 사절단이 파견되었다. 애초의 목적인 조약의 개정 교섭은 실패로 끝났지만, 미국과 유럽 각국의 문물을 시찰할 수 있었고, 이후 일본의 근대화 정책에 기여하였다.

⑭ 자유 민권 운동
1870년대부터 메이지 정부의 강압적 정책을 비판하면서 서양식 입헌 제도를 도입하자고 요구하는 정치 운동이 전개되었지만, 메이지 정부는 신문지 조례와 집회 조례를 제정하여 언론 집회의 자유를 제한하였다.

⑮ 시모노세키 조약(1895)
이 조약으로 일본은 랴오둥반도와 타이완을 할양받고 조선의 내정 간섭을 강화할 수 있었다. 하지만 러시아가 개입하면서 랴오둥반도를 반환하였다(삼국 간섭). 또한 막대한 배상금으로 군비를 확장할 수 있었다.

⑯ 포츠머스 조약(1905)
이 조약으로 일본은 한반도와 만주에서의 이권을 인정받게 되었다.

자료 5 신해혁명과 삼민주의

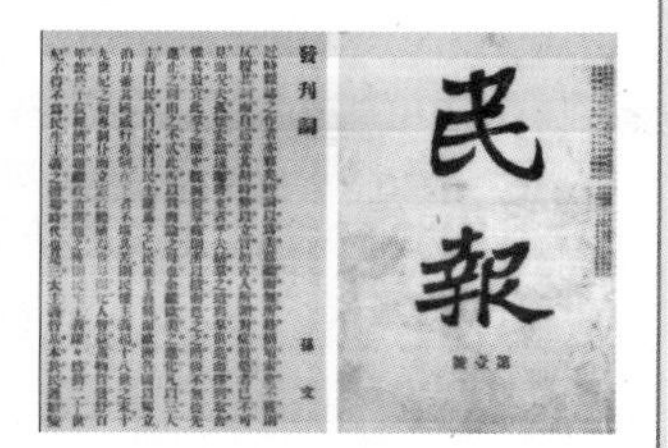

나는 유럽과 미국의 발전이 3대 주의에 의해 이루어졌다고 생각한다. 그것은 민족, 민권, 민생이다. 로마가 멸망하고 나서 민족주의가 일어나 구미가 독립하였다. 그러나 얼마 뒤에 그 나라들도 제국이 되어 전제 정치를 행하자, 민권주의가 일어났다. 18세기 말에서 19세기 초에 걸쳐 전제 군주제가 무너지고 입헌 국가가 세워졌다. 세계는 문명화하여 지식은 더욱 진보하고 물질이 점점 풍부해져, 최근 백 년간은 지난 천 년보다 더 발달하였다. 이제는 경제 문제가 정치 문제에 이어 일어나 민생주의가 유행하고 있다.

– 쑨원, 『민보』 발간사 –

◎ 신해혁명의 지도 이념인 삼민주의는 무엇일까?

쑨원은 『민보』 발간사에서 신해혁명과 중화민국 건국의 기본 이념이 된 삼민주의를 밝혔어. 쑨원은 1905년 일본 도쿄에서 중국 동맹회를 결성하고, 민족주의, 민권주의, 민생주의의 삼민주의를 강령으로 발표하였는데, 민족주의는 만주족이 세운 청 왕조를 타도하여 한족의 주권을 회복하자는 것이고, 민권주의는 전제 군주제를 무너뜨려서 국민이 주인이 되는 공화국을 건설하자는 것이야. 마지막으로 민생주의는 국민의 경제적 생활 안정을 중시해야 한다는 내용이야.

뜯어보기 포인트

쑨원이 삼민주의를 지도 이념으로 삼아 신해혁명을 일으켰으며, 이를 통해 중국 최초의 공화제 국가인 중화민국을 세웠음을 기억하자.

Q5 삼민주의와 신해혁명에 대한 설명으로 옳지 않은 것을 모두 선택해 보자.

㉠ 삼민주의는 민족주의, 민권주의, 민생주의를 말한다.
㉡ 신해혁명으로 중국 최초로 입헌군주제 국가가 세워졌다.
㉢ 삼민주의는 신해혁명과 중화민국 건국의 기본 이념이 되었다.
㉣ 민권주의는 국민의 경제적 생활 안정을 중시해야한다는 것이다.
㉤ 민족주의는 전제 군주정을 무너뜨리고 국민이 주인이 되는 공화국을 건설하자는 것이다.

자료 6 청일 전쟁과 일본의 제국주의화 과정

청일 전쟁은 근대 일본이 처음 경험한 대규모 침략 전쟁으로 일본 사회에 커다란 변화를 가져왔다. 일본 정부는 일본인에게 '국민'으로서의 의무와 봉사를 요구하였으며, 일본인도 전쟁을 수행하는 과정에서 스스로 '국민'이라는 의식을 갖게 되었다. 나아가 아시아를 보는 관점에도 크나큰 영향을 끼쳤다. 청일 전쟁을 '야만에 대한 문명의 승리'로 보는 주장이 제기되면서 일본인 사이에 조선인과 중국인을 멸시하는 풍조가 널리 퍼졌다. 한편 전승 대가로 얻은 배상금은 일본의 성장을 촉진하였다. 당시 일본의 한 해 세수의 4배에 달하는 전후 배상금은 일본이 산업화를 추진하는 데 크게 이바지 하였다.

◎ 청일 전쟁으로 나타난 일본에서의 변화는 무엇일까?

메이지 시대의 대표적인 계몽사상가인 후쿠자와 유키치는 청일 전쟁이 일본과 청 양국 사이에 일어났다고 해도 그 근원은 문명 개화의 진보를 꾀하는 자와 그 진보를 방해하는 자의 전쟁이라고 주장했어. 즉 문명이 나아가야 할 방향은 먼저 문명화를 이루고 다음으로 국가의 독립과 제국주의의 실현하며, 마지막으로 전 인류 문명의 진보를 달성한다는 거야. 그래서 일본도 제국주의로의 전환을 전제로 할 수 밖에 없는 한계를 가졌다고 주장했어. 청일 전쟁 이후 일본이 청으로 받은 배상금 2억 3천만 냥의 62%가 군비 확장 자금으로 사용되었으며, 일부는 금 본위 제도를 확립하고 일본의 군수 산업의 대명사가 된 야마타 제철소를 세우는 데 사용되는 등 일본 자본주의 발달에도 기여했어.

뜯어보기 포인트

청일 전쟁 이후 일본이 제국주의 침략을 본격화하였음을 기억하자.

Q6 청일 전쟁에 대한 설명으로 옳지 않은 것을 모두 선택해 보자.

㉠ 청일 전쟁의 승리로 일본은 타이완을 할양 받았다.
㉡ 일본은 청일 전쟁으로 받은 배상금으로 군비를 확장하였다.
㉢ 일본은 삼국 간섭으로 랴오둥반도를 청에 반환하였다.
㉣ 일본은 청일 전쟁에서 승리하여 포츠머스 조약을 체결하였다.
㉤ 일본은 러일 전쟁에서 승리하여 시모노세키 조약을 체결하였다.

답 Q5 ㉡, ㉣, ㉤ / Q6 ㉣, ㉤

5 인도의 민족 운동 { 인도는 어떤 방법으로 반영 운동을 전개하였을까요?

세포이의 항쟁 (1857)	• 배경: 영국의 침략과 경제적 수탈에 대한 불만 • 전개: 세포이[17]의 항쟁 → 각계각층 참여, 델리 점령 → 영국군의 진압 • 결과: 동인도 회사 해체, 무굴 황제 폐위 → 인도를 직접 통치하기 위해 인도 통치 개선법 제정, 인도 제국 성립(빅토리아 여왕이 인도 황제를 겸함.)
인도 국민 회의의 반영 운동 자료 7	• 배경: 근대 교육을 받은 지식인 늘어남, 면공업 중심 자본가 성장, 힌두교 지도자들의 브라흐마 사마지 운동[18]전개 • 결성 및 활동: 영국은 인도 지식인 회유와 포섭을 위해 지원으로 결성(1885)되었지만, 벵골 분할령(1905)[19]으로 반영 운동에 앞장섬. → 콜카타 대회에서 영국 상품 불매, 스와라지(인도인의 자치), 스와데시(국산품 애용), 국민 교육의 진흥을 결의함 → 영국은 벵골 분할령 취소, 명목상 인도인의 자치권을 인정

⑰ 세포이
영국 동인도 회사에 고용된 인도인 용병들로서, 당시 인도의 주둔하고 있던 영국 군대의 상당수를 차지하였다.

⑱ 브라흐마 사마지
'브라만의 모임'이라는 뜻으로 19세기 전반 람 모한 로이가 처음 만들었다. 힌두교의 순수한 교리로 돌아가자는 종교 운동으로 출발하여 우상 숭배 배격, 카스트제 반대, 사티(남편이 죽으면 그의 아내도 함께 화장하던 풍습) 폐지 등 사회 개혁을 추구하였다.

6 서아시아와 아프리카의 민족 운동 { 서아시아와 아프리카는 어떤 민족 운동을 전개하였을까요?

1. 오스만 제국의 쇠퇴

① 쇠퇴: 제국 내 복속 국가(그리스 · 세르비아 · 이집트)의 독립과, 영국 · 러시아의 압박

② 탄지마트(은혜 개혁): 서양 문물 수용 · 부국강병을 추구하기 위한 위로부터의 개혁 → 의회 개설, 헌법 제정 → 보수 세력의 반발과 러시아의 내정 간섭으로 실패 자료 8

③ 청년 튀르크당 혁명[20](1908): 전제 정치가 강화되자 젊은 장교와 관료, 지식인이 청년 튀르크당을 결성하고 무장봉기로 정권을 장악한 뒤 헌법을 부활 및 개혁 추진 → 발칸 전쟁과 제1차 세계 대전 후 패전국으로 전락한 뒤 영토 상실

⑲ 벵골 분할령(1905)

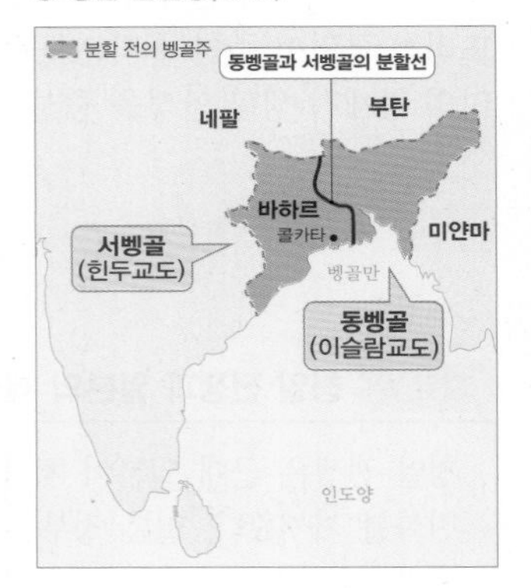

2. 와하브 운동과 이란의 민족 운동

① 와하브 운동[21]: 아라비아반도에서 이슬람교 초기의 순수함("『쿠란』으로 돌아가자")을 되찾고자 하는 와하비 운동이 일어나 와하브 왕국을 수립 → 오스만 제국에 멸망당함 → 사우디아라비아 왕국으로 부활

② 이란의 민족 운동: 영국이 담배 제조 · 판매 독점권을 획득하자 이에 반대하여 담배 불매 운동을 전개 → 이후 배상금 지급으로 경제 종속화 → 국민 의회를 수립하고 헌법을 제정(1906) → 러시아와 영국의 분할 협정으로 반식민지화

⑳ 청년 튀르크당의 주요 발표 내용
• 헌법은 국민의 의지를 존중
• 20세 이상 보통 선거
• 국가 공용어로서 터키어 사용
• 모든 시민의 자유와 평등, 의무 강조
• 타국적인에 대한 종교적 특권 불침해

3. 이집트의 근대 개혁

① 무함마드 알리의 근대화 정책으로 부채 증가 → 영국이 수에즈 운하 경영권 차지하며 내정 간섭

② 아라비 파샤 주도의 민족 운동: 이집트인을 위한 이집트 건설을 내세우며 군부 혁명을 일으킴(1881) → 영국의 간섭으로 실패

㉑ 와하브 운동
운동의 창시자인 압둘 와하브의 이름에서 유래한 와하브 운동은 '『쿠란』으로 돌아가라.'라며 이슬람교의 근본 원리에 충실할 것을 강조하였고 술, 담배, 도박 등을 철저히 금하였다. 와하브 정신을 이념으로 삼아 건국된 사우디아라비아는 다른 이슬람권 국가보다 보수적인 성격이 매우 강하다.

자료 7 **벵골 분할령과 인도 국민 회의의 대응**

1. 1905년 인도 총독은 벵골주가 면적이 넓고 인구가 많아 장관 한 사람이 다스리기 힘들다는 명분으로 종교에 따라 동벵골과 서벵골로 나누어 통치하겠다고 발표하였다. 그러자 벵골 분할령은 인도의 분열을 꾀하는 정책에 불과하다며 반발하였다.

– 벵골 분할령 –

2. 벵골인은 벵골 분할에 불만이 많습니다. 이것은 영국인의 잔인하고도 어리석은 행동입니다. 스와데시(국산품 애용)는 경제가 혼란한 인도에서 강력해질 필요가 있다고 생각합니다. 인도는 외국인에게 지급하는 매년 2억 루피 정도의 봉급 · 연금 등으로 경제 상황이 어려운데, 이곳에 영국의 경제법을 적용한다는 말은 위험할 뿐만 아니라 모욕을 주려는 것과 같습니다.

– 콜카타 대회 의장 나오로지의 연설문 –

뜯어보기 포인트
벵골 분할령을 계기로 인도 국민 회의는 반영 운동에 앞장서게 되었음을 기억하자.

◎ 인도인이 벵골 분할령에 반대한 이유는 무엇일까?

힌두교도가 다수 거주하는 서벵골과 이슬람교도가 다수인 동벵골을 분할하여 인도 내부의 종교 분쟁을 유발하고, 궁극적으로 인도인들의 단결과 통합을 저해하려는 영국의 의도가 있다고 여겼어.

◎ 인도 국민 회의가 벵골 분할령에 어떻게 대응하였을까?

벵골 분할령에 대항하여 인도 국민 회의는 틸라크를 중심으로 콜카다 대회를 열어 영국 상품의 불매, 스와라지(인도인 자치), 스와데시(국산품 애용), 국민 교육의 진흥을 결의하고 반영 운동을 전개하였어. 즉 영국의 지원으로 결성된 인도 국민 회의는 벵골 분할령을 계기로 반영 운동의 중심 단체로 변모한 거야.

Q7 **벵골 분할령과 인도 국민 회의에 대한 설명으로 옳지 않은 것을 모두 선택해 보자.**

㉠ 스와라지는 국산품 애용하자는 것이었다.
㉡ 스와데시는 인도인의 자치를 주장하는 것이었다.
㉢ 인도 국민 회의는 초기에는 영국 측에 협조하였다.
㉣ 인도 국민 회의는 벵골 분할령을 계기로 반영 운동에 앞장섰다.
㉤ 영국은 종교에 따라 동벵골과 서벵골로 나누어 통치하는 벵골 분할령을 발표하였다.

자료 8 **탄지마트(은혜 개혁)**

짐의 위대한 국가는 처음 세워진 이래로 『쿠란』의 숭고한 계율이나 이슬람법에 따른 제 법령이 잘 지켜져 온 것은 널리 잘 알려진 사실이다. 바로 그런 까닭에 나의 고귀한 정부의 위엄과 권위 그리고 모든 백성들의 안녕과 번영이 최고에 이르다. 그런데 최근 150년 동안 계속적으로 우환이 속출하고 여러 가지 요인으로 신성한 이슬람법과 고귀한 법령도 지켜지지 않아 종전의 위엄과 번영은 사라지고 나약하고 빈곤한 처지가 되었다. 우리는 오스만 제국을 구성하는 여러 주에 대해, 훌륭한 통치의 은혜를 베풀기 위해 새로운 제도에 따라 운영하는 것이 현명하다고 생각한다. 이들 여러 제도는 주로 다음과 같은 여러 사항들에 관련된 것이다. 필요한 제 법령의 기본 내용은 생명의 보장, 명예와 재산의 보장, 조세의 부과 그리고 필요한 병사의 징집 방법과 복무 기간 등의 사항이다.

– 귤하네 칙령(1839) –

뜯어보기 포인트
오스만 제국은 서양 문물을 적극적으로 받아들이고 부국강병을 추구하는 탄지마트 개혁을 단행하지만 큰 성과를 얻지 못하였음을 기억하자.

◎ 탄지마트(은혜 개혁)는 어떻게 시작되었을까?

이집트의 무함마드 알리의 반란으로 위기에 직면한 오스만 제국 정부는 제국의 재건을 위한 개혁의 기본 방침을 내외에 공포하는 칙령을 발표하였어. 톱카프 궁전 내의 귤하네 궁에서 발표되었기 때문에 귤하네 칙령으로 알려진 이 칙령은 1876년까지 지속된 '탄지마트'라는 일련의 개혁의 출발점이었지.

Q8 **오스만 제국의 개혁에 설명으로 옳지 않은 것을 모두 선택해 보자.**

㉠ 탄지마트는 은혜 개혁이라 불렸다.
㉡ 오스만 제국은 탄지마트 개혁을 단행하였다.
㉢ 탄지마트는 이후 영국의 내정 간섭으로 실패하였다.
㉣ 탄지마트에는 생명의 보장에 대한 내용이 포함되었다.
㉤ 탄지마트는 이슬람 초기의 순수함을 되찾자는 신앙 운동에서 나타났다.

답 Q7 ㉠, ㉡ / Q8 ㉢, ㉤

개념 익히기

정답과 해설 ▸ 83쪽

01 **서로 관련 있는 내용끼리 연결해 보자.**

ⓐ 난징 조약 • • ㉠ 제1차 아편 전쟁

ⓑ 신축 조약 • • ㉡ 의화단 운동

ⓒ 베이징 조약 • • ㉢ 제2차 아편 전쟁

02 **아래 설명이 맞으면 O표, 틀리면 X표를 해 보자.**

(1) 제1차 아편 전쟁 결과로 청은 영국에 홍콩을 할양하였다. ( )

(2) 태평천국 운동은 멸망흥한의 구호를 내걸고 난징을 점령하였다. ( )

(3) 쑨원의 삼민주의를 지도 이념으로한 중국 동맹회를 중심으로 신해혁명이 일어났다. ( )

(4) 영국은 세포이의 항쟁을 계기로 동인도 회사를 통해 간접적으로 인도를 통치하였다. ( )

(5) 오스만 제국은 근대적 개혁을 위해 탄지마트(은혜 개혁)을 단행하였다. ( )

03 **빈칸에 알맞은 말을 채워 보자.**

(1) 아프리카에서 영국의 종단 정책과 프랑스의 횡단 정책이 충돌하여 ( )이/가 발생하였다.

(2) 판보이쩌우는 베트남 유신회를 조직하고 청년들을 일본에 유학시키는 ( )을/를 일으켰다.

(3) ( )은/는 증국번, 이홍장 등 한인 신사층이 중심으로 서양 과학 기술을 수용하기 위해 추진되었다.

(4) 청일 전쟁의 패배로 캉유웨이와 량치차오는 일본의 메이지 유신을 본뜬 ( )을/를 추진하였다.

(5) 1868년 사쓰마번과 조슈번이 주도하여 막부를 폐지하고 천왕 중심의 새로운 정부를 수립하여 국가 전반에 걸친 근대적 개혁 정치를 추진하였는데, 이를 ( )(이)라 한다.

04 **| 보기 |에서 제시된 단어를 통해 추론할 수 있는 사건의 이름을 적어 보자.**

| 보기 |

상제회 남녀평등 멸망흥한
천조전무 제도 크리스트교의 영향
전족 및 축첩 폐지

05 **| 보기 |의 사건들을 순서대로 나열해 보자.**

| 보기 |

ㄱ. 플라시 전투 ㄴ. 세포이 항쟁
ㄷ. 인도 제국 성립 ㄹ. 인도 국민 회의 결성

06 **다음 설명과 관련된 인물의 이름을 적어보자.**

에스파냐에서 유학한 뒤 에스파냐의 식민지였던 조국 필리핀의 처절한 현실을 문학적으로 고발하려 노력하였다. 그의 작품으로 『나에게 손대지 마라』는 필리핀 청년들 사이에 비밀리에 읽혔다. 그는 위험을 무릅쓰고 필리핀에서 헌신적인 민족 운동을 이어갔다. 이에 에스파냐 정부는 그를 혁명의 주모자로 지목하고 처형하였다.

07 **아래의 표를 완성해 보자.**

조약	내용
난징 조약	• 제1차 아편 전쟁 이후 맺은 조약 • 홍콩 할양, 공행 무역 폐지
톈진 조약	• 제2차 아편 전쟁 이후 맺은 조약 • 10개 항구 추가 개항, 크리스트교 포교 인정
( )	• 톈진 조약 이후 맺은 조약 • 러시아의 연해주 지역 획득, 외국 공사의 베이징 주둔
( )	• 의화단 운동이 진압되고 맺은 조약 • 외국 군대의 베이징 주둔 인정

총 문항수 12 | 처음 푼 날 월 일
정답과 해설 83쪽 | 오답 푼 날 월 일

01 다음 자료가 제시된 시기에 대한 설명으로 옳지 않은 것은?

> 나의 포부는 사회 문제의 해결이다. 우리 정치가는 대영 제국의 4천만 인구를 피비린내 나는 내란으로부터 지키고, 과잉 인구를 수용할 방법을 찾아야 한다. 이를 위해 새로운 영토를 개척하고, 또 공장이나 광산에서 생산한 상품의 판로를 만들어 내야만 한다. 그들이 내란을 원하지 않는다면 그들은 제국주의자가 되어야만 한다.
>
> – 세실 로즈, 『유언집(1902)』 –

① 독일과 프랑스는 파쇼다에서 충돌하였다.
② 사회 진화론으로 식민 지배를 정당화하였다.
③ 서양 열강은 제국주의로 대외 팽창에 나섰다.
④ 서양인은 비서양인을 문명화해야한다고 주장했다.
⑤ 영국은 동인도 회사를 통해 인도를 간접 지배하였다.

02 (가)~(다)에 대한 설명으로 옳지 않은 것은?

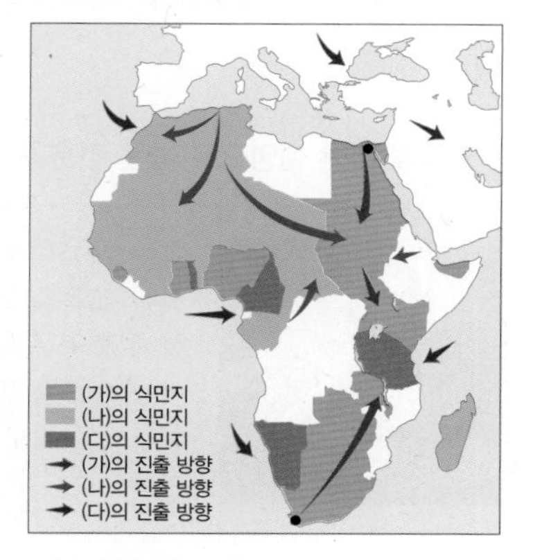

① (가) – 종단 정책을 펼쳤다.
② (나) – 횡단 정책을 펼쳤다.
③ (다) – 수에즈 운하를 차지하였다.
④ (가), (나) – 파쇼다에서 충돌하였다.
⑤ (나), (다) – 모로코에서 충돌하였다.

03 (가) 지역에 대한 탐구 활동으로 가장 적절한 것은?

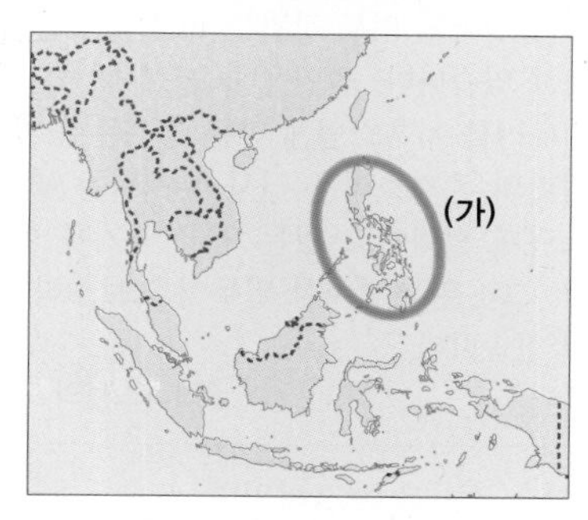

① 삼민주의를 지도 이념으로 내세운 쑨원
② 프랑스의 식민 통치에 저항한 판보이쩌우
③ 근대화 정책을 추진한 라마 5세(쭐랄롱꼰)
④ 에스파냐의 식민 통치에 저항한 호세 리살
⑤ 네덜란드로부터 독립을 위해 결성한 부디 우토모

04 청과 영국의 무역 구조 변화에 대한 설명으로 적절하지 않은 것은?

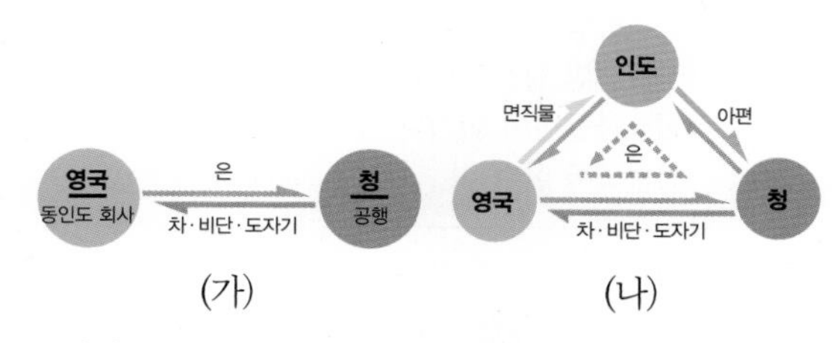

① (가) 시기 공행 무역만 허용되었다.
② (나)로 인해 공행 무역이 폐지되었다.
③ (나)로 인해 청에서는 대량의 은이 유출되었다.
④ (나)로 인해 임칙서가 광저우에서 아편을 몰수하였다.
⑤ (가)에서 (나)로의 변화는 영국의 무역 적자를 해소하기 위한 것이었다.

05 밑줄 친 '이 전쟁'에 대한 설명으로 옳은 것은?

빈출

> 우리 영국의 외무 장관은 이 불공정한 무역을 정당화하고 있습니다. 원인을 놓고 볼 때 이 전쟁보다 더 우리나라를 치욕스럽게 만든 경우는 없었습니다. 저 건너편의 존경스러운 신사 분께서는 광저우에서 자랑스럽게 펄럭이고 있는 영국 국기를 이야기하였습니다. 그것은 파렴치한 밀무역을 보호하기 위해 게양되어 있습니다.
>
> – 글래디스턴의 의회 발언(1840) –

① 신축 조약을 체결하였다.
② 홍콩을 영국에 할양하였다.
③ 랴오둥 반도와 타이완을 할양하였다.
④ 인천을 비롯한 3개 항구를 개방하였다.
⑤ 외국 군대가 베이징에 주둔하는 것을 인정하였다.

06 다음 제도를 실시한 개혁 운동에 대한 옳은 설명을 | 보기 |에서 고른 것은?

> 토지를 분배할 때는 사람 수를 기준으로 하되, 남녀 차별 없이 각 집의 가족 수에 따라 나눈다. …… 토지는 세상 사람들이 똑같이 경작하게 한다. …… 밭이 있으면 함께 경작하고, 음식이 있으면 함께 먹고, 옷이 있으면 함께 입고, 돈이 있으면 함께 쓰고, 장소에 따른 불균형이 있거나 배고프고 추운 생활을 하는 자가 없도록 한다.

| 보기 |

ㄱ. 만주족 정권 타도를 주장하였다.
ㄴ. 신사가 조직한 향용에 의해 진압되었다.
ㄷ. 청일 전쟁에 패하면서 한계를 드러내었다.
ㄹ. 증국번, 이홍장 등 한족 출신 지방관이 주도하였다.

① ㄱ, ㄴ　② ㄱ, ㄷ　③ ㄴ, ㄷ
④ ㄴ, ㄹ　⑤ ㄷ, ㄹ

07 다음 입장에서 전개된 중국의 근대화 운동에 대한 설명으로 옳은 것은?

빈출

> 사람들은 단지 서양의 병사와 말의 강건함, 함선과 대포의 예리함, 기계의 신기함만을 보면서 그 때문에 그들이 세계를 쟁패할 수 있다고 생각한다. 하지만 가장 근본은 그들이 정치를 운영하는 데 있다. …… 영국은 겨우 손바닥만한 섬 세 개로 이루어져 있어, 그 면적과 인구가 중국의 몇 성(省)보다 못하지만 …… 서양의 일등국이 되었다. 어찌 다른 까닭이 있겠는가? 다만, 의회를 설립해서 백성의 뜻을 하나로 뭉쳐 민기(民氣)를 강하게 만들었을 뿐이다.
>
> – 정관잉, 『성세위언』 –

① 변발과 전족의 금지를 주장하였다.
② 서양식 군대 및 해군 창설에 주력하였다.
③ 우창에서 신군이 일으킨 봉기가 전국으로 퍼졌다.
④ 청을 도와 서양 세력을 멸하자는 구호를 내걸었다.
⑤ 청일 전쟁의 패배로 일본 메이지 유신을 모델로 삼았다.

08 다음 인물에 대한 설명으로 옳은 것은?

> 그는 1905년 해외 유학생과 신식 교육을 받은 청년들과 함께 중국 동맹회를 조직하여, 『민보』를 발간하면서 삼민주의를 지도 이념으로 삼았다.

① 양무운동으로 해군을 창설하였다.
② 변법자강 운동으로 과거제 폐지를 주장하였다.
③ 베이징 외교 공관과 교회를 습격을 주도하였다.
④ 중국 최초의 공화제 국가인 중화민국을 세웠다.
⑤ 혁명파를 탄압하고 황제 제도 부활을 시도하였다.

09 밑줄 친 '운동'이 전개된 시기로 옳은 것은?

> 근대적 제도들을 시행하면서 일본에서는 서양식 입헌 제도를 도입하자 요구하는 정치 운동이 전개되었다. 이 운동에서 제시된 헌법안은 아래와 같다.
>
> 제5조 | 국가는 개인의 자유와 권리를 빼앗거나 제한하는 규칙을 만들어 시행할 수 없다.
>
> 제72조 | 정부가 헌법을 무시하고 함부로 국민의 자유와 권리를 해치고 건국의 취지를 방해할 때, 국민은 그것을 전복하고 새로운 정부를 세울 수 있다.

1853	1858	1868	1889	1894	1904
페리 제독 내항	미일 수호 통상 조약 체결	왕정복고 (대정봉환)	일본 제국 헌법 제정	청일 전쟁	러일 전쟁

(가) 1853–1858 / (나) 1858–1868 / (다) 1868–1889 / (라) 1889–1894 / (마) 1894–1904

① (가) ② (나) ③ (다) ④ (라) ⑤ (마)

10 다음 지도에서의 19세기 민족 운동에 대한 옳은 설명을 | 보기 |에서 고른 것은?

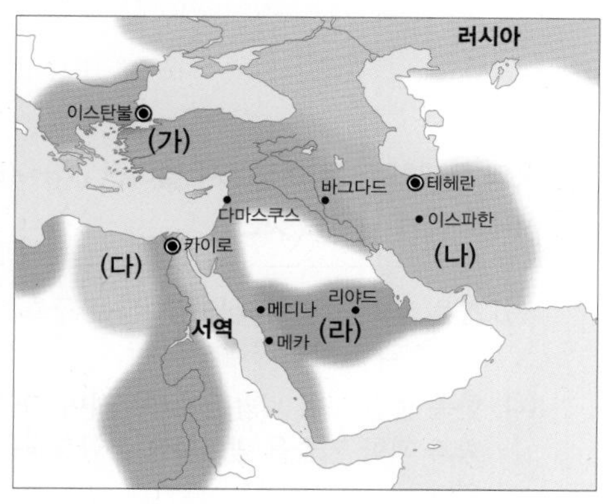

| 보기 |

ㄱ. (가)에서는 담배 불매 운동이 전국에서 일어났다.
ㄴ. (나)에서는 위로부터의 개혁인 탄지마트가 단행되었다.
ㄷ. (다)에서는 아라비 파샤가 이집트인을 위한 이집트 건설을 내세웠다.
ㄹ. (라)에서는 이슬람교 초기의 순수함을 되찾자는 와하브 운동이 일어났다.

① ㄱ, ㄴ ② ㄱ, ㄷ ③ ㄴ, ㄷ
④ ㄴ, ㄹ ⑤ ㄷ, ㄹ

서술형 문제

11 다음 중국의 근대화 운동을 읽고 물음에 답해 보자.

> 신(神)이 의화단을 돕는 까닭은 도깨비 같은 놈들이 중국을 어지럽히기 때문이다. 그놈들은 크리스트교를 선전하고 다니면서 하늘을 모독하고 부처를 경배하지 않으며 조상을 돌보지 않는다. 철도를 부수고, 전선을 끊고, 커다란 기선을 파괴하자. 그렇게 하면 프랑스도 간담이 서늘해질 것이고, 영국과 러시아는 조용해질 것이다. 도깨비 같은 놈들을 모두 죽여서 청의 평화를 축하하자.

(1) 위 근대화 운동의 명칭을 써 보자.

(2) 위 운동으로 서양과 체결한 조약이 가져온 영향 두 가지만 쓰시오(단, 조약의 명칭을 포함할 것).

서술형 문제

12 다음 글을 읽고 물음에 답해 보자.

> 이전에도 인도군 내부에서는 병사의 반란이 일어난 적은 있었으나 이번 반란은 종전과는 다음과 같은 점에서 다르다. 사상 처음으로 반란군이 자기 손으로 백인 장교를 살해하다는 점, 이슬람교도와 힌두교도가 서로의 반목을 버리고 공통의 주인에 맞서 단결한 점, 힌두교도 내부의 소란이 이슬람교도의 황제를 델리의 왕좌에 앉힌 결과를 낳았다는 점, 반란이 일부 지역에 한정되지 않다는 점이다.

(1) 위 제시문에서 밑줄 친 '반란'의 명칭을 써 보자.

(2) 위 반란이 가져온 영국의 인도 지배 방식이 변화에 대해 구체적으로 서술해 보자(단, 반란 전후를 구분하여 서술할 것).

3단계 내신 만점 도전하기

01 중요 교사의 질문에 대한 대답으로 가장 적절한 것은?

동아시아 3국의 개항

	한국	(가)	(나)
시기	1876	○○	○○
계기	운요호 사건	○○	페리의 입항
조약	강화도 조약	난징 조약	○○

교사: (가)와 (나)의 개항에 대해 설명해 볼까요?

① (가)는 미국의 포함 외교에 굴복하였어요.
② (가)의 개항 이후 막부 타도 운동이 전개되었어요.
③ (나)의 개항이 (가)보다 빨랐어요.
④ (나)는 아시아 최초로 서양과 불평등 조약을 체결하였어요.
⑤ (가), (나) 모두 불평등 조약을 체결하였어요.

02 중요 (가)~(마)에 대한 설명으로 옳지 않은 것은?

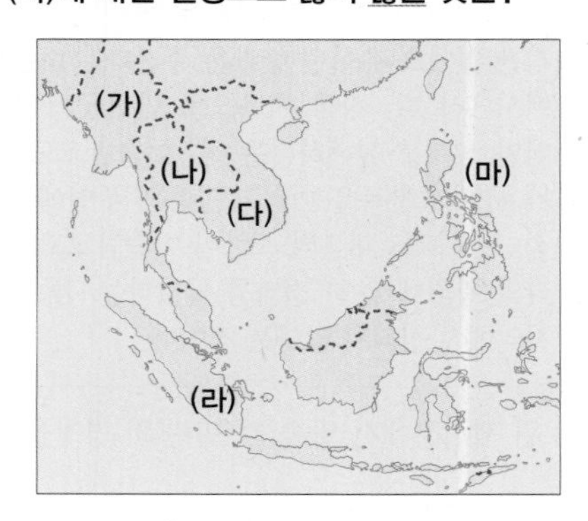

① (가) – 동남아시아에서 유일하게 독립을 유지하였다.
② (나) – 라마 5세는 철도 부설, 신분제 폐지 등 근대적 개혁을 하였다.
③ (다) – 판보이쩌우는 베트남 유신회를 조직하고 동유 운동을 추진하였다.
④ (라) – 지식인과 이슬람교도 상인들이 이슬람 동맹을 조직하였다.
⑤ (마) – 아기날도는 공화국을 선포하였다.

03 다음 조약에 대한 설명으로 옳은 것은?

제2조 대황제는 영국 인민이 가족과 하인을 이끌고 대청 연해 지역의 광저우, 아모이, 푸저우, 닝보, 상하이 등 다섯 항구에 기거하면서 아무런 방해를 받지 않고 무역 통상에 나설 수 있도록 허용한다.

제5조 …… 대황제는 홍콩섬을 대영국 군주와 앞으로 그 군주의 지위를 세습할 사람에게 넘겨주어, 영원히 이를 점령하여 지키면서 편한 대로 법을 세워 다스릴 수 있도록 허용한다.

① 애로호 사건이 배경이 되었다.
② 이 조약으로 공행 무역이 폐지되었다.
③ 이 조약으로 외국 군대가 베이징에 주둔하였다.
④ 영국, 프랑스 연합국이 톈진을 공격하여 체결하였다.
⑤ 이 조약으로 러시아는 중재의 대가로 연해주를 획득하였다.

04 중요 중국의 근대화 운동 과정에서 벌어진 (가)~(라) 사건을 순서대로 옳게 나열한 것은?

(가) 청을 도와 서양 세력을 멸하자는 구호를 내걸며 외국인과 교회를 공격하였다.
(나) 한족 출신 고위 지방관이 주도하여 서양의 군사학과 과학 기술을 받아들여 부국강병을 추구하였다.
(다) 캉유웨이 등이 메이지 유신을 본뜬 근대화 개혁으로 입헌 군주제를 시도하였다.
(라) 민간 철로의 국유화에 저항하는 반대 운동이 크게 일어났다.

① (나) – (가) – (라) – (다)
② (나) – (다) – (가) – (라)
③ (나) – (다) – (라) – (가)
④ (다) – (나) – (라) – (가)
⑤ (다) – (라) – (가) – (나)

05 중요 다음 글이 발표된 시기를 연표에서 옳게 고른 것은?

> 나는 유럽과 미국의 발전이 3대 주의에 의해 이루어졌다고 생각한다. 그것은 민족, 민권, 민생이다. 로마가 멸망하고 나서 민족주의가 일어나고 구미가 독립하였다. 그러나 얼마 뒤에 그 나라들도 제국이 되어 전제 정치를 행하자, 민권주의가 일어났다. 18세기 말에서 19세기 초에 걸쳐 전제 군주제가 무너지고 입헌 국가가 세워졌다. 세계는 문명화하여 지식은 더욱 진보하고 물질이 점 점 풍부해져, 최근 백 년간은 지난 천 년 보다 더 발달하였다. 이제는 경제 문제가 정치 문제에 이어 일어나 민생주의가 유행하고 있다.
>
> – ○○, 『민보』 발간사 –

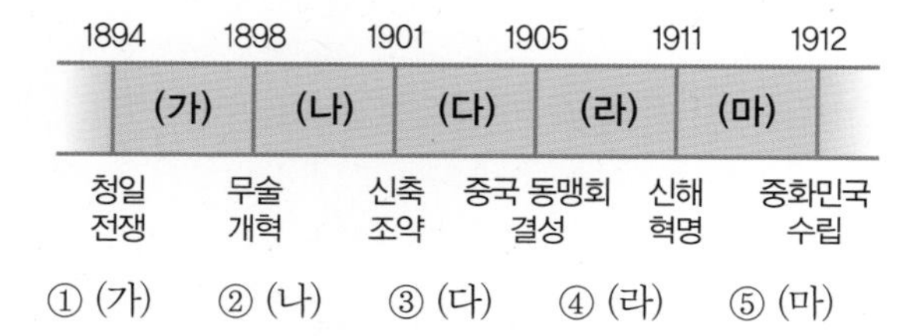

① (가) ② (나) ③ (다) ④ (라) ⑤ (마)

06 다음과 같은 개혁을 추진한 정부에 대한 옳은 설명을 | 보기 |에서 고른 것은?

> 짐이 예전에 여러 번(藩)들이 영토와 주민을 조정에 돌려주겠다고 한 뜻을 받아들여, 새로이 지사를 임명하여 그 직책을 받들도록 하였다. 그러나 수백 년 동안의 인습에 얽매여 제대로 시행되지 않는 경우가 있으니 어찌 백성들을 편안하게 하고, 세계 여러 나라와 대등한 관계를 유지할 수 있겠는가? 짐이 이를 매우 개탄스럽게 생각하여 이에 기존의 번(藩)을 폐지하고 현(縣)으로 삼으니, 낡은 관행으로 인한 폐단을 없애고자 한다.

보기

ㄱ. 미일 수호 통상 조약을 체결하였다.
ㄴ. 존왕양이 운동으로 막부를 타도하였다.
ㄷ. 이와쿠라 사절단을 해외에 파견하였다.
ㄹ. 신분 제도를 폐지하고 징병제를 실시하였다.

① ㄱ, ㄴ ② ㄱ, ㄷ ③ ㄴ, ㄷ
④ ㄴ, ㄹ ⑤ ㄷ, ㄹ

07 중요 밑줄 친 '봉기'에 대한 설명으로 가장 적절한 것은?

> "새 탄약통을 지급하면서 힌두교도에게는 소기름을 바른 탄약통을 주었고, 이슬람교도에게는 돼지기름을 바른 탄약통을 주었다."는 소문이 돌기 시작하였다. 이 소문은 꼬리에 꼬리를 물고 번져갔다. 마침내 미루트에서 용병 3개 연대가 봉기하였다. 그들은 노년의 무굴 황제를 내세우고, 황제의 이름으로 각지에 동참을 호소하였다.

① 위로부터의 개혁이었다.
② 스와라지, 스와데시를 외쳤다.
③ 인도 국민 회의가 주도하였다.
④ 이후 인도 통치 개선법이 제정되었다.
⑤ 벵골 분할령이 계기가 되어 일어났다.

08 다음 칙령에 대한 설명으로 옳은 것은?

> 제국 초에는 『쿠란』의 계율과 제국의 법이 지켜져 왔다. 그 때문에 제국은 평화와 번영을 누릴 수 있었다. 18세기 이후에 생긴 여러 사건과 분쟁은 성스러운 법과 그에 따른 준칙의 준수를 방해하고 있다. …… 새로운 제도에 따라 운영하는 것이 현명하다고 생각한다.
> 1. 백성들의 생명, 명예, 재산에 대한 충분한 안전 보장
> 2. 조세 제도의 확립과 조세 징수에 관한 정식 규정 마련
> 3. 군대 징집에 대한 정식 규정 및 근무 기간 설정

① 위로부터 추진된 근대적 개혁이었다.
② 이집트인을 위한 이집트의 건설을 내세웠다.
③ 이슬람교의 초기의 순수함을 되찾기 위해 추진되었다.
④ 이 칙령으로 담배 불매 운동이 전국적으로 확대되었다.
⑤ 청년 튀르크당이 무장봉기로 정권을 장악한 뒤 발표하였다.

심화 수능 유형 익히기

총 문항수 2 | 처음 푼 날 월 일
정답과 해설 85쪽 | 오답 푼 날 월 일

01 (가), (나) 지역에서 일어난 민족 운동에 대한 설명으로 옳은 것은?

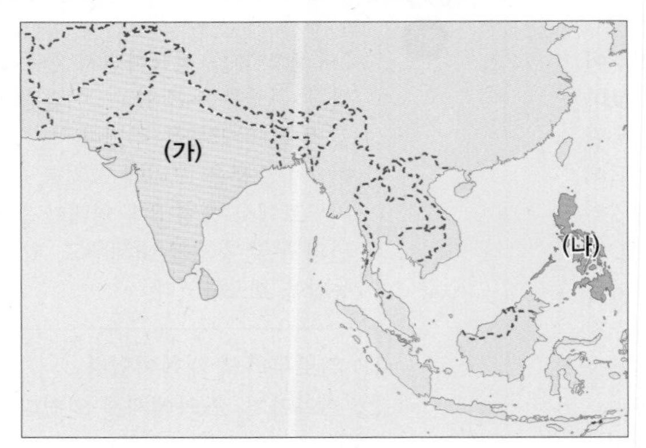

① (가) – 와하브 운동으로 민족의식을 고취하였다.
② (가) – 콜카타 대회를 열어 반영 운동을 전개하였다.
③ (나) – 서구 열강의 식민 지배를 받지 않았다.
④ (나) – 판보이쩌우는 동유 운동으로 인재 양성에 힘썼다.
⑤ (나) – 카르티니는 여성 교육 운동을 하여 민족의식을 높였다.

유형 분석
지도에 표시된 지역들에 대해 묻는 문제 유형이다.

해결 비법
인도, 서아시아, 동남아시아의 국가별 독립 운동의 중요한 사실을 구분하여 기억해 두자.

02 밑줄 친 '신정부'에 대한 옳은 설명을 | 보기 |에서 고른 것은?

> 한마디로 말하자면, 수세기 동안 이 나라의 정치를 근본적으로 대표해 온 봉건 제도가 이번 칙령에 의해 일거에, 게다가 최종적으로 폐지되었다. 그리고 정부는 지방과 중앙을 불문하고 제국을 통치하는 천황의 권력 아래로 귀속되었다. 이에 반대하는 의견은 어디서도 들리지 않는다. 또한 신뢰할 만한 정보에 따르면 <u>신정부</u>에 의한 이런 통합의 노력을 실질적으로 막으려는 움직임이 있을 가능성도 전혀 없다고 한다.
>
> –『외국 신문에 비친 일본』–

| 보기 |

ㄱ. 차별적 신분 제도를 폐지하였다.
ㄴ. 미일 수호 통상 조약을 체결하였다.
ㄷ. 국민개병의 징병 제도를 실시하였다.
ㄹ. 존왕양이를 내세워 막부 타도 운동을 전개하였다.

① ㄱ, ㄴ ② ㄱ, ㄷ ③ ㄴ, ㄷ ④ ㄴ, ㄹ ⑤ ㄷ, ㄹ

유형 분석
자료 속에서 빈칸이나 밑줄을 제시하여 옳거나 틀린 내용을 묻는 유형이야.

해결 비법
제시문을 읽고 신정부가 무엇인지 정확히 추론해야 해. 첫째 줄 '봉건 제도가 이번 칙령에 의해 일거에 폐지되었다.'와 셋째 줄 '제국을 통치하는 천황의 권력 아래로 귀속되었다.'에서 메이지 정부임을 알 수 있어.

심화 기출 지문 활용하기

총 문항수 6 | 처음 푼 날 월 일
정답과 해설 85쪽 | 오답 푼 날 월 일

2017학년도 수능

제△장 근대 국가의 형성

중국의 근대화를 위한 노력

태평천국 운동의 진압에 큰 공을 세운 증국번, 이홍장 등의 한인 관료들은 나라의 자강과 부흥을 목표로 서양의 근대 기술을 도입하는 개혁을 추진하였다. 이는 『해국도지』의 저자인 위원의 사상에서 영향을 받은 것으로, 서양을 배워 서양을 물리치자고 하는 발상에 근거한 것이었다. 그러나 이러한 개혁은 중국이 대외 전쟁에서 연이어 패하면서 그 한계를 여실히 드러냈다.

-○○-　　-○○-

서술형 문제

01 밑줄 친 '개혁'의 명칭을 쓰고, 이 개혁의 방향을 서술하시오

수능 문제

02 밑줄 친 '개혁'의 내용으로 옳은 것은?

① 군기처를 설치하였다.
② 재상제를 폐지하였다.
③ 금릉 기기국을 설립하였다.
④ 천조전무 제도를 발표하였다.
⑤ 상하이 등 5개 항을 개항하였다.

활용 문제

03 밑줄 친 '개혁'에 대한 설명으로 옳지 않은 것은?

① 중체서용에 입각하여 개혁하였다.
② 청일 전쟁에서 패하면서 그 한계를 보였다.
③ 태평천국 운동을 진압한 세력이 주도하였다.
④ 군수 공업, 서양식 군대 및 해군을 창설하였다.
⑤ 일본의 메이지 유신을 본떠 개혁을 시도하였다.

2016학년도 수능

(가) 최근 독일은 산둥 지역의 일부를 점거하였습니다. 각국이 계속 중국의 빈틈을 엿보고 있어서 참으로 망국의 위기가 눈앞에 닥쳐왔습니다. 이 난국을 타개하기 위해서는 제도국을 설치하시고 헌법을 제정하시는 것이 최선이라고 생각합니다.

(나) 2년 전 열강의 연합군이 베이징을 점령하자, 이듬해 우리나라는 4억 5천만 냥이라는 막대한 배상금을 그들에게 지불하는 조약을 맺었습니다. 서양 세력을 막아 내기 위해서는 그들의 제도를 참고하여 우리나라 군대의 문제점을 개선하고 신군을 편성해야 합니다.

서술형 문제

04 (가)에서 밑줄 친 내용이 포함된 근대화 운동의 명칭을 쓰고 이 운동이 실패하게 된 원인을 쓰시오.

수능 문제

05 (가), (나) 사이의 시기에 있었던 사실로 옳은 것은?

① 타이완이 일본의 식민지가 되었다.
② 중국 동맹회가 무장 봉기를 일으켰다.
③ 청조를 지지하는 농민들이 철도를 파괴하였다.
④ 베트남에 대한 종주권을 두고 청프 전쟁이 발발하였다.
⑤ 러시아가 일본의 팽창을 막기 위해 삼국 간섭을 추진하였다.

활용 문제

06 (나) 이후의 사실로 옳은 것은?

① 삼국 간섭이 일어났다.
② 외국 군대가 베이징에 주둔하였다.
③ 8개 연합군이 자금성을 포위하였다.
④ 무술개혁이 추진되었지만 실패하였다.
⑤ 태평천국군이 멸만흥한을 외치며 난징을 점령하였다.

주제 13 두 차례의 세계 대전

주제 흐름 읽기

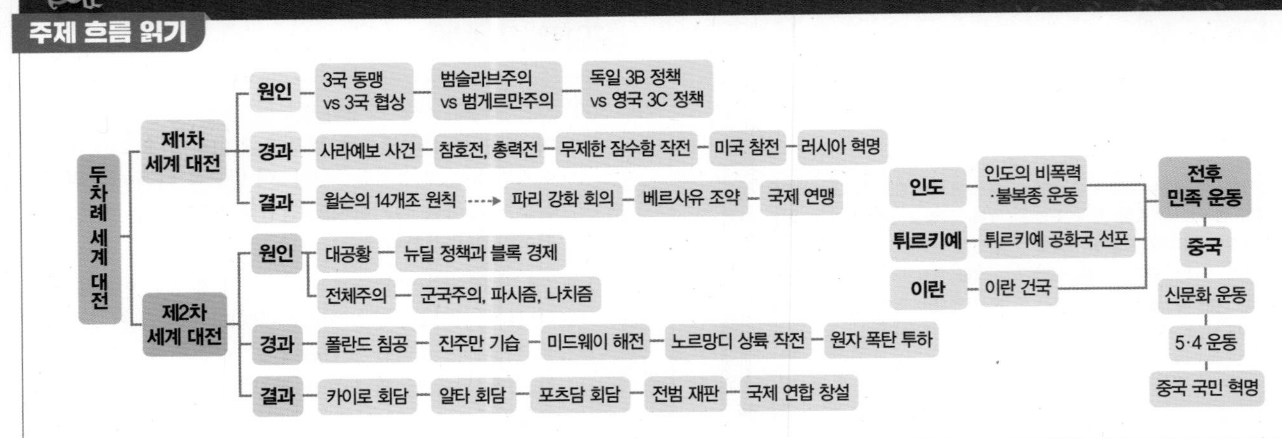

1 제1차 세계 대전 { 제1차 세계 대전의 배경과 영향은 무엇일까요?

1. 제1차 세계 대전의 원인

(1) **3국 동맹과 3국 협상❶** 독일 비스마르크는 유럽 현상 유지와 프랑스 고립화를 추구 → 3국 동맹 결성, 비스마르크 퇴진 이후 빌헬름 2세의 공격적인 '세계 정책' → 3국 협상 체결로 3국 동맹과 긴장 상태 유지

(2) **국제적 대립** 북아프리카에서 독일의 3B 정책과 영국의 3C 정책❷으로 충돌, 모로코 사건(1905, 1911)으로 독일과 프랑스의 갈등 심각

(3) **발칸반도** 오스트리아·헝가리 제국의 범게르만주의와 러시아 및 세르비아 등의 범슬라브주의가 각축 → 사라예보 사건❸ 발발 → 오스트리아·헝가리 제국이 세르비아에 선전 포고 → 동맹국과 연합국 국가들의 전쟁 가담 → 제1차 세계 대전(1914) 발발

2. 제1차 세계 대전의 경과 참호전, 장기전, 총력전 자료 1

독일의 벨기에 침공(1914. 8.) → 마른 전투 → 서부 전선 교착 상태(참호전) → 이탈리아는 동맹국에서 이탈한 뒤 연합국 측에 가담(1915) → 독일의 무제한 잠수함❹ 작전, 치머만 전보 사건 → 미국 참전(1917), 러시아 혁명 발생(1917. 11.)으로 러시아는 독일과 단독 강화 조약 체결 → 오스트리아·헝가리 제국 항복, 독일(킬 군항) 해군들의 반란 → 빌헬름 2세 퇴위, 바이마르 공화국 선포 → 휴전 조약 체결(1918. 1.)

3. 러시아 혁명 자료 2

구분	내용
배경	19세기 후반 국가 주도 산업화 전개 → 차르의 전제 정치와 농업 위주의 사회와 러일 전쟁에서 패배로 인한 경제적 궁핍 → 피의 일요일 사건(1905) → 니콜라이 2세의 개혁 약속(언론 등 자유와 두마의 입법권 보장)
3월 혁명	제1차 세계 대전에서 러시아의 거듭된 패배 → 노동자와 병사의 대표들이 소비에트 결성 뒤 혁명 → 황제 니콜라이 2세 퇴위, 임시 정부 수립
11월 혁명	임시 정부가 전쟁 지속 → 레닌이 지도자인 볼셰비키가 무장봉기 → 임시 정부를 무너뜨리고 소비에트 정부를 수립

❶ **3국 동맹과 3국 협상**
독일은 오스트리아·헝가리 제국, 이탈리아와 3국 동맹을 체결하고 팽창 정책을 추구하자, 영국, 프랑스, 러시아가 3국 협상을 체결하여 대립함으로써 유럽 내 긴장이 고조되었다.

❷ **독일의 3B 정책과 영국의 3C 정책**
3B 정책은 베를린, 비잔티움, 바그다드를 연결하는 독일의 팽창 정책, 3C 정책은 카이로, 케이프타운, 캘커타를 연결하는 영국의 팽창 정책이다.

❸ **사라예보 사건(1914. 6.)**
세르비아계 청년 민족주의자가 보스니아의 사라예보에서 오스트리아·헝가리 제국의 황태자 부부를 암살한 사건으로, 오스트리아·헝가리 제국이 세르비아에 선전포고를 하였고, 연이어 동맹국과 연합국이 전쟁에 가담하면서 제1차 세계 대전이 발발하였다.

❹ **무제한 잠수함 작전**
제1차 세계 대전 중 독일이 영국의 해상 봉쇄 작전에 맞서기 위해 잠수함을 이용하여 연합국과 중립국 선박을 공격하자 미국이 참전하게 된다.

자료 1 제1차 세계 대전의 전개(1914~1918)

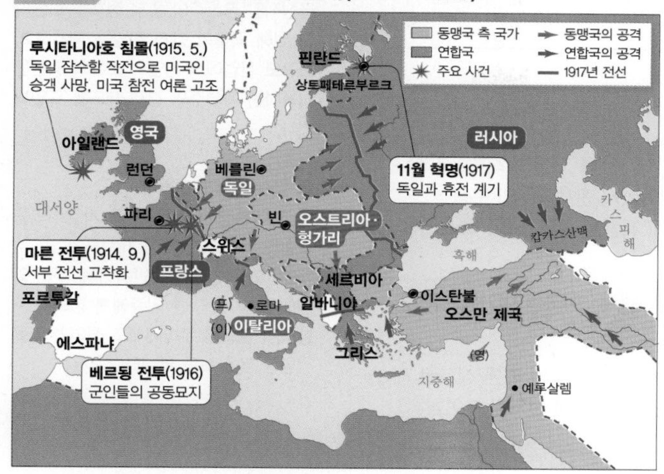

루시타니아호의 침몰은 제1차 세계 대전에 어떤 결과를 가져왔을까?

1915년 독일은 잠수함을 이용하여 영국으로 군수 물자를 나르는 함대를 파괴했고, 이 과정에서 미국의 루시타니아호가 침몰되는 사건이 일어났어. 이 사건은 독일이 미국에 사과를 하고, 잠수함 공격을 완화하면서 일단락됐어. 그러나 전세가 악화되자 독일은 1917년 2월부터 유럽과 영국 주변 바다의 선박 항해를 금지시키는 무제한 잠수함 작전을 실시했어. 이에 중립 정책으로 전쟁에 개입하지 않던 미국이 독일과 외교를 단절했어. 거기에 미국이 참전할 경우 멕시코가 미국을 공격하면 멕시코가 미국에 빼앗긴 영토를 되찾게 도와주겠다는 '치머만 전보 사건'이 알려지면서 미국은 협상국 편에 참가하였고, 미국의 참전으로 제1차 세계 대전은 협상국에 유리하게 되었어. 제1차 세계 대전은 영국과 프랑스군이 마른 전투에서 독일의 침공을 저지하면서 전쟁이 '장기화'되었고, 국가의 모든 자원을 동원한 '총력전' 양상으로 전개되었으며, 대량 살상을 가능하게 하는 '신무기'가 사용되어 전쟁 과정에서 엄청난 사상자가 발생했어.

뜯어보기 포인트

제1차 세계 대전의 주요 특징은 신무기 사용과 장기전, 총력전, 참호전임을 기억하자.

Q1 제1차 세계 대전에 대한 설명으로 옳은 것을 모두 선택해 보자.

㉠ 기관총 등 신무기가 사용되었다.
㉡ 참호를 파고 장기간 대치하였다.
㉢ 전체주의 국가가 추축국을 결성하였다.
㉣ 연합국이 노르망디 상륙 작전을 펼쳤다.
㉤ 여성 노동자들이 군수 공장에서 일을 하였다.

자료 2 혁명 중 레닌이 발표한 강령

제1항 제국주의 전쟁에 단호히 반대하고 즉각 평화를 실현해야 한다.
제4항 소비에트의 권력을 확대해야 한다.
제5항 의회제 공화국에 반대하고 소비에트 공화국을 수립해야 한다.
제9항 생산과 분배를 소비에트*가 통제해야 하다. –「4월 테제」–

*소비에트 '평의회'라는 뜻으로 1917년 혁명 과정에서는 노동자, 병사들을 대표하는 소비에트가 조직되었다.

「4월 테제」를 발표한 배경과 그 영향은 무엇일까?

1917년 3월 혁명이 일어난 이후 임시 정부가 전쟁을 계속하자 스위스에 망명 중이던 레닌은 1917년 4월 3일 상트페테르부르크로 돌아와 '사회주의 혁명'을 강조하는 대중 연설을 한 이후 「4월 테제(혁명에서 프롤레타리아트의 임무)」를 발표했어. 이 강령은 이후 당의 방침이 되어 1917년 11월 혁명에 영향을 주었어.

뜯어보기 포인트

제1차 세계 대전 중 러시아의 11월 혁명으로 최초의 사회주의 국가가 건설되었음을 기억하자.

Q2 1917년 러시아 혁명에 대한 설명으로 옳은 것을 모두 선택해 보자.

㉠ 11월 혁명으로 여성에게 선거권이 부여되었다.
㉡ 11월 혁명으로 레닌은 독일 등과 강화 조약을 맺었다.
㉢ 3월 혁명으로 임시 정부는 독일과의 전쟁을 중지하였다.
㉣ 레닌은 시장 경제를 인정하는 신경제 정책(NEP)을 실시하였다.
㉤ 3월 혁명으로 니콜라이 2세는 의회의 입법권을 보장하는 개혁을 약속하였다.

답 Q1 ㉠, ㉡, ㉤ / Q2 ㉡, ㉣

혁명 이후	의회 해산, 독일과 강화 조약 → 신경제 정책(NEP) 시행[5], 내전 수습 후 소련(소비에트 사회주의 공화국 연방)을 선포(1922)

4. 제1차 세계 대전 종전과 베르사유 체제 자료 3

파리 강화 회의(1919. 1.)	• 전후 혼란 수습, 새로운 국제 질서 모색, 윌슨의 '14개조'를 기본 원칙[6]으로 함 → 유럽에 여러 독립 국가 수립, 아시아와 아프리카에서 반제국주의 운동 • 패전국 독일: 모든 국외 식민지 상실, 알자스·로렌 지방을 양도, 군비 축소 · 막대한 전쟁 배상금 → 독일 국민의 불만 확대
평화 유지 노력	국제 연맹 창설(1920): 군사적 제제 수단 없음, 독일 제외 · 미국의 미가입으로 한계를 드러냄
민주주의의 진전	제1차 세계 대전 노동자 계층과 여성의 기여도가 높음 → 재산에 따른 선거권 제한이 없어지고(남녀평등에 입각한 보통 선거가 실시) 여성에게 선거권 부여됨

2 전후 아시아의 민족 운동

{ 제1차 세계 대전 이후 아시아의 민족 운동은 어떻게 전개되었을까요?

1. 중국의 민족 운동

(1) **신문화 운동** 천두슈 등 지식인은 유교 중심의 전통 문화를 비판하고 과학과 민주주의를 제창하는 의식 개혁 운동 전개

(2) **5 · 4 운동(1919)** 일본의 산둥반도 칭다오 점령, 21개조 요구에 반발 → 파리 강화 회의에서 중국 요구 무시 → 베이징 대학생들의 대규모 항의 시위 → 도시의 상인, 노동자 참여로 대중 운동으로 발전

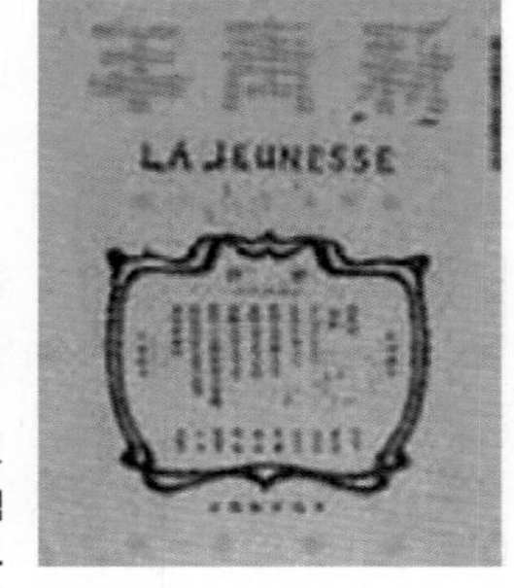

신문화 운동 ▶
1915년 천두슈가 창간한 『신청년』의 표지 그림으로, 신문화 운동을 대표하는 잡지가 되었다.

(3) **국공 합작**

① 제1차 국공 합작(1924): 쑨원의 중국 국민당과 중국 공산당은 군벌 타도를 위해 연합함 → 쑨원 사망 후 장제스가 군벌 타도하고 중국 통일을 완성하는 '국민 혁명'을 완수(1928) → 장제스의 중국 공산당 배척으로 제1차 국공 합작은 붕괴 → 중국 공산당 대장정[7] 시작(1934) → 국민당 토벌에 몰려 옌안에 새 거점을 마련(1935)한 뒤 국민당과 장기 항쟁

② 제2차 국공 합작(1937): 만주 사변(1931) 이후 일본이 중일 전쟁을 일으키고, 시안 사건[8]이 계기가 되어 제2차 국공 합작이 이루어짐 → 본격적인 항일 전쟁 전개

2. 인도와 서아시아의 민족 운동 자료 4

인도	영국의 롤럿법[9] 제정 → 간디는 롤럿법 폐지와 완전한 자치를 요구하는 비폭력 · 불복종 운동(공직 거부, 국산품 애용, 납세 거부 등) → 네루는 급진적인 민족 운동 전개 → 신인도 통치법 제정으로 각 주의 자치 인정(1935)
튀르키예	무스타파 케말[10]은 튀르키예 공화국을 선포(1923)한 뒤 대통령이 되어 일부다처제 폐지, 로마자 표기법 도입 등 근대화를 추구
이란	리자 샤는 팔레비 왕조를 세운 뒤(1925) 국호를 이란으로 정하고 신식 교육 등 근대화 추구

[5] 신경제 정책(NEP)
급진적인 공산주의 통제 정책을 보완하기 위해 곡물의 강제 징발을 폐지하고, 소규모 산업에서 개인의 소유와 경영을 허용하는 자본주의 경제 제도를 도입하였다.

[6] 윌슨의 14개조 원칙
미국 대통령 윌슨은 민족 자결주의를 포함한 '14개조 원칙'을 제시하였다.
"세계 모든 민족은 동반자이며, 우리 입장에서 볼 때 다른 민족에게 정의가 시행되지 않으면 우리에게도 정의가 없을 것임은 불을 보듯 확실하다."

[7] 공산당 대장정(1934~1936)
중국 공산당은 중국 국민당 군의 공격을 피해 장시성 루이진을 떠나 산시성 북부에 도착할 때까지 약 2만 5천 리의 거리를 이동하였다. 대장정을 통해 마오쩌둥은 중국 공산당의 실질적인 지도자가 되어 옌안을 근거지로 활동하였다.

[8] 시안 사건
1936년 12월, 중국 시안에서 만주 지역 군벌 장쉐량이 공산군 토벌을 격려하러 온 장제스를 감금하고, 내전 정지와 항일 투쟁을 호소한 사건이었다.

[9] 영국의 롤럿법
경찰이 인도인을 영장 없이 체포하거나 재판 없이 투옥할 수 있게 한 법이다.

[10] 무스타파 케말
'튀르키예의 아버지'라고 불리는 무스타파 케말은 1915년 갈리폴리 전투에 영국군을 크게 물리치고 공을 세웠다. 튀르키예 공화국 수립 이후 대통령이 되어 여성 교육, 로마자 사용 등 개혁을 추진하였다.

자료 3 **윌슨의 14개조 평화 원칙**

제1조 강화 조약은 공개적으로 진행되고 공표되어야 한다.
제4조 각국의 군비는 적절한 보장 아래 자국의 안보에 필요한 최저선까지 감축되어야한다.
제5조 …… 식민지에서 주권과 같은 문제를 결정할 때에는 관련 식민지 주민의 이해가 식민지 수립될 해당 정부의 요구와 동등하게 취급되어야 한다는 엄격한 원칙에 기반하여, 모든 식민지의 문제는 자유롭고 편견 없이, 그리고 절대적으로 공평무사하게 해결되어야한다.
제14조 강대국과 약소국을 막론하고, 정치적 독립과 영토 보전의 상호 작용을 목적으로 하는 특별 규약 하에 국가 간 연합 기구가 구성되어야 한다.

윌슨의 14개조 평화 원칙이 발표되어 나타난 영향은 무엇일까?
미국 대통령 윌슨이 주창한 '14개조 원칙'은 파리 강화 회의의 기본 원칙이 되었으며 특히 제5조의 민족 자결 원칙은 식민지였던 여러 나라의 반제국주의 운동을 촉진했어. 유럽에서는 여러 민족이 독립 국가를 수립하였고, 아시아 · 아프리카에서는 3 · 1 운동, 5 · 4 운동과 같은 반제국주의 운동이 활발히 전개되었지.

뜯어보기 포인트
제1차 세계 대전 이후 파리 강화 회의에서 윌슨의 민족 자결의 원칙을 포함한 14개조가 기본 원칙으로 받아들여졌음을 기억하자.

Q3 제 1차 세계 대전에 대한 설명으로 옳지 않은 것을 모두 선택해 보자.
㉠ 전후 국제 연합이라는 국제 기구가 만들어졌다.
㉡ 뉘른베르크와 도쿄에서 전쟁 범죄자 처벌을 위한 군사 재판이 열렸다.
㉢ 파리 강화 회의에서 민족 자결 원칙을 포함한 14개조 원칙이 받아들여졌다.
㉣ 민족 자결 원칙은 식민지였던 아시아 아프리카에서 반제국주의 운동을 촉진하였다.
㉤ 베르사유 조약으로 독일은 막대한 배상금을 지게 되어 독일 국민의 불만을 키웠다.

자료 4 **중국과 인도의 민족 운동**

지금 일본은 국제 평화 회의에서 칭다오를 삼키고 산둥에서의 모든 권리를 관리하는데 성공하기 일보 직전에 와 있다. 산둥을 잃는 것은 중국이 망한다는 것이다. 중국의 영토는 정복될지언정 넘겨줄 수는 없다. 중국 국민은 죽을지언정 머리를 숙일 수는 없다. 나라는 망하려 한다! 동포여 일어나라!

– 전체 학생 톈안먼 선언(1919) –

천천히 침묵 속에서 군중은 염전을 향한 반 마일의 행진에 나섰다. …… 간디의 둘째 아들 마닐랄 간디가 선두에 끼어 있었다. 염전이 가까워지자 군중은 혁명 구호 '인퀼라브 진다바다(혁명 만세)'라는 두 마디를 되풀이해서 합창하기 시작하였다. …… 갑자기, 명령 한마디에 수십 명의 경관들이 다가오는 시위자들에게 달려가서 쇠끝 달린 몽둥이로 머리를 후려치기 시작하였다. 모둥이를 막기 위해 팔 하나 들어 올리는 시위자도 없었다.

– 웹 밀러, 『뉴프리먼』(1930. 5. 21.) –

전체 학생 톈안먼 선언이 발표된 배경은 무엇일까?
전체 학생 톈안먼 선언은 일본의 21개조 요구에 반발하여 일어난 5 · 4 운동의 선언문이야. 5 · 4 운동은 일본이 산둥반도를 차지함에 따라 베이징 학생들이 반발하여 시작되어 전국적으로 확산되었어.

인도의 간디는 독립 운동을 어떤 방법으로 전개하였을까?
간디는 '사탸그라하'라고 불리는 자신의 투쟁 방식으로 비폭력 저항 운동을 지도했어. 하지만 간디의 뒤를 이은 네루는 보다 더 급진적인 민족 운동을 전개했어.

뜯어보기 포인트
제1차 세계 대전 이후 아시아와 아프리카에서 제국주의에 저항하는 민족 운동이 일어났음을 기억하자.

Q4 제1차 세계 대전 이후 민족 운동에 대한 설명으로 옳지 않은 것을 선택해 보자.
㉠ 리자 샤는 국호를 이란으로 하였다.
㉡ 중국에서는 대학생들 주도로 대규모의 5 · 4 운동이 일어났다.
㉢ 간디의 뒤를 이은 네루는 비폭력 · 불복종 운동을 전개하였다.
㉣ 튀르키예 대통령에 취임한 무스타파 케말은 서구적 근대화를 추구하였다.
㉤ 간디는 롤럿법의 폐지를 요구하며 비폭력 · 불복종 운동을 전개하였다.

답 Q3 ㉠, ㉡ / Q4 ㉢

3 전체주의의 등장 { 경제 대공항 이후 각국은 어떻게 대응하였는가?

1. 이탈리아 파시즘의 대두 제1차 세계 대전 후 물가 폭등, 실업자 양산으로 노동 운동과 농민 운동 격화 → 이 혼란을 틈타 무솔리니가 파시스트당을 조직 → '로마 진군'으로 정권 장악(1922) 후 일당 독재

2. 대공황과 각국의 대응

① 미국: 루스벨트의 뉴딜 정책[11](정부의 지출 증대, 대규모의 공공사업) → 구매력 높임, 경기 회복

② 영국: 노동당이 보수당과 거국 내각 구성, 보호관세 · 영연방 블록 경제[12]로 대처

③ 프랑스: 사회당 중심 인민 전선 결정, 식민지와 본국과의 블록 경제 추구

3. 독일 나치즘과 일본 군국주의의 등장

① 독일: 대공황 여파로 나치당이 부상, 히틀러 총리 취임(1933) → 극단적 민족주의와 인종주의로 공격적인 팽창 정책 추구, 베르사유 체제 무효화와 재무장 선포, 비밀 경찰(게슈타포)과 친위대(SS) 창설하여 국민의 사생활 통제하는 등 전체주의 체제 추구

② 일본: 대공황으로 만주 사변(1931) 및 만주국 수립, 국제 연맹 탈퇴, 군부 강경파의 쿠데타(5·15 사건)로 군국주의화 → 중일 전쟁(1937)과 난징 대학살

4. 소련의 스탈린주의 독재 체제 형성 레닌 사망(1924)후 스탈린의 경제 개발 5개년 계획 추진 → 중공업 중심의 산업화와 농업 집단화 추구, 가혹한 집단 노동, 반대세력 감금하는 거대한 수용소(굴라크) 건설 등 독재 체제 강화

4 제2차 세계 대전 { 제 2차 세계 대전은 어떻게 전개되었을까요?

구분	내용
전쟁의 원인	• 이탈리아: 알바니아 보호국화, 에티오피아 정복(1936) 후 국제 연맹 탈퇴 • 독일: 국제 연맹 탈퇴 후 라인란트 침공(1936) → 이탈리아와 함께 에스파냐 내전에 개입하여 프랑코 세력을 후원하고 이탈리아, 일본과 방공 협정 체결로 추축국[13] 동맹을 결성(1937) → 오스트리아 합병(1938), 체코슬로바키아의 수데텐 지방 점령, 소련과 불가침 조약 체결 후 폴란드 침공(1939) → 영국과 프랑스의 선전포고로 제2차 세계 대전 발발
전쟁의 경과	• 독일: 프랑스 파리 함락 → 프랑스 페탱 장군을 수반으로 한 비시 정권 수립 → 프랑스의 드골은 망명지 영국에서 '자유 프랑스' 결성으로 독일에 저항 • 영국: 총리 처칠 중심으로 독일 공군의 공습을 물리침 • 이탈리아: 그리스와 북아프리카 등지에서 전선 • 독일: 독소 불가침 조약을 파기하고 소련 침공 • 일본: 미국 하와이 진주만 기습(1941) • 연합국: 미드웨이 해전과 스탈린그라드 전투에서 승리 → 1944년 6월 노르망디 상륙 작전 → 독일의 무조건 항복(1945. 5.) → 히로시마와 나가사키 원폭 투하 → 일본의 무조건 항복(1945. 8.)
전쟁의 결과	• 전쟁 중 연합국 측의 전후 처리 논의: 대서양 헌장에서 전후 평화 수립의 원칙을 천명, 카이로 회담[14] · 얄타 회담[15] · 포츠담 회담[16]을 통해 전후 처리 문제를 결정 • 전후 뉘른베르크와 도쿄 재판 개최, 국제 연합(UN) 창설 → 국제 연합군(유엔군)과 평화 유지군(PKF) 운용

⑪ 뉴딜 정책
1933년에 미국 대통령으로 취임한 루스벨트는 정부가 경제 활동에 적극 개입해야 대공황의 위기를 극복할 수 있다는 영국의 경제학자 케인스의 수정 자본주의 경제 이론을 받아들여 뉴딜 법안을 마련하여 추진하였다. 이는 정부가 생산을 제한하고 임금 인상과 일자리 창출을 통해 유효 수요를 증가시켜 불황에서 벗어나 미국 경제를 재건하기 위한 것이었다.

⑫ 블록 경제
영국은 많은 식민지(영연방)와 파운드 블록을 만들고 서로 특혜 관세를 부과하는 한편, 외국 상품에 대해 높은 관세를 부과해서 대공황의 위기를 극복하고자 했다.

⑬ 추축국
추축은 어떤 사물이나 움직임의 중심이 되는 중요한 부분으로, 독일과 이탈리아의 협정, 독일과 일본의 협정 등을 통해 결성된 제2차 세계 대전 당시 침략국의 중심 세력인 독일, 이탈리아, 일본을 말한다.

⑭ 카이로 회담(1943. 11.)
미국의 루즈벨트, 영국의 처칠, 중국의 장제스가 참가하여 전후 일본 처리 문제와 한국의 독립 문제를 합의하였다.

⑮ 얄타 회담(1945. 2.)
미국의 루즈벨트, 영국의 처칠, 소련의 스탈린이 참가하여 전후 독일 처리 문제와 소련의 대일 참전을 결정하였다.

⑯ 포츠담 회담(1945. 7.~8.)
미국의 트루먼, 영국 처칠, 중국의 장제스, 소련 스탈린이 참가하여 독일을 비롯한 유럽의 전후 문제를 논의하였다.

자료 5 대공황과 뉴딜 정책

뉴딜의 주요 정책

① 농업 보조금 정책: 주요 농산물의 과잉 생산을 제한하고 농민에게 보조금 지급
② 테네시강 유역 개발: 초대형 댐 건설로 인력 고용, 완공 이후 홍수 조절, 수력 발전, 환경 조성 역할
③ 와그너법: 최저 임금제, 최고 노동 시간 규정, 단체 교섭권 보장
④ 사회 보장법: 노인, 유족, 실업자, 산업 재해, 의료 서비스 등을 지원하기 위한 공공부조 체제 시행
⑤ 공공사업 진흥 정책: 교량, 고속 도로, 공원 등 대규모 건설 노동자 고용 및 각종 예술가 지원 등으로 약 8백만 개의 일자리 창출

뜯어보기 포인트

1929년 대공황을 극복하기 위해 미국이 뉴딜 정책을 실시하였음을 기억하자.

대공황 시기에 미국의 경제적 상황을 어떠했을까?

대공황 시기의 세계 경제 지표를 보면, 1929년 미국의 주가가 폭락한 이후 실업률이 가파르게 상승하였고 물가는 급락하는 것을 볼 수 있어. 이러한 대공황은 소비가 생산을 따라가지 못하는 과잉 생산에서 비롯된 거야.

뉴딜 정책을 실시한 이유는 무엇일까?

미국 대통령 루스벨트는 해결책으로 뉴딜 정책을 추진했어. 이는 전통적인 자유방임의 원칙을 포기하고 국가가 경제에 적극적으로 개입하여 정부 지출을 늘리고 대규모 공공사업을 일으켜 소비자의 구매력을 높이는 방식으로 경기를 회복하고자 한거야.

Q5 1929년 경제 대공황에 대한 설명으로 옳지 않은 것을 선택해 보자.

㉠ 미국 대통령은 뉴딜 정책을 추진하였다.
㉡ 영국은 영연방을 앞세워 블록 경제로 대처하였다.
㉢ 1929년 미국 뉴욕의 증권 거래소에서 주가가 폭락하였다.
㉣ 뉴딜 정책은 시장 경제 원칙에 따라 국가의 경제 개입을 금지하였다.
㉤ 프랑스는 식민지와 본국의 관계를 긴밀히 하는 블록 경제를 추구하였다.

자료 6 일본, 진주만 공습(1941. 12. 7.)

16살의 나는 진주만의 해군 조선소에서 배관 견습공으로 일하고 있었습니다. 1941년 12월 7일, 한 7시쯤일까 할머니가 나를 깨웠어요. 일본군이 진주만을 폭격하고 있다고 할머니가 말하였습니다. 그냥 연습하는 거라고 나는 말했지요. 할머니는 “아니야, 이건 진짜야. 그리고 방송에서 진주만 근무자들은 모두 즉각 출근하라고 하고 있어.”라고 말하였습니다. 베란다로 나가 보니 하늘 높이 폭발 모습이 보였습니다.

뜯어보기 포인트

일본의 진주만 기습으로 미국이 제2차 세계 대전에 참여하였음을 기억하자.

일본이 진주만을 공습한 배경과 그 결과는 무엇인가?

1941년 7월 일본은 중국과의 전쟁이 장기화되자 원유와 자원을 확보하기 위해 동남아시아와 남태평양으로 진출을 시도했어. 그러자 미국이 일본에 대해 석유와 전쟁 물자 수출 금지 조치를 했어. 이에 일본은 하와이에 정박해 있던 미 태평양 함대를 기습 공격했어. 이 공습의 결과로 미국은 제2차 세계 대전에 뛰어들면서 태평양 전쟁이 시작되었어.

Q6 제 2차 세계 대전에 대한 설명으로 옳지 않은 것을 모두 선택해 보자.

㉠ 미국은 미드웨이 해전에서 승리를 거두어 전세를 바꾸었다.
㉡ 연합국은 노르망디 상륙 작전을 펼쳐 파리를 해방하고 독일 본토로 진격하였다.
㉢ 제2차 세계 대전 이후 카이로 · 얄타 · 포츠담 회담을 통해 전후 처리 문제를 결정하였다.
㉣ 일본이 진주만을 공습하자, 미국은 일본에 대해 석유와 전쟁 물자 수출 금지 조치를 하였다.
㉤ 미국이 히로시마와 나가사키에 원자 폭탄을 투하하고 소련이 일본에 선전 포고를 하자, 일본도 무조건 항복을 선언하였다.

답 Q5 ㉣ / Q6 ㉢, ㉣

정답과 해설 ▸ 86쪽

01 서로 관련 있는 내용끼리 연결해 보자.

ⓐ 추축국 • • ㉠ 독일, 이탈리아, 일본

ⓑ 3국 협상 • • ㉡ 독일, 오스트리아 · 헝가리 제국, 이탈리아

ⓒ 3국 동맹 • • ㉢ 영국, 프랑스, 러시아

02 아래 설명이 맞으면 O표, 틀리면 X표를 해 보자.

(1) 발칸반도에서 일어난 사라예보 사건으로 제1차 세계 대전이 발발하였다. (   )

(2) 미국은 독일의 무제한 잠수함 작전과 치머만 전보 사건 때문에 제1차 세계 대전에 참전하였다. (   )

(3) 레닌과 볼셰비키가 주도한 11월 혁명으로 임시 정부가 무너지고 소비에트 정부가 수립되었다.(   )

(4) 베이징 학생들을 중심으로 일본의 21개조 요구 철폐와 산둥반도의 이권 반환을 요구하는 신문화 운동이 일어났다. (   )

(5) 미국의 루스벨트는 대공황을 극복하기 위해 뉴딜 정책을 실시하였다. (   )

03 빈칸에 알맞은 말을 채워 보자.

(1) 제1차 세계 대전이 끝난 후 파리 강화 회의에서 (   )의 '14개조 원칙'이 받아들여졌다.

(2) 러시아 혁명에 성공한 레닌은 공산주의 통제 경제 문제점을 보완하기 위해 시장 경제의 일부를 인정한 (   )을/를 실시하였다.

(3) 쑨원이 사망한 후 실권을 장악한 장제스는 군벌을 타도하여 (   )을/를 완수하였다.

(4) 인도의 (   )은/는 롤럿법의 폐지와 완전한 자치를 요구하며 비폭력 · 불복종 운동으로 영국에 맞섰다.

(5) 1944년 6월에 연합국은 (   )을/를 펼쳐 파리를 해방하고 독일 본토로 진격하였다.

04 | 보기 |에서 제시된 단어를 통해 추론할 수 있는 사건의 이름을 적어 보자.

| 보기 |

탱크	기관총	참호전 총력전
장기전	3국 협상	3국 동맹

05 | 보기 |의 사건들을 순서대로 나열해 보자.

| 보기 |

ㄱ. 5 · 4 운동　　ㄴ. 국민 혁명

ㄷ. 신문화 운동　　ㄹ. 제1차 국 · 공 합작

06 다음 연설문을 말한 인물의 이름을 적어 보자.

> 우리가 두려워해야 할 대상은 오로지 두려움뿐이다. 지금의 사태는 즉각적인 행동을 요구하고 있다. 우리의 최우선 과업은 사람들을 취업시키는 일이다. 농산물의 가격을 인상하고 이로써 도시의 생산품에 대한 구매력을 증대시키는 것은 이일에 도움이 될 것이다. 나는 이 위기에 대처하기 위한 지속적 수단을 의회에 요구한다.

07 아래의 표를 완성해 보자.

카이로 회담	• 미국, 영국, 중국 대표가 참가 • 전후 일본 처리 문제와 한국의 독립 문제 합의
( )	• 미국, 영국, 소련의 대표가 참가 • 전후 독일 처리 문제와 소련의 대일 참전 결정
( )	• 미국, 영국, 중국, 소련의 대표가 참가 • 일복의 무조건 항복 요구
국제 연합	• 대서양 헌장에 전후 평화 원칙에 따라 창설 • 국제 연합군과 평화 유지군 운용

내신 유형 익히기

총 문항수	12	처음 푼 날	월 일
정답과 해설	86쪽	오답 푼 날	월 일

01 밑줄 친 '사건'에 대한 설명으로 옳지 않은 것은? (빈출)

> 1914년 세르비아계 청년 민족주의자가 보스니아의 사라예보에서 오스트리아 · 헝가리 제국의 황태자 부부를 암살한 사건이 발생하였다. 이는 1908년 보스니아를 합병한 오스트리아 · 헝가리 제국에 대한 불만이 커진 결과였다.

① 오스트리아와 · 헝가리 제국은 3국 동맹국이었다.
② 범슬라브주의와 범게르만주의의 대립이 배경이었다.
③ 연합국과 추축국이 가담하면서 세계 대전이 발발하였다.
④ 이 사건으로 오스트리아 · 헝가리 제국은 세르비아에 선전포고를 하였다.
⑤ 제2차 발칸 전쟁에서 오스트리아 · 헝가리 제국의 방해로 세르비아의 영토 확장 실패가 배경이 되었다.

02 다음 역사적 사실을 발생한 순서대로 옳게 나열한 것은?

> (가) 독일의 벨기에 침공
> (나) 독일 해군들 사이의 반란
> (다) 독일의 무제한 잠수함 작전 전개
> (라) 러시아와 독일과의 단독 강화 조약 체결

① (가) – (다) – (나) – (라)
② (가) – (다) – (라) – (나)
③ (다) – (가) – (라) – (나)
④ (라) – (가) – (나) – (다)
⑤ (라) – (가) – (다) – (나)

03 다음 지도와 같은 국제 질서가 성립된 시기의 상황으로 옳지 않은 것은? (빈출)

① 국제 기구로서 국제 연맹이 창설되었다.
② 독일은 모든 국외 식민지를 상실하였다.
③ 독일에서는 바이마르 공화국이 수립되었다.
④ 독일은 알자스 · 로렌 지역을 프랑스에 양도하였다.
⑤ 대서양 헌장에서 전후 평화 수립 원칙을 천명하였다.

04 다음 인물에 대한 설명으로 옳은 것은?

> • 출생: 1870년
> • 활동
> – 1900년 독일 망명
> – 1905년 러시아 귀국
> – 1907년 스위스 망명
> – 1917년 러시아 귀국, 볼셰비키 혁명 주도
> • 주요 저술: 「혁명에서 프롤레타리아트의 임무(4월 테제)」(1917)
> • 사망: 1924년

① 피의 일요일 사건을 주도하였다.
② 신경제 정책(NEP)을 시행하였다.
③ 경제 개발 5개년 계획을 주도하였다.
④ 황제를 퇴위시키고 임시 정부를 수립하였다.
⑤ 굴라크를 건설하는 등 독재 체제를 강화하였다.

05 빈출 다음 선언이 발표된 시기를 연표에서 옳게 고른 것은?

> 지금 일본은 국제 평화 회의에서 칭다오를 삼키고 산둥에서의 모든 권리를 관리하는데 성공하기 일보 직전에 와 있다. 산둥을 잃는 것은 중국이 망한다는 것이다. 중국의 영토는 정복될지언정 넘겨줄 수는 없다. 중국 국민은 죽을지언정 머리를 숙일 수는 없다. 나라는 망하려 한다! 동포여 일어나라!

1911		1919		1928		1931		1934		1937
	(가)		(나)		(다)		(라)		(마)	
신해 혁명		5·4 운동		국민 혁명		만주 사변		대장정		중일 전쟁

① (가) ② (나) ③ (다) ④ (라) ⑤ (마)

06 (가), (나) 사이의 시기에 있었던 사실로 옳은 것은?

> (가) 장제스는 국민당 군의 총사령관이 되어 북벌을 시작하였다. 그는 상하이에서 공산당을 탄압하고 국민당에 대한 통제권을 확보하였다. 이후 그는 일부 군벌의 지지를 받아 중국 통일을 이루었다.
> (나) 1936년 12월 중국 시안에서 만주 지역 군벌 장쉐량이 공산군 토벌을 격려하러 온 장제스를 감금하고, 내전 정지와 항일 투쟁을 호소하였다.

① 중국 혁명 동맹회가 결성되었다.
② 베이징 대학생들이 5·4 운동을 일으켰다.
③ 중국 공산당이 옌안에 이르는 대장정을 하였다.
④ 쑨원이 임시 대총통으로 추대되어 중화민국을 세웠다.
⑤ 의화단이 부청멸양 구호를 내걸고 외국 공관을 습격하였다.

07 빈출 제1차 세계 대전 이후 인도와 서아시아의 민족 운동에 대한 옳은 설명을 | 보기 |에서 고른 것은?

> **보기**
> ㄱ. 리자 샤는 이란 국호를 사용하였다.
> ㄴ. 무스타파 케말은 아랍 문자를 쓰게 하였다.
> ㄷ. 간디는 롤럿법 폐지를 요구하며 비폭력·불복종 운동으로 맞섰다.
> ㄹ. 네루는 인도의 완전한 독립을 요구하며 비폭력·불복종 운동으로 맞섰다.

① ㄱ, ㄴ ② ㄱ, ㄷ ③ ㄴ, ㄷ
④ ㄴ, ㄹ ⑤ ㄷ, ㄹ

08 빈출 다음 도표의 시기에 각국의 대처 방안에 대한 설명으로 옳지 않은 것은?

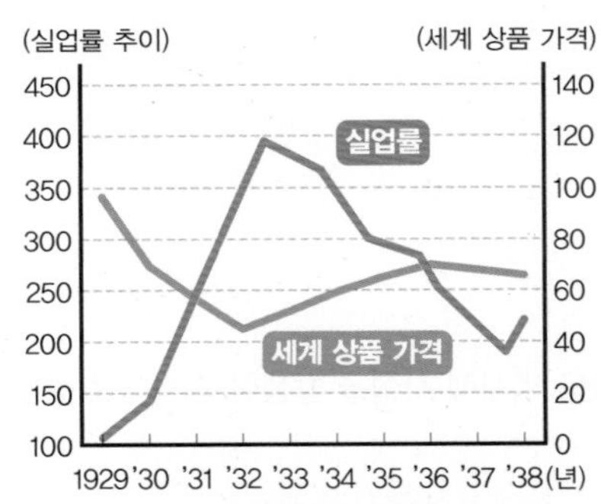

* 실업률 추이: 1929년을 100으로 보았을 때의 수치
세계 상품 가격: 1929년 가격에 대한 백분율 추이

① 미국 대통령 루스벨트는 뉴딜 정책을 추진하였다.
② 영국은 영연방을 앞세워 블록 경제로 대처하였다.
③ 프랑스는 식민지와 본국과의 블록 경제를 추구하였다.
④ 일본은 만주 사변을 일으켜 대외 침략 전쟁을 추진하였다.
⑤ 독일은 사회당이 중심이 되어 인민 전선을 결성하여 대처하였다.

09 빈출 다음 그래프의 피해 상황을 가져온 전쟁에 대한 설명으로 옳지 않은 것은?

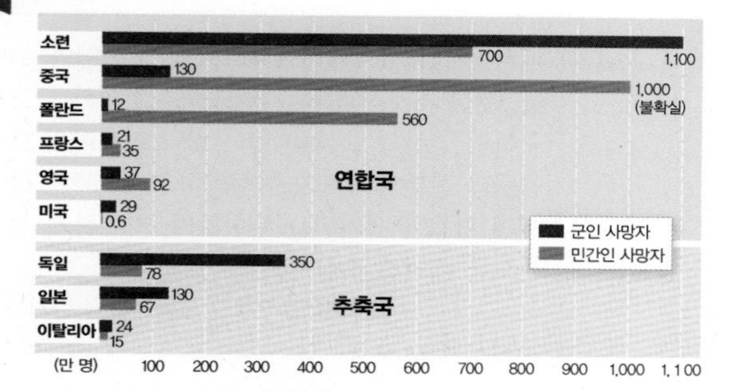

① 연합국은 미드웨이 해전에서 승리하였다.
② 독일은 무제한 잠수함 작전을 전개하였다.
③ 일본은 미국 하와이의 진주만을 기습하였다.
④ 대서양 헌장에서 전후 평화 수립의 원칙이 천명되었다.
⑤ 미국이 히로시마와 나가사키에 원자 폭탄을 투하하였다.

10 밑줄 친 '이 기구'에 대한 옳은 설명을 | 보기 |에서 모두 고른 것은?

이 깃발은 청색 바탕에 흰색으로 북극 위에서 본 세계 지도를 올리브 잎으로 에워싸고 있다. 이는 세계 평화를 유지하기 위한 목적으로 1945년 창설된 이 기구를 상징한다. 현재 주권국으로 인정되는 거의 대부분의 국가가 회원국으로 있다.

| 보기 |
ㄱ. 미국이 가입하지 않았다.
ㄴ. 평화 유지군을 운용하였다.
ㄷ. 대서양 헌장으로 창설되었다.
ㄹ. 군사적 제제 수단이 미비하였다.

① ㄱ, ㄴ ② ㄱ, ㄷ ③ ㄴ, ㄷ
④ ㄴ, ㄹ ⑤ ㄷ, ㄹ

서술형 문제

11 빈출 제시된 자료를 읽고 물음에 답하시오.

제4조 각국의 군비는 적절한 보장 아래 자국의 안보에 필요한 최저선까지 감축되어야한다.
제5조 식민지에서 주권과 같은 문제를 결정할 때에는 관련 식민지 주민의 이해가 식민지 수립될 해당 정부의 요구와 동등하게 취급되어야 한다는 엄격한 원칙에 기반하여, 모든 식민지의 문제는 자유롭고 편견 없이, 그리고 절대적으로 공평무사하게 해결되어야한다.
– 평화 원칙 14개조 –

(1) 위 원칙에서 제5조항을 간략히 부르는 명칭을 써 보자.

(2) 위 원칙 중 특히 제5조의 영향을 받아 당시 강대국의 지배를 받았던 유럽과 아시아 · 아프리카에서 나타난 사실들을 각각 한 가지만 써 보자.

서술형 문제

12 미국 대통령 루스벨트의 연설문을 읽고 물음에 답하시오.

우리가 두려워해야 할 대상은 오로지 두려움뿐이다. ㉠ 지금의 사태는 즉각적인 행동을 요구하고 있다. ㉡ 우리의 최우선 과업은 사람들을 취업시키는 일이다. 농산물의 가격을 인상하고 이로써 도시의 생산품에 대한 구매력을 증대시키는 것은 이일에 도움이 될 것이다. 나는 이 위기에 대처하기 위한 지속적 수단을 의회에 요구한다.

(1) ㉠은 어떤 사태를 의미하는지 써 보자.

(2) ㉡을 위해 실시한 당시 미국의 정책 명칭과 그 예를 한 가지만 써 보자.

01 지도와 같은 국제 상황에 대한 학생들의 설명으로 옳지 않은 것은?
중요

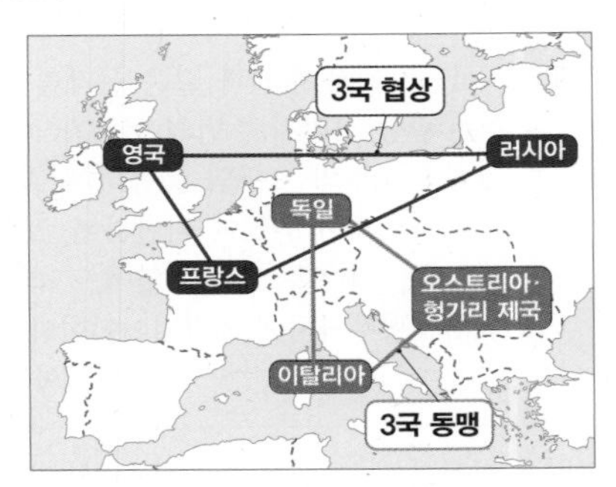

① 희찬: 3국 동맹국과 3국 협상국이 대립하였어.
② 민철: 독일은 빌헬름 2세가 팽창 정책을 펼쳤어.
③ 창민: 사라예보 사건으로 제1차 세계 대전이 발발하였어.
④ 인서: 제1차 세계 대전 중에 이탈리아는 3국 동맹을 유지하였어.
⑤ 우민: 발칸반도에서는 범게르만주의와 범슬라브주의가 대립하였어.

02 밑줄 친 '전문'이 공개된 시기를 연표에서 옳게 고른 것은?

> 19○○년 ○월, 독일 외무 장관 치머만이 멕시코 주재 독일 대사에게 "멕시코가 미국을 공격한다면 멕시코가 미국에 빼앗긴 모든 영토를 되찾을 수 있도록 돕겠다."라는 내용의 암호 <u>전문</u>을 보냈다.

사라예보 사건	(가)	독일의 벨기에 침공	(나)	이탈리아의 연합국 가입	(다)	무제한 잠수함 작전	(라)	미국의 연합국 참전	(마)	독일·러시아 강화 조약 체결

① (가) ② (나) ③ (다) ④ (라) ⑤ (마)

03 (가), (나) 사이의 시기에 있었던 사실로 옳은 것은?

> (가) 폐하! 저의 상트페테르부르크의 노동자와 주민들, 저희 처자식과 늙은 부모들은 정의와 보호를 구하러 당신께 갑니다. …… 즉각 러시아의 모든 계급과 신분의 대표자를 선출하고, 또 모든 사람에게 평등한 선거권을 부여하며, 자유롭게 선거하도록 배려해 주십시오.
> – 상트페테르부르크 노동자들의 청원서 –
>
> (나) 러시아 시민에게
> 임시 정부는 타도되었다. 국가 권력은 페트로그라드 노동자 · 병사 대표 소비에트 기관인 페트로그라드의 프롤레타리아와 수비대의 선두에 선 군사 혁명 위원회의 손으로 넘어왔다. …… 지체 없는 전쟁의 중단, 지주의 토지 소유 폐지, 노동자의 생산 관리, 소비에트 정부의 수립이 보장되었다.
> – 페트로그라드 노동자 · 병사 대표 소비에트 산하 군사 혁명 위원회 –

① 농노 해방령이 발표되었다.
② 신경제 정책(NEP)을 발표하였다.
③ 황제 니콜라이 2세가 퇴위하였다.
④ '브나로드'라는 민중 계몽 운동이 전개되었다.
⑤ 소비에트 사회주의 공화국 연방을 공식 선포하였다.

04 (가) 전쟁 이후에 대한 옳은 설명을 | 보기 |에서 고른 것은?

> (가) 이/가 끝난 후, 전승국은 파리 강화 회의에서 전후 혼란을 수습하고 새로운 질서를 모색하였다. 전승국과 독일은 전승국의 이익을 보장하고 패전국인 독일을 응징하는 내용의 베르사유 조약을 체결하였다.

| 보기 |
ㄱ. 여성의 선거권이 인정되지 않았다.
ㄴ. 독일은 배상금을 전액을 납부하였다.
ㄷ. 유럽에는 보통 선거권이 인정되었다.
ㄹ. 윌슨의 '14개조' 기본 원칙이 받아들여졌다.

① ㄱ, ㄴ ② ㄱ, ㄷ ③ ㄴ, ㄷ
④ ㄴ, ㄹ ⑤ ㄷ, ㄹ

05 빈칸 (가)에 들어갈 인물에 대한 설명으로 옳은 것은?

> 소금 행진을 벌이는 (가)
>
> 
>
> 인도의 소금 제조와 판매를 독점하려는 영국의 식민 통치에 맞서기 위해서 3주 동안 행진 끝에 바닷가에 도착하여 소금을 만들었다.

① 와하브 운동을 일으켰다.
② 사타그라하 운동을 전개하였다.
③ 급진적인 민족 운동을 전개하였다.
④ 브라흐마 사마지 운동을 추진하였다.
⑤ 담배 불매 운동을 전국적으로 확대하였다.

06 중요 다음 두 인물에 대한 설명으로 옳지 않은 것은?

① (가)는 에티오피아를 정복하였다.
② (가)는 로마 진군으로 정권을 장악하였다.
③ (나)는 무제한 잠수함 작전을 펼쳤다.
④ (나)는 비밀 경찰과 친위대를 창설하였다.
⑤ (가), (나)는 국제 연맹에서 탈퇴하였다.

07 다음의 기록과 관련된 전쟁에서 볼 수 있는 가장 적절한 모습을 | 보기 |에서 고른 것은?

> 16살의 나는 진주만의 해군 조선소에서 배관 견습공으로 일하고 있었습니다. 1941년 12월 7일, 한 7시쯤일까 할머니가 나를 깨웠어요. 일본군이 진주만을 폭격하고 있다고 할머니가 말하였습니다. 그냥 연습하는 거라고 나는 말했지요. 할머니는 "아니야, 이건 진짜야. 그리고 방송에서 진주만 근무자들은 모두 즉각 출근하라고 하고 있어."라고 말하였습니다. 베란다로 나가 보니 하늘 높이 폭발 모습이 보였습니다.

| 보기 |
ㄱ. 루시타니아호를 침몰 시키는 독일 잠수함
ㄴ. 킬빌 군항에서 반란을 일으키는 독일 해군들
ㄷ. 미드웨이에서 일본군과 전투를 벌이는 미 해병
ㄹ. 프랑스 노르망디에 상륙 작전을 펼치는 연합군

① ㄱ, ㄴ ② ㄱ, ㄷ ③ ㄴ, ㄷ
④ ㄴ, ㄹ ⑤ ㄷ, ㄹ

08 (가)~(다)에서 열린 국제 회담에 대한 설명으로 가장 적절한 것은?

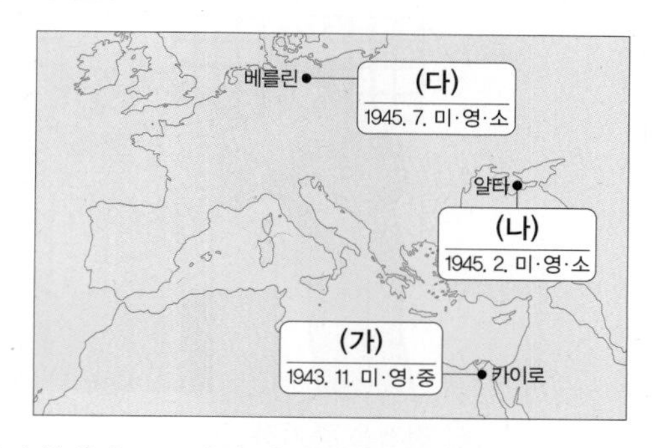

① (가)에서는 소련의 참전이 결정되었다.
② (나)에서는 국제 연맹 창설을 결정하였다.
③ (다)에서는 일본의 무조건 항복을 재확인하였다.
④ (가), (나)에서는 윌슨의 '14개조' 원칙을 채택하였다.
⑤ (가), (나), (다)에서 참석한 미국 대표는 동일하다.

심화 수능 유형 익히기

총 문항수 2 | 처음 푼 날 월 일
정답과 해설 89쪽 | 오답 푼 날 월 일

01 밑줄 친 '그 전쟁' 중에 볼 수 있었던 적절한 모습을 | 보기 |에서 고른 것은?

> 사라예보 사건으로 촉발된 그 전쟁은 몸서리치게 참혹했다. …… 마른 전투 이후 서부 전선은 교착 상태에 빠졌다. 오랜 전쟁 기간 동안 인간이 상상하기 어려울 정도로 끔찍하고 무참한 일들이 벌어졌다. 수많은 젊은이가 진흙탕 참호 속에서 목숨을 잃었고 처참한 학살이 자행되었다.

보기

ㄱ. 방독면 공장에서 일하는 프랑스 여성
ㄴ. 무제한 잠수함 작전을 수행하는 독일 수병
ㄷ. 원자 폭탄을 투하하는 미국 폭격기 조종사
ㄹ. 연합군의 일원으로 인도 · 미얀마 전선에 파견된 한국 광복군

① ㄱ, ㄴ ② ㄱ, ㄷ ③ ㄴ, ㄷ ④ ㄴ, ㄹ ⑤ ㄷ, ㄹ

유형 분석
사료를 통해 역사적 사건을 추론하여 그 사건에 해당되는 사실을 찾는 유형이야.

해결 비법
사라예보 사건, 마른 전투와 같은 힌트들을 통해 제시된 자료가 어떤 전쟁을 보여주고 있는지 알 수 있어.

02 다음 연설을 한 인물에 대한 설명으로 옳지 않은 것은?

① 독일과의 전쟁을 중지하였다.
② 신경제 정책(NEP)을 추진하였다.
③ 토지와 주요 산업을 국유화 하였다.
④ 경제 개발 5개년 계획을 추진하였다.
⑤ 소비에트 사회주의 공화국 연방(소련)을 수립하였다.

유형 분석
제시문(연설문)을 통해 인물을 추론하여 그 인물에 대한 역사적 사실을 찾는 문제이다.

해결 비법
임시 정부, 소비에트 정부 수집과 같은 연설문 내용을 통해 해당 인물이 누군지 알 수 있어.

심화 기출 지문 활용하기

총 문항수 6 | 처음 푼 날 월 일
정답과 해설 89쪽 | 오답 푼 날 월 일

2016학년도 수능

- (가) 은/는 "파시스트 손으로 조국의 정치와 경제 조직을 질서 있게 발달시킬 수 있는 기초를 만들 필요가 있다."라고 주장하였다. 그는 검은 셔츠단을 이끌고 로마로 진군하여 파시스트 정권을 수립하였다.
- (나) 은/는 자서전 『나의 투쟁』에서 "인종을 모든 생활의 중심에 두어야 하며, 국가는 인종의 순수성을 유지하기 위하여 배려해야 한다."라고 주장하였다. 그는 나치당의 지도자로 정권을 장악한 후 반유대주의 정책을 펼쳤다.

서술형 문제

01 (가), (나)에 들어갈 인물들이 공통적으로 추구한 국가 체제에 대해 설명해 보자.

수능 문제

02 (가), (나) 인물에 대한 설명으로 옳지 않은 것은?

① (가) – 국가 지상주의를 내세웠다.
② (가) – 알바니아를 보호국으로 삼았다.
③ (나) – 베르사유 조약을 파기하였다.
④ (나) – 쿠데타를 통해서 집권하였다.
⑤ (나) – 뮌헨 협정을 통해서 수데텐을 차지하였다.

활용 문제

03 (가), (나) 인물에 대한 설명으로 옳지 않은 것은?

① (가) – 전체주의를 내세웠다.
② (가) – 에디오피아를 점령하였다.
③ (나) – 소련과 불가침 조약을 체결하였다.
④ (나) – 스탈린그라드 전투에서 승리하였다.
⑤ (가), (나) – 일본과 협력하여 대외 팽창을 시도하였다.

2017학년도 수능

『청년잡지』에는 사회와 청년의 관계를 인체와 세포의 관계로 비유하면서 청년들에게 자주적일 것, 진보적일 것, 진취적일 것, 세계적일 것, 실리적일 것, 과학적일 것을 당부하는 글이 실렸다. 『청년잡지』는 곧 『신청년』으로 개칭되었는데, 『신청년』은 서양의 민주주의와 과학을 수용하고 유교 중심의 전통 문화를 타파하자고 주장하면서 이 운동을 이끌었다.

서술형 문제

04 밑줄 친 '이 운동'에 대해서 구체적으로 설명하시오(이 운동의 명칭과 주도한 인물 한명을 반드시 포함).

수능 문제

05 밑줄 친 '이 운동'에 대한 설명으로 가장 적절한 것은?

① 상제회가 중심이 되었다.
② 과거제의 폐지를 이끌어냈다.
③ 부청멸양을 기치로 내세웠다.
④ 천두슈, 후스 등이 주도하였다.
⑤ 서태후 등 보수파의 반대로 실패하였다.

활용 문제

06 밑줄 친 '이 운동'에 대한 설명으로 적절하지 않은 것은?

① 『신청년』을 발행하였다.
② 유교 전통을 비판하였다.
③ 천두슈, 후스 등이 주도하였다.
④ 서양 과학과 민주주의를 옹호하였다.
⑤ 일본의 21개조 요구에 반발하며 일어났다.

대주제 5 마무리하기

난이도	상 ●●●	중 ●●○	하 ●○○
정답률	50% 미만	50~70%	70%이상

01 다음 자료의 배경으로 가장 적절한 것은?

이 그림은 할머니가 가면을 쓴 늑대가 빨간 두건을 쓴 어린이가 가지고 있는 파이(파쇼다)를 노리고 있는 모습을 풍자하여 묘사하였다.

① 범게르만주의와 범슬라브주의
② 러시아의 남하 정책과 오스만 제국
③ 영국의 3C 정책과 독일의 3B 정책
④ 영국의 종단 정책과 프랑스의 횡단 정책
⑤ 독일의 팽창 정책과 프랑스의 고립 정책

02 (가), (나) 사이의 시기에 있었던 모습으로 옳은 것은?

(가) 세계 여러 나라가 시대를 같이하여 어깨를 나란히 하고 있지만, 오로지 서양의 몇몇 국가들만 독자적으로 부강한 것은 서로 비슷하고 실행하기도 쉬운 장점이 크게 두드러진 결과가 아니겠는가? 만약 중국의 윤상명교(倫常名敎:유교적 가치)를 근본으로 삼고, 외국이 부강해진 기술을 가지고 이를 보강한다면 가장 좋은 방법이 아니겠는가? – 풍계분, 『교빈려항의』 –

(나) 사람들은 단지 서양의 병사와 말의 강건함, 함선과 대포의 예리함, 기계의 신기함만을 보면서 그 때문에 그들이 세계를 쟁패할 수 있다고 생각한다. 하지만 가장 근본은 그들이 정치를 운영하는 데 있다. …… 영국은 겨우 손바닥만한 섬 세 개로 이루어져 있어, 그 면적과 인구가 중국의 몇 성(省)보다 못하지만 …… 서양의 일등국이 되었다. 어찌 다른 까닭이 있겠는가? 다만, 의회를 설립해서 백성의 뜻을 하나로 뭉쳐 민기(民氣)를 강하게 만들었을 뿐이다. – 정관잉, 『성세위언』 –

① 중국 혁명 동맹회를 조직하는 쑨원
② 광저우에서 아편을 단속하는 임칙서
③ 시모노세키항에서 조약을 체결하는 이홍장
④ 태평천국군을 이끌고 난징을 점령한 홍수전
⑤ 중화민국의 대총통으로 추대되는 위안스카이

03 (가) 운동의 결과를 | 보기 |에서 고른 것은?

신(神)이 (가) 을/를 돕는 까닭은 도깨비 같은 놈들이 중국을 어지럽히기 때문이다. 그놈들은 크리스트교를 선전하고 다니면서 하늘을 모독하고 부처를 경배하지 않으며 조상을 돌보지 않는다. 철도를 부수고, 전선을 끊고, 커다란 기선을 파괴하자. 그렇게 하면 프랑스도 간담이 서늘해질 것이고, 영국과 러시아는 조용해질 것이다. 도깨비 같은 놈들을 모두 죽여서 청의 평화를 축하하자.

– (가) 선전물의 일부 –

| 보기 |

ㄱ. 타이완을 일본에 할양하였다.
ㄴ. 외국 군대가 베이징 주둔하였다.
ㄷ. 러시아에 연해주 등지를 할양하였다.
ㄹ. 영국, 일본 등 8개국 연합국이 자금성에 입성하였다.

① ㄱ, ㄴ ② ㄱ, ㄷ ③ ㄴ, ㄷ
④ ㄴ, ㄹ ⑤ ㄷ, ㄹ

04 빈칸 (가)에 들어갈 사절단이 유럽에 파견된 시기를 연표에서 옳게 고른 것은?

(가) 사절단

메이지 정부는 핵심 관리의 거의 절반에 달하는 인원을 2년간 미국과 유럽에 시찰단으로 파견하였다.

1854		1858		1868		1889		1894		1904
미일 화친 조약	(가)	미일 수호 통상 조약	(나)	왕정 복고	(다)	일본 제국 헌법 제정	(라)	청일 전쟁	(마)	러일 전쟁

① (가) ② (나) ③ (다) ④ (라) ⑤ (마)

05 다음 연설이 발표된 시기를 연표에서 옳게 고른 것은?

> 스와데시(국산품 애용)는 경제가 혼란한 인도에서 강력해질 필요가 있다고 생각합니다. 인도는 외국인에게 지급하는 매년 2억 루피 정도의 봉급·연금 등으로 경제 상황이 어려운데, 이곳에 영국의 경제법을 적용한다는 말은 위험할 뿐만 아니라 모욕을 주려는 것과 같습니다.

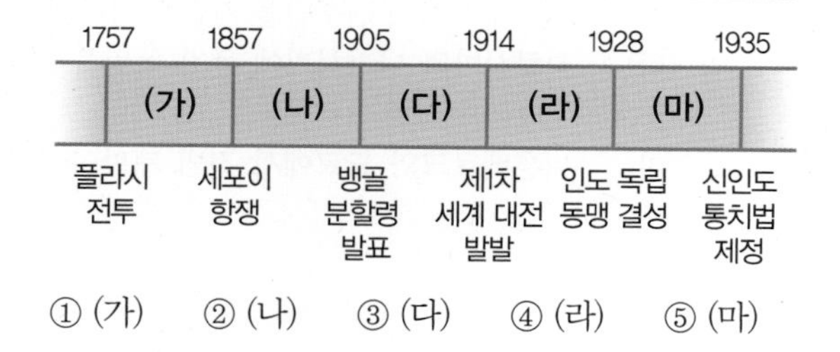

① (가) ② (나) ③ (다) ④ (라) ⑤ (마)

06 (가)~(마) 국가의 역사적 사실로 옳지 않은 것은?

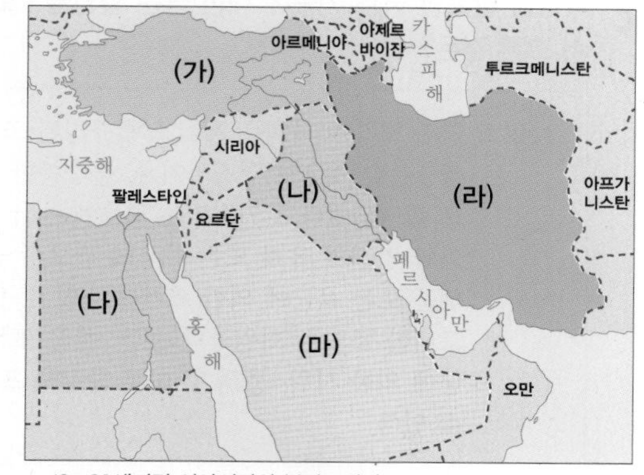

▲ 19~20세기경 서아시아와 북아프리카

① (가) – 탄지마트(은혜 개혁)를 단행하였다.
② (나) – 오스만 제국의 영토에서 분리되었다.
③ (다) – 아라비 파샤가 이집트인을 위한 이집트 건설을 내세웠다.
④ (라) – 상인과 이슬람 지도자가 담배 불매 운동을 벌였다.
⑤ (마) – 브라흐마 사마지 운동을 전개하였다.

07 제1차 세계 대전의 전개 과정을 발생한 순서대로 옳게 나열한 것은?

> (가) 독일이 무제한 잠수함 작전을 펼쳤다.
> (나) 독일 해군들 사이에서 반란이 일어났다.
> (다) 독일은 서부 전선에서 벨기에를 침공하였다.
> (라) 세르비아계 청년이 오스트리아·헝가리 제국의 황태자 부부를 암살하였다.

① (다) – (가) – (라) – (나)
② (다) – (라) – (가) – (나)
③ (라) – (나) – (다) – (가)
④ (라) – (다) – (가) – (나)
⑤ (라) – (다) – (나) – (가)

08 빈칸 (가)에 들어갈 강령이 발표된 시기를 연표에서 옳게 고른 것은?

> 제1항 | 제국주의 전쟁에 단호히 반대하고 즉각 평화를 실현해야 한다.
> 제5항 | 의회제 공화국에 반대하고 소비에트 공화국을 수립해야 한다.
> 제6항 | 지주의 토지를 몰수하여 국유화해야 한다.
> 제9항 | 생산과 분배를 소비에트가 통제해야 한다.
>
> – (가) –

1905.1	1905.10.	1917.3.	1917.11.	1918.3.	1922
피의 일요일 사건	니콜라이 2세의 10월 선언	3월 혁명	11월 혁명	독일과 강화 조약 체결	소련 공식 선포

(가): 1905.1~1905.10. / (나): 1905.10.~1917.3. / (다): 1917.3.~1917.11. / (라): 1917.11.~1918.3. / (마): 1918.3.~1922

① (가) ② (나) ③ (다) ④ (라) ⑤ (마)

09 (가), (나)의 민족 운동에 대한 설명으로 옳지 않은 것은?

> (가) 지금 일본은 국제 평화 회의에서 칭다오를 삼키고 산둥에서의 모든 권리를 관리하는데 성공하기 일보 직전에 와 있다. 산둥을 잃는 것은 중국이 망한다는 것이다. 중국의 영토는 정복될지언정 넘겨줄 수는 없다. 중국 국민은 죽을지언정 머리를 숙일 수는 없다. 나라는 망하려 한다! 동포여 일어나라!
>
> (나) 우리가 이번에 발표한 이 선언은 국민 혁명에 대한 책임감을 더욱 확고하게 함으로써, 보다 철저한 국민 혁명을 완수할 것입니다. …… 대내적으로 군벌을 타도하고 압박받는 사람들을 완전히 해방시키고, 대외적으로 전 세계 사람들이 함께 협력하여 제국주의 침략을 막아내고 완전한 해방을 이루어 내는 것입니다.

① (가) – 산둥반도의 이권 반환을 요구하였다.
② (가) – 베이징 대학생들이 주도하여 시위하였다.
③ (나) – 북벌을 추진하였다.
④ (나) – 시안 사건을 계기로 이루어졌다.
⑤ (가)와 (나)의 국민 혁명 사이 시기에 쑨원이 사망하였다.

10 (가)에 들어갈 내용으로 가장 적절한 것은?

> 탐구 활동 계획서
>
> • 탐구 주제: (가)
> • 탐구 활동
> 1모둠: 미국 – 대규모 공공사업 실시, 정부 지출 증대
> 2모둠: 영국 – 보호 관세 정책 실시, 블록 경제권 형성
> 3모둠: 프랑스 – 인민 전선 구성, 블록 경제 형성

① 전체주의의 대두
② 대공황과 각국의 대응
③ 자유 무역 체제의 강화
④ 브레턴우즈 체제의 성립
⑤ 지역 중심의 경제 공동체 결성

11 연표의 (가)~(마) 시기에 있었던 사실로 옳지 않은 것은?

추축국 방공 협정 체결	(가)	독소 불가침 조약	(나)	독일, 소련 침략	(다)	노르망디 상륙 작전	(라)	일본 항복	(마)	유엔 창설

① (가) – 독일이 오스트리아를 병합하였다.
② (나) – 독일은 폴란드를 기습 공격하였다.
③ (다) – 일본이 하와이 진주만을 기습 공격하였다.
④ (라) – 히로시마와 나가사키에 원자 폭탄을 투하하였다.
⑤ (마) – 뉘른베르크와 도쿄에서 전범 재판이 실시되었다.

12 다음을 발표한 국제 기구에 대한 옳은 설명을 | 보기 |에서 고른 것은?

> 제42조 안전 보장 이사회는 제41조에 규정된 조치가 불충분할 것으로 인정하거나, 불충분한 것으로 판명되었다고 인정되는 경우에는 국제 평화와 안전의 유지 또는 해복에 필요한 공군, 해군 또는 육군에 의한 조치를 취할 수 있다. 그러한 조치는 회원국의 공군, 해군 또는 육군에 의한 시위, 봉쇄 및 다른 작전을 포함할 수 있다.

| 보기 |

ㄱ. 미국은 가입하지 않았다.
ㄴ. 대서양 헌장으로 창설되었다.
ㄷ. 제1차 세계 대전 직후 결성되었다.
ㄹ. 국제 분쟁에 유엔군과 평화유지군을 파견하였다.

① ㄱ, ㄴ ② ㄱ, ㄷ ③ ㄴ, ㄷ
④ ㄴ, ㄹ ⑤ ㄷ, ㄹ

정답과 해설 ▸ 91쪽

❖ 다음을 읽고 물음에 답해 보자.

(가) 윌슨의 '14개조' 원칙

제1조 강화 조약은 공개적으로 진행되고 공표되어야 한다.

제4조 각국의 군비는 적절한 보장 아래 자국의 안보에 필요한 최저선까지 감축되어야한다.

제5조 식민지에서 주권과 같은 문제를 결정할 때에는 관련 식민지 주민의 이해가 식민지 수립될 해당 정부의 요구와 동등하게 취급되어야 한다는 엄격한 원칙에 기반하여, 모든 식민지의 문제는 자유롭고 편견 없이, 그리고 절대적으로 공평무사하게 해결되어야한다.

제14조 강대국과 약소국을 막론하고, 정치적 독립과 영토 보전의 상호 작용을 목적으로 하는 특별 규약 하에 국가 간 연합 기구가 구성되어야 한다.

(나) 국제 연합 헌장

제 1조 국제 평화와 안전을 유지하고, 이를 위하여 평화에 대한 위협의 방지, 제거 그리고 침략 행위 또는 기타 평화의 파괴를 진압하기 위한 유효한 집단적 조치를 취하고 평화의 파괴로 이를 우려가 있는 국제적 분쟁이나 사태의 조정 · 해결을 평화적 수단에 의하여 또한 정의와 국제법의 원칙에 따라 실현한다 …….

제42조 안전 보장 이사회는 제41조에 규정된 조치가 불충분할 것으로 인정하거나, 불충분한 것으로 판명되었다고 인정되는 경우에는 국제 평화와 안전의 유지 또는 행복에 필요한 공군, 해군 또는 육군에 의한 조치를 취할 수 있다. 그러한 조치는 회원국의 공군, 해군 또는 육군에 의한 시위, 봉쇄 및 다른 작전을 포함할 수 있다.

더 알아보기

제2차 세계 대전 이후 세계 평화를 기원하면서 만들어진 국제 연합은 총회를 최고 기구로 두고 있지만, 거부권을 가지고 있는 5개국의 안전 보장 이사회가 사실상 최고 기구이다. 이 이사회의 존재는 국제 연합이 여전히 강대국의 패권주의를 반영하고 있다는 사실을 보여 준다.

논술 갈라잡이

국제 연맹과 국제 연합을 비교해서 구체적으로 서술하고, 국제 평화 유지를 위한 어떠한 방안이 있는지 자신의 생각을 정리해서 서술해 보자.

01 (가), (나) 자료를 읽고 제1차 세계 대전 직후와 제2차 세계 대전 이후 국제 평화 유지를 위해 창설된 국제 기구를 말하고, 그 국제 기구의 현실적 한계를 각각 서술하시오.

02 진정한 국제 평화 유지를 위한 자신의 생각을 서술해 보자.

대주제 6

현대 세계의 변화

학습 계획표

- 자신의 일정에 맞게 계획을 세우고, 실제 학습일을 적어 봅시다.
- 학습을 마무리한 후 스스로가 얼마나 학습 목표를 달성하였는지 점검해 봅시다.

주제 14 냉전과 탈냉전 주제 15 21세기의 세계	쪽수	계획일	학습일	목표 달성도
Day 42 개념 정리, 자료 뜯어보기	222 ~ 227쪽	월 일	월 일	☆☆☆☆☆
Day 43 개념 익히기, 내신 유형 익히기	228 ~ 231쪽	월 일	월 일	☆☆☆☆☆
Day 44 내신 만점 도전하기, 수능 유형 익히기, 기출 지문 활용하기	232 ~ 235쪽	월 일	월 일	☆☆☆☆☆
Day 45 대주제 마무리하기, 비판적 사고 기르기	236 ~ 239쪽	월 일	월 일	☆☆☆☆☆

주제 14

냉전과 탈냉전

주제 흐름 읽기

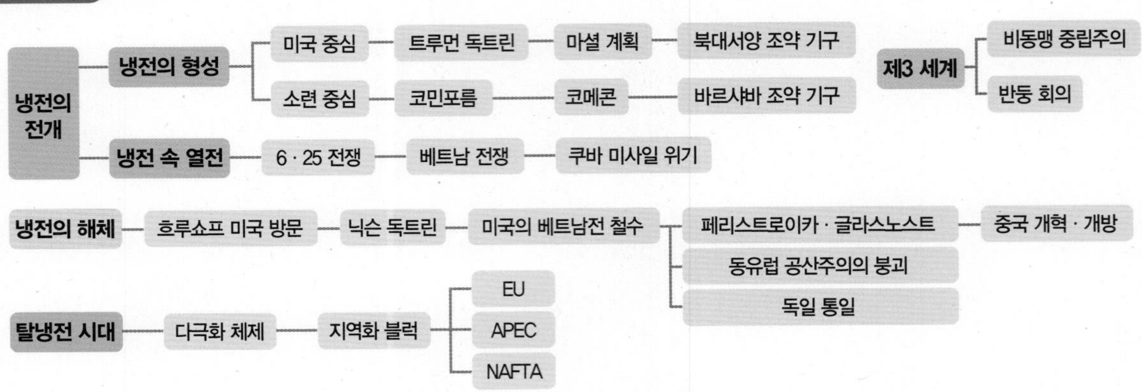

1 냉전 체제의 전개와 제3세계 { 냉전은 어떻게 전개되었을까요?

1. 냉전의 형성 베를린 봉쇄(1948)[1]

자유 민주주의 진영	• 미국 중심, 트루먼 독트린 자료 1, 마셜 계획[2] • 북대서양 조약 기구(NATO) — What? 미국, 영국, 캐나다, 프랑스 등이 참가하였어.
공산주의 진영	• 소련 중심, 코민포름, 코메콘[3] • 바르샤바 조약 기구(WTO) — What? 소련, 폴란드, 동독, 헝가리 등이 참가하였어.

2. 냉전 속의 열전

(1) **한반도** 북한의 남침 → 6·25 전쟁 → 미국이 동아시아 지역에 동맹 체제 강화

(2) **베트남** 제네바 협정[4]으로 베트남 분단 → 베트남 전쟁 발발 → 미국 참전

(3) **쿠바 미사일 위기(1962)** 미·소의 핵전쟁 위기

Why? 미국이 튀르키예와 중동 지역에 핵무기를 배치하자, 소련은 쿠바에 미사일 기지를 건설하였어.

3. 제3 세계의 등장

(1) **중심 세력** 아시아(인도 연방, 파키스탄, 인도네시아, 필리핀 등)·아프리카(가나, 알제리 등) 신생 독립국

(2) **활동** 비동맹 중립주의 노선

① 저우언라이 – 네루 정상 회담: 「평화 5원칙」 발표(1945)

② 반둥 회의: 「평화 10원칙」 발표(1955) 자료 2

③ 제1차 비동맹 회의: 유고슬라비아(티토), 인도(네루), 이집트(나세르)

Where? 유고슬라비아의 베오그라드에서 개최되었어.

2 냉전 체제의 해체 { 냉전 체제는 어떤 과정을 거쳐 해체되었을까요?

1. 냉전의 완화

소련	흐루쇼프: 서독과 국교 회복, 미국 방문, 데탕트[5] 추구
미국	• 닉슨 독트린 자료 1 • 베트남 철수, 중국과 수교, 소련과 전략 무기 제한 협정 체결
유럽	브란트의 동방 정책, 동유럽에서의 반소련 봉기

❶ **베를린 봉쇄**
서독 지역의 통화 개혁(1948년)을 동독 통화에 대한 위협으로 간주한 소련은 베를린과 서방 측 점령 지구 간의 모든 육로와 수로를 봉쇄하였다. 이에 미국과 영국은 생필품을 비행기로 베를린에 공수하였으며 베를린 봉쇄는 11개월 뒤에 해제되었다.

❷ **마셜 계획**
미국 국무장관 마셜이 제안한 유럽 경제 재건 계획으로, 미국은 유럽에 1948년부터 5년간 약225억 달러의 경제 원조를 제공하였다.

❸ **코메콘**
소련과 동유럽 나라들로 조직된 경제 협력 기구인 동유럽 경제 상호 원조 회의를 말한다. 자본주의 진영의 마셜 계획에 대항하기 위하여 만들어졌다. 1960년 발족하여 1991년 해체되었다.

❹ **제네바 협정**
베트남을 북위 17도를 경계선으로 남·북으로 분할하였으며 이를 계기로 프랑스군이 베트남에서 철수하였다.

❺ **데탕트**
프랑스어로 '긴장 완화'라는 뜻으로 1960년대 말부터 냉전 체제가 다극 체제로 전환되면서 미·소 간의 긴장이 완화된 상태를 이르는 말이다.

자료 1 **트루먼 독트린과 닉슨 독트린**

○ **트루먼 독트린**

최근 일부 국가가 국민이 원치 않는데도 불구하고 전체주의* 체제를 수립하였습니다. …… 나는 미국의 정책이 무력으로 국민을 굴복시키려는 권력자들과 외세의 압력에 저항하는 자유민을 지원하는 방향으로 수립되어야 한다고 믿고 있습니다. …… 그래서 경제적 안정과 정돈된 정치 관계의 기본이 될 재정적인 지원을 염두에 두고 있습니다.

○ **닉슨 독트린**

2. 미국은 강대국의 핵 위협을 제외한, 내란이나 침략인 경우 아시아 각국이 스스로 협력하여 그에 대처하기를 바란다.
3. 미국은 '태평양 국가'로서 그 지역에서 중요한 역할을 계속하지만 직접적 · 군사적 · 정치적 과잉 개입은 하지 않는다.

*전체주의 개인은 민족이나 국가와 같은 전체의 존립과 발전을 위해서 존재한다는 이념을 뜻한다.

뜯어보기 포인트
트루먼 독트린과 닉슨 독트린이 각각 냉전의 강화와 완화에 영향을 주었음을 기억하자.

◎ 밑줄 친 재정적인 지원의 구체적인 내용은 무엇일까?

미국은 마셜 계획을 발표(1947)하여 전쟁으로 피폐해진 서유럽 각국의 경제를 재건하며 공산주의의 확산을 막고자 했어. 미국의 막대한 경제적 · 기술적 지원 덕분에 독일을 제외한 서유럽 국가의 경제력은 전쟁 전 수준으로 회복되었다고 해.

◎ 닉슨 독트린은 냉전 체제에 어떠한 영향을 끼쳤을까?

미국은 군사 개입을 피하고 아시아의 방위는 아시아의 힘으로 한다는 원칙을 담은 닉슨 독트린(1969)을 발표하였어. 이후 베트남 전쟁에서도 철수하였지. 트루먼 독트린으로 냉전의 긴장 상태가 강화되었다면 닉슨 독트린은 냉전이 완화되는 분위기를 반영한다고 할 수 있어.

Q1 **트루먼 독트린과 관련하여 옳은 것을 모두 선택해 보자.**

㉠ 6 · 25 전쟁으로 인해 발표되었다.
㉡ 공산주의 확산을 막고자 발표하였다.
㉢ 냉전을 완화시키는데 영향을 주었다.
㉣ 일본에 대한 미국의 전후 처리 전략에 변화를 가져왔다.
㉤ 소련에 의한 유럽의 공산화를 견제하기 위해 발표되었다.

자료 2 **반둥 회의와 「평화 10원칙」(1955)**

1. 기본적 인권과 국제 연합* 헌장 존중
2. 모든 국가의 주권과 영토 보존 존중
3. 모든 인종과 국가 간 평등 인정
4. 타국의 내정 간섭 금지
5. 모든 국가의 개별적 · 집단적 자위권 존중
6. 강대국에 유리한 집단 안보 체제 배제
7. 무력 침략 · 위협 부정
8. 국제 분쟁의 평화적 해결
9. 상호 이익과 협력 촉진
10. 정의와 국제 의무 존중

*국제 연합 제2차 세계 대전 후인 1945년 평화와 안전의 유지, 국제 우호 관계의 증진을 목적으로 창설된 국제 기구

뜯어보기 포인트
「평화 10원칙」을 통해 비동맹 중립주의 노선을 추구하는 제3 세계의 성격을 알 수 있어.

◎ 「평화 10원칙」을 통해 알 수 있는 제3 세계의 성격은 무엇일까?

아시아와 아프리카의 많은 국가들은 제2차 세계 대전 전까지 식민지였어. 종전 후 제국주의 열강의 식민 지배에서 벗어나 독립하게 되었지. 이 국가들은 미 · 소 양국 중심 체제에서 냉전적 대립에 관여하지 않는 비동맹 중립주의 노선을 추구하며 미국 및 소련과 동맹을 맺지 않은 나라들 사이의 협력을 강화하고자 하였어.

Q2 **「평화 10원칙」과 관련하여 옳은 것을 모두 선택해 보자.**

㉠ 우리나라도 참가하였다.
㉡ 반둥 회의에서 발표되었다.
㉢ 전세계의 군비 확대를 주장하였다.
㉣ 비동맹 중립주의 노선을 유지하였다.
㉤ 미국 주도의 자유주의 진영을 지지하였다.

답 Q1 ㉡, ㉤ / Q2 ㉡, ㉣

2. 소련의 변화와 해체

(1) **고르바초프** 개혁(페레스트로이카)과 개방(글라스노스트)(1985) 자료 3

① 시장 경제, 정치 민주화 도입

② 동유럽 국가들에 대한 불간섭 선언, 동유럽의 자유화 촉진

(2) **소련의 해체** 옐친의 집권, 소련의 해체 및 독립 국가 연합(CIS) 출범(1992)❻

When? 1991년 12월 25일 고르바초프의 소련 해체 선언 연설과 함께 붉은 광장의 게양대에 소련의 국기가 내려가고 러시아 삼색기가 올라갔어.

3. 독일의 통일과 동유럽 공산권의 붕괴

(1) **독일 통일** 베를린 장벽 붕괴❼ → 동독 자유 총선거 → 서독에 흡수 통일

(2) **동유럽 사회주의권의 붕괴**

폴란드	바웬사❽, 자유 노조의 총선거 승리(1989)
헝가리	다당제, 의회 민주주의
루마니아	차우셰스쿠 처형
체코슬로바키아	• 시민 광장의 민주화 운동 • 체코와 슬로바키아로 분리(1993)
유고슬라비아	유고슬라비아 연방 해체

4. 중국의 변화

(1) **중화 인민 공화국 성립** 공산당의 국공 내전 승리 → 토지 개혁, 산업의 국유화

(2) **마오쩌둥** 인민 공사❾, 대약진 운동의 실패 → 문화 대혁명, 홍위병 동원 자료 4

When? 1966년부터 1976년까지 10년간 추진되었어.

(3) **덩샤오핑** 실사구시(흑묘백묘론) → 경제 특구 설치, 시장 경제 도입 → 톈안먼 사건❿

▲ 톈안먼 사건의 대표적인 상징물인 민주의 여신상

3 탈냉전 시대 세계 질서의 재편

오늘날 나타나는 새로운 갈등과 지역화 움직임에는 무엇이 있을까요?

1. 새로운 갈등의 분출

(1) **인종주의** 유고슬라비아 지역의 '종족 청소', 르완다의 종족 갈등, 서유럽의 난민 문제

(2) **종교 갈등** 카슈미르 분쟁⓫, 9 · 11 테러(2001)⓬, 이슬람 국가(IS)의 테러

(3) **영토 분쟁** 쿠릴 열도 분쟁, 센카쿠 열도 분쟁, 스프래틀리 군도 분쟁

Where? 남중국해 해상에 있는 군도로 중국, 타이완, 말레이시아, 베트남, 필리핀, 브루나이 6개국 간의 영토 분쟁을 말해.

2. 지역화 블록의 움직임

(1) **제2차 세계 대전 이후**

① 유럽 연합(EU)

② 동남아시아 국가 연합(ASEAN)

③ 아시아 · 태평양 경제 협력체(APEC)

Who? 현재는 한국, 미국, 일본, 오스트레일리아, 캐나다 등 21개국이 참가하고 있어.

(2) **20세기 후반**

① 북미 자유 무역 협정(NAFTA)

② 미주 자유 무역 지대(FTAA)

③ 아세안 자유 무역 지대(AFTA)

❻ 독립 국가 연합(CIS)
소련이 해체된 후 15개의 공화국 가운데 11개 공화국이 참여한 국가 연합체를 말한다.

❼ 베를린 장벽
1961년 8월 12일 동독 정부는 서베를린으로 통하는 모든 가능성을 봉쇄하기 위해 베를린 장벽을 설치하였다. 이후 베를린 장벽은 1989년 11월 9일 '통행 자유화 조치'가 발표되면서 붕괴되었다.

❽ 바웬사
폴란드의 노조 지도자이자 정치가이다. 자유 노조를 설립하였으며 폴란드에 자유화 물결을 일으킨 공로로 1983년 노벨 평화상을 수상하였고, 1990년 폴란드의 대통령으로 당선되었다.

❾ 인민 공사
농업 집단화를 위해 만든 대규모 집단 농장으로 인민 공사는 전통적인 토지와 도구의 소유권 개념을 지양하고 집단 소유제를 채택하였다.

❿ 톈안먼 사건
1989년 학생과 지식인들이 부정부패 근절과 정치적 자유를 요구하며 벌인 시위로 6 · 4 사건이라고도 한다. 시위가 진압되는 과정에서 대규모 유혈 사태가 벌어졌다.

⓫ 카슈미르 분쟁
인도와 파키스탄이 분리 독립될 당시 다수의 이슬람교도로 구성된 카슈미르 지역을 주민 반발에도 불구하고 인도로 강제 편입시킨 것이 분쟁의 발단이었다. 양국은 두 차례 전쟁(1947, 1965)을 치렀으나 여전히 무력 충돌은 계속되고 있다.

⓬ 9 · 11 테러
미국에서 일어난 대규모 테러 사건으로 미국은 이슬람 원리주의 조직인 알카에다를 배후 세력으로 지목하고 '테러와의 전쟁'을 선포하였다.

자료 3 고르바초프의 정책

페레스트로이카 정책은 소련과 같은 (사회주의) 국가가 새로운 질적 상태로의 전환, 즉 권위주의적이고 관료주의적인 체제에서 벗어나 인간적이고 민주적인 사회로 평화롭게 이행하는 유일한 길이라고 생각합니다. …… 나는 페레스트로이카의 모든 과정을 민주주의의 원칙에 근거하여 결단력 있게 추진할 것입니다.

– 고르바초프의 대통령 취임 연설, 1990. –

유럽에는 제각기 다른 사회 체제를 가진 국가들이 섞여 있습니다. 그리고 각국의 사회적 · 정치적 질서는 꾸준히 변해 왔고, 앞으로도 계속 변해 갈 것입니다. 그러나 이는 그 나라 인민이 결정하고 선택할 문제입니다. 우방국이든 동맹국이든 간에, 어떤 식으로든 타국의 내정에 간섭하거나 주권을 제한하려 해서는 안 됩니다.

– 고르바초프의 유럽 평의회 연설, 1989. –

페레스트로이카와 글라스노스트의 차이점은 무엇일까?

페레스트로이카(개혁)는 기업에게 자율성을 부여하여 소련의 경제를 살리자는 정책이고, 글라스노스트(개방)는 표현의 자유를 허용하고 정치적 · 문화적 토론을 개방적으로 하자는 정책이야. 고르바초프는 글라스노스트가 페레스트로이카의 성공에 중요한 전제 조건이라고 하였어.

뜯어보기 포인트

고르바초프의 페레스트로이카와 글라스노스트 정책이 소련의 변화를 이끌었다는 점을 기억하자.

Q3 고르바초프와 관련하여 옳은 것을 모두 선택해 보자.

㉠ 페레스트로이카 정책을 추진하였다.
㉡ 독립 국가 연합(CIS)의 결성을 선언하였다.
㉢ 쿠바에 중거리 미사일 기지를 구축하였다.
㉣ 동유럽 국가들에 불간섭 원칙을 발표하였다.
㉤ 아프가니스탄을 침공하는 등 침략적 확장 정책을 펼쳤다.

자료 4 문화 대혁명에 대한 평가

문화 대혁명은 사상 · 문화 분야에서 시작되었지만, 곧바로 '권력 탈취 단계'로 넘어가 버렸으며, 문화 · 교육 · 과학의 발전에 대해서는 '비판', '파괴'만 행하였을 뿐이다. 그 결과 학교가 폐쇄되고, 학생은 학업을 중단하여 문맹이 증가하고 문예의 근거지가 황폐화하였다. 또한 과학 연구 기구가 대량으로 폐쇄되고 지식인이 타격을 입었다. …… 결국 문화 대혁명은 지도자가 잘못 발동하고, 반혁명 집단에 이용당해 당과 국가와 각 민족 인민에게 엄중한 재난을 가져다준 내란이었다.

–「건국 이래 당의 몇 가지 역사 문제에 대한 결의」, 1981. –

문화 대혁명을 주도한 4인방은 누구일까?

마오쩌둥의 부인인 장칭과 왕훙원, 장춘차오, 야오원위안을 문화 대혁명의 4인방이라고해. 이들은 마오쩌둥이 사망한 직후 1976년 10월 체포되어 권력 찬탈을 기도했다는 죄목으로 처벌되었어. 장칭과 장춘차오는 사형되었고, 왕훙원은 종신형으로 복역하다 옥중에서 사망했어. 야오원위안은 20년형을 선고받았어.

문화 대혁명의 결과는 무엇일까?

문화 대혁명 기간 동안 낡은 문화를 일소한다는 명목으로 많은 학교가 폐쇄되었어. 이에 앞장섰던 홍위병은 역사적 건물, 공예품, 미술품, 서적을 파괴하거나 불태웠어. 이 시기에 중국의 전통문화가 많이 파괴되었고 수만 명의 예술인과 지식인이 억압을 받았어. 문화 대혁명은 마오쩌둥이 1976년 사망하고 4인방이 체포되면서 실질적으로 종결되었지.

뜯어보기 포인트

덩샤오핑은 문화 대혁명의 잘못을 인정하고 실사구시를 내세워 개혁 · 개방에 나섰음을 기억하자.

Q4 문화 대혁명과 관련하여 옳은 것을 모두 선택해 보자.

㉠ 1950년대에 추진되었다.
㉡ 반공산주의 이념 운동이었다.
㉢ 덩샤오핑 등 실용주의 세력이 주도하였다.
㉣ 마오쩌둥이 대약진 운동을 실패한 후 시행하였다.
㉤ 중국의 전통문화가 파괴되었고 예술인과 지식인이 억압 받았다.

답 Q3 ㉠, ㉣ / Q4 ㉣, ㉤

주제 15

21세기의 세계

주제 흐름 읽기

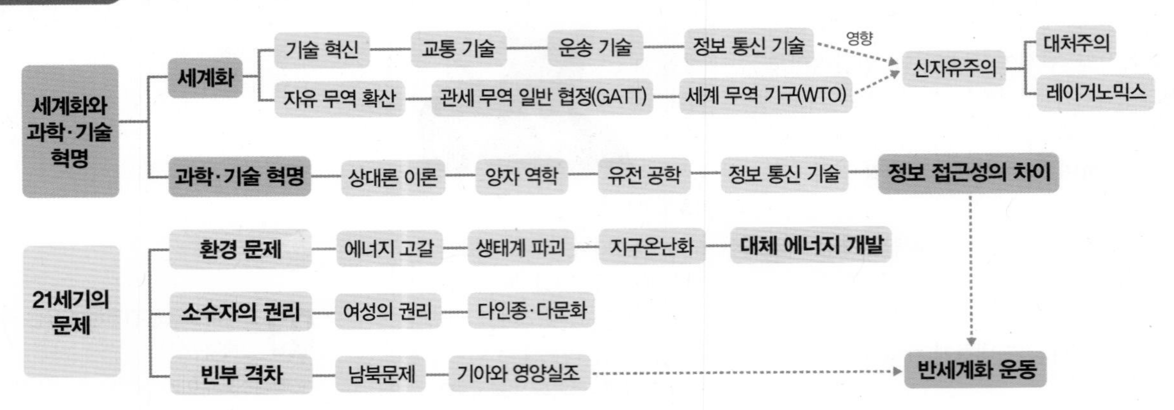

1 세계화와 과학 · 기술 혁명

세계화는 오늘날 사회를 어떻게 바꾸어 놓았을까요?

1. 세계화의 전개

(1) 기술 혁신

교통 및 운송 기술	제트 여객기, 컨테이너
정보 통신 기술	인공위성, 휴대 전화, 인터넷

What? 컴퓨터 네트워크를 연결하여 컴퓨터 사이의 커뮤니케이션이 가능하진 범세계적 통신망이야.

(2) 자유 무역의 확산

① 관세 무역 일반 협정(GATT)(1947)

② 세계 무역 기구(WTO)❶(1995)

③ 신자유주의❷ 대두 : 영국의 대처주의, 미국의 레이거노믹스 자료 1

2. 과학 · 기술 혁명과 현대 사회의 변화

(1) 과학 · 기술의 발달

① 정부와 기업의 막대한 자본 투자, 생산성 극대화, 혁신 기술로 신제품 생산

② 상대성 이론, 양자 역학, 원자력 시대, 우주 개발 시대, 유전 공학 · 의학의 발달

(2) **정보 통신 기술의 발달** 컴퓨터, 인터넷, 휴대 전화의 보급

2 21세기 인류의 과제

오늘날 인류가 당면한 문제점은 무엇이고 이를 해결하기 위한 노력으로 무엇이 있을까요?

1. '지구촌'의 여러 문제

환경 오염	• 에너지 고갈, 생태계 파괴, 오존층 파괴, 산성비 • 지구 온난화, 사막화, 신종 질병의 출현
빈부 격차	• 남북문제: 국가 간 빈부 격차의 심화 • 반세계화 운동 자료 2
소수자의 권리	여성의 권리, 피부색·종교 등의 차별, 난민과 불법 이민 문제

What? 에이즈, 말라리아, 에볼라, 결핵 등이 있다.

2. 문제 해결을 위한 노력

'지속 가능한 개발'❸의 추구, 빈부 격차 및 정보 격차의 완화, 소수자의 권리 보호, 성평등, 문화적 · 인종적 차이의 수용

❶ WTO
국제 무역의 확대, 회원국 간의 통상 분쟁 해결, 세계 교역 및 새로운 통상 논점에 관한 연구를 위하여 설립된 국제 기구이다.

❷ 신자유주의
경제적인 규제 철폐, 세금 감면, 사회 복지 비용 감축, 기업 구조 조정, 고용 유연성 실현 등을 추구하며 미국의 레이거노믹스와 영국의 대처주의를 통해 강조되었다.

❸ 지속 가능한 개발
1987년 환경과 개발에 관한 세계 위원회가 발표한 '우리의 공통된 미래'에서 제시된 개념으로 경제 발전과 환경 보전의 양립을 추구하는 것을 말한다.

자료 1 대처주의와 레이거노믹스

○ 대처주의

1970년대 영국은 고복지 · 고비용 · 저효율을 특징으로 하는 '영국병'을 심하게 앓고 있었다. 1979년 총리에 당선된 대처는 이전과는 다른 사회 경제 정책을 펼쳤다.

- 복지 예산 삭감과 세금 인하
- 국영 기업의 민영화*
- 노동조합 활동의 규제와 기업의 자유 활동 보장

○ 레이거노믹스

1980년대 레이건 정부가 추진한 경제 정책으로, 정부의 기능을 중시하는 수정 자본주의 정책이 경제 발전을 저해한다고 주장하였다.

- 복지 비용의 지출 축소
- 각종 규제 철폐
- 소득세 인하
- 통화 증가율의 감소와 금리 안정 조치

*민영화 국가가 경영하던 국영기업체의 경영을 생산성 향상을 위해 민간 경영자에게 넘기는 것

뜰어보기 포인트

1970년대 후반부터 자유 시장과 규제 완화를 강조하는 신자유주의가 대두했음을 기억하자.

Q1 신자유주의와 관련하여 옳은 것을 모두 선택해 보자.

㉠ 고복지 · 고비용을 특징으로 한다.
㉡ 국가 권력의 시장 개입을 주장한다.
㉢ 완전 고용으로 실업 문제를 해결하였다.
㉣ 영국의 대처주의는 자유 시장을 강조하였다.
㉤ 미국의 레이거노믹스는 규제 완화를 강조하였다.

◐ 대처주의는 어떠한 영향을 끼쳤을까?

보수당의 대처 총리는 기존 노동당 정부의 국유화와 복지 정책을 포기하고 신자유주의에 입각한 경제 개혁을 추진하였어. 이는 결과적으로 재정 수입의 증대, 경영 효율성 향상, 시장의 발전에 기여하였다고 평가받아. 그러나 제조업이 쇠퇴하였고 사회복지가 후퇴하였으며 사회 갈등이 심화되었다는 부정적인 결과도 있어.

◐ 레이거노믹스라는 용어의 뜻은 무엇일까?

레이건은 1980년대에 집권한 미국의 대통령으로 레이거노믹스는 레이건과 이코노믹스의 합성어야. 레이건 행정부는 복지비 지출 축소, 규제 철폐, 소득세 인하 등을 통해 경제를 부흥시키려고 하였어.

자료 2 반세계화 운동

반세계화 운동은 세계화와 신자유주의가 강대국 중심으로 세계 질서를 재편하는 위선적 이론이라고 비판한다. 개발 도상국*이 무역 장벽과 같은 일종의 장치 없이 선진국과 경쟁하는 것은 격차를 심화시키는 불평등한 구조이기 때문이다. 개발 도상국 생산자의 노동에 공정한 대가를 지급하여 이들의 경제 자립과 지속 가능한 발전을 추구하는 공정 무역*이 반세계화 운동의 대표적인 예이다.

*개발 도상국 경제 발전이 진행 중인 나라 혹은 경제 발전이 선진국 보다 뒤떨어져 있는 나라
*공정 무역 생산자와 소비자의 상호 존중에 기반하여 생산자에게 유리한 조건으로 교역을 하는 무역

뜰어보기 포인트

빈부 격차를 심화시킨 세계화에 반대하고 국제 연대를 추구하는 반세계화 운동이 일어나고 있음을 기억하자.

Q2 반세계화 운동과 관련하여 옳지 않은 것을 모두 선택해 보자.

㉠ 비정부 기구(NGO)가 주도한다.
㉡ 신자유주의적 세계화를 지지한다.
㉢ 대표적으로 리우 회의를 들 수 있다.
㉣ 세계화에 반대하고 국제 연대를 추구한다.
㉤ 남북문제에 문제 제기를 하며 불평등 문제를 해결하고자 한다.

답 Q1 ㉣, ㉤ / Q2 ㉡, ㉢

◐ 반세계화 운동의 원인은 무엇일까?

선진국이 몰려 있는 북반구와 개발 도상국이 몰려 있는 남반구 간의 경제 격차는 '남북문제'를 가져왔어. 게다가 신자유주의의 대두와 정보화 시대의 도래로 인한 정보 격차는 '지구촌'의 빈부격차를 심화시켰지. 이에 반대하는 흐름을 반세계화 운동이라고 해.

개념 익히기

정답과 해설 ▸ 92쪽

01 서로 관련 있는 내용끼리 연결해 보자.

ⓐ EU • • ㉠ 유럽

ⓑ NAFTA • • ㉡ 아시아

ⓒ ASEAN • • ㉢ 북아메리카

02 아래 설명이 맞으면 O표, 틀리면 X표를 해보자.

(1) 베트남 전쟁은 미국의 참전으로 남베트남이 승리하였다. ( )

(2) 미국과 소련의 무기 경쟁은 쿠바 미사일 위기로 이어졌다. ( )

(3) 미국은 트루먼 독트린을 발표하여 냉전 분위기를 완화하였다. ( )

(4) 종교 갈등으로 카슈미르 분쟁, 9 · 11 테러 등이 발생하였다. ( )

(5) 20세기 정부와 기업은 과학 기술의 발달을 위해 연구 개발 사업에 자본을 투자하였다. ( )

03 빈칸에 알맞은 말을 채워 보자.

(1) 냉전 시기 소련은 ( )와/과 코메콘을 창설하고 체코슬로바키아를 공산화하였다.

(2) 1989년 폴란드의 자유 총선거에서 ( ) 이/가 이끄는 자유 노조가 승리하여 비공산주의 정권이 수립되었다.

(3) 동남아시아 국가들은 유럽 통합과 미주 통합에 대처하기 위해 2003년 ( )을/를 창설하였다.

(4) 유럽 공동체는 1993년 ( )의 발효와 함께 유럽 연합으로 발전하였다.

(5) 1970년대 후반부터 자유 시장과 규제 완화를 강조하는 ( ) 양상을 띤 세계화가 확산되었다.

04 | 보기 |에서 덩샤오핑 집권기와 관련된 내용들을 골라보자.

| 보기 |

홍위병	실사구시	인민 공사
톈안먼 사건	문화 대혁명	대약진 운동
경제 특구 설치	개혁 · 개방 정책	

05 | 보기 |의 사건들을 순서대로 나열해 보자.

| 보기 |

ㄱ. 국제 연합 가입
ㄴ. 동독의 서독 가입
ㄷ. 베를린 장벽 붕괴
ㄹ. 동독 내 첫 자유 총선거

06 다음에서 설명하는 회의의 이름을 적어 보자.

1955년 아시아와 아프리카의 29개국 대표가 모인 이 회의에서 모든 국가의 주권 존중, 국가 간 평등, 내정 간섭 금지 등을 담은 「평화 10원칙」이 제시되었다. 이는 미국 주도의 자유 민주주의 진영과 소련 주도의 공산주의 진영 중 어느 편에도 가담하지 않는 비동맹 중립주의의 일환이었다.

07 아래의 표를 완성해 보자.

스탈린	• 러시아 혁명 • 냉전의 형성
흐루쇼프	• 데탕트 추구 • 쿠바 미사일 위기
( )	• 페레스트로이카와 글라스노스트 • 동유럽 자유화
( )	• 독립 국가 연합(CIS) 출범 • 소련 공식 해체

내신 유형 익히기

총 문항수	12	처음 푼 날	월 일
정답과 해설	92쪽	오답 푼 날	월 일

01 다음에서 설명하는 국제 정세로 옳은 것은?

빈출

- 제2차 세계 대전이 끝난 직후 성립하였다.
- 영국의 처칠은 유럽에 철의 장막이 드리워져 있다고 하였다.
- 미국 중심의 자유 민주주의 진영과 소련 중심의 공산주의 진영이 대립하였다.

① 냉전 체제
② WTO 체제
③ 데탕트 시대
④ 베르사유 체제
⑤ 제국주의 시대

02 (가)에 들어갈 내용으로 가장 적절한 것은?

탐구 주제: (가)

• 모둠별 탐구 활동
1모둠: 베를린 봉쇄
2모둠: 6 · 25 전쟁의 발발
3모둠: 미 · 소 핵무기 경쟁
4모둠: 베트남 전쟁의 전개

① 냉전의 격화
② 파시즘의 확산
③ 제3 세계의 성립
④ 전후 평화의 모색
⑤ 사회주의권의 붕괴

03 다음 선언문과 관련 있는 사건으로 옳은 것은?

빈출

1. 기본적 인권과 국제 연합 헌장 존중
2. 모든 국가의 주권과 영토 보존 존중
3. 모든 인종과 국가 간 평등 인정
4. 타국의 내정 간섭 금지
5. 모든 국가의 개별적 · 집단적 자위권 존중
6. 강대국에 유리한 집단 안보 체제 배제
7. 무력 침략 · 위협 부정
8. 국제 분쟁의 평화적 해결
9. 상호 이익과 협력 촉진
10. 정의와 국제 의무 존중

① 제3 세계가 등장하였다.
② 국제 연합이 탄생하였다.
③ 파리 강화 회의가 개최되었다.
④ 미국 대통령 닉슨이 중국을 방문하였다.
⑤ 브란트의 주도로 동방 정책이 추진되었다.

04 빈칸에 들어갈 사례로 옳지 않은 것은?

냉전 체제가 완화되는 가운데, 미국과 소련 중심의 양극화 체제가 다극화 체제로 변화하는 움직임이 나타나기 시작하였다. 이러한 움직임으로 대표적인 것은 (　　　　　　) 이다.

① 중 · 소 분쟁
② 쿠바 미사일 사태
③ 일본의 경제 성장
④ 프랑스의 독자 노선 표방
⑤ 헝가리의 반소 민중 봉기

05 빈출 다음 주장이 등장한 배경으로 적절한 것은?

> 페레스트로이카 정책은 소련과 같은 국가가 새로운 질적 상태로의 전환, 즉 권위주의적이고 관료주의적인 체제에서 벗어나 인간적이고 민주적인 사회로 평화롭게 이행하는 유일한 길이라고 생각한다. 페레스트로이카의 주요한 업적은 민주화와 글라스노스트이고 이것은 우리 앞에 놓인 개혁의 길에 중요한 의의를 갖는다.

① 피의 일요일 사건이 일어났다.
② 제정이 붕괴하고 임시 정부가 수립되었다.
③ 레닌의 주도로 소비에트 정부가 수립되었다.
④ 고르바초프가 시장 경제 도입을 추진하였다.
⑤ 소련 연방이 해체되고 독립 국가 연합(CIS)이 출범하였다.

06 밑줄 친 '자유 선거'의 결과로 옳은 것은?

> 1989년 9월 25일 월요일, 동독의 라이프치히에서 8천 명의 시민이 동독 정부의 개혁을 요구하며 시위를 벌였다. 시위대는 "우리가 국민이다.", "우리는 떠나지 않는다.", "우리는 <u>자유 선거</u>를 요구한다."와 같은 구호를 내걸었다. 동독 정부의 위협에도 불구하고 시위는 매주 월요일마다 반복되어 대규모 시위로 확대되었다.

① 베를린 장벽이 붕괴되었다.
② 하벨이 대통령에 당선되었다.
③ 보스니아 헤르체고비나가 독립하였다.
④ 동독이 독일 연방 공화국에 가입하였다.
⑤ 바웬사가 이끄는 자유 노조가 승리하였다.

07  (가)에 들어갈 인물로 옳은 것은?

> 제○○호 **세계사 신문** ○○년
>
> 20년 전 역사 속 오늘
>
> 격동의 20세기, 중국의 지도자 (가) 사망
>
> 중화 인민 공화국 수립에 공을 세운 (가) 이/가 1997년 93세의 나이로 서거하였다. 그는 문화 대혁명 시기 실각하기도 했지만 문화 대혁명이 끝난 후 정치에 복귀하여 실권을 잡고 중국을 이끌었다. '검은 고양이든 흰 고양이든 쥐만 잘 잡으면 된다.'라고 주장하는 흑묘백묘론은 그는 개혁 · 개방 정책을 잘 보여주는 말이다.

① 쑨원 ② 천두슈
③ 장제스 ④ 마오쩌둥
⑤ 덩샤오핑

08 (가)에 들어갈 내용으로 가장 적절한 것은?

> 역사 다큐멘터리 제작 계획서
>
> 1. 주제: (가)
> 2. 촬영 일정: 2018년 ○월 ○일 ~ ○월 ○일
> 3. 촬영 국가: 인도, 미국, 팔레스타인
> 4. 내용: 1부 – 카슈미르 분쟁
> 2부 – 9 · 11 테러리즘
> 3부 – 이스라엘과 팔레스타인의 충돌

① 남북문제의 심화
② 세계의 종교 갈등
③ 역사상의 여성 차별
④ 반세계화 운동의 전개
⑤ 해양 자원을 둘러싼 영토 분쟁

09 지도와 같은 경제 질서에 대한 설명으로 옳은 것은?

빈출

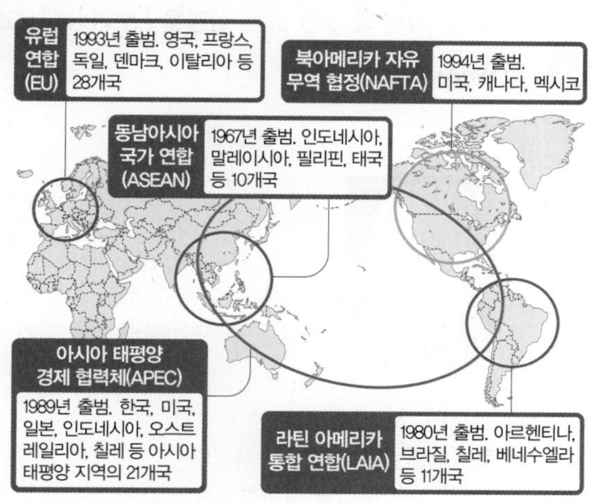

① 제3 세계가 등장하였다.
② 제국주의의 영향이 컸다.
③ 브레턴우즈 체제가 확립되었다.
④ 지역화와 경제 블록화가 촉진되었다.
⑤ 국제 통화 기금(IMF)의 설립에 영향을 주었다.

10 다음 내용을 소재로 한 신문 기사의 제목으로 적절한 것은?

> 케냐의 큰 농장 지대를 여행하다 보면 아프리카 최고의 경작지들의 대부분이 수출 작물 생산에 이용되고 있다는 것을 알 수 있다. 이 훌륭한 토양 수천 에이커에서 커피나무가 자라고 있다. (이 커피들은 독일, 영국, 미국에서 소비되어질 것이다.) 또 나이로비의 북쪽을 다녀 보면 끝없이 펼쳐지는 파인애플의 장관을 볼 수 있는데 이 열매들 역시 싱싱한 상태로 유럽에 보내진다.

① 관용의 필요성, 당신도 소수자일 수 있다.
② 에너지 고갈 문제, 어떻게 해결할 것인가?
③ 국가 간 빈부 격차의 실태, 그 현상을 취재하다.
④ 인간 게놈 프로젝트, 그 윤리적 문제를 파헤치다.
⑤ 지구 온난화 현상, 지속 가능한 개발은 가능한가?

서술형 문제

11 다음을 읽고 물음에 답해 보자.

> 나는 미국의 정책이 소수의 무장된 세력이나 외부의 압력으로부터 굴복하지 않으려고 투쟁하는 자유민들의 노력을 지원해 주는 것이어야 한다고 믿는다. 자유민들이 그들 자신의 방법으로 그들 자신의 운명을 결정할 수 있도록 도와주어야 한다고 믿는다. 우리의 도움이 경제적 안정과 평화적인 정치적 발전에 필수적인 경제적 · 재정적 원조를 통해 주로 이루어져야 한다고 믿는다.

(1) 위 자료의 명칭을 써 보자.

(2) 미국이 위 자료를 발표한 배경을 설명해 보자.

서술형 문제

12 다음을 읽고 물음에 답해 보자.

빈출

> 페레스트로이카 정책은 소련과 같은 국가가 새로운 질적 상태로의 전환, 즉 권위주의적이고 관료주의적인 체제에서 벗어나 인간적이고 민주적인 사회로 평화롭게 이행하는 유일한 길이라고 생각한다. 페레스트로이카의 주요한 업적은 민주화와 글라스노스트이고 이것은 우리 앞에 놓인 개혁의 길에 중요한 의의를 갖는다.

(1) 위 정책을 추진한 사람은 누구인지 써 보자.

(2) 위 정책이 끼친 영향을 설명해 보자.

3단계 내신 만점 도전하기

01 중요 다음 연설과 관련 있는 국제 정세에 대한 탐구 활동으로 적절하지 않은 것은?

> "민주적인 그리스가 의지할 수 있는 것은 이제 오직 미국 뿐입니다. 우리는 투쟁하는 자유민들의 노력을 지원해 주어야 할 것입니다."

① 마셜 계획이 추진된 목적을 살펴본다.
② 유럽 연합이 결성된 과정을 파악한다.
③ 베를린 봉쇄가 일어난 배경을 설명한다.
④ 북대서양 조약 기구가 결성된 이유를 탐구한다.
⑤ 바르샤바 조약 기구에 소속된 국가를 조사한다.

02 다음 사건이 일어난 시기로 옳은 것은?

> 쿠바섬에서 일련의 공격용 미사일 기지가 건설 중인 것으로 확인되었습니다. …… 쿠바로 이동 중인 모든 공격용 무기를 수송하는 선박은 봉쇄될 것입니다. …… 쿠바에서 발사된 핵미사일이 서반구의 특정 국가를 타격하게 되면, 이를 소련이 미국을 공격하는 행위로 간주한다고 공언합니다. 이러한 위협적 행동은 소련에 전면적인 보복 공격을 초래할 것이라고 경고하는 바입니다.
>
> – 케네디 대통령의 대국민 연설문 –

트루먼 독트린		베를린 봉쇄		6·25 전쟁		닉슨 독트린		독일 통일		소련 해체
	(가)		(나)		(다)		(라)		(마)	

① (가) ② (나) ③ (다) ④ (라) ⑤ (마)

03 중요 밑줄 친 '회의'에 대한 옳은 설명을 | 보기 |에서 고른 것은?

인물 탐구

네루
1930년 소금 행진 참가, 투옥
1934년 『세계사 편력』 발간
1947년 인도 총리 취임
1961년 제1차 비동맹 회의 참가

| 보기 |
ㄱ. 「평화 5원칙」을 제시하였다.
ㄴ. 냉전적 대립을 지지하였다.
ㄷ. 티토, 나세르도 참가하였다.
ㄹ. 제3 세계의 협력을 강조하였다.

① ㄱ, ㄴ ② ㄱ, ㄷ ③ ㄴ, ㄷ
④ ㄴ, ㄹ ⑤ ㄷ, ㄹ

04 (가), (나) 사이의 시기에 있었던 사실로 옳은 것은?

(가) 우리의 과학 기술은 세계 최초의 인공위성 스푸트니크 1호기의 발사를 성공시켰다.

(나) 독립 국가 연합(CIS)의 출범을 선포한다.

① 스탈린이 사망하였다.
② 베트남 전쟁이 발발하였다.
③ 유고슬라비아 연방이 해체되었다.
④ 러시아 대통령에 푸틴이 당선되었다.
⑤ 고르바초프는 개혁 · 개방을 추진하였다.

05 중요 다음 시기에 대한 설명으로 옳은 것은?

> 차우셰스쿠의 마지막 연설
>
> 1989년 12월 22일, "부쿠레슈티에서 열린 이 위대한 행사를 기획하고 조직한 분들께 감사를 표합니다. 이 행사는 ……" 여기까지 말한 다음 차우셰스쿠는 입을 다문다. 군중들의 야유가 거셌기 때문이다. 이 모든 장면은 텔레비전으로 생방송되었고 군중의 야유를 듣는 동안 차우셰스쿠는 마이크에 문제가 생긴 것처럼 "아! 아! 아아!"라고 외쳤다. 이것이 차우셰스쿠의 마지막 연설이었고 3일 뒤 그는 처형되었다.

① 냉전 체제가 성립하였다.
② 동유럽 공산권이 붕괴되었다.
③ 제1차 세계 대전이 발발하였다.
④ 코민포름의 영향력이 확대되었다.
⑤ 당시 소련은 흐루쇼프가 집권하였다.

06 중요 다음 인물에 대한 설명으로 옳은 것은?

> ○○ 탄생 120주년 기념 학술 강연 초청
>
> 본 연구회에서는 ○○ 탄생 120주년을 기념하여 다음과 같이 학술 강연을 열고자 하니 많은 참석 바랍니다.
> 1. 일시: 20△△. △. △.
> 2. 장소: 중국현대사연구회 강의실
> 3. 강연 내용
> • 제1 강연: 중화 인민 공화국 수립을 주도한 ○○
> • 제2 강연: 1949~1959년 국가 주석으로서의 ○○
> • 제3 강연: ○○이 전개한 대약진 운동

① 톈안먼 사건을 진압했다.
② '흑묘백묘론'을 주장하였다.
③ 실용주의 노선을 내세웠다.
④ 문화 대혁명을 통해 권력을 강화하였다.
⑤ 적극적인 개혁·개방 정책을 추진하였다.

07 빈칸 (가)에 들어갈 조직으로 옳은 것은?

> 1995년 [(가)]이/가 발족되면서 관세 및 그 밖의 무역 장벽을 낮추어 자유 무역 체제가 크게 강화되었다. 그 뿐만 아니라 무역 대상이 공산품뿐만 아니라 농산물, 서비스와 지적 소유권까지 확대되었다.

① 국제 연합(UN)
② 국제 통화 기금(IMF)
③ 세계 무역 기구(WTO)
④ 유럽 경제 공동체(EEC)
⑤ 아시아·태평양 경제 협력체(APEC)

08 다음 자료에서 알 수 있는 현대 인류의 문제를 | 보기 |에서 고른 것은?

> 어느 날 낯선 병이 이 지역을 뒤덮어버리더니 모든 것이 변하기 시작했다. 어떤 사악한 마술의 주문이 마을을 덮친 듯했다. 닭들이 이상한 질병에 걸렸다. 소떼와 양떼가 병에 걸려 시름시름 앓다가 죽고 말았다. 마을 곳곳에 죽음의 그림자가 드리워진 듯했다. 농부들의 가족도 앓아누웠다. …… 제초제들 중에서는 돌연변이를 야기하는 물질로 분류된 것도 있고 유전자를 변형시킬 위험이 있는 것도 있다. 방사능이 유전으로 인해 얼마나 심각한 문제를 일으키는 가에 대해서는 관심을 보이면서 이와 비슷한 화학 물질에 대해서는 왜 무관심한 것일까?
>
> – 레이첼 카슨, 『침묵의 봄』 –

| 보기 |
ㄱ. 인종 차별　　ㄴ. 환경 문제
ㄷ. 인간 소외 현상　　ㄹ. 과학 기술의 양면성

① ㄱ, ㄴ　② ㄱ, ㄷ　③ ㄴ, ㄷ
④ ㄴ, ㄹ　⑤ ㄷ, ㄹ

총 문항수 2 | 처음 푼 날 월 일
정답과 해설 94쪽 | 오답 푼 날 월 일

01 (가), (나)에 대한 설명으로 옳지 않은 것은?

(가) 최근 일부 국가가 국민이 원치 않는데도 불구하고 전체주의 체제를 수립하였습니다. …… 나는 미국의 정책이 무력으로 국민을 굴복시키려는 권력자들과 외세의 압력에 저항하는 자유민을 지원하는 방향으로 수립되어야 한다고 믿고 있습니다. …… 그래서 경제적 안정과 정돈된 정치 관계의 기본이 될 재정적인 지원을 염두에 두고 있습니다.

(나)
- 미국은 앞으로 베트남 전쟁과 같은 군사적 개입을 피한다.
- 미국은 강대국의 핵 위협을 제외한, 내란이나 침략인 경우 아시아 각국이 스스로 협력하여 그에 대처하기를 바란다.
- 아시아 여러 나라에 대한 원조는 경제 위주로 바꾸며 다수국의 협력 방식을 강화하여 미국의 과중한 부담을 피한다.

① (가)는 미국과 소련의 대립을 심화시켰다.
② (가) 시기에 미국은 마셜 계획을 발표하였다.
③ (나) 시기에 소련은 베를린을 봉쇄하였다.
④ (나) 시기에 미국과 소련은 전략 무기 제한 협정을 체결하였다.
⑤ (가), (나) 사이의 시기에 흐루쇼프는 미국을 방문하였다.

유형 분석
시대적 상황 유추하는 유형이야.

해결 비법
제시된 사료 또는 설명문이 설명하는 시대적 상황에 대해 옳거나 틀린 선택지를 고르는 문제 유형이야. 제시된 지문이 어떤 시대를 배경으로 하는지와 그 시기의 특징, 주요 사건을 잘 정리해 두도록 하자.

02 (가)에 들어갈 적절한 내용을 | 보기 |에서 모두 고른 것은?

탐구 활동 계획서

- 탐구 주제: 마오쩌둥의 정책
- 탐구 활동
  1모둠: 배경 – 국공 내전의 승리, 중화 인민 공화국의 성립
  2모둠: 정치 – 문화 대혁명의 발생, 홍위병의 역할
  3모둠: 경제 – ______(가)______

| 보기 |
ㄱ. 대약진 운동
ㄴ. 산업의 국유화
ㄷ. 경제 특구 설치
ㄹ. 인민 공사의 설립

① ㄱ, ㄴ ② ㄴ, ㄷ ③ ㄷ, ㄹ ④ ㄱ, ㄴ, ㄹ ⑤ ㄱ, ㄷ, ㄹ

유형 분석
탐구 활동을 정하는 유형이야.

해결 비법
제시된 지문의 내용으로 활용할 수 있는 적합한 탐구 주제를 고르는 문제야. 탐구 주제라는 말이 낯설지만, 빈칸 추론하기의 응용 유형이라고 할 수 있어. 지문은 사료, 개념도, 도표, 계획서 등 다양한 형태로 제시되니 평소 여러 유형의 문제를 풀어보도록 하자.

심화 기출 지문 활용하기

총 문항수 6	처음 푼 날 월 일
정답과 해설 94쪽	오답 푼 날 월 일

2016학년도 수능

서술형 문제

01 밑줄 친 '이 운동'의 명칭을 적고, '이 운동'의 결과를 서술해 보자.

수능 문제

02 밑줄 친 '이 운동'에 대한 설명으로 가장 적절한 것은?

① 인민 공사를 통해 개혁을 추진하였다.
② 닉슨 독트린의 영향을 받아 진행되었다.
③ 동남 연안 지역에 경제 특구를 설치하였다.
④ 사회주의 이념을 강화하려는 홍위병이 주도하였다.
⑤ 코민포름을 결성하여 동유럽과의 협력을 추구하였다.

활용 문제

03 밑줄 친 '이 운동'이 추진된 시기로 옳은 것은?

	(가)		(나)		(다)		(라)		(마)	
제1차 국공 내전		제2차 국공 내전		중화 인민 공화국 성립		문화 대혁명		톈안먼 사건		홍콩 반환

① (가) ② (나) ③ (다) ④ (라) ⑤ (마)

2017학년도 수능

서술형 문제

04 위 회의의 의의를 서술해 보자.

수능 문제

05 밑줄 친 '이 원칙'의 내용으로 옳지 않은 것은?

① 내정에 대한 불간섭
② 영토 및 주권의 존중
③ 자유 무역 체제의 강화
④ 강대국에 유리한 집단 안보 체제의 배제
⑤ 국제 연합 헌장에 입각한 기본적 인권의 존중

활용 문제

06 반둥 회의에 대한 설명으로 옳은 것은?

① 트루먼 독트린에 영향을 주었다.
② 메카시즘의 강화에 영향을 주었다.
③ 식민주의와 인종주의에 반대하였다.
④ 베트남 전쟁에서 북베트남을 지지하였다.
⑤ 세계 무역 기구(WTO)를 적극 지지하였다.

대주제 6 마무리하기

난이도 / 상●●● / 중●●○ / 하●○○
정답률 / 50% 미만 / 50~70% / 70%이상

●○○
01 미국의 경제 원조를 받은 나라를 표시한 지도이다. 이 시기에 대한 설명으로 옳은 것은?

① 냉전 체제가 형성되었다.
② 베르사유 체제가 성립되었다.
③ 유럽 연합(EU)이 결성되었다.
④ 사회주의 국가들이 몰락하였다.
⑤ 세계 무역 기구(WTO)가 발족하였다.

●○○
02 지도와 관련 있는 학습 주제로 적절한 것은?

① 인종 갈등의 심화
② 전체주의의 확산
③ 냉전 대립의 격화
④ 전후 세계 경제의 재편
⑤ 반제국주의 운동의 전개

●●○
03 다음 회의가 개최된 배경으로 옳은 것은?

① 팔레스타인 지역의 분쟁이 심화되었다.
② 동유럽 공산주의권 국가들이 붕괴되었다.
③ 연합국이 모여 전후 처리 문제를 논의하였다.
④ 신생 독립국들이 비동맹 중립주의를 표방하였다.
⑤ 여성에게 참정권이 부여되고 민주주의가 확대되었다.

●●●
04 (가) 인물에 대한 옳은 설명을 | 보기 |에서 고른 것은?

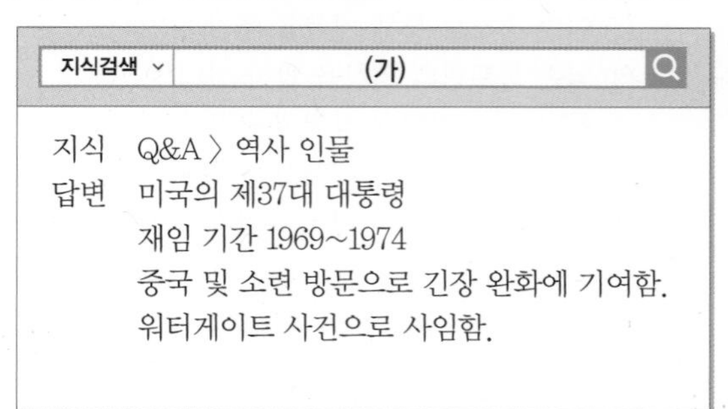

| 보기 |
ㄱ. 마셜 계획을 발표하였다.
ㄴ. 닉슨 독트린을 발표하였다.
ㄷ. 북대서양 조약 기구를 결성하였다.
ㄹ. 소련과 전략 무기 제한 협정을 체결하였다.

① ㄱ, ㄴ ② ㄱ, ㄷ ③ ㄴ, ㄷ
④ ㄴ, ㄹ ⑤ ㄷ, ㄹ

05 밑줄 친 '당시'의 러시아에 대한 설명으로 옳은 것은?

사진은 1988년 소련이 발행한 기념우표이다. 우표에 커다랗게 써진 '글라스노스트'는 '개방' 혹은 '솔직함이나 비판할 능력'을 뜻한다. 이것은 당시 정부가 내세운 시정 방침의 하나로, 정부가 가진 정보의 일부를 공개하고 언론 통제를 완화하는 정책을 이른다.

① 고르바초프가 집권하였다.
② 소비에트 연방이 수립되었다.
③ 피의 일요일 사건이 일어났다.
④ 제2차 세계 대전에 참전하였다.
⑤ 브레즈네프 체제를 지지하였다.

06 (가)에 들어갈 내용으로 적절한 것은?

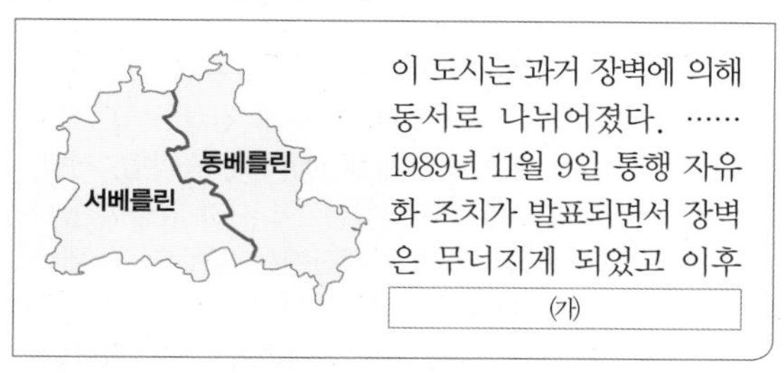

이 도시는 과거 장벽에 의해 동서로 나뉘어졌다. …… 1989년 11월 9일 통행 자유화 조치가 발표되면서 장벽은 무너지게 되었고 이후 (가)

① 독립 국가 연합(CIS)이 출범하게 되었다.
② 바웬사가 이끄는 자유 노조가 승리하게 되었다.
③ 팔레스타인 지역을 둘러싼 분쟁이 시작되게 되었다.
④ 체코와 슬로바키아 두 개의 공화국이 분리되게 되었다.
⑤ 동독이 독일 연방에 가입하여 통일이 이루어지게 되었다.

07 (가) 사건에 대한 설명으로 옳은 것은?

주제	중국의 베이징 탐방
장소	베이징 일대
기간	2018년 ○월 ○일 ~ △월 △일
내용	나는 중국의 수도인 베이징 일대를 다녀왔다. 베이징 중앙부에는 세계 최대의 광장 톈안먼 광장이 있는데 이곳은 중국 근현대사의 상징적 장소이다. 특히 1989년 6월 4일에는 학생, 노동자, 시민들의 주도로 (가) 사건이 발생하기도 하였다.

① 전통 문화가 파괴되었다.
② 홍위병의 주도로 발생하였다.
③ 정치 민주화 요구가 분출하였다.
④ 마오쩌둥의 개방 정책에 반대하였다.
⑤ 국민당과 공산당의 대립이 격화되었다.

08 지도를 활용한 학습 주제로 가장 적절한 것은?

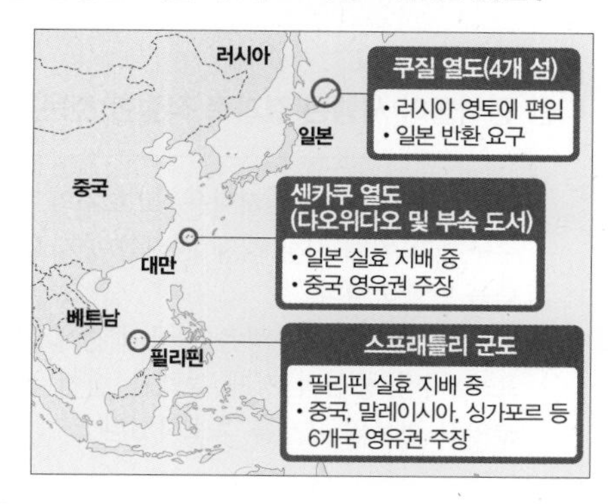

① 남북문제의 심화
② 아시아의 종교 갈등
③ 지구 온난화 및 환경 문제
④ 국제 연합의 평화 유지 활동
⑤ 해양 자원을 둘러싼 국제 분쟁

09 다음 조약의 결과를 | 보기 |에서 고른 것은?

> 1. 역내에 장벽이 없는 영역을 창조하고 경제 및 사회의 일체성을 강화하고 궁극적으로는 단일 통화를 포함하여 경제 통화 연합을 달성할 것.
> 2. 최종적으로 공동 방위 정책을 형성하는 것을 포함하여 공동 대외 정책 · 안전 보장 정책을 특별히 시행함으로써 국제 문제에서 스스로의 정체성을 주장할 것.
> 3. '연합의 시민권'을 도입함으로써 참가국 국민의 권리 및 이익 보호를 강화할 것.
> 4. 사법 및 치안 문제에서 긴밀한 협조를 발전시키는 것.

| 보기 |
ㄱ. 유럽 의회 설치　　ㄴ. 유럽 시민권 도입
ㄷ. '유로' 화폐의 통용　　ㄹ. 유럽 공동체(EC) 결성

① ㄱ, ㄴ　② ㄱ, ㄷ　③ ㄴ, ㄷ
④ ㄴ, ㄹ　⑤ ㄷ, ㄹ

10 다음 정책들이 시행된 결과로 적절한 것은?

> • 영국의 대처 총리는 저비용, 고효율의 경제 구조를 추구하기 위해 시장 경제 원리를 중시하는 경제 개혁을 단행하였다.
> • 미국의 레이건 대통령은 미국의 경제 활성화를 목표로 시장 중심적 경제 정책을 펼쳐 세금을 대폭 줄이고 정부의 규제를 축소하였다.

① 전체주의가 등장하였다.
② 냉전 체제가 강화되었다.
③ 제2차 세계 대전이 발발하였다.
④ 열강의 식민지 개척이 심화되었다.
⑤ 신자유주의적 세계화가 확대되었다.

11 다음 단체들의 공통점으로 옳은 것은?

〈국경없는 의사회〉
세계 각 지역에 의료 자원자들을 파견하고 있는 단체

〈세이브 더 칠드런〉
세계 최대 규모의 아동 구호 단체

① 세계화와 신자유주의를 추구하는 단체이다.
② 남 · 북극의 자원 개발에 적극적으로 참여한다.
③ 유럽으로의 난민 유입과 테러리즘에 반대한다.
④ 시민 사회의 공공성을 지향하는 비정부 단체이다.
⑤ 국제 평화를 위해 군사력 동원 조치를 취할 수 있다.

12 밑줄 친 '이 시기'에 대한 설명으로 옳지 않은 것은?

> 자동차 산업의 발달은 철강, 타이어 등 부품 산업을 덩달아 발달하게 하였고, 도로 건설 산업, 석유 연료 산업, 여객 화물 운송업, 정비소, 숙박업, 식당, 관광 산업 등도 활기를 띠었다. 이 시기 임금이 높아진 노동자들은 그 돈으로 예전에는 엄두도 못 내던 각종 상품을 사들일 수 있었기 때문에 전체적으로 소비가 촉진되었다. 이는 문화의 대중화로 이어졌다.

① 보통 선거가 확산되었다.
② 지식과 정보의 양이 한정되었다.
③ 개인주의와 익명성에 바탕을 두었다.
④ 인간 소외 현상이 나타나기도 하였다.
⑤ 신문, 라디오, 텔레비전 등 대중 매체가 등장하였다.

정답과 해설 ▸ 96쪽

❖ 다음을 읽고 물음에 답해 보자.

(가) 빌리 브란트의 동방 정책

서독의 총리 빌리 브란트는 1970년 12월 7일 아침 폴란드 바르샤바의 유대인 위령탑 앞에 섰다. 이 탑은 1943년 유대인들이 나치에 맞서 28일간 봉기했다가 5만 명 이상이 참살당한 일을 기리는 탑이다. 잠시 고개를 숙인 브란트가 뒤로 물러섰다. 참배가 끝났다고 여겨진 그때 브란트는 위령탑 앞에 털썩 무릎을 꿇었다. 서독과 폴란드의 관계 정상화를 위한 바르샤바 조약을 맺는 날, 브란트는 나치 독일의 잘못을 온몸으로 사죄한 것이다. 그 뒤 폴란드인은 바르샤바에 브란트 광장을 만들어, 무릎을 꿇은 브란트의 모습을 담은 기념비를 세웠다.

(나) 한 · 일 위안부 합의문

2015년 12월 28일 국교정상화 50주년을 맞아 한 · 일 위안부 합의문이 발표되었다.

〈일본 측 표명 사항〉
1. 위안부 문제는 당시 군의 관여 하에 다수의 여성의 명예와 존엄에 깊은 상처를 입힌 문제로서, 이러한 관점에서 일본 정부는 책임을 통감한다. 아베 내각 총리대신은 일본국 내각 총리대신으로서 다시 한번 위안부로서 많은 고통을 갖고 상처 입은 분들에게 마음으로부터 깊은 사죄를 표명한다.
2. 일본 정부는 지금까지도 본 문제에 진지하게 임해 왔으며, 이에 기초해 이번에 일본 정부의 예산에 의해 모든 전(前) 위안부분들의 명예와 존엄의 회복 및 마음의 상처 치유를 위한 사업을 진행하기로 한다. 앞서 말씀드린 예산 조치에 대해서 규모로서는 10억엔 정도 산정하고 있다.

하지만 아베 총리는 2016년 1월 일본 국회에서 위안부 강제 연행 증거가 없으며 또한 전쟁 범죄가 아니기 때문에 성노예라는 표현이 잘못되었다는 식의 발언을 하였고, 자민당은 한 · 일 위안부 타결을 빌미로 대사관의 소녀상을 철거하라는 결의안을 내놓기도 했다.

더 알아보기

1969년 서독의 총리로 취임한 빌리 브란트는 기존의 아데나워 내각과는 달리 동유럽 사회주의 국가들과 화해, 교류를 추구하였다. 이러한 동방 정책은 이후 독일 통일과 냉전 해체의 바탕이 되었다.

논술 갈라잡이

서독의 브란트 총리가 보인 태도가 세계 평화와 공존에 미친 의의를 생각해 보면서 한 · 일 위안부 합의문과 일본의 태도가 갖는 문제점을 생각해 보자.

01 (가)를 통해 알 수 있는 빌리 브란트의 동방 정책에 대해 서술해 보자.

02 (가)와 비교하여 (나)를 비판해 보자.

MEMO

이 책의 정답은 QR코드로 확인할 수 있어요~!

2015
개정 교육과정

핵심 유형 문제로 실력을 확실히 높인다

자습서

고등학교 세계사

교과서 활동 풀이
및 정답과 해설

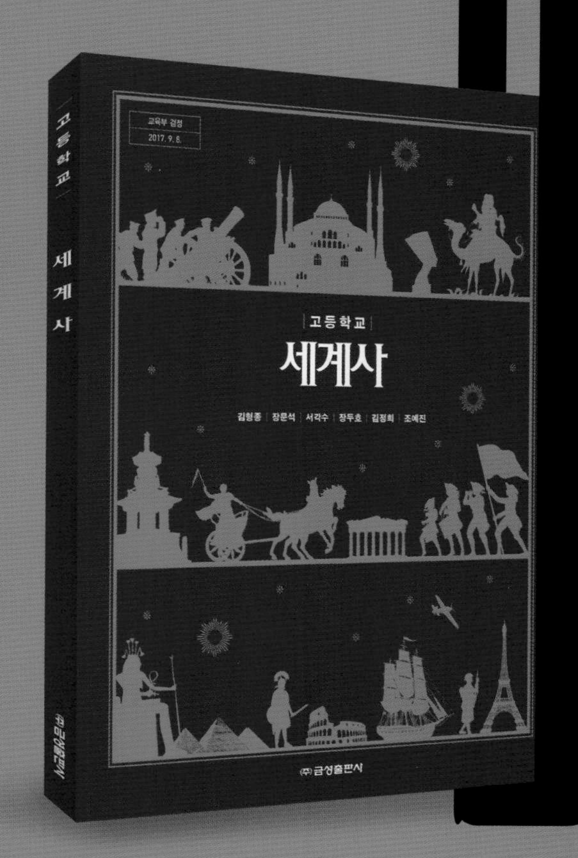

장두호
김정희
조예진
김종민
박상필
이소연
최경란
조정은
김현주

금성출판사

고등 세계사 자습서

교과서 활동 풀이

금성출판사

교과서 활동 풀이

대주제 1 인류의 출현과 문명의 발생

주제 1 인류의 출현과 선사 문화

역량 기르기 — 교과서 016쪽

1 사실 이해 | 최초의 인류가 탄생한 지역은 어디인가?

- **지역:** 최초의 인류인 오스트랄로피테쿠스는 아프리카에서 출현하였다.

2 자료 분석 | 〈자료 1〉을 참고하여 선사 시대 인류의 진화 과정을 발표해 보자.

- **인류의 진화 과정:** 오스트랄로피테쿠스는 직립 보행을 하고 간단한 도구를 사용한 최초의 인류이다. 이후 불을 사용한 호모 에렉투스, 매장 풍습을 가지고 있던 호모 네안데르탈렌시스가 출현하였다. 약 20만 년 전에 출현한 호모 사피엔스는 현생 인류로 정교한 도구를 사용하였다.

역량 기르기 — 교과서 017쪽

1 사실 이해 | 구석기 시대의 대표적인 도구는 무엇인가?

- **도구:** 구석기인들은 돌을 자연스럽게 깨뜨려 만든 뗀석기를 사용하였다.

2 자료 분석 | 〈자료 1〉을 통해 구석기 시대의 생활 모습이 어떠하였는지 말해 보자.

- **생활 모습:** 무리지어 이동 생활을 하며 동굴이나 막집에서 생활하였다. 도구로는 뗀석기를 사용하였으며 사냥과 채집, 물고기 잡이로 식량을 확보하였다. 벽화 및 예술품을 제작하기도 하였는데, 이는 풍요와 사냥의 성공을 기원하기 위한 것이었다.

3 사실 이해 | 마지막 빙기가 끝나면서 자연환경은 어떻게 변했고, 그러한 변화에 인류는 어떻게 적응하였는가?

- **환경의 변화와 적응:** 지구의 기온 상승으로 식물의 분포가 바뀌고 사슴, 멧돼지 등 작은 짐승과 어패류가 번성하였다. 변화에 적응하기 위해 인류는 정교한 간석기를 제작하였고, 토기를 만들어 식량을 저장하였다.

| 해설 | 마지막 빙기가 약 1만 년 전 끝나면서 지구의 기온이 올라가며 자연환경이 크게 변화하였다.

역량 기르기 — 교과서 018쪽

1 사실 이해 | 신석기 혁명이란 무엇인가?

- **정의:** 농경과 목축의 시작으로 나타난 인류 생활의 큰 변화를 의미한다. 신석기 혁명으로 인류는 식량을 채집하는 단계에서 식량을 생산하는 단계로 발전하였으며, 생산성이 향상되어 인구가 증가하였다.

2 자료 분석 | 〈자료 2〉를 통해 신석기 시대의 생활 모습이 어떠하였는지 말해 보자.

- **생활 모습:** 움집을 지어 정착 생활을 하였고, 간석기와 토기를 사용하였다. 베틀을 만들어 동물의 털과 가죽으로 옷을 지어 입었으며, 애니미즘과 거석 숭배와 같은 종교 의식이 이루어졌다.

3 사실 이해 | 신석기 시대 후반의 사회 변화상을 설명해 보자.

- **변화 모습:** 농경과 목축의 시작으로 평야 지대에 정착한 인류는 촌락을 형성하였고, 점차 씨족 사회로 발전하였다. 신석기 시대 후반에 이르면 생산력이 더욱 향상되어 분업과 사유 재산이 나타났다. 또한 씨족 간 통합으로 부족이 성립되었으며, 이 과정에서 계급이 분화하여 지배 계급이 출현하였다.

스스로 확인 학습 — 교과서 019쪽

2 제시된 글을 읽고, 물음에 답해 보자.

(1) **자료 분석** 자료에서 신석기 혁명을 서술한 부분에 밑줄을 그어 보자.

- **정답:** 인류는 식물을 재배하고 동물을 길러 식량 공급을 스스로 지배하게 되었다.

(2) **자료 해석** 신석기 혁명이 인류의 삶에 어떤 영향을 끼쳤는지 발표해 보자.

- **영향:** 농경과 목축으로 인류는 자연이 주는 그대로 식량을 얻는 단계에서 자연을 이용하여 식량을 생산하는 단계로 발전하였다.

3 신석기 시대의 생활 모습을 나타낸 그림을 보고, 물음에 답해 보자.

(1) **사실 이해** 그림의 빈칸에 들어갈 적절한 내용을 아래에서 골라 채워 보자.

- ㉠: 토기 사용하기
- ㉡: 가축 기르기
- ㉢: 농사짓기
- ㉣: 간석기 제작하기

(2) **자료 해석** 위 그림을 바탕으로 신석기인의 하루 생활로 가상 일기를 써 보자.

- **예시 답안:** 오늘은 아침 일찍 일어나 농사를 지으시는 아버지를 도왔다. 어제 움집을 짓는 아버지를 도와서 그런지 어깨가 찌뿌둥했다. 아버지께서는 오늘 수수를 수확할 것이라 하시며 내게 간석

기를 챙겨오라고 하셨다. 간석기를 가지러 집으로 들어가자 어머니께서 뼈바늘로 옷을 짓고 계셨다. 열심히 일하고 저녁에 돌아온 나는 아버지, 어머니와 함께 토기에 끓인 맛있는 저녁을 먹었다. 내일도 날씨가 좋았으면 좋겠다.

주제 2 문명의 발생

역량 기르기 교과서 020쪽

1 자료 분석 | 〈자료 1〉의 지도에서 고대 문명의 발상지를 확인하고, 그 지역들에서 문명이 탄생한 까닭을 설명해 보자.

• **발상지:** 메소포타미아, 이집트, 인도, 중국

• **공통점:** 농경과 목축은 기후가 따뜻하고 수량이 풍부한 큰 강 유역에서 유리하였다. 4대 문명 모두 이러한 지형적 조건을 갖추고 있어 인구가 집중되었다.

2 사실 이해 | 국가의 성립 과정을 정리해 보자.

• **성립 과정:** 큰 강 유역과 같이 농경에 적합한 지역에 촌락이 형성되었다. 촌락들은 서로 교류하고 외부의 침입을 막기 위해 성벽을 쌓으며 도시로 성장하였다. 이 과정에서 사유 재산 제도가 성립되었고 직업이 다양하게 분화하였다. 그리고 부와 권력에 따라 계급이 발생하면서 국가가 출현하였다.

역량 기르기 교과서 021쪽

1 자료 분석 | 〈자료 1〉을 통해 메소포타미아 지역의 지리적 특징을 파악해 보자.

• **지리적 특징:** 티그리스강과 유프라테스강 사이에 위치하였기 때문에 수량이 풍부하였고 농경에 적합하였다. 이로 인해 인구가 집중되어 문명이 발생하였다. 지형이 개방적이어서 교역이 발달하였지만, 그만큼 외부의 침입도 많이 받았다.

2 자료 해석 | 〈자료 2〉의 법전 내용을 통해 당시 사회의 모습을 유추해 보자.

• **사회 모습:** 신분 구분이 엄격하고 형벌이 가혹한 사회였다. 법을 통해 정의를 실현하고 사유 재산 보호를 중요시 여겼다. 가족 관계와 관련된 법 조항을 통해 가부장제의 존재를 알 수 있으며, 귀족과 평민이 구분되는 신분제 사회였다.

역량 기르기 교과서 022쪽

1 자료 분석 | 〈자료 3〉의 지도를 참고하여 이집트가 오랫동안 통일 국가를 유지할 수 있었던 까닭을 말해 보자.

• **까닭:** 지중해, 홍해와 같은 바다와 사막으로 둘러싸인 폐쇄적인 지형이었기에 이민족이 침입하기 힘들었다. 그래서 오랫동안 통일 국가를 유지할 수 있었다.

2 사실 이해 | 이집트 문명에서 천문학, 측량술, 기하학이 발달한 까닭은 무엇인가?

• **까닭:** 주기적으로 범람하는 나일강의 범람 시기를 정확히 예측해야 했기에 천문학이 발달하였다. 또한 범람 이후 농지를 다시 측량하는 과정에서 측량술과 기하학이 발달하였다.

역량 강화하기 교과서 023쪽

1 자료 분석 | 두 문명 사람들의 내세관을 비교해 보자.

• **메소포타미아 문명:** 『길가메시 서사시』에는 가족과 함께 현재를 즐기며 사는 것이 인간의 운명이라는 이야기가 있다. 이처럼 메소포타미아 문명의 사람들은 사후 세계보다는 현세의 안정과 행복을 지향하였다.

• **이집트 문명:** 「사자의 서」에는 죽은 자가 현세의 삶에 대해 심판을 받고 있는 장면이 나온다. 이처럼 이집트 문명의 사람들은 영혼 불멸과 사후 세계를 믿어 현세의 삶이 죽어서도 이어진다고 여겼다.

2 정체성과 상호 존중 | 지역에 따라 세계관이 차이가 나타나는 까닭과 이러한 차이를 바라보는 바람직한 태도를 말해 보자.

• **예시 답안:** 메소포타미아 문명과 이집트 문명은 지리적으로 멀지 않은 곳에 위치하고 있음에도 불구하고 내세관의 차이가 크다. 이러한 차이는 두 지역의 자연환경 차이에서 기인하였다. 이집트는 사막과 바다로 둘러싸인 폐쇄적 지형 때문에 외침이 적었고, 나일강이 규칙적으로 범람하여 이를 예측하고 대비할 수 있었다. 그래서 오랫동안 통일 제국을 유지하였고, 현세에서의 삶이 죽어서도 이어진다고 믿었다. 반면 메소포타미아는 개방적 지형으로 외침이 많았고, 이에 지배자도 수시로 바뀌었다. 불안한 환경 속에서 사람들은 현재의 삶을 중시하였고 미래를 점치는 점성술이 발달하였다. 이처럼 세계관의 차이는 해당 지역의 자연환경, 정치 상황, 종교 및 사상의 차이 등에 영향을 많이 받음을 알 수 있다. 따라서 우리는 지구상에 존재하는 다양한 문화와 가치를 이해하고 존중하는 태도를 가져야 하겠다.

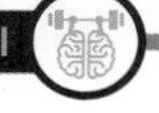

역량 기르기 교과서 025쪽

1 사실 이해 | 인도 문명의 주요 도시 유적을 말해 보자.

• **도시 유적:** 인도 문명의 주요 도시 유적인 하라파, 모헨조다로 유적은 계획 도시로 건설되었다. 도로를 포장하였으며 배수 시설, 목욕탕, 광장 등을 설치하였다.

2 자료 해석 | 〈자료 4〉를 통해 아리아인의 이동이 인도 사회에 끼친 영향을 추론해 보자.

• **영향:** 아리아인은 철제 농기구와 관개 사업으로 갠지스강 유역의 농업 생산력을 높였다. 그리고 선주민을 지배하기 위해 브라만을 중심으로 계급을 구분한 카스트제를 만들었다.

3 자료 분석 | 〈자료 5〉의 갑골문을 통해 알 수 있는 상의 통치 체제를 말해 보자.

• **통치 체제:** 갑골문에는 점을 친 까닭과 그 결과가 새겨져 있다. 상은 점을 쳐서 알게 된 신의 뜻을 바탕으로 국가의 중대사를 결정한 신권 정치를 펼쳤다. 그래서 제사 의식에 국가 역량이 집중되었다.

| 해설 | 갑골문은 점을 친 까닭과 그 결과를 거북의 배딱지나 소의 어깨뼈 등에 새겨 기록한 문자이다.

4 사실 이해 | 유교 이념에 영향을 끼친 주의 통치 사상은 무엇인가?

• **통치 사상:** 주는 하늘이 덕 있는 자를 선택하여 권력을 맡긴다는 천명사상을 내세워 권력을 정당화하였고, 덕치주의를 통해 백성을 덕으로 감화시키고자 하였다. 이러한 통치 사상은 이후의 중국 왕조들에게도 공통적으로 나타났다.

생각해 보기 교과서 026쪽

1 각 민족이 주변 나라에 무엇을 전파하였는지 찾아보자.

• **페니키아인:** 알파벳의 원형으로 알려진 표음 문자를 전파하였다.
• **히타이트:** 철기 문화를 서아시아에 전파되었다.
• **헤브라이인:** 유일신 신앙은 여러 종교들에게 많은 영향을 주었다.
• **에게 문명:** 서아시아 지역의 영향을 받은 청동기 문명이 발달하였으며, 지중해라는 지리적 위치를 활용하여 여러 지역과 교류하였다.

2 헤브라이인과 페니키아인들의 활동이 오늘날의 종교와 문화에 어떤 영향을 끼쳤는지 발표해 보자.

• **영향:** 헤브라이인이 성립시킨 유대교는 크리스트교와 이슬람교에 큰 영향을 주었으며, 특히 이들이 남긴 『구약 성서』는 종교뿐만 아니라 역사서이자 문학 작품으로서의 가치를 지니고 있다. 페니키아인들이 사용한 표음 문자는 여러 형태를 거쳐 오늘날 알파벳으로 발전하였다. 페니키아 문자는 히브리 문자, 아랍 문자, 그리스 문자, 로마자 등 지중해 유역의 문자들의 조상격인 문자로 평가 받고 있다.

스스로 확인 학습 교과서 027쪽

2 제시된 글을 읽고, 물음에 답해 보자.

(1) **사실 이해** 역사가 헤로도토스는 이집트 문명을 무엇이라고 표현하였는가?

• **정답:** 나일강의 선물

(2) **자료 분석** 이집트의 환경적 특징을 찾아 써 보고, 본문에서 배운 이집트 문명의 특징을 정리하여 서술해 보자.

• **특징:** 이집트는 나일강의 주기적인 범람으로 땅이 비옥했다. 이에 여러 도시 국가가 성립되었고, 나일강의 대규모 관개 사업을 위해 통일 왕국이 출현하였다.

3 고대 문명을 정리하여 나타낸 지도를 보고, 물음에 답해 보자.

(1) **사실 이해** 위 지도의 빈칸을 채워 보자.

• ㉠: 메소포타미아 문명
• ㉡: 태양력, 10진법, 측량술, 상형 문자, 피라미드
• ㉢: 계획 도시(하라파, 모헨조다로), 문자 사용, 카스트제, 브라만교
• ㉣: 중국 문명

(2) **자료 분석** 각 문명의 공통점을 찾아 써 보자.

• **공통점:** 큰 강 유역은 기후가 따뜻하고 수량이 풍부하여 농경에 적합하여 일찍부터 사람들이 많이 모여 살았으며, 이 과정에서 큰 강 유역을 중심으로 문명이 탄생하였다. 문자의 발명으로 인류는 역사 시대로 진입하였고, 사유 재산 제도가 성립하여 계급이 발생하였다.

대주제 2 동아시아 지역의 역사

주제 3 동아시아 세계의 형성

역량 기르기 교과서 035쪽

1 자료 분석 | 〈자료 1〉과 같이 여러 제후국이 난립한 까닭은 무엇인가?

• **내부적 요인:** 주 왕실과 제후 사이의 혈연적 유대가 약해지면서 봉건 질서가 붕괴되어 갔다.
• **외부적 요인:** 이민족의 침입으로 동쪽으로 수도를 옮기면서 주 왕실의 힘이 약해졌다.

2 자료 분석 | 〈자료 2〉를 참고하여 춘추 전국 시대에 농업 생산량이 증가한 까닭을 설명해 보자.

• **까닭:** 철제 농기구가 사용되고 우경이 시작되면서 땅을 더 깊게 갈 수 있게 되었다. 이에 황무지를 비롯한 농경지의 개간이 활발해졌고, 관개 사업도 진행되어 농업 생산량이 크게 증가하였다.

3 자료 해석 | 〈자료 3–2〉를 참고하여 전국 시대 제후들로부터 법가가 큰 호응을 얻은 까닭을 추론해 보자.

• **까닭:** 법가는 법치를 통해 군주의 권위를 강조하였고, 백성들이 국가가 요구하는 생산과 병역에 전념하도록 만들어 부국강병을 추

구하였다. 이에 강력한 왕권과 효율적인 통치를 원했던 제후들에게 큰 호응을 얻었다.

역량 기르기 교과서 037쪽

1 자료 분석 | 〈자료 1〉을 참고하여 진의 통일 정책을 정리해 보자.

• **정책:** 진은 전국을 36군으로 나누는 군현제를 실시하여 중앙 집권의 황제 지배 체제를 확립하였다. 그리고 전국에 도로를 만들고 화폐 · 도량형 · 문자 · 수레바퀴 폭 등을 통일하였으며, 분서갱유로 법가 사상을 반대하는 사상들을 억압하였다.

2 사실 이해 | 진시황제와 한 무제가 통치 이념으로 채택한 사상을 말해 보자.

• **진시황제:** 법률로 효율적인 통치를 추구하는 법가를 채택하였다.
• **한 무제:** 유교를 통치 이념으로 채택하여 황제 중심의 지배 체제를 확립하였다.

3 사실 이해 | 군현제와 군국제를 비교해 보자.

• **비교:** 군현제는 전국에 황제가 임명한 관리를 파견하는 반면, 군국제는 일부 지역에만 군현제를 시행하고 나머지 지역은 봉건제로 다스린다. 군현제가 보다 중앙 집권적인 제도이다.

| 해설 | 군현제는 춘추 말기에서 전국 초기에 이미 각국에서 부분적으로 나타났는데 진시황제는 이를 전국에 확대하였다. 지방관의 임명권은 황제가 장악하고 있었으므로 관료들은 황제의 명령에 따르게 되었다. 군국제는 한 고조가 봉건제와 군현제를 절충하여 실시한 통치 체제였다. 한 고조는 진이 군현제를 실시함으로써 고립되어 황제의 보호 세력이 없어 쉽게 멸망한 것으로 생각하였으며, 또한 주의 봉건제를 춘추 전국의 오랜 분쟁의 원인으로 판단하여 한의 중국 재통일에 공이 많은 공신을 제후왕으로 봉한 후, 수도 장안으로부터 멀리 떨어진 지방에서는 일족과 공신을 왕과 제후로 봉하는 봉건 체제를 취하고, 수도 근방의 경기 지방에는 진의 군현제를 그대로 유지하였다.

4 자료 해석 | 〈자료 2〉를 참고하여 한 무제가 통제 경제 정책을 시행한 까닭을 찾아보자.

• **까닭:** 한 무제는 잦은 대외 원정으로 부족해진 재정을 확보하고 백성들의 생활을 안정시키기 위해 통제 경제 정책을 시행하였다. 지방에서 성장하는 호족과 대상인 세력의 성장을 막기 위한 목적도 있었다.

역량 기르기 교과서 038쪽

1 사실 이해 | 토지 사유화가 진전됨에 따라 성장한 계층을 말해 보자.

• **계층:** 토지의 사유화가 진전되면서 대토지를 소유한 호족이 성장하였다.

2 자료 해석 | 〈자료 3〉에 있는 동중서의 천인상관설이 유교의 통치 이념화에 어떠한 영향을 끼쳤는지 추론해 보자.

• **영향:** 동중서는 황제의 권위가 하늘에서 온다고 주장하였는데, 이는 황제와 국가 권력을 옹호하는 논리로 작용하였다. 이로 인해 유교가 통치 이념으로 채택될 수 있었다.

역량 강화하기  교과서 039쪽

1 자료 분석 | 초원길, 비단길, 바닷길을 통해 여러 지역에 전파된 문물을 정리해 보자.

• **초원길:** 스키타이 양식으로 대표되는 청동기 문화가 전파되었다.
• **비단길:** 중국의 비단 · 옥기, 서역과 로마의 보석 · 유리 공예품, 인도의 면직물 · 향신료, 여러 종교가 전파되었다.
• **바닷길:** 비단길의 쇠퇴로 비단길을 통해 전파되었던 면직물, 향신료, 비단, 차, 도자기 등이 전파되었다.

2 역사적 판단력 및 의사소통 | 오늘날 동서 문물 교류의 통로에는 어떤 것들이 있는지 알아보고, 오늘날의 문물 교류가 과거의 그것과 어떻게 다른지 친구들과 토론해 보자.

• **오늘날 교류의 통로:** 전 세계 어디라도 신속히 연결시켜주는 비행기의 하늘길, 전 세계 물동량의 큰 부분을 차지하는 선박의 바닷길, 유라시아 대륙 열차의 기찻길 등이 오늘날 동서 문물 교류의 통로로 활발히 이용되고 있다.
• **차이점:** 과거의 교통로는 자연재해의 위험 등이 도사리고 있어 안전하지 못하고, 대단히 오랜 기간이 필요하다는 단점이 있었으나, 오늘날의 동서 문물 교류의 통로인 비행기의 하늘길, 선박의 바닷길, 유라시아 대륙 열차의 기찻길 등은 컴퓨터 시스템에 기반한 정교한 항법 장치로 통제하여 사람과 물자를 안전하고도 신속하게 운반하고 있다.

역량 기르기 교과서 041쪽

1 사실 이해 | 9품중정제 시행이 지배층의 변화에 끼친 영향을 말해 보자.

• **영향:** 9품중정제는 각 주와 현에 중정관을 두고 그들로 하여금 지방의 청년을 추천하도록 하였는데, 중정관은 현지 사정에 밝은 그 지역 출신 고관이 임명되었다. 각 지역의 중정관은 관할 지역 내의 여론을 살펴 덕망이 있고 재주가 뛰어난 인물을 9품으로 분류하였는데, 이를 향품이라 하였다. 지방에서 추천된 향품에 따라 중앙에서는 관리로 임명하는 관품을 주었는데, 향품에서 4품을 내려 관품을 제수하는 것이 일반적이었다. 하지만 그 당시 사회 분위기는 이미 호족 세력이 지방의 여론을 좌우하고 있었기 때문에 자연히 호족의 자제가 상품에 추천되어 고위 관직을 독점하는 결과를 가져왔다.

2 자료 해석 | 〈자료 1〉에서 건강을 찾아보고, 이를 통해 한족의 이주가 강남에 끼친 영향을 추론해 보자.

• **영향:** 북방의 다섯 민족인 5호가 화북에 침입하여 여러 나라를 세우자, 진은 남쪽으로 이주하여 건강을 도읍으로 동진(東晉)을 세웠다. 강남에 이주한 한족은 창장강 유역을 개발하고 벼농사를 보급하여 강남의 경제력을 향상시켰다. 그 결과 강남의 인구가 늘어났다.

3 사실 이해 | 북조와 남조의 문화적 특징을 비교해 보자.

• **북조:** 북조에서는 유목민의 강건하고 소박한 기풍이 문화에 더해졌고, 국가는 유교를 존중하였다.

• **남조:** 귀족 중심의 자유분방한 문화가 발달하였고, 혼란스러운 정치 상황을 반영하듯 노장사상과 청담 사상이 유행하였다. 당시 지식인의 현실도피적인 경향은 도연명의 시 「귀거래사」에, 귀족의 생활상은 고개지의 그림 「여사잠도」 등에 반영되었다.

역량 기르기 ——— 교과서 043쪽

1 자료 분석 | 〈자료 2〉를 참고하여 수 양제가 대운하를 건설한 까닭을 말해 보자.

• **까닭:** 수 양제는 남북 간 물자 유통과 경제 통합을 강화하기 위하여 대운하를 건설하였다. 대운하는 오늘날에도 중국의 남북을 잇는 운송로로 일부 기능하고 있다.

2 사실 이해 | 수·당 대에 정비된 통치 제도를 행정 조직과 토지·조세·군사 제도로 정리해 보자.

• **행정 조직:** 3성 6부제
• **토지 제도:** 균전제
• **조세 제도:** 조용조
• **군사 제도:** 부병제

3 자료 분석 | 〈자료 3〉에 나타난 당 문화의 특징을 찾고, 그 까닭을 설명해 보자.

• **특징:** 당은 남북조 이래 발전한 호한 융합의 문화를 집대성하고 서역의 문화를 활발히 수용하여 개방적이고 국제적인 문화를 발전시켰다. 불교와 도교가 더욱 발전하였을 뿐만 아니라, 조로아스터교, 마니교, 경교, 이슬람교 등 다양한 종교가 전해져 장안성에는 불교, 도교, 조로아스터교 등의 사원이 세워졌다.

• **까닭:** 당 대에는 중국 역사상 가장 활발하게 동서 문화가 교류한 시대이다. 당 대에 동서 문화가 활발히 교류할 수 있었던 것은 통일 제국의 성립, 6도호부의 설치처럼 지배 영역이 서역으로 뻗어나가면서 비단길이 원활하게 소통되었던 점 등을 배경으로 꼽을 수 있다. 또한 당의 개방주의 정책으로 당과 주변국 간의 교류가 더욱 활발해지면서 동아시아 세계가 정치·문화면에서 교류가 촉진되어 8세기를 전후한 시기에 문화적 교류가 절정기를 맞이하게 되었다

역량 기르기 ——— 교과서 044쪽

1 자료 분석 | 〈자료 4〉와 본문을 보고, 동아시아문화권의 공통 문화 요소를 나열해 보자.

• **공통 문화 요소:** 당은 주변 각국과 정치·군사 면에서 긴밀한 유대 관계를 맺었고, 신라, 발해, 일본 등은 당의 제도와 문화를 받아들였다. 이 과정에서 유교, 불교, 율령, 한자 등의 동아시아문화권의 공통 요소가 각국에 정착되었다.

2 사실 이해 | 유교가 동아시아 각국에서 어떻게 기능하였는지 말해 보자.

• **기능:** 한 대 이후 국가의 통치 원리로 자리 잡은 유교는 주변 여러 나라에 전파되어 동아시아 지역의 정치 이념이자 사회 규범으로 기능하였다. 유교는 정치적으로 황제와 국왕의 권한을 뒷받침하였으며, 사회적으로 사회 질서의 형성과 유지에 기여하였다.

역량 기르기 ——— 교과서 045쪽

1 사실 이해 | 고대 한반도와 일본에 성립한 국가들을 말해 보자.

• **한반도:** 고대 한반도에서는 고조선이 최초로 등장하였고, 뒤를 이어 여러 국가들이 성립하다가 고구려, 백제, 신라에 각각 통합되었다. 신라가 삼국을 통일한 후 뒤이어 고구려 유민들이 발해를 세워 남북국의 형세를 이루었다.

• **일본:** 일본 열도에서는 3세기경, 각지에 30여개 소국의 연합체가 형성되었다. 이 연합체에서 야마타이국이 가장 큰 영향력을 행사하였다. 4세기경 야마토 정권이 성립하면서 점차 중앙 집권 체제를 강화해 갔다.

2 자료 해석 | 〈자료 1〉을 통해 고대 한반도와 일본의 문화적 관계를 파악해 보자.

• **관계:** 고대 한반도는 선진 문화를 전파하고 일본은 이를 수용하는 관계였다. 삼국과 가야를 통해 일본은 율령, 유교, 불교 등을 받아들였고, 이를 통해 중앙 집권 국가로 성장할 수 있었다.

역량 기르기 ——— 교과서 046쪽

1 자료 해석 | 〈자료 2〉를 통해 야마토 정권의 역사적 의의를 파악해 보자.

• **의의:** 일본 열도에서는 4세기 전반 야마토와 그 주변 호족이 연합하여 야마토 정권을 세웠다. 이는 일본 열도에 나타난 최초의 통일 세력이었다.

2 사실 이해 | 도다이사 본존불과 같이 거대한 불상을 조성한 목적을 말해 보자.

• **목적:** 동아시아에서는 불교를 수용한 후 불상이 군주의 권위를 상징하는 것으로 여겼다. 이에 따라 군주의 얼굴을 본뜨거나 거대한 형태로 불상이 만들어졌다.

3 사실 이해 | 헤이안 시대 문화의 특징을 예를 들어 설명해 보자.

• **특징:** 헤이안 시대 문화의 가장 큰 특징은 국풍 문화의 발달이다. 9세기 말부터 견당사가 폐지되면서 대륙의 문화를 일본의 풍토에 맞게 소화하려는 문화적 경향이 나타났다. 이에 가나 문자가 만들어졌다. 주택, 관복과 같은 의식주 부문에서도 일본적인 특색이 두드러졌다.

스스로 확인 학습 교과서 047쪽

2 제시된 자료는 진의 황제가 전국을 순행하면서 세운 낭야대 각석에 새긴 글이다. 이를 보고 물음에 답해 보자.

(1) **사실 이해** (다)의 황제가 누구인지 써 보자.

• **정답:** 진시황제

(2) **자료 분석** (다) 황제가 (가)를 위해 채택한 사상에 관해 설명해 보자.

• **사상:** 채택한 사상은 법가로, 황제권 강화와 제국의 효율적인 통치를 위해 엄격한 법치를 강조하였다.

(3) **자료 해석** (나) 정책을 시행한 목적을 추론해 보자.

• **목적:** 제국을 효율적으로 통치하여 중앙 집권 체제를 유지, 강화하기 위해 시행하였다.

3 당 대의 호구 수 변화를 나타낸 그래프이다. 물음에 답해 보자.

(1) **자료 분석** (가)는 어떤 사건인지 써 보자.

• **사건:** 안사의 난

(2) **자료 해석** (가) 사건 전후의 호구 수를 비교해 보고, 그러한 변화가 나타난 까닭을 추론해 보자.

• **까닭:** 안사의 난 이후 국가의 통제력이 약화되어 인구 파악이 힘들어졌기 때문이다.

(3) **사실 이해** 당의 토지 제도, 조세 제도를 (가) 사건 이전과 이후로 나누어 비교해 보자.

• **토지 제도:** 균전제 → 장원제
• **조세 제도:** 조용조 → 양세법

주제 4 동아시아 세계의 발전

역량 기르기 교과서 049쪽

1 사실 이해 | 송 태조가 황제권을 강화하기 위해 채택한 정책을 나열해 보자.

• **정책:** 송 태조는 문치주의 정책을 채택하여 절도사에게 부여되던 재량권을 대폭 축소하고 황제 직속의 금군을 강화하였다. 또한 과거제를 개혁하여 황제가 직접 주관하는 전시를 도입하여 황제에 대한 관료의 충성도를 높일 수 있었다. 아울러 군정, 민정, 재정 업무를 추밀원, 중서성, 삼사에서 분담하도록 함으로써 재상권을 축소하고 황제권을 더욱 강화하였다.

2 자료 분석 | 〈자료 1〉을 참고하여 송의 과거제가 끼친 영향을 설명해 보자.

• **영향:** 전시의 도입으로 황제가 직접 결정한 성적이 승진에 절대적인 영향을 끼침에 따라 송 대의 관료 제도는 종전에 비해 한층 능력 위주로 운영할 수 있었다. 이에 따라 당 말 오대의 변혁기에 몰락했던 전통 귀족을 대신해서 성장하고 있던 재지 지주층들이 과거를 통해 대거 관계에 진출함으로써 유교적 소양을 갖춘 사대부가 새로운 지배층으로 성장하였다.

3 자료 분석 | 〈자료 2〉와 같이 송 대에 상공업과 해상 무역이 발달할 수 있었던 배경을 설명해 보자.

• **까닭:** 농업 기술의 발달로 생산력이 크게 증가하였고, 석탄이 널리 사용되면서 수공업이 발달하였다. 이에 도시를 중심으로 상공업이 성장하였다.
• **해상 무역 발달 배경:** 송 대에는 북방 민족이 강성해져 비단길을 이용한 교역이 줄어들었다. 또한 조선술과 나침반 기술이 발달하면서 원양 항해가 쉬워져 해상 무역이 발달하였다.

역량 기르기 교과서 051쪽

1 사실 이해 | 송 대에 사대부 계층이 크게 성장할 수 있었던 배경을 말해 보자.

• **배경:** 학교와 서원의 발달, 전시의 도입으로 과거제가 더욱 강화되어 능력 위주의 관리 선발 체제가 갖추어졌다. 이를 토대로 사대부 계층이 크게 성장할 수 있었다.

2 사실 이해 | 송 대에 서민 문화가 발달할 수 있었던 배경은 무엇인가?

• **배경:** 송 대에는 상공업의 발달로 많은 상업 도시들이 발달하였다. 도시에는 이전과 달리 거래 구역이나 야간 영업에 대한 제한이 사라져 많은 상점이 들어설 수 있었으며, 도시의 수많은 서민을 대상으로 한 와자와 구란과 같은 오락 시설이 생겼다. 이를 배경으로 노래를 부르기 위해 구어체로 쓴 사(詞), 연극 상연을 위한 잡극, 구어체로 쓴 통속 문학 등이 발달하였다.

3 자료 해석 | 〈자료 3〉을 통해 요와 금이 이중 지배 체제를 시행한 까닭을 파악해 보자.

• **까닭:** 한족을 효율적으로 통치하고, 한족 문화에 동화되지 않으며, 그들의 고유 전통을 지키기 위해 한족과 정주민을 구분하여 지배하였다. 요는 유목민 부족에 대해서는 부락 체제에 의해 통치하고, 한족과 발해인 등 정주민은 중국식 주현제로 통치하였다. 이에 따라 중앙 기구도 유목민을 통치하기 위한 북면관과 농경 민족을 통치하기 위한 남면관을 별도로 설치하였다. 금은 화북을 점령하자 여진족을 이주시켜 한족과는 별도로 맹안 모극이라는 고유의 부족 체제로 통치하였다.

역량 기르기 ——— 교과서 053쪽

1 자료 해석 | 〈자료 1〉을 참고하여 몽골 제국의 역사적 의의를 말해 보자.

• **의의:** 거란이 세운 요나 여진이 세운 금은 화북 지방 일부를 지배하는 데 그쳤으나 몽골 제국은 원을 세운 후 남송과 대리를 멸망시키고 중국 전역을 지배하였다. 이후 몽골 제국은 동해에서 폴란드, 헝가리 국경까지 영역을 확대하여 유라시아 대륙을 아우르고, 유목 세계와 농경 세계를 통합하는 대제국을 건설하였다. 그리고 제국 전역에 역참을 설치하여 동서 문화 교류에 기여하였다.

2 자료 분석 | 〈자료 2〉를 참고하여 한족의 지위가 낮았던 까닭을 말해 보자.

• **까닭:** 몽골 제일주의 원칙에 따라 몽골인과 색목인이 주요 요직을 차지하였으며 한족은 주로 하급 관리를 할 수 있었다. 또한 과거제가 폐지되기도 하였고, 한족의 과거 합격자 정원도 적었기 때문에 유학을 공부하던 사대부가 활약할 기회가 적었다.

3 사실 이해 | 원 대에 다양한 문화가 공존할 수 있었던 까닭은 무엇인가?

• **까닭:** 원은 각 민족의 종교와 문화에 관용 정책을 펴 다양한 문화가 공존하였다. 쿠빌라이는 불교, 티베트 불교, 도교, 이슬람교, 크리스트교 등 대부분의 종교를 보호하는 정책을 펼쳤다.

역량 기르기 ——— 교과서 054쪽

1 자료 분석 | 〈자료 3〉을 통해 역참 설치의 목적과 효과를 파악해 보자.

• **목적:** 몽골 제국은 제국을 원활히 통치하기 위해 교통로를 정비하고 안전 확보에 힘써 제국 전역에 역참을 설치하였다.
• **효과:** 역참망의 설치로 사절이나 관리 등 공무 인원의 여행과 물자 수송이 체계적으로 이루어졌으며, 신속한 문서 전달도 가능해져 중앙의 지배력을 확대할 수 있었다. 또한 역참제 덕분에 여행자들이 안전하고 빠르게 이동할 수 있었다. 이러한 편이성은 동서 교류의 발달에 기여하였다.

2 사실 이해 | 몽골 제국의 동서 교류가 중국과 유럽에 끼친 영향을 말해 보자.

• **영향:** 원 대에는 이슬람의 천문학과 수학 등이 중국에 전해졌다. 이는 이슬람 역법의 영향을 받아 곽수경이 만든 수시력처럼 중국 현지에 맞게 활용되었다. 한편 중국의 화약과 나침반, 인쇄술이 서방에 전래되어 르네상스에 영향을 주었으며, 중국의 회화는 페르시아의 세밀화에 영향을 끼쳤다.

역량 기르기 ——— 교과서 055쪽

1 사실 이해 | 고려 전기에 형성된 지배층의 명칭은 무엇인가?

• **지배층:** 문벌 귀족

2 자료 분석 | 〈자료 1〉을 참고하여 일본 중세 시대의 무사에 관해 설명해 보자.

• **등장 배경:** 일본의 무사는 헤이안 시대 중엽에 악화된 지방의 치안을 담당한 호족 세력, 수도인 교토에 올라와 궁정의 경비나 귀족의 호위를 맡은 세력이 직업적 전사 집단으로 자리 잡으면서 성장하였다.
• **특징:** 일본 중세 시대 무사는 농민을 이용하여 자기 소유의 영지를 경영하였고, 전투 기술인 말타기와 활쏘기 기술을 연마하였다. 이처럼 무사는 군사 전문가인 동시에 토지 개간자 혹은 관리자의 성격을 띠었다.

역량 기르기 ——— 교과서 056쪽

1 자료 분석 | 〈자료 2〉를 통해 몽골의 침략이 일본 사회에 끼친 영향을 알아보자.

• **영향:** 몽골 침입을 막아낸 이후 일본에서는 신국 사상이 퍼졌다. 한편 전쟁에 동원된 무사들이 보상을 받지 못해 궁핍해지자 막부에 대한 불만이 커져갔고, 이는 가마쿠라 막부의 몰락으로 이어졌다.

2 사실 이해 | 가마쿠라 막부 시대에 나타난 발달상을 정리해 보자.

농업	일부 지역에 이모작 보급
상공업	민간 무역 발달, 송 동전의 유입으로 화폐 경제 발달, 정기시 개최
문화	선종과 성리학 도입, 새로운 불교 종파 성립

스스로 확인 학습 교과서 057쪽

2 아래 자료를 읽고, 물음에 답해 보자.

(1) **자료 분석** (가)와 같은 인식을 지닌 지배층을 말해 보자.

- **지배층:** 사대부

(2) **자료 해석** (나)에 나타난 송 대 과거제의 특징을 말해 보자.

- **특징:** 송 대의 과거제는 가문이나 혈통보다는 시험을 통해 능력 위주로 합격자를 결정하였다.

(3) **자료 해석** (가), (나)를 종합하여 송 대 지배층의 특징을 설명해 보자.

- **특징:** 전시의 도입 등 과거제가 더욱 강화됨에 따라 당 대의 문벌 귀족과는 달리 송 대에는 유교적 소양을 갖춘 사대부가 지배층의 지위를 유지하였다.

3 아래 사진을 보고, 물음에 답해 보자.

(1) **자료 분석** (가)~(다) 문자를 만든 국가를 각각 써 보자.

- **(가):** 요 • **(나):** 금 • **(다):** 몽골

(2) **자료 해석** (1)의 국가들이 (가)~(다) 문자를 만든 까닭을 추론해 보자.

- **까닭:** 정복 왕조들은 한족의 문화에 동화되지 않고 자민족 문화의 독자성을 유지하기 위해 거란 문자, 여진 문자, 파스파 문자와 같은 독자적인 문자를 만들어 사용하였다.

주제 5 동아시아 세계의 변동

역량 기르기 교과서 059쪽

1 자료 분석 | 〈자료 1〉을 통해 명 대 중앙 통치 체제의 특징을 파악해 보자.

- **특징:** 홍무제는 재상들의 거점인 중서성을 없애고 6부를 황제에 직속시켰다. 이로써 황제는 관료 집단으로부터 어떠한 견제도 받지 않고 모든 정무를 직접 총괄할 수 있게 되었다. 또한 명 · 청 대에는 환관이나 기인을 밀정으로 이용하여 모든 정보를 황제가 장악하여 독재 권력의 구축과 유지에 이용하기도 하였다. 이처럼 모든 정보와 권력이 황제에게 집중되어 황제권이 절정에 이르렀다. 이는 청 대까지 지속되었다.

2 자료 분석 | 〈자료 2〉를 참고하여 명이 정화의 항해를 통해 무엇을 추구하였는지 설명해 보자.

- **목적:** 명은 막강한 국력을 과시하면서 동남아시아와 인도의 여러 국가들을 조공 체제에 포섭시키기 위해 정화의 항해를 단행하였다.

3 사실 이해 | 장거정이 개혁을 추진한 배경을 대외적인 측면에서 말해 보자.

- **배경:** 명은 조공 무역 이외의 어떠한 사무역도 금지하는 해금 정책을 추진하였다. 그러나 해금 정책은 오히려 몽골과 왜구의 침입(북로남왜)을 야기하였다. 명은 이를 막기 위해 막대한 재정을 투입하여 재정 부담을 초래하였다. 또한 16세기에는 유럽과의 교역이 활발해져 아메리카 대륙과 일본산 은이 생사와 견직물, 도자기, 차의 대가로 대량 유입되면서 일조편법을 시행할 수 있는 기반이 마련되었다.

역량 기르기 교과서 061쪽

1 사실 이해 | 청이 운영한 군사 · 행정 조직을 말해 보자.

- **조직:** 청은 팔기제를 운영하여 강력한 군사력을 확보할 수 있었다.

2 자료 해석 | 〈자료 4〉와 본문을 통해 청의 대외 무역 정책을 파악해 보자.

- **정책:** 청은 전통적인 중화사상에 입각하여 외국과의 관계에서는 조공 · 책봉 관계만을 고수하려고 하였다. 이러한 질서 밖에 있는 국가들은 내항을 광저우로 제한하는 무역만 허용되었다. 여기서 행해지는 무역은 공행이 관리하였으며, 이외의 자유 무역은 허용하지 않았다.

3 자료 분석 | 〈자료 5〉와 본문을 참고하여 청의 한족에 대한 강경책과 회유책을 나열해 보자.

강경책	내면적으로 복종하는지의 여부를 떠나 청에 대한 복종의 징표로써 변발과 호복을 강요하였고, 자주 문자옥을 일으켜 반청적인 언론에 대해서는 철저히 탄압하였다.
회유책	청은 한인 사대부에 대해 명의 제도를 거의 그대로 답습한 과거제를 실시하였고 그들을 관료로 등용하는 등 적극적인 유화 정책을 폈다.

역량 기르기 교과서 063쪽

1 사실 이해 | 명 · 청 대의 신사층이 지방 사회에 끼친 영향은 무엇인지 말해 보자.

- **영향:** 신사층은 지방관을 도와 사회 안정과 풍속을 유지하는 한편, 개인적인 이익을 추구하여 농민과 대립하였다.

2 사실 이해 | 명 · 청 대에 인구가 급격히 증가하게 된 배경은 무엇인가?

• **배경:** 창장강 중 · 상류 지역의 토지와 수리 시설이 폭넓게 개발되어 농업 생산력이 증가하면서 인구가 증가하였다. 특히 청 대에 들어 본격적으로 재배된 옥수수, 고구마, 감자와 같은 신대륙 작물이 식량 증산에 크게 이바지 하였다. 이들 작물의 재배지는 기존의 논밭과는 경합하지 않아, 그동안 방치되었던 척박한 땅의 경지화를 촉진하였다. 또한 지정은제가 시행되면서 세금을 회피하기 위해 호적에 이름을 올리지 않으려던 움직임이 사라진 것도 정부가 파악하는 인구의 급격한 증가를 가져왔다.

3 자료 분석 | 〈자료 1〉을 통해 명 · 청 대에 곡창 지대로 발전한 지역을 찾고 그 까닭을 말해 보자.

• **지역:** 창장강 중·상류 지역
• **까닭:** 창장강 하류 지역에서 수공업이 발전하여 식량이 부족해지자, 창장강 중·상류 지방이 곡창 지대로 발전하게 되었다.

역량 기르기 교과서 065쪽

1 사실 이해 | 명 · 청 대에 새롭게 등장한 학문을 말해 보자.

• **학문:** 성리학을 비판하며 지행합일을 강조하는 양명학, 엄밀한 고증으로 경전을 실증적으로 연구하는 고증학, 현실 사회의 문제를 다루는 공양학이 등장하였다.

2 자료 분석 | 〈자료 2〉을 읽고 명 · 청 대에 출판문화가 발달할 수 있었던 배경을 말해 보자.

• **배경:** 기술적인 면에서는 목판 인쇄술의 발달이 출판문화 발달에 영향을 미쳤다. 서적 출판의 급격한 증가는 서적 구매층의 확대와 깊은 관련을 가지고 있는데, 당시 상공업의 발달로 경제력을 갖춘 서민이 다수 성장하면서 도서 시장이 확대되었다.

3 사실 이해 | 「곤여만국전도」가 동아시아인에게 끼친 영향을 말해 보자.

• **영향:** 서양에 대한 지식이 단절되어 있던 중국인들에게 커다란 자극이 되었으며, 동아시아인의 세계관을 넓혀 주었다.

4 자료 해석 | 〈자료 3〉을 읽고 전례 문제에 대응한 청의 조치가 이후 동서 문화 교류에 어떤 영향을 끼쳤을지 생각해 보자.

• **청의 조치:** 황궁에 봉사하는 선교사를 제외한 선교사들을 모두 추방되었고, 서양과의 교류가 상당 기간 제한되었다.

| 해설 | 명 말에 중국 포교에 앞장 선 예수회는 중국인의 전통적인 습속과 관습, 즉 전례를 어느 정도 인정하여 중국 포교를 독점하였다. 그러나 늦게 중국 포교에 나선 프란체스코와 도미니크 선교사회는 예수회의 선교 방법이 신을 모독하는 것이라고 교황에게 이의를 제기하였다. 1704년 로마 교황 클레멘스 11세가 예수회의 선교 방법을 부정하자, 강희제는 전례를 인정하지 않으면 중국 포교는 인정할 수 없다고 하면서 전례를 거부하는 선교사의 입국을 금지하였다. 이후 옹정제는 전면적으로 크리스트교 포교를 금지하였다.

역량 기르기 교과서 067쪽

1 사실 이해 | 조선이 통치 이념으로 삼은 사상은 무엇인가?

• **사상:** 성리학

2 사실 이해 | 에도 시대에 무사들이 도시에 거주하게 된 까닭은 무엇인가?

• **까닭:** 병농 분리 정책에 따라 무사들이 조카마치에 거주하게 되었다.

3 자료 분석 | 〈자료 1〉을 참고하여 에도 시대에 난학이 발달한 까닭을 말해 보자.

• **까닭:** 에도 시대에 네덜란드인에게 나가사키를 개방하여 무역을 허용하면서 네덜란드를 통해 서양의 여러 학문들인 난학이 발전하였다.

| 해설 | 쇄국 이후 17세기에는 네덜란드어 통역을 통해 미미하게 서양 학술에 대한 연구가 시작되었다. 1720년에 크리스트교 이외의 한역 서양 서적의 수입을 허용하면서 난학이 본격적으로 발달하였다.

역량 강화하기  교과서 068쪽

1 사실 이해 | 막부가 다이묘를 통제하기 위해 시행한 정책들을 정리해 보자.

• **정책:** 「무가제법도」를 공포하여 다이묘가 거주하는 성을 제외한 나머지 성을 파괴하였으며, 산킨코타이 제도를 시행하였다.

2 정보 활용 | 산킨코타이 제도가 에도 시대의 경제와 교통, 문화에 어떤 영향을 끼쳤는지 검색하여 찾아보자.

• **영향:** 다이묘는 태풍이나 홍수 같은 자연재해가 일어나도 반드시 정해진 기일까지 에도에 도착해야 했기에 각 번은 다리나 도로를 건설하였다. 다이묘 행렬이 머물거나 지나가는 곳에는 상공업 도시가 발달하였으며, 도로 정비 비용이나 숙박비, 에도에서의 생활비 지출과 같은 경제 효과도 컸다. 또한 대규모 수행원이 왕래하였기 때문에 각지의 문화가 전국으로 확산되는 데 기여하였다.

스스로 확인 학습 교과서 069쪽

2 제시된 자료를 읽고, 물음에 답해 보자.

(1) **자료 분석** (가), (나)의 제도명과 그 제도가 시행된 왕조를 써 보자.

- **(가):** 일조편법, 명 • **(나):** 지정은제, 청

(2) **자료 해석** (가)가 시행된 배경을 세계적 교역망의 형성과 관련지어 설명해 보자.

- **배경:** 세계적 교역망의 형성과 함께 아메리카와 일본의 은이 중국으로 대량 유입되었다. 이에 세금을 은으로 납부하는 일조편법이 전국적으로 시행되었다.

(3) **자료 해석** (나)가 시행된 결과를 중국의 인구 변동과 관련지어 설명해 보자.

- **결과:** 인두세를 부과하지 않는 지정은제가 시행되면서 사람들은 더 이상 호적에 등재 되는 것을 기피하지 않았다. 이로 인해 정부가 파악한 인구가 크게 증가하였다.

3 그림을 보고, 물음에 답해 보자.

(1) **자료 분석** 그림의 배경에 그려진 일본 화풍을 무엇이라고 하는가?

- **일본 화풍:** 우키요에

(2) **자료 해석** 그림을 통해 (1)의 주요 소재를 파악하고, 그러한 소재를 그리게 된 문화적 배경을 말해 보자.

- **주요 소재:** 가부키 배우나 기생, 씨름 선수, 풍경, 역사 등
- **문화적 배경:** 에도 시대에 상공업이 발달하면서 경제력을 갖춘 조닌이 등장하였으며, 그들의 취향에 맞는 조닌 문화가 발전하였다.

(3) **자료 해석** 고흐가 (1)의 영향을 받을 수 있었던 까닭을 추론해 보자.

- **까닭:** 개항 이전에는 네덜란드인을 통해, 개항 이후에는 직접 교역을 통해 우키요에를 포함한 일본의 문화가 유럽에 전파되었다. 우키요에의 원색을 기본으로 하는 색조와 과감한 구도는 특히 인상파 화가들에게 큰 영향을 주었다.

대주제 3 서아시아 · 인도 지역의 역사

주제 6 서아시아의 여러 제국과 이슬람 세계의 형성

역량 기르기 교과서 077쪽

1 사실 이해 | 다리우스 1세가 시행한 중앙 집권 강화 정책을 정리해 보자.

- **특징:** 전국을 속주로 편성하였고 감찰관을 파견하였다. 그리고 도로('왕의 길')와 역참제를 정비하고, 화폐 및 도량형을 통일시켰다.

2 자료 분석 | 〈자료 2〉 와 〈자료 3-1〉을 읽고 아시리아와 페르시아의 통치 방식을 비교해 보자.

- **공통점:** 전국에 총독을 파견하여 직접 지배하였다.
- **차이점:** 이민족을 강압적으로 통치하였고, 아케메네스 왕조 페르시아는 이민족에 대해 관용 정책을 폈다.

| 해설 | 아시리아와 아케메네스 왕조 페르시아는 넓은 영토를 다스리기 위해 전국에 총독을 파견하여 직접 지배하며 중앙 집권 체제를 강화하였다. 피정복민에 대한 정책은 달랐는데 아시리아는 강압적인 통치를 시행한 반면, 아케메네스 왕조 페르시아는 관용 정책을 시행하였다.

3 자료 해석 | 〈자료 3-2〉를 참고하여 조로아스터교가 페르시아의 통치에 어떤 역할을 하였을지 말해 보자.

- **역할:** 다리우스 1세는 조로아스터교의 교리를 제국 통치에 적극적으로 이용하였고, 왕의 통치를 정당화하였다.

역량 기르기 교과서 079쪽

1 자료 분석 | 〈자료 4〉를 통해 파르티아와 사산 왕조가 중계 무역으로 번성할 수 있었던 요인을 찾아보자.

- **요인:** 파르티아와 사산 왕조 페르시아는 로마와 인도, 중국을 연결하는 동서 교역로를 지배하였기 때문에 중계 무역으로 번성할 수 있었다.

2 사실 이해 | 조로아스터교의 종교적 의의를 말해 보자.

- **의의:** 조로아스터교는 천국과 지옥, 죽은 자의 부활, 최후의 심판 등의 교리를 내세워 이후 유대교, 크리스트교, 이슬람교 등에 영향을 주었다.

3 자료 분석 | 〈자료 5〉를 참고하여 페르시아 문화가 국제성을 띠는 까닭을 설명해 보자.

- **까닭:** 페르시아 문화는 메소포타미아 문명을 비롯하여 이집트, 아시리아, 그리스 등의 문화를 수용하여 국제적인 성격을 띠었다.

역량 기르기 교과서 081쪽

1 자료 분석 | 〈자료 1〉을 참고하여 새로운 교역로의 발달이 아라비아반도에 끼친 영향을 말해 보자.

- **영향:** 6세기경 사산 왕조 페르시아와 비잔티움 제국의 대립이 격화되자 종래에 이용되던 육로가 막히게 되었다. 이에 새로운 교역로가 발달하였고, 메카나 메디나와 같은 해안 도시가 번성하였다.

교과서 활동 풀이

2 자료 분석 | 〈자료 2〉를 종합하여 이슬람교가 지닌 특징을 말해 보자.

• **특징:** 이슬람교는 유일신인 알라의 가르침을 중시하여 우상을 배격하였고, 무함마드가 알라로부터 받은 계시를 모아 놓은 『쿠란』에 근거해 신앙 생활을 하였다. 또한 차별 없는 평등한 사회를 지향하여 이슬람교의 확산에 큰 영향을 끼쳤다. 기본 교리인 6신과 5행을 준수해야 하는데 대표적인 행사가 약 한 달가량의 금식을 가지는 라마단이 있다. 또한 태어나서 한 번은 성지 순례를 실천해야 한다.

3 자료 분석 | 〈자료 3〉을 참고하여 이슬람 문화권이 어디까지 확대되었는지 말해 보자.

• **확대 범위:** 동쪽으로는 인더스강 유역까지 진출하였다. 탈라스에서 당과 격돌하였으며, 서쪽으로는 이베리아반도까지 확대되었다.

4 사실 이해 | 이슬람 세력이 빠르게 퍼질 수 있었던 까닭은 무엇인가?

• **까닭:** 종족·계급에 따른 차별이 없었고, 인두세만 납부하면 다른 종교의 신앙과 관습을 허용하였다. 특히 아바스 왕조는 아랍인의 특권을 폐지하고 비아랍인 이슬람교도에게 세제상의 차별을 철폐하는 등 모든 이슬람교도의 평등을 내세웠다. 여기에 강력한 군사력이 더해져 이슬람 세력은 빠르게 성장할 수 있었다.

역량 기르기 — 교과서 083쪽

1 자료 분석 | 〈자료 4〉를 통해 십자군 전쟁이 일어나게 된 배경을 찾아보자.

• **배경:** 셀주크 튀르크가 아나톨리아를 공격하여 예루살렘을 점령하는 등 비잔티움 제국을 압박하였다.

| 해설 | 아바스 제국의 몰락으로 서아시아 지역과 내륙 아시아 사이의 경계가 허물어지자, 튀르크 유목민이 서아시아 동부 지역으로 침투하였다. 셀주크 튀르크는 지금의 이란 지역을 중심으로 서쪽으로 영토를 확장하여 대제국을 건설하였다. 이후 10세기 카라한 왕조가 트란속사니아를 장악하였고, 11세기에는 예루살렘을 포함하여 시리아와 이란, 아나톨리아 등을 점령하며 비잔티움 제국과 마찰을 빚었다. 이러한 마찰은 이후 십자군 전쟁이 일어나는 원인이 되었다.

2 사실 이해 | 칼리프와 술탄의 차이점을 설명해 보자.

• **차이점:** 칼리프는 이슬람의 종교 지도자이자 정치적 지배자이며, 무함마드를 잇는 '계승자'라는 뜻이다. 술탄은 이슬람교의 종교적 최고 권위자인 칼리프로부터 정치·군사의 실권을 위임받은 군주를 의미한다.

3 자료 해석 | 〈자료 5〉를 통해 이슬람 상인의 활동이 세계에 끼친 영향을 말해 보자.

• **영향:** 이슬람 상인의 활동으로 유럽과 아시아를 잇는 중계 무역이 활발해졌다. 이에 동서 교류가 더욱 증가하였고, 바그다드와 코르도바와 같은 도시가 성장하였다.

| 해설 | 이슬람 상인들은 바닷길을 누비며 동서 교역에 이바지하였다. 초기에는 주로 인더스강 하류 유역인 신드 지방과 인도 서부의 말라바르해안 항구 도시나 동남아시아의 믈라카해협 주변을 오가며 중계 무역을 하다가, 그 후 인도인과 동남아시아인의 해상 무역을 장악하고 중국까지 진출하여, 당 · 송 대에는 중국의 광저우, 취안저우, 항저우 등에 외국인의 집단 거주지가 세워지기도 하였다.

역량 기르기 — 교과서 084쪽

1 사실 이해 | 『쿠란』의 계율에 따라 이슬람 문화권에 나타난 일상생활의 모습을 말해 보자.

• **일상생활 모습:** 일부다처 허용, 돼지고기를 금기하는 식생활, 가난한 사람을 구제하는 자선 활동, 일정한 시간마다 행하는 예배 의식 등

| 해설 | 무슬림들은 무함마드가 알라로부터 받은 계시를 모아 놓은 『쿠란』과 무함마드의 말과 행동을 기록한 『하디스』에 근거해 일상생활을 하였다.

2 사실 이해 | 아랍어가 이슬람의 공용어가 된 까닭을 종교와 관련하여 말해 보자.

• **까닭:** 『쿠란』의 번역을 금지하였기 때문에 아랍어가 공용어가 되었다.

3 사실 이해 | 이슬람 문화가 유럽에 끼친 영향을 말해 보자.

• **영향:** 이슬람의 자연 과학이 유럽의 근대 과학 성립에 영향을 주었으며, 중국의 제지법, 화약, 나침반 등을 유럽에 소개하여 르네상스 운동에 영향을 주었다.

| 해설 | 이슬람 문화는 과학을 중심으로 무슬림들의 적극적인 활동에 의해 동서양 여러 곳에 전파되었다. 특히 중세 유럽에 큰 영향을 주어 후일 르네상스와 근대 과학의 진보에 결정적인 기여를 하였다.

역량 강화하기 — 교과서 085쪽

1 사실 이해 | 유럽에 전파된 이슬람 문화를 정리해 보자.

• **천문학과 자연 과학:** 지구 구형설로 대표됨.
• **의학:** 『의학전범』으로 대표됨.
• **문학:** 이슬람의 대표적인 문학인 『천일야화』

2 정보 활용 | 이슬람의 자연 과학이 근대 과학의 발달에 기여한 구체적인 사례를 검색해 보자.

• **예시 답안:** 이슬람교도는 석양, 늦은 밤, 새벽, 정오, 늦은 오후로 정해진 예배 시간을 맞추기 위해 태양이 만들어 내는 그림자 길이

를 관찰해 규칙적으로 다섯 번의 시간을 정했다. 그러다 점차 태양의 그림자 길이와 높이를 관련지어 예배 사이의 시간 간격을 알려주는 표를 만들었다고 한다. 오랫동안 쌓인 태양의 관찰과 계산의 기록은 천문학 연구에 기초가 되었다. 또한 이슬람 세계 각지에 칼리프들이 설립하고 후원한 천문대들이 세워졌다. 그 중에서도 일한국 칸훌라구의 명으로 13세기 페르시아의 말라크에 세워진 천문대와 티무르의 손자 울루그베그가 15세기 사마르칸트에 세운 천문대가 유명하였다. 이렇게 천문학을 비롯한 이슬람의 자연 과학은 세계 최고의 수준으로 발전하여 학문을 한 차원 높은 수준으로 향상시킴으로써 근대 학문의 밑거름을 마련하는데 크게 기여하였다. 또한 이러한 성과를 고스란히 유럽에 전해주어 르네상스의 사상적 기반을 마련하였다.

역량 기르기 교과서 087쪽

1 자료 분석 | 〈자료 1〉을 참고하여 오스만 제국에서 동서 교역이 발전한 까닭을 설명해 보자.

• **까닭:** 오스만 제국은 유럽의 연합 함대를 무찔러 지중해 해상권을 장악하였다. 이에 유럽과 아시아, 아프리카를 잇는 지중해 교역권을 장악하였다. 오스만 제국은 신항로 개척 이전까지 동서 교역의 중심지였고, 이를 바탕으로 막대한 이익을 얻었다.

| 해설 | 오스만 제국은 유럽, 아시아, 아프리카의 세 대륙에 걸친 영역을 지배하며 지중해 교역권을 장악하고 전성기를 누렸다. 특히 수도 이스탄불은 아시아 지역에서 들어온 물자를 유럽으로 공급하는 중간 기지로 더욱 번성하였다. 오스만 제국의 지중해 무역 장악은 유럽이 신항로 개척에 나서는 계기가 되기도 하였다.

2 자료 분석 | 〈자료 2〉를 참고하여 데브시르메 제도와 예니체리가 오스만 제국의 발전에 기여한 내용을 설명해 보자.

• **기여한 내용:** 데브시르메 제도를 통해 징발한 청소년은 대부분 예니체리 군단에 편성되었다. 술탄의 친위 부대인 이들은 오스만 제국의 팽창에 크게 기여하였다.

| 해설 | 오스만 제국은 데브시르메 제도에 의해 주로 발칸반도의 크리스트교도의 자제를 징발하여 이슬람교도로 개종시킨 후 관료나 군인으로 등용하였다. 징발된 자들 중의 일부는 궁정에 남아 엘리트 코스를 밟았지만, 나머지 대부분은 술탄의 친위 부대인 예니체리 군단에 편성되었다. 그들은 술탄에 대한 충성심과 엄격한 규율로 오스만 제국의 팽창에 크게 기여하였다.

3 사실 이해 | 오스만 제국에서 종교별로 운영한 종교 공동체는 무엇인가?

• **제도:** 오스만 제국은 제국 내의 비이슬람교도에게 이슬람교를 강제하지 않아 인두세만 납부하면 신앙을 인정하고, 각 종교별로 밀레트를 만들어 자치를 누릴 수 있게 하였다.

역량 기르기 교과서 088쪽

1 사실 이해 | 티무르 왕조 시기에 발달한 문화의 특징은 무엇인가?

• **특징:** 티무르 왕조의 문화는 이슬람 · 페르시아 · 튀르크 · 중국 문화가 혼합된 국제적이고 복합적인 문화였다. 미술에서는 페르시아와 튀르크에서 발달한 세밀화가 제작되었고, 천문학이 발달하였다.

| 해설 | 티무르 왕조만의 독특한 이슬람 문화가 발달하였다. 건축 양식에서는 중국식 탑과 유목 민족의 천막을 조합한 독특한 사원이 만들어졌다. 아라비아 수학 · 천문학 · 의학 · 지리학 · 역사학 등도 발달하여 이슬람 세계에 커다란 영향을 주었다.

2 자료 분석 | 〈자료 3〉과 본문을 참고하여 오스만 제국, 티무르 왕조, 사파비 왕조 수도의 지리 · 경제적 공통점을 찾아보자.

• **공통점:** 오스만 제국은 이스탄불, 티무르 왕조는 사마르칸트, 사파비 왕조는 이스파한을 수도로 삼았는데 이 도시들은 모두 동서를 잇는 교통 중심지에 위치하였다. 이들 국가는 동서 무역으로 크게 성장할 수 있었다.

| 해설 | 오스만 제국은 수도 이스탄불을 중심으로 아시아, 아프리카, 유럽의 세 대륙에 걸친 대제국으로 지중해 교역의 이익을 독점하였다. 티무르 왕조는 인도의 서북부에서 지중해 연안까지 이어지는 대제국을 건설하였으며, 수도를 사마르칸트에 두어 중앙아시아의 중심 도시로 발전하였다. 사파비 왕조는 아바스 1세 때 이스파한으로 수도를 옮기고 오스만 제국에 빼앗긴 바그다드를 되찾아 영토를 넓히며 중상주의 정책을 펼쳤다.

3 사실 이해 | 사파비 왕조가 주변 국가와 대립하였던 까닭을 말해 보자.

• **까닭:** 사파비 왕조는 고대 이래 페르시아 군주의 칭호로 쓰인 '샤'를 사용하며 페르시아인의 민족의식을 불러일으키기 위해 힘썼고, 시아파 이슬람교를 국교로 정하여 주변의 무굴 제국이나 수니파인 오스만 제국 등과 대립하였다.

| 해설 | 사파비족은 1392년까지는 수니파였지만 이후 시아파로 바뀌었다. 오스만 제국을 내부에서부터 붕괴시키기 위해 시아파 선교사들을 '칼리프'라는 명목으로 아타톨지아 지역에 파견하기도 하였다.

스스로 확인 학습 교과서 089쪽

2 아래 제시된 글을 읽고, 물음에 답해 보자.

(1) **자료 분석** 위의 글과 같은 의도에서 시행한 오스만 제국의 사회 제도를 말해 보자.

• **제도:** 밀레트 제도

(2) **자료 해석 및 의사소통** (1)의 제도가 오스만 제국에 끼친 영향을 친구들과 토의해 보자.

• **영향:** 오스만 제국은 이슬람교를 일방적으로 강요하지 않고 인두세만 내면 신앙을 인정하였다. 따라서 제국 내의 다양한 종교와 민족이 공존할 수 있었고 안정된 국가가 유지되었으며 여러 문화가 융합된 다양하고 국제적인 문화가 발달할 수 있었다.

3 아래 모스크 구조도를 보고, 물음에 답해 보자.

(1) **자료 분석** (가) 무늬가 이슬람 예술에서 발달한 까닭을 설명해 보자.

• **까닭:** 우상 숭배를 금지하는 교리 때문에 아라베스크 무늬가 발달하였다.

(2) **자료 해석** (나), (다)의 기능과 관련하여 발달한 이슬람의 학문 분야를 말해 보자.

• **학문:** 천문학

(3) **정보 활용 및 의사소통** (라)의 까닭을 검색해 보고, 이를 바탕으로 이슬람 사회에서 여성의 지위는 어떤지 토론해 보자.

• **예시 답안:** 여성을 남성의 시선으로부터 보호하기 위해 뒷줄에서 예배를 보게 하였다. 이슬람 사회에서 남성과 여성의 지위는 동등하나 서로 구분하고 있다.

주제 7 인도의 역사와 다양한 종교 · 문화의 출현

역량 기르기 — 교과서 091쪽

1 사실 이해 | 불교와 자이나교를 크샤트리아, 바이샤가 환영한 까닭을 말해 보자.

• **특징:** 불교와 자이나교가 브라만 중심 사회의 지나친 권위주의와 신분 차별에 반대하였기 때문이다.

| 해설 | 당시 인도 사회에서는 브라만교가 제사 의식을 중시하며 형식화되었고 지나치게 권위를 강조하였으며 신분을 차별하였다. 따라서 이에 반대하며 등장한 불교와 자이나교는 크샤트리아, 바이샤 세력의 환영을 받았다.

2 자료 분석 | 〈자료 1〉를 통해 아소카왕과 카니슈카왕의 공통점을 찾아보자.

• **공통점:** 각각 왕조의 최대 영토를 확보하고, 불교 포교를 지원하였다.

3 자료 해석 | 〈자료 2〉를 통해 동아시아와 동남아시아로 전파된 불교의 차이점을 설명해 보자.

• **차이점:** 동아시아와 중앙아시아에 주로 전파된 대승 불교는 대중의 구제를 강조하였고, 동남아시아에 주로 전파된 상좌부 불교는 개인의 수행과 해탈을 강조하였다.

| 해설 | 대승 불교는 중앙아시아와 중국을 거쳐 한국과 일본에 전해졌고, 상좌부 불교는 스리랑카, 태국 등 동남아시아에 전파되었다. 특히 동아시아에는 비단길을 통해 대승 불교와 함께 헬레니즘 문화의 영향을 받은 간다라 양식이 전파되어 많은 불상이 제작되었다.

4 사실 이해 | 간다라 양식의 특징을 말해 보자.

• **특징:** 헬레니즘 미술의 영향으로 부처를 인간의 모습으로 표현하였다.

| 해설 | 알렉산드로스 원정 이후 간다라 지방에는 헬레니즘 미술의 영향으로 간다라 양식이 발전하였다. 부처를 인간의 모습으로 표현한 불상은 1세기경부터 제작되었고, 이 양식은 중앙아시아와 중국을 거쳐 한국, 일본으로 전파되었다.

역량 기르기 — 교과서 093쪽

1 자료 분석 | 〈자료 1〉에 표시된 영역을 통해 굽타 왕조의 역사적 의의를 찾아보자.

• **의의:** 쿠샨 왕조가 멸망한 이후 분열 상태에 있던 북인도를 찬드라굽타 2세가 4세기 초에 재통일하고 중앙 집권 체제를 강화하였다.

| 해설 | 320년경 등장한 찬드라굽타 1세는 북인도 지역의 대부분을 차지함으로써 굽타 왕조를 열었다. 이후 지속적인 영토 확장 사업으로 서부 일부와 타밀을 제외한 대부분 지역을 복속시키고 서부 지역을 무역의 거점으로 하여 경제를 발전시켰다.

2 자료 해석 | 〈자료 2〉를 통해, 힌두교가 인도의 민족 종교로 발전한 까닭과 인도 사회에 끼친 영향을 추론해 보자.

• **까닭:** 힌두교는 인도인의 전통생활 관념인 업과 카스트를 중시하여 인도인의 생활양식에 잘 맞았고, 다른 종교의 신들까지도 힌두교 안으로 포섭하는 포용성을 지녀 인도의 민족 종교로 발전할 수 있었다.

• **영향:** 힌두교가 확산되면서 힌두교에서 중시하는 카스트에 따른 의무 수행도 중시되었다. 이에 따라 인도 사회 전체에 카스트제가 정착되었다.

3 사실 이해 | 굽타 왕조 시기에 인도 고전 문화가 발달한 배경을 말해 보자.

• **배경:** 굽타 왕조 시기에는 이민족에 맞서 싸우는 과정에서 민족의식이 강조되었다. 이에 인도의 고전 문화가 철학, 문학, 과학, 종교, 미술 등 다방면에서 발전하였다.

4 자료 분석 | 〈자료 3〉을 통해 굽타 양식의 특징을 말해 보자.

• **특징:** 굽타 왕조 시기에는 간다라 양식과 인도 고유의 특색이 융합된 굽타 양식이 발전하였다. 이 시기의 불상들은 몸에 밀착된 옷을

통해 인체의 윤곽이 겉으로 그대로 드러나 있으며, 얼굴 모습도 그리스풍에서 벗어나 인도인의 모습을 띠고 있었다.

역량 기르기 교과서 095쪽

1 자료 분석 | 〈자료 1〉을 통해 인도의 이슬람화가 이루어진 방향과 델리 술탄 왕조의 중심지를 찾아보자.

• **방향:** 이슬람 세력은 8세기 초 인도 서북쪽에 진출하였다. 10세기 후반에는 튀르크 계통의 이슬람 세력이 인도 서북부 지역에 가즈니 왕조를 수립하였다.

• **델리 술탄 왕조의 중심지:** 13세기 초에 델리를 중심으로 이슬람 왕조가 세워졌고, 300여 년 동안 다섯 왕조가 교체되었다.

2 자료 분석 | 〈자료 2〉의 정복 활동과 아우랑제브가 지즈야를 부활시킨 배경을 연결하여 설명해 보자.

• **배경:** 아우랑제브 황제는 남인도 대부분을 정복하여 최대 영토를 확보하였지만, 지나친 정복 활동으로 재정난이 발생하였다.

| 해설 | 아우랑제브가 즉위한 당시 무굴 제국은 경제 악화와 관리들의 부패 등으로 어려움을 겪고 있었다. 아우랑제브는 이슬람 제일주의 입장을 선호하며 제국의 기강을 재확립하려 하였고, 힌두교로 대표되는 다른 종교에 대해 배타적인 입장을 취하였다. 그러나 이후 발생한 저항 운동으로 경제 상황이 악화되었고, 중앙 집권 체제도 약해져 무굴 제국은 쇠퇴의 길을 걷게 되었다.

3 사실 이해 | 힌두 · 이슬람 문화의 사례를 들어보자.

• **언어:** 페르시아어와 아랍어가 결합한 우르두어
• **종교:** 힌두교와 이슬람교가 결합한 시크교
• **미술:** 페르시아 세밀화와 인도 양식을 받아들인 무굴 회화
• **건축:** 이슬람 건축 양식과 인도의 섬세한 문양이 잘 조합한 타지마할

4 자료 해석 | 〈자료 3〉을 통해 타지마할을 힌두 · 이슬람 문화의 걸작으로 평가하는 까닭을 설명해 보자.

• **까닭:** 이슬람의 모스크 양식과 힌두 양식의 조화가 잘 이루어졌기 때문이다.

역량 강화하기 교과서 096쪽

1 자료 해석 | 인도에서 다양한 종교들이 발전하게 된 까닭을 말해 보자.

• **까닭:** 인도에서는 힌두교, 불교, 자이나교, 시크교 등이 창시되었으며, 이슬람 세력과 영국의 지배로 이슬람교, 크리스트교와 같은 외래 종교가 유입되었다.

| 해설 | 현재 인도는 종교와 관련하여 세속주의(정교 분리)를 채용하고 있다. 즉 국가가 종교에 개입하거나 종교가 국가에 개입하는 것을 배제하고, 종교에 대해 국가가 중립을 지키겠다는 것이다. 인도 헌법은 모든 종교에 대한 무차별, 신앙의 절대 자유를 보장하고 있으며, 모든 종교는 국가로부터 동등한 대우를 받고 있다. 종교에 대한 중립은 네루가 세속주의를 채용한 이후부터 인도 정부가 추진한 종교 정책의 기본이 되었다. 그러나 이러한 정책은 절대 다수를 차지하는 힌두교도들의 불만을 초래, 힌두 원리주의자들의 극단적 행위를 야기하기도 했다.

2 정보 활용 및 의사소통 | 현재 세계 곳곳에서 일어나는 종교 분쟁의 사례를 찾아보고, 해결 방안에 대해 친구들과 의견을 나누어 보자.

• **종교 분쟁의 사례:** 오늘날 가장 대표적인 종교 분쟁은 이스라엘과 팔레스타인 간의 분쟁으로, 이스라엘과 주변 이슬람 국가들 간에 여러 차례 전쟁이 일어났다. 동유럽 지역에는 소련 해체 후 종교 문제와 민족 문제가 결합되어 코소보 사태와 같은 대규모 유혈 충돌이 발생하였다. 이외에도 다수파 불교도인 싱할리족과 소수파인 힌두교도인 타밀족 간의 스리랑카 분쟁, 아일랜드계 가톨릭교도와 영국계 신교도 사이에 발생한 북아일랜드 분쟁, 파키스탄의 이슬람교도와 인도의 힌두교도 간에 지속되고 있는 카슈미르 분쟁 등이 있다. 특히 이슬람교 내의 수니파와 시아파 간의 갈등은 '이슬람 국가(Islamic State)'의 테러로 이어져 많은 문제를 야기하고 있다.

• **해결 방안:** 세계 여러 지역에서 발생하는 종교 분쟁은 역사적인 뿌리가 존재한다. 예컨대 자주 신문이나 인터넷 뉴스로 보도되는 '이슬람 국가(Islamic State)'의 테러는 크리스트교 세계와 이슬람 세계 사이의 갈등으로 보이지만, 실제로는 이슬람교 내에서의 종파 다툼, 서아시아 여러 나라의 정치적 갈등과 같은 여러 원인이 작용하고 있다. 먼저 이러한 사건이나 갈등 속에 숨어있는 역사적 맥락을 파악하여 다른 종교에 대한 이해를 높여야 할 것이다. 또한 여러 관련 국가들이 합심하여 전쟁을 중단하고 민간인에 대한 테러를 막도록 하는 등 해결 방안을 모색하여야 할 것이다.

스스로 확인 학습 교과서 097쪽

2 제시된 글을 읽고, 물음에 답해 보자.

(1) **자료 해석** (가), (나) 주장의 공통점을 찾아 설명해 보자.

• **공통점:** 종교의 자유를 허용하였다.

(2) **사실 이해** (가), (나)가 제기된 역사적 배경을 말해 보자.

• **배경:** 두 국왕 모두 활발한 정복 사업을 통해 넓은 영토를 차지하였다.

(3) **자료 해석 및 의사소통** 위 문제들을 종합하여 (가), (나)의 공통 목적을 친구와 토론해 보자.

• **공통 목적:** 관용적인 종교 정책을 통해 사회를 통합시키고자 하였다.

3 그림을 보고, 물음에 답해 보자.

(1) **자료 분석 및 정보 활용** (가), (나), (다)에서 부처를 상징하는 것을 찾아보고, 그 상징이 쓰인 배경을 검색해 보자.

- **(가):** 보리수 • **(나):** 법륜 • **(다):** 탑
- **배경:** 석가모니는 보리수 밑에서 깨달음을 얻었고, 법륜은 부처의 말씀을 상징하며, 탑은 부처의 무덤을 나타낸다.

(2) **자료 해석** (가)~(라)를 통해 부처를 표현하는 방식이 어떻게 변했는지 설명해 보자.

- **변화:** 초기에는 보리수나, 법륜, 탑과 상징물들로 부처를 표현하였지만, 뒤로 갈수록 부처를 인간의 형상으로 묘사하였다.

(3) **자료 해석 및 의사소통** (2)와 같은 표현 방식의 변화가 나타나게 된 문화·종교적 배경을 추론해 보자.

- **배경:** 대승 불교가 성장하며 부처를 신앙의 대상으로 삼았고, 간다라 지역에서는 헬레니즘 미술의 영향을 받아 부처를 인간의 모습으로 표현한 불상이 만들어졌다.

생각해 보기 ····················· 교과서 099쪽

1 동남아시아 문화 형성에 영향을 준 나라와 종교 및 사상을 말해 보자.

- **나라:** 중국과 인도
- **영향:** 중국과 밀접한 베트남 지역은 유교 문화권에 속하며, 한자와 과거제, 행정 제도 등에서 중국의 영향을 많이 받았다. 한편 메콩강 유역과 섬 지역은 인도의 영향을 많이 받았다. 인도에서 창시된 힌두교와 불교는 물론, 인도에 성립된 이슬람 왕조들에 의해 이슬람교를 접할 수 있었다.

2 동남아시아에서 다양한 문화가 발전할 수 있었던 지리 · 경제 · 역사적 배경을 생각해 보고, 이를 토대로 외래문화 수용 태도에 대해 친구와 토론해 보자.

- **지리적 배경:** 인도와 중국 사이에 있어 두 지역의 문화에 영향을 받았다.
- **경제적 배경:** 해상 무역을 통해 다양한 문화를 수용할 수 있었다.
- **역사적 배경:** 베트남은 오랫동안 중국의 지배를 받았고, 메콩강 주변에는 힌두 문화와 불교 문화를 바탕으로 한 왕조들이 들어섰다. 또한 섬 지역의 여러 나라에 이슬람 왕조가 세워져 동남아시아에서 다양한 문화가 발전할 수 있었다.
- **외래문화 수용 태도:** 동남아시아에서 다양한 문화가 발전할 수 있었던 이유는 다양한 국가들의 문화를 전파 받아 이를 토대로 발전시켰기 때문이다. 우리도 동남아시아와 같이 남의 문화를 무시하지 않고 외래문화를 수용하되 이를 바탕으로 수정 · 보완하여 현실에 맞도록 우리화 시키는 작업이 필요하다.

대주제 4 유럽 · 아메리카 지역의 역사

주제 8 고대 지중해 세계

역량 기르기 교과서 107쪽

1 자료 분석 | 〈자료 1〉에 나타난 폴리스의 구조를 설명해 보자.

- **구조:** 폴리스에는 신전과 군사 시설 등이 있는 아크로폴리스, 시장이나 공공 모임 장소로 이용되던 아고라가 있었다. 아크로폴리스는 파르테논 신전이 있던 언덕이고, 아크로폴리스 아래에 있던 아고라는 시민들이 모여 활동하는 광장으로 이용되었다.

2 사실 이해 | 아테네 민주 정치의 발전 과정을 정리해 보자.

- **발전 과정:** 솔론이 재산에 따라 시민의 등급을 나누는 금권정을 실시하였다. 이로 인한 혼란 속에서 페이시스트라토스가 독재 정치를 실시하였다. 클레이스테네스는 부족제 개편, 도편 추방제 실시 등을 통해 민주 정치의 기틀을 마련하였다. 페리클레스가 수당제와 추첨제를 실시하면서 아테네 민주 정치는 전성기를 맞이하였다.

3 자료 분석 | 〈자료 2-1〉을 참고하여 도편 추방제의 장단점을 설명해 보자.

- **장점:** 독재적인 참주의 출현을 막을 수 있었다.
- **단점:** 정적 제거의 수단으로 변질될 위험이 있었다.

4 자료 분석 | 〈자료 2-2, 3〉을 통해 아테네 민주 정치의 특징을 분석해 보자.

- **특징:** 페리클레스 시대에는 모든 성인 남자 시민들이 민회에 참석하는 직접 민주 정치가 실시되었다. 또 공직에 대한 추첨 제도, 공무를 맡을 경우 수당 제도를 도입하여 시민들의 참정권을 보장해 주었다.

역량 기르기 교과서 109쪽

1 자료 분석 | 〈자료 3〉에서 그리스 · 페르시아 전쟁의 주요 전투를 찾아보자.

- **주요 전투:** 페르시아의 2차 침입 때 일어난 마라톤 전투, 페르시아의 3차 침입 때 벌어진 테르모필레 전투와 살라미스 해전이 중요한 전투였다. 이 전투들을 포함한 여러 전투에서 승리함으로써 그리스 세계는 페르시아로부터의 위협을 극복할 수 있었다.

| 해설 | 아케메네스 왕조 페르시아 제국의 식민 도시들이 반란을 일으키는 과정에서 아테네가 반란에 가담하자, 아케메네스 왕조 페르시아가 그리스에 원정군을 파견하면서 전쟁이 발발하였다. 그리스 세계는 마라톤 전투, 테르모필레 전투, 살라미스 해전 등에서 승리하며 아케메네스 왕조 페르시아를 물리쳤다.

2 자료 분석 | 〈자료 4〉를 통해 헬레니즘 세계의 영역을 파악해 보자.

• **영역:** 헬레니즘 세계는 알렉산드로스가 정복한 그리스, 이집트, 서아시아, 인더스강 유역을 중심으로 형성되었다. 이 지역들을 중심으로 다양한 문화 요소가 융합하여 세계 시민주의적인 헬레니즘 문화가 형성되었다.

| 해설 | 마케도니아 왕 필리포스의 뒤를 이어 왕위에 오른 알렉산드로스는 그리스를 정복한 다음, 동방 원정에 나서 페르시아를 정복하고 인더스강까지 진출하였다. 이로써 세 대륙에 걸친 제국이 건설되었고, 헬레니즘 세계가 열렸다.

3 사실 이해 | 헬레니즘 문화가 형성되는데 영향을 준 알렉산드로스의 정책을 말해 보자.

• **정책:** 알렉산드로스는 피정복민의 전통과 제도를 존중하였고, 페르시아의 통치 제도를 받아들여 강력한 군주권을 행사하였다. 그는 정복지 곳곳에 자신의 이름을 딴 도시 '알렉산드리아'를 건설하여 그리스인을 이주시켰고, 그리스인과 현지인과의 결혼을 장려하는 등 동서 융합 정책을 추진하였다.

역량 기르기

교과서 111쪽

1 사실 이해 | 평민의 권익 신장을 위해 설치된 로마의 정치 기관을 말해 보자.

• **정치 기관:** 평민의 권익을 신장하기 위해 호민관직과 평민회를 설치하였다.

| 해설 | 로마 공화정 초기 귀족 중심의 정치 운영에 불만을 품은 평민들이 성산으로 철수하며 신분 투쟁을 벌였다. 결국 평민들의 요구가 수용되어 호민관직이 창설되고 평민회가 청설되었다. 모든 호민관들과 그들의 조수들은 평민회에서 선출되었고, 호민관에 선출되려면 평민 출신이어야 했다.

2 자료 분석 | 〈자료 1〉을 읽고 그라쿠스 형제가 개혁을 추진한 배경을 설명해 보자.

• **추진 배경:** 포에니 전쟁 이후 유력자들은 방치된 농지를 차지하여 노예 노동을 활용한 대농장(라티푼디움)을 경영하였다. 그 결과 중소 자영농 계층이 몰락하였다.

| 해설 | 로마는 이탈리아반도를 통일하고 포에니 전쟁에서 승리하며 서지중해를 장악하였다. 하지만 로마의 대외 팽창은 로마 내부에 큰 변화를 가져왔다. 노예 노동을 이용한 대농장(라티푼디움) 경영이 확산되며 자영농인 평민들이 몰락하여 공화정이 위기에 처하였다.

3 자료 분석 | 〈자료 2〉를 참고하여 지중해가 '로마의 호수'라고 불린 까닭을 설명해 보자.

• **까닭:** 포에니 전쟁 이후 마케도니아와 아나톨리아까지 세력을 확대하여 지중해 연안 전역을 지배하였기 때문이다.

4 사실 이해 | '로마의 평화 시대'란 무엇인가?

• **까닭:** 5현제와 같은 유능한 황제들이 등장하여 정치적 안정과 제국의 최대 영토에 이르는 번영을 누린 약 200년간의 시대를 말한다.

| 해설 | 아우구스투스 이후 다섯 명의 현명한 황제가 연이어 등장하는 오현제 시대가 열리면서 정치적으로 안정되고 최대 영토를 차지하는 번영을 이루는 '로마의 평화 시대(Pax Romania)'가 약 200년간 계속되었다.

역량 기르기

교과서 113쪽

1 자료 해석 | 〈자료 3〉을 통하여 밀라노 칙령의 의의를 설명해 보자.

• **의의:** 콘스탄티누스 황제는 313년에 밀라노 칙령을 내려 종교의 자유를 허용하여 당시 커다란 사회 세력으로 성장해 있었던 크리스트교를 공인하고 이를 통해 제국의 통일을 공고히 하고자 하였다.

| 해설 | 콘스탄티누스는 크리스트교 공인을 통해 황제권 강화를 추구하였다. 그는 크리스트교가 종교적으로 분열된 로마 제국에 통일성을 가져다 줄 것으로 기대하며 밀라노 칙령 발표를 발표하였다. 이후 많은 로마인들이 크리스트교로 개종하였다.

2 사실 이해 | 로마 문화를 분야별로 정리해 보자.

법률	12표법 → 시민법 → 만민법 → 『유스티니아누스 법전』
건축	도로와 수도 건설, 원형 경기장(콜로세움), 공중목욕탕, 상수도 시설, 판테온 신전
문학	라틴 문학
과학	프톨레마이오스의 천동설, 갈레노스의 생리학

3 사실 이해 및 의사소통 | 그리스 · 로마 문화를 오늘날 서양 문화의 근원이라고 평가하는 까닭을 짝과 이야기해 보자.

• **까닭:** 그리스 문화는 인간 중심의 합리적인 문화였고, 이에 동방 원정으로 다양한 문화를 융합시키며 헬레니즘 문화가 발달하였다. 로마 문화는 그리스 · 헬레니즘 문화를 수용하여 고전 문화를 완성하고 크리스트교를 수용하였다. 따라서 그리스 · 로마 문화는 오늘날 유럽 문화의 근원이라고 할 수 있다.

| 해설 | 고대 그리스인은 폴리스에서 자유롭게 생활하면서 인간 중심적이고 합리적인 문화를 발달시켰다. 알렉산드로스의 동방 원정 이후 그리스 문화에 페르시아와 인도 등 여러 문화가 융합된 헬레니즘 문화가 발전하였다. 헬레니즘 문화는 폴리스 중심이었던 배타적인 성격은 사라지고 개방적이고 세계 시민주의적인 성격을 띠었다. 로마 문화는 이러한 그리스와 헬레니즘을 바탕으로 고전 문화를 완성하였고, 크리스트교를 수용하였다. 이를 통해 그리스 · 로마 문화는 오늘날 서양 문화의 근원을 이루었다.

교과서 활동 풀이

역량 강화하기 교과서 114쪽

1 자료 분석 | 고대 그리스에서 시민이 정치에 참여하는 방법을 찾아보자.

• **방법:** 민회에서 모든 성인 남성 시민이 참석하여 입법권을 행사하였고 참정권을 부여받았다. 또한 시민들에게 수당을 제공하여 가난한 시민들도 정치에 참여할 수 있었으며, 추첨제를 통해 시민들은 관직과 배심원직을 맡기도 하였다.

| 해설 | 고대 그리스에서는 성인 남자 시민이 참여하는 민회가 실질적인 입법권을 가졌고, 공무 수당이 지급되어 가난한 시민도 정치에 참여할 수 있었다. 또한 장군 등 특수한 직책을 제외한 나머지 관직과 배심원 등은 추첨으로 뽑힌 시민들이 공무를 담당하였다.

2 자료 해석 | 고대 그리스와 오늘날 민주 정치의 공통점과 차이점을 비교해 보자.

• **까닭:** 시민들에게 참정권을 보장한다는 점에서 공통점을 찾을 수 있다.

• **차이점:** 고대 그리스 민주 정치는 아테네 자유 시민인 20세 이상의 남성만이 시민권을 향유하였고, 노예와 여성, 거류 외국인에게는 참정권을 부여하지 않았다. 자유 시민의 경우에는 직접적인 투표를 통해 정부 정책을 결정하는 직접 민주 정치가 집행하였다. 오늘날 민주 정치는 일정한 연령 이상의 모든 국민들에게 투표권을 보장하나 국민이 스스로 선출한 대의원을 통하여 국가 권력을 행사하는 간접 민주 정치를 시행한다. 이처럼 민주주의의 방식, 참정권의 범위에서 차이가 있다.

3 정보 활용 및 의사소통 | 자신이 고대 그리스의 시민이라고 상상해 보고, 시민의 권리를 옹호하는 연설문을 작성해 보자.

• **예시 답안:** 평민들은 우리 그리스의 명예를 위해 전쟁에 참여하였고 귀족들보다 더 열심히 싸웠습니다. 하지만 귀족들은 그들이 가진 권력을 우리 평민들에게 조금도 나누어주지 않고 있습니다! 얼마 전 솔론이 추진한 개혁은 재산에 따라 등급을 나누어 정치적 권리를 분배하는 내용이었습니다. 하지만 이것으로는 충분하지 않습니다. 저는 모든 시민들이 평등하게 정치에 참여할 수 있는 권리를 요구하는 바입니다.

스스로 확인 학습 교과서 115쪽

2 제시된 글을 읽고, 물음에 답해 보자.

(1) **자료 분석** 자료에서 밑줄 친 '그'가 추진한 정책을 찾아 정리해 보자.

• **추진 정책:** 클레이스테네스는 부족제를 개편하여 500인 평의회를 설치하였고, 도편 추방제를 도입하였다.

(2) **자료 해석 및 의사소통** 자료를 읽고, 위 인물이 민주 정치의 기초를 닦았다고 평가하는 까닭을 토론해 보자.

• **까닭:** 부족제의 개편으로 파벌 형성이 어려워졌고, 500인 평의회의 설치로 아테네 시민들이 정치에 참여할 수 있는 길이 넓어졌다.

3 고대 로마의 문장을 보고, 물음에 답해 보자.

(1) **자료 해석** 'SPQR'이 의미하는 로마의 정치 체제를 말해 보자.

• **정치 체제:** 귀족들이 참여하는 원로원과 평민들이 참여하는 민회 등을 말한다.

(2) **정보 활용** 독수리를 국가의 문장으로 사용한 나라를 찾아보고, 그 까닭을 검색해 보자.

• **까닭:** 신성 로마 제국, 제정 러시아, 오스트리아의 합스부르크 왕가, 비잔티움 제국, 미국 등이 있다. 로마 제국의 상징인 독수리를 역사상 서양의 여러 나라들이 사용한 것으로 보아 로마의 계승자이자 유럽의 지배자임을 표현하고자 하였다. 따라서 로마의 문화는 오늘날 유럽 사회의 근원을 이루었다고 볼 수 있다.

주제 9 유럽 세계의 형성과 동요

역량 기르기 교과서 117쪽

1 자료 분석 | 〈자료 1〉의 프랑크 왕국이 번영할 수 있었던 까닭을 지리적 요인과 연결하여 말해 보자.

• **까닭:** 프랑크족의 본거지를 유지한 채 가까운 위치에 국가를 건설하여 이동거리가 짧았고 현지 적응이 쉬웠다.

| 해설 | 유럽 각지에 침입한 게르만족의 수는 원주민의 약 3% 이하의 소수였다. 이 때문에 이주한 곳의 원주민에게 문화적으로 동화한다든지 로마 가톨릭교회와 대립한다든지 하여, 단명으로 끝나는 경우가 많았다. 그러나 프랑크족은 본거지에 가까운 곳에 건국하여 현지 적응이 쉬웠고 로마 가톨릭교로 개종하여 로마 주민과의 문화적 마찰을 피할 수 있었다.

2 사실 이해 | 카롤루스 대제의 정치 · 문화적 업적을 정리해 보자.

• **발전 과정:** 활발한 정복 활동을 통해 서로마 제국 영토의 상당 부분을 회복하였고, 이에 대한 공로로 교황에게 서로마 황제의 관을 받았다.

• **문화:** 정복지에 선교사를 파견하여 크리스트교를 보급하였으며, 궁정 학교를 세우고 고전 연구를 후원하여 카롤루스 르네상스를 일으켰다.

| 해설 | 카롤루스 대제는 크리스트교를 널리 전파하였고, 알퀸을 비롯한 많은 학자를 불러 궁정 학교를 세우고 학문 연구를 후원하여 고전 문화의 부흥을 이끄는 등 카롤루스 르네상스를 일으켰다.

3 자료 분석 | 〈자료 2〉를 통해 동프랑크, 서프랑크, 중프랑크가 현재 어느 나라의 기원이 되었는지 파악해 보자.

• **동프랑크:** 독일 • **서프랑크:** 프랑스 • **중프랑크:** 이탈리아

| 해설 | 베르됭 조약으로 프랑크 왕국이 동 · 중 · 서프랑크의 세 갈래로 분열된 이후, 서프랑크와 동프랑크 양국 사이에 전쟁이 일어날 상황이 발생하자 메르센 조약이 체결되었다. 이 조약의 체결로 현재의 독일, 이탈리아, 프랑스의 기원이 형성되었다.

4 자료 분석 | 〈자료 3〉에서 중세 봉건 사회의 정치, 경제적 특징을 말해 보자.

• **정치적 특징:** 토지를 매개로 한 주군과 봉신의 쌍무적 계약 관계를 기반으로 한다.

• **경제적 특징:** 장원에 기초한 지방 분권적 사회 질서를 형성하였다.

| 해설 | 서유럽의 봉건제는 토지를 매개로 한 일종의 계약 관계로, 이때 토지를 주는 사람은 주군, 토지를 받는 사람은 봉신, 주어지는 토지는 봉토라고 하였다. 주군과 봉신은 쌍무적 계약 관계로, 이들의 계약은 서로의 권리와 의무를 기반으로 하였다.

역량 기르기 교과서 118쪽

1 자료 분석 | 〈자료 4〉를 참고하여 표를 완성해 보자.

장원의 시설물	영주의 성, 교회, 제분소, 대장간
장원의 경작 방식	지조 단위로 묶인 공동 경작, 2포제 · 3포제의 윤작

| 해설 | 장원에는 영주의 성, 농노 경작지, 영주 직영지, 공동 경작지, 교회 등이 있었다. 경작지에는 공동 노동의 편리성을 위해 울타리가 없었고, 계절에 따라 번갈아 경작하는 이포제, 삼포제에 의해 춘경지, 추경지, 휴경지 등으로 나누어 경작하였다.

2 사실 이해 | 농노의 지위를 고대 노예와 비교해 보자.

• **비교:** 고대 노예와 달리 중세 농노는 혼인권과 농지 보유권 등이 있었다. 그리고 관습에 따라 영주로부터 어느 정도 권리를 보호를 받았다. 그러나 영주의 허락 없이 장원을 떠날 수 없는 부자유한 신분이었다.

3 사실 이해 | 신성 로마 제국의 기원을 설명해 보자.

• **기원:** 동프랑크의 오토 1세가 마자르족과 슬라브족의 침입, 이탈리아 내란을 진압한 공로로 서로마 황제의 관을 받은 것에서 기원하였다.

| 해설 | 동프랑크의 왕 오토 1세가 귀족으로부터 핍박 받던 교황을 도와 이탈리아 내란을 진압하면서 교황 요한 12세로부터 서로마 황제의 관을 받았다. 이로부터 신성 로마 제국이 기원하였다. 이후 동프랑크의 국왕은 즉위 시 교황으로부터 대관함으로써 신성 로마 제국 황제를 겸하게 되었다. 이와 같은 교황과 황제의 결합을 통해 황제는 형식상 모든 크리스트교 세계를 지배할 수 있게 되었다.

역량 기르기  교과서 119쪽

1 사실 이해 | 교회가 동서로 분열하게 된 계기는 무엇인가?

• **계기:** 비잔티움 제국 황제가 반포한 성상 파괴령을 계기로 로마 가톨릭교회와 그리스 정교회로 교회가 분열하였다.

| 해설 | 성상 파괴령은 비잔티움 제국 황제 레오 3세가 반포한 것으로, 정통 수호를 명분으로 삼았지만 서로마 교회에 대한 비잔티움 제국 황제의 지배권을 강화하려는 의도가 있었다.

2 사실 이해 | 로마 가톨릭교회가 서유럽 사회를 지배한 내용을 찾아 말해 보자.

• **지배 내용:** 교황이 대관식을 통해 국왕의 통치에 신적인 권위를 부여하였으며, 중세 사회의 신분 질서를 성서에 근거한 것이라 주장하였다. 그리고 신도가 기증한 토지를 토대로 강력한 봉건 세력이 되었다.

| 해설 | "교회를 떠나서는 태어날 수도, 죽을 수도 없다."라는 중세 속담이 있을 만큼 당시 사람들에게 교회는 절대적인 존재였다. 교회는 7성사를 통해 일상생활을 관장하였으며, 경제력과 권위를 바탕으로 지배 세력이 되었다.

3 사실 이해 | 10세기 초 교회 개혁 운동을 주도한 곳은 어디인가?

• **주도 세력:** 클뤼니 수도원은 10세기 프랑스에 세워진 수도원으로, 대를 이어 뛰어난 수도원장이 부임하고 교황과 제후의 신임을 얻어 교회 개혁 운동을 주도하였다.

4 자료 분석 | 〈자료 1〉을 참고하여 클뤼니 수도원의 개혁이 성공할 수 있었던 까닭을 말해 보자.

• **까닭:** 클뤼니 수도원은 교황에 직속되어 세속 권력의 간섭을 받지 않았으며, 교회 개혁 운동을 주도할 수 있었다.

| 해설 | 1910년 아키텐 공 기욤은 교황 이외의 권위로부터 독립된 수도원을 세우기 위해 자신의 별장을 제공하였고, 여기서 비롯된 것이 클뤼니 수도원이다. 이에 클뤼니 수도원은 교황에 직속되어 세속 권력의 간섭을 받지 않았으며, 교회 개혁 운동을 주도할 수 있었다.

역량 기르기 교과서 121쪽

1 자료 분석 | 〈자료 2-1〉에서 주장하는 내용과 그에 대한 황제의 반응을 말해 보자.

• **의의:** 교황 그레고리우스 7세는 세속 군주의 서임에 대한 규정을 강화하면서 황제의 주교직 서임을 금지시켰다. 즉 성직자 서임권은 교회에 있으므로 황제의 서임은 무효라고 주장하였다.

• **황제의 반응:** 하인리히 4세는 이를 무시하여 교황으로부터 파면당하였다.

2 **사실 이해** | 황제가 서임권 투쟁에서 교황에게 굴복한 사건은 무엇인가?

• **사건:** 카노사의 굴욕

3 **자료 분석** | 〈자료2-2〉에서 서임권에 관한 부분을 찾아 밑줄을 긋고, 서임권을 누가 차지하였는지 설명해 보자.

• **정답:** 보름스 협약을 통해 교회(교황)가 서임권을 차지하였다.

| 해설 | 보름스 협약으로 성직 서임권은 교황이 지니며 황제는 교회나 수도원의 봉토에 대하여 상급 영주권을 지니게 되었다. 성직자 후보가 여러 명일 때만 황제가 결정할 수 있는 권한을 부여하였다.

4 **자료 해석** | 〈자료 3〉을 통해 스콜라 철학에서 주장하는 신앙과 이성의 관계를 설명해 보자.

• **정답:** 토마스 아퀴나스는 신앙과 이성의 조화를 추구하였고, 이성이 신앙에 도움이 되어야 한다고 주장하였다. 그는 철학의 독자성을 인정하지만, 모든 학문 중 신학이 가장 높은 위치에 있기 때문에 철학이 신학을 섬기고 봉사해야 한다고 보았다.

5 **자료 분석** | 〈자료 4〉를 참고하여 로마네스크 양식과 고딕 양식을 비교해 보자.

• **로마네스크 양식:** 원형 아치, 작은 창으로 인한 어두운 내부, 천장의 무게를 지탱하기 위해 필요한 두꺼운 돌벽, 넓은 벽에 그려진 벽화가 주요 특징이다.
• **고딕 양식:** 높은 첨탑, 큰 창문으로 인해 높은 채광, 천장의 무게를 분산시키는 건축 기술로 상대적으로 얇은 벽, 내부의 스테인드글라스가 주요 특징이다.

| 해설 | 로마네스크 양식은 11세기 초 이탈리아 롬바르디아 지역에서 나타나 중부 유럽, 프랑스 등으로 퍼졌다. 고딕 양식은 13세기 중엽 프랑스와 플랑드르의 도시에 처음 등장하여 전 유럽으로 퍼졌다.

역량 기르기 교과서 123쪽

1 **사실 이해** | 비잔티움 제국에서 황제와 교회와의 관계를 설명해 보자.

• **관계:** 황제가 교황을 지배하며 교황 역할을 하는 황제 교황주의가 발전하였다.

2 **자료 분석** | 〈자료 1〉에서 비잔티움 제국의 전성기를 찾아보자.

• **전성기:** 유스티니아누스 황제 시기에 과거 로마 제국의 영토를 상당 부분 회복하면서 전성기를 맞이하였다.

| 해설 | 유스티니아누스 황제는 아프리카 반달 왕국과 이탈리아의 동고트 왕국을 정복하고, 서고트 왕국을 쳐서 지중해를 지배하는 등 활발한 정복 활동을 벌였다. 또 두 차례에 걸쳐 페르시아와 싸우고, 훈족, 아바르족, 슬라브족의 침입을 막아 냈다.

3 **사실 이해** | 군관구제와 둔전병제를 시행한 목적을 말해 보자.

• **목적:** 비잔티움 제국은 외침을 대비하기 위해 전국을 31개의 군관구로 나누고 황제가 임명한 군사령관을 파견하는 군관구제를 시행하였다. 그리고 자영농 육성을 위해 병사들에게 군역에 대한 보상으로 토지를 지급하고 계속 군역에 종사하는 조건으로 토지를 세습할 수 있도록 하는 둔전병제를 시행하였다.

| 해설 | 군관구제에서는 군사령관이 군사권 · 행정권 · 사법권을 모두 쥐고 있었기 때문에 외침에 빠르게 대응할 수 있었다. 둔전병제으로 육성된 자영농은 황제권 강화에 영향을 미쳤다.

4 **자료 분석** | 〈자료 2〉에서 비잔티움 양식의 특징을 찾아보자.

• **특징:** 내부의 다채로운 모자이크 벽화와 외부의 웅장한 돔이 주요 특징이다.

| 해설 | 비잔티움 양식은 내부를 다채로운 모자이크로 장식하였고, 돔 공법과 장방형의 바실리카식을 융합하여 돔을 중심으로 사방에 반원통형을 붙이는 방식으로 시공되었다.

5 **자료 분석** | 〈자료 3〉에서 나타난 키예프 공국의 문화적 특징을 말해 보자.

• **특징:** 키예프 공국은 비잔티움 문화의 많은 부분을 모방하고 계승하였다. 비잔티움 제국과의 교역으로 그리스 정교를 국교로 받아들였고, 비잔티움 제국의 성 소피아를 본 떠 러시아풍이 담긴 성 소피아 성당을 세웠다.

역량 기르기 교과서 125쪽

1 **자료 분석** | 〈자료 1〉과 본문에서 십자군 전쟁의 경제 · 종교적 배경을 찾아보자.

• **경제적 배경:** 농업 생산력 향상 및 인구 증가로 농지가 부족해졌다.

• **종교적 배경:** 크리스트교 성지인 예루살렘을 이슬람 세력이 차지하고 있었다.

2 **자료 분석** | 〈자료 1〉에서 제1차 십자군과 제4차 십자군의 도착지를 찾아보고, 이런 변화가 생긴 까닭을 말해 보자.

• **까닭:** 제1차 십자군은 이슬람 세력과 싸워 예루살렘을 점령한 반면, 제4차 십자군은 비잔티움 제국의 수도인 콘스탄티노폴리스를 점령하였다. 이러한 변화는 종교적 열정이 식어가면서 세속적인 목적이 개입되었기 때문이다. 실제로 제4차 십자군 원정은 베네치아 상인의 상업적 목적이 강하게 작용하였다.

| 해설 | 제4차 십자군은 동지중해 상업을 장악하고자 콘스탄티노폴리스를 점령하고 라틴 제국을 세웠다.

3 사실 이해 | 십자군 전쟁이 중세 서유럽 사회에 끼친 영향은 무엇일까?

• **영향:** 정치적으로는 제후와 기사들이 몰락하고 교황의 권위도 추락하여 왕권이 강화되었다. 경제적으로는 이슬람과의 무역이 발달하여 상공업과 도시가 성장하였다. 문화적으로는 비잔티움과 이슬람 문화가 유입되어 서유럽 문화의 발전에 영향을 주었다.

4 자료 분석 | 〈자료 2〉에서 중세 서유럽의 주요 무역 도시를 찾아보자.

지중해 무역	제노바, 베네치아와 같은 북이탈리아 도시
북방 무역	함부르크, 뤼베크와 같은 한자 동맹 도시와 플랑드르 지방 도시

5 사실 이해 | 〈자료 3〉의 변화가 나타나게 된 원인과 그 영향을 말해 보자.

• **특징:** 흑사병으로 인해 유럽인은 그 이전에 비해 인구수가 1/3로 감소하였다.

• **영향:** 노동력 부족과 미개간 토지의 범람으로 농민의 경제적 지위가 상승하였다. 이에 영주들은 농민의 처우를 개선해줄 수밖에 없었고, 이 과정에서 자영 농민이 증가하여 장원이 점차 해체되어 갔다.

역량 기르기 교과서 127쪽

1 사실 이해 | 아비뇽 유수가 일어난 계기는 무엇인가?

• **계기:** 성직자에 대한 과세 문제로 교황과 프랑스 국왕이 대립하였다.

2 자료 분석 | 〈자료 4〉의 주장에서 핵심 내용에 밑줄을 그어 보자.

• **정답:** 백 명의 교황이 있고 모든 수도사가 추기경이 된다고 해도 신앙에서 『성서』와 일치할 때만 찬성해야 한다.

| 해설 | 위클리프는 영국 종교 개혁의 선구자로 교황에 대한 공세(貢稅)와 교회령 재산, 성직자의 악덕을 비판하면서 교회 개혁 운동에 앞장섰다.

3 자료 분석 | 〈자료 5〉는 누구의 권한을 제한하고 있으며, 이러한 요구가 승인된 배경이 무엇인지 말해 보자.

• **배경:** 영국 존왕이 전쟁으로 인한 재정난 해결을 위해 무거운 세금을 부과하자 귀족이 반발하였고, 이에 존왕의 권한을 제한하는 「대헌장」이 승인되었다.

4 자료 분석 | 〈자료 6〉을 통해 백년 전쟁으로 영국과 프랑스의 영토가 어떻게 변화하였는지 말해 보자.

• **변화:** 백년 전쟁에서 패배하면서 영국은 프랑스 내에 존재하던 영국령을 상실하였고, 프랑스는 영토를 확장하였다.

| 해설 | 백년 전쟁은 노르만 왕조 성립 이후 프랑스 내의 영국 영토에 대한 갈등이 폭발한 전쟁이었다. 프랑스는 모직물 공업으로 유명한 플랑드르 지방과 포도주 생산지인 기옌 지방 탈환이 중요한 목표였다.

5 사실 이해 | 장미 전쟁이 영국에 끼친 영향을 말해 보자.

• **영향:** 귀족 세력이 약화되어 영국의 튜더 왕조가 중앙 집권을 강화할 수 있었다.

| 해설 | 장미 전쟁은 흰 장미 문장의 요크가와 붉은 장미 문장의 랭커스터가가 왕위를 두고 벌인 전쟁이었다. 장미 전쟁에 많은 귀족들이 연루되어 희생당하여 튜더 왕조가 성장할 수 있었다.

6 자료 분석 | 〈자료 7〉이 신성 로마 제국에 끼친 영향을 말해 보자.

• **영향:** 제후들에게 황제를 선출할 수 있는 권한을 줌으로써 황제의 권한이 약화되었다. 이에 제후들 간에 권력 다툼이 심해져 정치적 혼란을 야기하였다.

| 해설 | 「황금문서」는 7선 제후의 권리를 확정하였는데, 7선 제후는 최고 재판권 · 광산 채굴 · 화폐 주조 · 관세 징수 등의 특권을 가지며, 그 영지는 장자에게 일괄 상속하고 영지 지배권은 완전한 국가 주권으로 인정받게 되었다.

역량 기르기 교과서 129쪽

1 사실 이해 | 르네상스가 이탈리아에서 먼저 일어난 까닭은 무엇인가?

• **까닭:** 이탈리아에는 로마의 고전 문화 전통이 많이 남아 있었고, 비잔티움 제국의 학자들이 많이 피신하여 고전 문화 연구가 활발하였다. 또한 십자군 전쟁 이후 부유해진 상인과 군주들이 많았는데, 이들이 재정적으로 예술과 학문을 지원하였다.

| 해설 | 이탈리아는 지중해 무역의 중심지로서 경제적으로 번영하였을 뿐만 아니라, 시민 계급의 성장으로 자유로운 인간 정신이 존중되는 분위기가 형성되어 있었다.

2 자료 분석 | 〈자료1-1〉에서 나타난 이탈리아 르네상스의 특징을 말해 보자.

• **영역:** 인간의 위선을 풍자하는 세속주의가 나타났다.

| 해설 | 『데카메론』은 중세 인간의 삶을 총체적으로 지배한 크리스트교의 내세 중심적 세계관을 들추어냈고, 현실에서 펼쳐지는 삶의 다채로운 모습들을 당대 대중의 언어였던 이탈리아어에 담아냈다.

3 자료 분석 | 〈자료 1-2〉와 〈자료 2-2〉가 다루는 소재를 통해 이탈리아와 알프스 이북 르네상스의 성격을 비교해 보자.

구분	이탈리아	알프스 이북
소재	신화나 종교적인 소재	서민의 생활
성격	문예를 후원하는 대부호나 군주의 취향	서민적이고 대중적이며 사회 비판적 성격

| 해설 | 이탈리아 르네상스는 인간과 세상에 대한 탐구에 중심을 두었으며, 고전 문화의 전통을 바탕으로 자유분방하고 인간적인 정신을 뚜렷하게 표현하였다. 알프스 이북의 르네상스는 현실 사회와 교회를 비판하는 개혁 성향이 강하여 성서 연구에 힘썼고, 이러한 경향은 종교 개혁으로 이어졌다.

4 자료 해석 | 〈자료 2-1〉이 비판하는 대상은 누구이며, 그것이 사회에 끼친 영향은 무엇인가?

- **영향:** 에라스무스는 『우신예찬』을 통해 세속화된 교황과 교회 성직자를 비판하고 있다. 이러한 비판 의식은 종교 개혁에 영향을 주었다.

교과서 130쪽

1 자료 분석 | 〈자료 3-1〉은 무엇을 비판하고 있는가?

- **비판:** 루터는 금전적인 목적으로 남용된 교황의 면벌부 판매를 비판하고 있다.

2 자료 분석 | 〈자료 3-2〉에서 주장하는 핵심 내용에 밑줄을 긋고, 그 내용이 사회에 끼친 영향을 말해 보자.

- **정답:** 일찍이 신께서는 영원불변의 섭리를 통해 구제해 주고자 하는 자들과 파멸에 빠뜨리고자 하는 자들을 결정하였다.
- **영향:** 신흥 상공업자의 부의 축적을 정당화함으로써 금융업자와 상인층뿐만 아니라 구원이라는 희망을 통해 비참한 생활을 이겨내고자 했던 하층민의 환영을 받아 다양한 사회 집단의 지지를 받았다.

3 자료 분석 | 〈자료 4〉에서 루터파, 칼뱅파, 영국 국교회의 분포 지역을 찾아보자.

- **루터파:** 독일 및 북유럽 국가
- **칼뱅파:** 영국, 스코틀랜드 등 대서양 연안 국가
- **영국 국교회:** 영국

| 해설 | 루터파와 칼뱅파로 대표되는 프로테스탄트(신교) 세력은 북부 독일, 네덜란드, 영국, 스코틀랜드 등지로 퍼져 나갔다. 오늘날 루터파는 독일과 노르웨이, 스웨덴, 덴마크 등에서 신봉된다. 영국은 영국 국교회가 강하다. 프랑스, 에스파냐, 포르투갈, 이탈리아는 가톨릭이 우세하다.

4 사실 이해 | 로마 가톨릭교회의 신교 확산에 대한 대응책을 말해 보자.

- **변화:** 가톨릭교회는 스스로 교리를 정비하고 각종 폐단을 시정하면서 신교에 대한 반격으로 종교 재판소를 설치하였다. 그리고 트리엔트 공의회를 통해 신교의 주장을 반박하고, 기본적인 교리를 재확인하였다. 한편 로욜라가 세운 예수회는 교황의 정식 인가를 얻고 가톨릭 세력의 회복과 확장에 큰 역할을 하였다.

스스로 확인 학습

교과서 131쪽

2 제시된 글을 읽고, 물음에 답해 보자.

(1) **정보 활용** (가)와 (나)의 글이 작성된 시대적 배경을 인터넷 검색을 통해 알아보자.

- **(가):** 16세기 이탈리아로 여러 도시 국가들로 분열되어 있었다.
- **(나):** 16세기 영국으로 인클로저 운동이 일어나 농민들이 몰락하였다.

(2) **자료 분석** (가)와 (나)의 주장을 요약해서 발표해 보자.

- **(가):** 군주는 신의를 지키는 것보다 전쟁에 이기고 나라를 부강하게 만드는 것이 더 중요하다.
- **(나):** 지배층이 목양지를 넓히면서 농민이 몰락하고 있다.

(3) **자료 해석** (1), (2)를 종합하여 (가), (나)를 작성한 저자의 의도를 파악해 보자.

- **(가):** 분열된 이탈리아의 통일을 위해 강력한 군주를 염원하였다.
- **(나):** 인클로저 운동으로 농민이 몰락하고 있는 현실을 비판하였다.

3 아래 두 그림을 보고, 물음에 답해 보자.

(1) **자료 분석** (가), (나)에서 최고 권력자는 누구로 보이며, 왜 그렇게 생각하는가?

- **(가):** 가운데 있는 황제, 머리 뒤에 배광이 있다.
- **(나):** 가운데 선 교황, 중앙의 아무도 가리지 않은 높은 자리에 있다.

(2) **자료 해석** (1)의 차이가 나타나게 된 배경을 종교적인 면에서 설명해 보자.

- **배경:** (가)가 그려진 비잔티움 제국에서는 황제가 교회와 세속을 모두 지배하였으며, (나)가 그려진 중세 서유럽 봉건 사회에서는 교황권과 왕권이 분리되어 경쟁하고 있었다.

(3) **자료 해석 및 정보 활용** (가), (나) 제작 당시의 상황과 그림의 내용을 비교해 보고, 이를 통해 작가의 의도를 추론해 보자.

- **상황:** (가)는 유스티니아누스 황제의 권력이 강할 때, (나)는 그림에 등장한 교황의 세력이 약한 시기였다.
- **의도:** (가)는 권위를 드러내고 과시하기 위해 제작되었고, (나)는 그림과 같은 권력 구도로 돌아가야 한다고 주장하기 위해 제작되었다.

유럽 세계의 변화

역량 기르기 교과서 133쪽

1 사실 이해 | 본문에서 신항로 개척의 배경을 찾아 세 가지만 적어 보자.

• **배경:** 동방과 직거래할 수 있는 안전한 교역로가 필요하였고, 조선술과 항해 도구의 발전으로 원양 항해가 가능해졌다. 또한 마르코 폴로의 『동방견문록』이 동방에 대한 호기심을 자극하였으며, 크리스트교 세력의 확대에 대한 열망도 요인으로 작용하였다.

| 해설 | 후추를 비롯한 각종 향신료는 지중해를 통한 동방 무역의 주요 상품이었다. 이를 통해 베네치아를 비롯한 이탈리아의 주요 도시들은 막대한 경제적 이익을 얻었다. 이러한 상황에서 유럽인들은 동방과 직접 교역할 수 있는 길이 발견된다면 아라비아 상인이나 이탈리아 상인들이 독점하고 있던 경제적 이득을 대신 차지할 수 있을 것이라 생각하였다. 또한 오스만 제국이 지중해를 통한 동방 교역권을 장악하였기에 새로운 교역로가 필요하였다.

2 자료 분석 | 〈자료 1〉에 나타난 마젤란과 그 일행의 세계 일주 항해를 통해 입증된 천문학적 사실은 무엇인가?

• **입증된 사실:** 마젤란 일행의 세계 일주 항해로 지구구형설이 입증되었다.

| 해설 | 이 시기에는 천문학과 지리학의 발달로 인해 고대부터 주장되어왔던 지구구형설이 다시 등장하여 원양 항해에 대한 자신감이 생겨났고, 나침반과 같은 관측 기구는 망망대해에서도 항로를 유지할 수 있게 해 주었으며, 조선술의 발전은 거친 파도를 견디며 원양 항해를 할 수 있게 해 주었다.

3 사실 이해 | 신항로 개척을 선도한 나라로 아메리카 진출에 앞장 선 나라는 어디인가?

• **국가:** 에스파냐는 콜럼버스를 후원하며 아메리카에 처음으로 진출하였다. 마젤란 역시 에스파냐의 후원으로 대서양과 태평양을 건넜고, 그의 사후 일행이 인도양을 거쳐 귀환하면서 세계 일주에 성공하였다.

| 해설 | 지중해의 동방 무역권에서 소외되어 있던 에스파냐와 포르투갈에서 강력한 중앙 집권 국가가 등장하면서 동방 무역에 참여할 수 있는 힘이 확보되고 학문과 기술의 발전이 이루어져 신항로 개척에 본격적으로 참여하였다. 한편 두 왕국은 이베리아반도라는 지리적 특성상 이슬람 세력의 침입을 많이 받았으며, 이로 인해 이슬람을 타도하고 크리스트교를 전파하려는 염원을 지니고 있었다.

4 자료 분석 | 〈자료 2〉와 〈자료 3〉을 종합하여 신항로 개척이 아메리카 문명에 끼친 영향을 말해 보자.

• **영향:** 아메리카에 진출한 에스파냐인은 아메리카의 고대 문명을 파괴하였으며 전쟁이나 약탈, 이교도 탄압으로 많은 원주민을 학살하였다. 또한 천연두와 홍역과 같은 전염병 유행, 가혹한 강제 노동으로 많은 원주민이 감소하였다.

역량 기르기 교과서 134쪽

1 사실 이해 | 〈자료 4〉를 보고 대서양 삼각 무역으로 이어진 세 대륙을 적어 보자.

• **세 대륙:** 유럽, 아프리카, 아메리카

| 해설 | 유럽의 무기와 공산품이 아프리카 노예와 교환되었는데, 노예는 아메리카에 팔려 상품 작물을 재배하는 노동력으로 활용되었다. 재배된 상품 작물은 수요가 높았던 유럽에 팔렸다. 삼각 무역으로 가장 이득을 본 나라는 영국이었다. 영국은 17세기 후반부터 150년 동안 340만 명의 흑인 노예를 실어 날랐다. 또한 이렇게 해서 얻은 이익을 바탕으로 하여 공업을 발전시켰는데 리버풀, 맨체스터, 버밍엄, 셰필드와 같은 공업 도시가 이 시기에 크게 성장하였다.

2 자료 해석 | 〈자료 4〉에서 유럽과 중국에 아메리카 은이 유입된 까닭을 찾아보자.

• **까닭:** 유럽은 아메리카에서 약탈한 은을 중국 등 아시아 국가와의 무역에서 결제 수단으로 사용하였다. 이러한 과정을 거쳐 아메리카산 은이 세계 곳곳에 유입되었다.

| 해설 | 아메리카에서 발견된 가장 큰 은광은 1545년에 발견된 포토시 광산으로 해발 11,000피트에 이르는 고지였음에도 엄청난 인파가 몰려들면서 1570년에는 인구가 15만 명에 달하는 대규모 광산 도시로 성장하였다. 그 후 1세기 동안 포토시에서는 수천 톤에 달하는 은이 채굴되었다. 아메리카에서 에스파냐인이 가져 간 은의 2/3는 오스만 제국, 인도, 중국으로 흘러 들어갔다.

3 자료 분석 및 의사소통 | 〈자료 4〉를 참고하여 신항로 개척으로 세계 무역이 어떻게 변화하였는지 말해보자.

• **변화:** 신항로 개척으로 유럽의 교역망은 지중해에서 점차 대서양으로 확대되어 노예를 매개로 한 대서양 삼각 무역이 성립하였다. 이를 통한 이익과 아메리카에서 약탈한 은으로 유럽은 중국을 비롯한 아시아와 교역할 수 있는 재정적 기반을 마련하였다. 또한 신항로 개척으로 이슬람 세계를 거치지 않고 중국과 직접 교역할 수 있는 교역로를 마련하였기에 세계 교역망이 하나로 합쳐지기 시작하였다.

4 사실 이해 | 유럽에서 아메리카 금·은의 유입과 대서양 삼각 무역으로 나타난 변화를 각각 무엇이라 하는가?

• **변화:** 아메리카산 금과 은이 유입되면서 유럽의 물가가 큰 폭으로 오르는 가격 혁명과, 대서양 삼각 무역으로 교역이 세계적으로 활성화 되는 상업 혁명이 일어났다. 이러한 변화는 신흥 상공업 계층의 성장과 자본주의적 제도의 발전에 영향을 끼쳤다.

| 해설 | 귀금속의 대량 유입은 곧바로 화폐 가치의 하락과 물가 상승을 초래하였다. 그리하여 유럽의 물가는 16세기 백 년 동안에 평

균 2~4배가량 상승하였다. 이러한 엄청난 물가 상승을 가격 혁명이라 부른다. 물가 상승은 고정된 수입으로 생활하던 임금 노동자나 지주에게는 불리하였으나, 상인이나 수공업자에게는 오히려 유리하여 그들은 보다 쉽게 자본을 축적할 수 있었다.

역량 강화하기 교과서 135쪽

1 정보 활용 | 위 사례 이외에 다른 지역으로 이동한 것들에는 어떤 것이 있으며, 그것이 어떤 영향을 끼쳤는지 인터넷으로 검색해 보자.

• **이동 사례:** 아프리카인이 아메리카에 노예로 팔려갔다.

• **영향:** 아프리카에는 노예 무역이 진행되었던 중서부 해안은 '노예만', 노예를 수송한 '노예의 길', 희생자를 기리는 '돌아올 수 없는 문'이 남아있다. 아프리카인이 아메리카로 노예로 끌려가고 노동을 하는 과정에서 영양실조, 질병, 그 외에도 많은 고통으로 수많은 사람들이 죽었다. 그 결과 아프리카의 인구가 급감하였다.

2 역사적 판단력 및 의사소통 | 신항로 개척이 일으킨 변화가 인간 생활에 유익한 것이었다고 평가할 수 있는지 토론해 보자.

• **예시 답안:** 유럽 – 아메리카 – 아프리카 세 대륙으로 교역망이 확장되면서 구황 작물, 커피 등 많은 물품이 교역되면서 발전에 공헌한 점은 유익하다고 판단할 수 있는 부분이다. 그러나 이는 인류 전체가 아닌 유럽인을 비롯한 무역을 통해 이득을 본 사람들에게만 해당한다. 노예 무역, 전염병, 문명 파괴 등은 신항로 개척으로 나타난 부정적인 모습이다. 그러므로 신항로 개척 이후 나타난 발전은 아메리카 · 아프리카 원주민의 희생에서 비롯된 것이라 평가할 수 있다.

역량 기르기 교과서 137쪽

1 자료 분석 | 〈자료 1〉과 본문을 참고하여 절대 왕정의 특징을 중세 봉건 국가나 근대 국민 국가와 비교해 보자.

• **비교:** 절대 왕정은 지방 분권적인 중세 봉건 국가와 달리 중앙 집권 국가였으며, 귀족이 왕권에 복속되어 있었다. 한편 근대 국민 국가와는 달리 국왕에게 권력이 집중되었다.

| 해설 | 17, 18세기에 나타난 서유럽의 절대 왕정 시기에는 교황과 귀족 세력에 대하여 '군주의 주권'이 강조되었다. 이와 같은 경향은 중세 해체기 중앙 집권화의 연장선으로 볼 수 있으며, 근대 국민 국가 형성 시기까지 유럽 여러 나라에서 발견되었다.

2 자료 분석 | 〈자료 2〉에 나타난 중상주의의 내용이 무엇인지 찾아 서술해 보자.

• **내용:** 상공업 육성, 보호 무역 제도 확립, 긴축 재정으로 국가 재정 관리, 식민지 개발 등이 중상주의의 주요 내용이다.

3 사실 이해 | 중상주의를 시행한 목적은 무엇인가?

• **목적:** 서유럽 절대 왕정에서는 상업과 무역 활동이 국가의 부를 증진시키는 가장 확실한 수단이라고 생각하여 수출을 증대하고 수입을 억제하는 중상주의 정책을 펼쳤다.

4 자료 분석 | 〈자료 3〉과 〈자료 4〉를 통해 서유럽과 동유럽의 절대 군주 모습을 비교해 보자.

• **비교:** 서유럽의 절대 왕정은 왕권신수설 등을 바탕으로 왕을 중심으로 국가가 존재한다고 보았고, 동유럽의 절대 왕정에서는 계몽사상의 영향을 받아 국왕을 국가 제일의 공복으로 여겼다.

역량 기르기 교과서 138쪽

1 사실 이해 | 계몽 전제 군주의 개념을 설명해 보자.

• **개념:** 계몽사상의 영향을 받아 국가를 통치하는 전제 군주로 서유럽과 달리 동유럽의 군주들은 스스로 계몽 군주를 자처하였다. 프로이센의 프리드리히 2세, 오스트리아의 요제프 2세, 러시아의 예카테리나 2세가 대표적인 사례이다.

2 자료 분석 | 〈자료 5〉를 통해 동유럽의 지주와 농노의 처지를 설명해 보자.

• **처지:** 농노는 지주의 개인 재산이었으며, 농노의 처우는 법적으로 제재를 받지 않았다. 이처럼 지주는 농노의 절대적 주인이었으며, 농노는 노예와 다름없는 처지였다.

| 해설 | 절대 왕정 시기 중동부 유럽은 대부분 농업 중심의 후진국이었고, 실권은 여전히 토지 귀족이 장악하고 있었기 때문에 절대주의의 확립은 귀족의 지지 없이는 이뤄지기 어려웠다. 그리하여 국왕은 귀족들의 지방 통치권을 제한하는 대신 대토지 소유자로서의 특권, 즉 농노제를 인정해줌으로써 영지에서 농민들에 대한 광범위한 지배권을 보장하였다. 농민들은 귀족들의 재산과 같이 다뤄졌으며, 중세의 농노 이상으로 가혹한 대우를 받았다.

3 사실 이해 및 의사소통 | 동유럽 절대 왕정의 한계점을 토론해 보자.

• **한계:** 동유럽의 군주들은 계몽사상을 받아들여 사회 개혁을 시도하였으나 보수적인 귀족 세력의 반발로 큰 성과를 거두지 못하였다. 이로 인해 기존의 봉건 질서는 사라지지 않고 오히려 더욱 강화되었다.

| 해설 | 동유럽은 서유럽처럼 도시와 상공업이 발달하지 못한 관계로 시민 계급이 성장하지 못하였고, 르네상스와 같은 문화적 기반도 활성화되지 못하였다. 이러한 상황에서 계몽사상의 영향을 받은 국왕들이 귀족들을 관료와 군대 지휘관으로 대거 등용하고 그들의 특권을 보장해 줌으로써 오히려 영주권을 강화하였다. 이에 봉건 귀족 계급은 시민의 도전을 받지 않고 농노제를 그대로 유지하였으며, 관료나 군대의 장교가 되어 정치를 주도하며 강력한 세력을 계속 형성하였다.

스스로 확인 학습 교과서 139쪽

2 제시된 글을 읽고, 물음에 답해 보자.

(1) **자료 분석** 위의 글에서 주장하는 정치 이론은 무엇인가?

• **정치 이론:** 왕권신수설로 왕권은 신으로부터 주어지고, 왕은 신에 대해서만 책임을 지며, 인민은 저항권 없이 왕에게 절대 복종하여야만 한다는 정치 이론이다.

(2) **사실 이해** 위와 같은 주장이 서유럽에 끼친 영향을 서술해 보자.

• **영향:** 절대 왕정을 정당화하는 명분이 되었다.

3 그림을 보고, 물음에 답해 보자.

(1) **사실 이해** (가), (나), (다)에 해당하는 활동을 적어보자.

• **(가):** 희망봉을 경유하여 인도 캘리컷 도착
• **(나):** 그의 일행이 세계 일주 성공 • **(다):** 희망봉 도착

(2) **자료 해석** 기념비에 항해사, 선교사 등 다양한 인물이 조각된 까닭을 추론해 보자.

• **까닭:** 신항로 개척에는 발달한 항해술이 필요하였으며, 종교적 열정은 신항로 개척의 중요한 배경이었다. 신항로 개척 이후 선교사들은 아시아, 아메리카 등에 진출하여 포교 활동에 힘썼다.

(3) **역사적 판단력과 문제 해결력** '발견 기념비'라는 명칭이 타당한지 친구들과 토론해 보자.

• **예시 답안:** 포르투갈로서는 새로운 항로를 '발견'한 것이기에 '발견 기념비'라는 명칭으로 비를 세워 기념할 수 있겠으나, 그들의 '발견'은 아메리카 대륙과 아시아를 침략하는 계기가 되었기에 긍정적인 의미로 기념할 수 있는 것이 아니다.

시민 혁명과 산업 혁명

역량 기르기 교과서141쪽

1 자료 분석 | 〈자료 1〉이 각각 나타내고 있는 우주관을 써 보자.

• **프톨레마이오스의 천구도:** 천동설을 나타낸다.
• **코페르니쿠스의 천구도:** 지동설을 나타낸다.
• **뉴턴의 연구:** 기계론적 우주관을 나타낸다.

| 해설 | 중세 유럽인은 신학적 권위까지 보태어 천동설을 진리라고 믿었다. 코페르니쿠스의 지동설은 케플러, 갈릴레이를 거치면서 증거가 보강되며 천동설을 반박하였다. 지동설에 대한 과학적 인식은 지동설을 입증하는 과정에서 등장한 기계론적 우주관에서 보듯이, 우주가 신의 섭리가 아니라 수학적 원리에 의해 움직인다고 생각하게 된 사고의 변화까지 일으켰다.

2 자료 분석 | 〈자료 2〉를 통해 홉스, 로크, 루소 사상의 특징을 정리해 보자.

홉스	무정부 상태의 혼란을 막기 위지배자에게 권력을 양도함.
로크	• 생명, 자유, 소유의 권리를 보장하기 위해 정부를 세워 권력을 위탁함. • 권리가 보장되지 않으면 정부를 타도할 수 있음.
루소	• 모든 인간의 자유와 평등을 보장하기 위해 국가를 구성함. • 국가의 구성 원리는 모든 사람이 보편적으로 공유하고 있는 일반 의지임.

3 사실 이해 | 계몽사상의 의의를 말해 보자.

• **의의:** 계몽사상은 절대 왕정을 비판하여 시민 혁명에 영향을 주었다.

| 해설 | 계몽사상은 18세기 프랑스에서 가장 발달하였고, 19세기 말까지 유럽인들의 정신 세계를 지배하였다. 계몽사상에서는 인간의 이성을 존중하여 낡은 제도와 관습을 타파하고자 하였다. 계몽사상가들은 당시 사회가 직면한 문제들을 해명하고, 이를 개혁하고자 노력한 실천적인 철학자들이었다. 이처럼 계몽사상은 당시 성장하고 있던 시민 계급의 이데올로기가 되어 미국 혁명과 프랑스 혁명의 사상적 기반이 되었으나, 대중과 유리된 엘리트주의로서의 한계를 가지기도 하였다.

4 사실 이해 | 『백과전서』의 편찬에 영향을 준 대표적인 사상은 무엇인가?

• **사상:** 계몽사상에 영향을 받아 당대의 과학적 · 실용적인 지식을 집대성하였다.

| 해설 | 『백과전서』는 하나의 책을 의미하는 것을 넘어서 하나의 '사회 운동'을 뜻하기도 하였다. 당시에 출판된 『백과전서』는 베이컨의 프로그램에 기초해 수많은 지식들을 '인간의 사고 형태'로 바꾸고 더 나은 '세상으로 바꾸려는 사회 운동'을 상징하였다.

역량 기르기 교과서 143쪽

1 사실 이해 | 16, 17세기 영국 농촌에서 성장한 지주층을 무엇이라고 하는가?

• **성장한 계층:** 영국 농촌의 장원제의 붕괴, 인클로저 운동으로 지주층인 젠트리가 경제적으로 성장하였다. 이들은 의회에도 진출하여 정치 세력화하였다.

| 해설 | 젠트리는 영국에서 귀족으로서의 지위는 없었으나 가문의 휘장을 사용할 수 있도록 허용 받은 중간 계층이다. 부유한 지주와 법률가 · 성직자 · 개업 의사 등 전문적인 직업을 가진 자 및 부유한 상인 등으로 이루어졌다.

2 자료 분석 | 〈자료 1〉에서 의회가 왕에게 요구한 내용을 찾아보고, 그러한 요구가 제기된 배경을 본문에서 찾아보자.

• **요구 내용:** 의회는 「권리 청원」을 통해 법과 재판을 거치지 않은 인신 구속과 의회의 동의 없는 과세를 없앨 것을 요구하였다.
• **배경:** 스튜어트 왕조는 자의적인 과세를 부과하고 청교도를 박해하였다.

| 해설 | 찰스 1세는 청교도를 탄압하면서 전쟁 비용 마련을 위해 의회의 승인 없이 과세하였다. 이에 의회는 1628년 왕권을 제한하는 「권리 청원」을 제출하였다. 찰스 1세는 이 청원을 승인하였으나 곧 무시하고 다음 해에 의회를 해산하였다.

3 자료 분석 | 〈자료 2〉를 통해 크롬웰이 아일랜드를 정복한 까닭을 알아보자.

• **까닭:** 아일랜드가 왕당파 세력의 거점이었기 때문이다.

| 해설 | 크롬웰이 공화정을 선언한 이후, 네덜란드에 망명해 있던 왕자(훗날 찰스 2세)는 스코틀랜드 및 아일랜드의 지지를 얻고 재기를 노리고 있었으며, 국내의 왕당파 세력 역시 왕자와 연결하여 비밀리에 움직이고 있었다.

4 자료 해석 | 〈자료 3〉의 정치적 의의를 말해 보자.

• **의의:** 「권리 장전」으로 정치의 주도권이 국왕에서 의회로 넘어갔다. 공동 왕으로 추대된 메리와 윌리엄은 의회의 법률에 의해 세워진 군주였다. 의회는 법률로 군주를 즉위시킬 수도 폐위시킬 수도 있었다. 이로써 국왕의 권력이 법에 의해 제한되었으며, 전제 군주제에서 입헌 군주제로의 변화가 평화적으로 이행되었다.

역량 기르기 교과서 144쪽

1 자료 해석 | 〈자료 1〉의 ❶에 나타난 민주주의의 원칙을 찾아 밑줄 그어 보자.

• **정답:** 이 정부의 정당한 권력은 통치를 받는 사람들의 동의로부터 나오는 것이다.

| 해설 | 미국 「독립 선언문」은 독립 선언의 대의를 표명하고 영국 국왕의 폭정을 비난하고 있는데, 천부 인권과 인민의 동의, 저항권 등 근대 민주주의의 핵심 사상을 선언한 최초의 문서이다.

2 자료 분석 | 〈자료 1〉의 ❷를 통해 미국 정부 형태의 특징을 말해 보자.

• **특징:** 미국 연방 헌법은 입법부, 사법부, 행정부에 권한을 배분하고 서로 견제하게 함으로써 권력이 균형을 이루게 하는 '삼권 분립의 원칙'를 채택하였고, 각 주에 광범위한 자치권과 권한을 인정하는 한편, 중앙에는 강력한 연방 정부를 두었다.

3 자료 분석 | 〈자료 1〉의 지도를 통해 미국 혁명의 전개 과정을 정리해 보자.

• **전개 과정:** 보스턴 차 사건을 계기로 발발하여 영국군과 식민지 민병대가 충돌한 렉싱턴 전투에서 독립 전쟁이 시작되었으며, 요크타운 전투에서 식민지군이 대승을 거둔 후 파리 조약으로 미국 독립이 승인되었다.

역량 기르기 교과서 145쪽

1 자료 해석 | 〈자료 1〉을 통해 구제도의 모순을 설명해 보자.

• **구제도의 모순:** 전체 인구 약 2%에 지나지 않는 제1, 2신분이 관직과 토지를 독점하고 면세 특권을 누렸다. 반면 제3 신분은 무거운 세금을 부담하면서도 정치 참여가 제한되었다.

| 해설 | 구체제 당시 프랑스에서는 전체 인구의 약 2%인 특권 계급이 토지의 약 40%를 보유하고, 면세 특권을 누렸다. 한편, 평민의 대다수인 농민은 국가 세금의 대부분을 부담하였고, 교회에는 십일조를 내야 했으며, 봉건적인 부역까지 지고 있었지만 정치 참여는 배제되었다.

2 사실 이해 | 프랑스 혁명이 일어나는 데 영향을 준 사상을 말해 보자.

• **사상:** 프랑스 혁명을 주도한 제3 신분 가운데 상공업 활동으로 부를 축적한 시민은 계몽사상에 영향을 받아 구체제에 대한 비판 의식을 갖고 있었다.

| 해설 | 계몽사상은 18세기 프랑스에서 발달하였다. 정치적으로 사회 계약설, 경제적으로 자유방임주의, 역사적으로 진보주의 역사관을 내세우면서 이성에 맞지 않는 구질서를 타파하고자 하였다.

3 사실 이해 | 삼부회에서 제3 신분의 대표들이 요구한 표결 방식은 무엇이며, 그러한 요구를 하게 된 까닭을 말해 보자.

• **요구한 표결 방식:** 제3 신분 대표들은 머릿수에 근거한 표 배당을 요구하였다.
• **까닭:** 신분별 표결을 할 경우 제3 신분이 2 : 1로 질 확률이 높았지만, 머릿수 표결은 제1, 2 신분이 합쳐도 제3 신분보다 표가 많지 않았기에 이길 확률이 높았다.

역량 기르기 교과서 147쪽

1 자료 분석 | 〈자료 2〉에서 주장하는 인간의 기본권은 무엇인가?

• **주장:** 국민 의회는 〈자료 2〉를 통해 인간의 자유, 소유, 안전, 압제로부터 저항할 수 있는 권리가 보호해야 하는 인간의 기본권이라고 주장하였다.

2 사실 이해 | 국민 의회와 국민 공회에서 제정한 헌법의 내용을 비교해 보자.

• **국민 의회:** 입헌 군주제와 재산에 따른 제한 선거제에 기초한 헌법을 제정하였다.
• **국민 공회:** 공화제와 보통 선거제에 기초한 헌법을 제정하였다.

| 해설 | 국민 의회는 제한 선거와 입헌 군주제를 골자로 하는 헌법을 제정하고 일정한 세금을 납부하는 성인 남자에게 선거권을 부여하였다. 국민 공회는 국민 주권, 남성 보통 선거, 봉건적 공납의 무상 폐지, 토지 분배, 의무 교육의 내용을 담고 있었다.

3 사실 이해 | 공포 정치의 내용과 주도한 인물이 누구인지 말해 보자.

• **주도 인물:** 자코뱅파 로베스피에르

• **내용:** 공안 위원회와 혁명 재판소를 통해 반혁명 세력을 처형하였다.

| 해설 | 로베스피에르는 자코뱅파 독재 체제를 완성한 후로는 봉건제 불식, 소농민과 소생산자층에 바탕을 둔 국가 체제의 실현을 서둘러 공안 위원회에 가입하여 공포 정치를 추진하였다. 1794년 3월에는 자코뱅당 좌파인 에베르파를 반란죄의 명목으로 숙청하였다. 이어 4월 우파인 당통파를 일소하여 독재 체제를 완성하였으나, 7월 27일 부르주아 공화파를 중심으로 하는 의원들의 반격을 받고, 28일 생쥐스트 등과 함께 처형되었다.

4 사실 이해 | 프랑스 혁명의 이념과 그 의의를 말해 보자.

• **영향:** 자유 · 평등 · 우애
• **의의:** 봉건적 신분 제도를 타파하고 시민 사회와 자본주의 발전의 토대를 마련하였다.

| 해설 | 프랑스 혁명을 통해 제3 신분은 자유와 권리를 쟁취하였고, 구체제와 절대 왕정이 무너지고 공화정이 수립되었다. 프랑스 혁명은 대중적이고 보편성을 띤 혁명이었으며, 인간에 대한 새로운 가치와 이상을 부여하였다.

역량 기르기 교과서 148쪽

1 자료 분석 | 〈자료 3-1〉과 본문을 참고하여 나폴레옹이 벌인 내정 개혁의 의의를 말해 보자.

• **의의:** 나폴레옹이 벌인 내정 개혁은 프랑스 혁명의 성과를 정리하고, 이를 제도적으로 정착시켰다는 점에서 의의가 있다. 특히 『나폴레옹 법전』은 혁명 과정에서 제기되었던 근대적인 인권 개념을 반영하고 있다.

| 해설 | 『나폴레옹』 법전은 프랑스 혁명의 성과를 반영하여 농노의 해방과 봉건적 특권의 폐지, 개인의 자유 존중, 법 앞에서의 평등, 개인의 책임, 계약의 자유, 취업의 자유, 소유권 불가침, 신앙의 자유 등의 제반 원칙을 확립하였다.

2 자료 분석 | 〈자료 3〉의 지도를 통해 나폴레옹이 대륙 봉쇄령을 내린 목적을 파악해 보자.

• **목적:** 나폴레옹이 영국과의 경제 전쟁을 효과적으로 수행하기 위한 전략적 조치로 영국의 상업과 금융을 파괴하여 영국을 유럽에서 고립시킨 후 항복시키고자 하였다.

3 자료 해석 | 〈자료 3-2〉를 통해 나폴레옹 전쟁의 의의를 말해 보자.

• **의의:** 나폴레옹 전쟁으로 자유 · 평등 · 우애로 대표되는 프랑스 혁명의 정신이 유럽 전역에 전파되었다는 점, 독일과 이탈리아처럼 프랑스의 침략에 저항하는 지역에서는 민족주의가 고취되었다는 점에서 역사적 의의가 있다.

역량 기르기 교과서 149쪽

1 사실 이해 | 빈 회의를 소집한 목적과 빈 체제를 운영한 원칙을 말해 보자.

• **목적:** 프랑스 혁명과 나폴레옹 전쟁 뒤의 유럽 질서를 협의하기 위해 소집하였다.
• **원칙:** 프랑스 혁명이 가져온 변화를 무시하고, 각국의 영토와 지배권을 혁명 이전으로 되돌려 놓는다는 정통성의 원칙에 합의하였다.

2 자료 분석 | 〈자료 1〉에서 빈 체제가 동요하는 계기가 된 사건을 찾아보자.

• **사건:** 그리스와 라틴아메리카의 독립으로 빈 체제가 동요하기 시작하였다.

| 해설 | 그리스에서 독립 운동이 일어나자 메테르니히는 독립 전쟁의 실패를 예상하고 불간섭 정책을 취하였다. 그러나 유럽의 문화계가 그리스 독립 운동을 지원하였고, 지중해 진출을 노리던 러시아와 러시아의 남진을 염려한 영국 등이 독립 운동에 개입하였다. 결국 오스만 제국이 굴복하여 그리스가 독립하였으며, 이로 인해 메테르니히의 위신이 땅에 떨어졌다.

역량 기르기 교과서 151쪽

1 자료 분석 | 〈자료 2〉를 통해 7월 혁명이 일어나게 된 배경을 말해 보자.

• **배경:** 빈 체제 이후 왕정복고가 이루어진 프랑스에서 샤를 10세가 언론을 탄압하고, 의회를 해산하는 등 전제 정치를 시행하였다. 이에 파리 시민들이 7월 혁명을 일으켜 샤를 10세를 쫓아냈다.

2 자료 분석 | 〈자료 3〉을 통해 2월 혁명의 정치적 목적을 말해 보자.

• **목적:** 파리의 중하층 시민 계급은 7월 왕정이 소수의 부유한 시민에게만 선거권을 부여한 것에 대해 불만이 많았다. 그래서 선거권 확대와 함께 민주 공화제 국가를 수립하는 것을 목표로 2월 혁명을 일으켰다.

| 해설 | 루이 필리프는 중도적인 군주제를 표방하여 자유주의자들의 원성을 샀다. 2월 혁명으로 공화주의파와 사회주의파에 의해 임시 정부가 구성되었고, 이후 남성 보통 선거가 도입되어 선거에 의해 공화정이 수립되었다.

3 사실 이해 | 왕정복고 이후 프랑스의 정치 변화를 정리해 보자.

전제 정치 → (입헌 군주제) → 제2 공화정 → (제2 제정) → 제3 공화정

4 자료 분석 | 〈자료 4〉를 참고하여 차티스트 운동의 성과를 말해 보자.

• **성과:** 차티스트 운동은 목적을 달성하지 못한 채 1848년에 해산하였으나 20세 이상 모든 남자의 선거권 인정 등 그들이 내건 요구는 몇 차례에 걸친 선거법 개정을 통해 대부분 수용되었으며, 이후 잇따른 선거법 개정으로 보통 선거를 이룰 수 있었다.

5 자료 분석 | 〈자료 5〉에서 농노 해방의 한계를 보여주는 부분에 밑줄 그어 보자.

• **정답:** 농노가 지주로부터 토지를 사들이는 가격은 지대의 15~20배로, 그 대금의 80%는 정부가 대신 지급하고 농민은 이자를 붙여 49년간 나누어 갚도록 한다.

| 해설 | 농노는 인격적 자유를 얻었으나, 모든 토지가 지주의 재산이라는 전제하에 이루어졌기 때문에 많은 배상금을 지불해야만 토지의 소유를 인정받을 수 있었다. 더욱이 농노가 차지한 토지는 원래 경작한 땅의 절반 정도에 지나지 않아서 농민의 생활의 빈곤은 여전하였다.

역량 기르기 교과서 153쪽

1 자료 분석 | 〈자료 6〉의 지도에서 가리발디의 활동을 찾아보자.

• **활동:** 의용군을 이끌고 제노바에서 시칠리아로 진격하여 점령한 후, 이탈리아 남부를 정복한 뒤 사르데냐 왕국에 영토를 바쳤다.

| 해설 | 청년 이탈리아당원이었던 가리발디는 라틴아메리카에서 브라질 혁명군으로 활약하던 중 1860년에 남부의 시칠리아에서 부르봉 왕조의 통치에 반대하는 민중 봉기가 발생하였다는 소식을 듣고 귀국하였다. 그는 1860년에 의용군으로 구성된 1,000여 명의 붉은 셔츠단을 이끌고 시칠리아로 건너가 정부를 붕괴시켰고, 8월에는 이탈리아 본토로 건너가 나폴리를 점령하였다. 가리발디는 본래 공화주의자였으나 카보우르의 설득으로 공화정 수립을 포기하고, 시칠리아와 나폴리 국민들의 투표를 거쳐 북부와 통합하였다.

2 자료 분석 | 〈자료 6-1〉에서 카보우르가 제시한 정책의 목적과 그가 지향하는 정치 형태를 말해 보자.

• **목적:** 카보우르는 산업 장려, 군대 개편 등을 통해 사르데냐를 부강한 국가를 만드는 것이 목표였으며, 자유주의보다는 현 정부를 중심으로 한 질서 유지를 추구하였다.

| 해설 | 귀족 출신의 대토지 소유자였던 카보우르는 입헌 정부와 영국적 의회 제도를 옹호하였고, 농업과 산업에서 경제적 근대화를 추진하였다. 카보우르는 민주주의에 대한 강한 의구심을 가지고 있었고, 동시에 공화파가 주도하는 통일 운동에 대해서도 비판적으로 바라보았다.

3 자료 분석 | 〈자료 6-2〉를 읽고 비스마르크의 통일 정책이 지닌 특징을 말해 보자.

• **특징:** 자유주의보다 철혈 정책으로 대표되는 군비 확장을 우선시하였다. 이러한 강력한 군사력을 바탕으로 북독일 연방을 창설하고, 남독일의 여러 나라를 연방에 참가시켜 독일 통일을 이루었다.

| 해설 | 1862년 프로이센 의회와 국왕은 군비 확장을 중심으로 의견 충돌을 일으키고 있었다. 이때 재상에 임명된 비스마르크는 의회의 반대를 무릅쓰고 군비 확장을 단행하였다. 오히려 의회를 해산하고, 언론 검열을 강화하였으며, 유력한 자유주의자들을 체포하고 관직에서 추방하였다.

4 자료 분석 | 〈자료 7-1〉을 통해 남북 전쟁이 일어난 배경을 설명해 보자.

• **배경:** 남부와 북부의 정치적 · 경제적 차이가 전쟁이 일어난 배경으로 작용하였다. 북부에서는 자유로운 임금 노동에 기초한 상공업이 발달하였고, 남부에서는 흑인 노예 노동력을 이용하여 목화를 재배하는 대농장 경영이 발달하였다. 이로 인해 북부는 보호 무역, 남부는 자유 무역을 지지하였으며, 노예제에 대한 입장도 달랐기에 갈등이 생길 수밖에 없었다.

5 자료 분석 | 〈자료 7-2〉에서 1840년과 1890년 철도를 비교하고 그러한 차이나 나타난 까닭과 그 결과를 말해 보자.

• **정답:** 1840년에는 동부 일부 지역에만 철도가 부설되어 있었지만, 1890년에 이르면 미국 전역에 설치되어 있다. 이는 남북 전쟁이 끝난 후 서부까지 국가 영역이 확장되어 대륙 횡단 철도가 만들어지면서 나타난 변화이다. 대륙 횡단 철도로 인해 대륙 내 물자와 인구 이동이 원활하게 이루어져 산업 혁명이 크게 진전되었다. 이를 바탕으로 미국은 강력한 자본주의 국가로 발돋움하였다.

| 해설 | 미국에서 대서양과 태평양을 잇는 첫 대륙 횡단 철도는 6년간의 공사를 거쳐 1869년 완공되었다. 대륙 횡단 열차는 교통을 발전시켜 도시 형성에 기여했지만, 미국 내 아메리카 원주민의 땅을 철도 공사용으로 무상몰수하는 정부의 정책에 반대하여 아메리카 원주민이 생존권 투쟁을 벌이는 계기가 되었다.

역량 기르기 교과서155쪽

1 사실 이해 | 산업 혁명을 정의해 보자.

• **정의:** 기계의 발명과 기술의 혁신으로 일어난 산업상의 대변혁을 뜻한다.

2 사실 이해 | 19세기 영국에서 산업 혁명이 먼저 시작된 배경을 말해 보자.

• **배경:** 영국은 철과 석탄과 같은 자원이 풍부하였고, 식민지가 많아 넓은 시장을 보유하였다. 또한, 인클로저 운동으로 도시에 몰려든 노동력이 많았으며, 시민 혁명이 빨랐기 때문에 정치적으로도 안정적이었다.

3 자료 분석 | 〈자료 1-1〉을 통해 동력 혁명을 가능하게 한 발명품을 찾아보자.

• **발명품:** 영국의 제임스 와트가 개량한 증기 기관 덕분에 동력 혁명이 가능하였다. 증기 기관의 사용으로 제철 공업 분야의 효율성이 높아져 산업 혁명이 다양한 공업 분야에까지 이어질 수 있었다.

| 해설 | 증기 기관은 영국의 용광로, 펌프, 직조기, 열차, 선박 등의 동력으로 활용되면서 산업 발달을 진전시킨 기술 혁신의 핵심이 되었다.

4 자료 분석 | 〈자료 1-2〉의 그래프를 통해 19세기 후반 강력한 공업국으로 성장한 두 국가를 찾아보자.

• **성장 국가:** 독일은 국가 주도의 급속한 산업화, 보호 무역, 기업 지원, 기술자 양성과 같은 정책으로 19세기 중후반부터 공업 생산 비율에서 두각을 드러냈다. 미국은 풍부한 자원과 시장, 노동력을 바탕으로 산업화를 성공적으로 추진하여 20세기에는 공업 생산 비율이 가장 높은 국가로 성장하였다.

| 해설 | 프로이센의 주도로 독일 연방 국가들은 관세 동맹을 맺어 국내 무역을 촉진하고 제철업이나 철도 건설과 같은 자본재 산업에 국가 재정을 투여하였다. 이를 통해 면직물 공업, 제철 · 석탄 공업, 전기 · 화학 공업 분야가 크게 발달하였다. 이를 통해 독일은 20세기 초에는 유럽 최대의 공업국으로 성장하여 영국과 경쟁하였다. 미국은 19세기 중반부터 이민으로 인구가 증가하여 노동력이 풍부하였고, 제조 기술이 성장하면서 초기 산업 혁명 단계에 진입하였다. 이후 철도 건설과 증기선 발달, 방적기 발명 등을 기반으로 면직·금속·기계 공업이 발달하여 자본주의 생산 체제를 확립하였다.

역량 기르기

교과서 157쪽

1 자료 분석 | 〈자료 2〉에서 19세기에 도시화의 비율이 많이 늘어난 국가들의 공통점을 말해 보자.

• **공통점:** 도시화 비율이 많이 늘어난 나라는 독일(22.7%), 프랑스(17.1%), 영국(41.6%)이다. 이들 국가는 모두 19세기에 산업화가 빠르게 진행되어 도시 인구가 크게 증가하였다는 공통점을 지니고 있다.

| 해설 | 유럽 국가들 대다수가 19세기 전반에 인구가 두 배로 늘고 도로와 운하 건설, 철도 도입으로 수송 체계가 향상되었다. 이로 인해 인구와 물자 수송이 원활해졌고, 도시로의 인구 유입이 크게 증가하면서 도시화의 비율이 빠른 속도로 증가하였다.

2 자료 해석 | 〈자료 3〉과 같은 아동 노동의 실태가 나타난 까닭을 추론해 보자.

• **까닭:** 산업 혁명으로 기계화가 진전됨에 따라 인건비가 높은 숙련 노동자의 기술력이 과거처럼 필요하지 않았다. 그러므로 자본가들은 저임금, 장시간 노동으로 착취하기 쉬운 아동을 노동자로 고용하여 이윤을 추구하였다.

3 사실 이해 | 19세기에 전개된 각종 노동운동의 목적을 말해 보자.

• **목적:** 산업화의 진전으로 노동자와 자본가 사이의 빈부 격차가 커졌고, 열악한 노동 환경은 노동자들의 생명을 위협하였다. 노동자들은 이러한 문제들을 해결하기 위해 참정권 운동, 노동조합 결성과 같은 노동운동을 꾸준히 전개하였다.

| 해설 | 당시 런던의 노동자 거주 지역에서는 보통 한 방에 6~8명이 살았으며, 상하수도 시설이 제대로 갖추어져 있지 않아 각종 오물과 쓰레기가 뒤섞여 길거리로 넘쳐흘렀다. 또한 낮은 임금을 받으며 불안정한 삶을 살아야 했고, 항상 실업에 대한 공포에 시달렸다.

4 자료 분석 | 〈자료 4〉에서 초기 사회주의와 '과학적' 사회주의가 제시한 사회 문제 해결 방안을 비교해 보자.

구분	해결 방안
초기 사회주의	경쟁 체제를 비판하며 협동하는 공동체를 구상하였다.
과학적 사회주의	계급 투쟁으로 공산주의 사회를 건설하고자 하였다.

| 해설 | 초기 사회주의는 공상적 사회주의라 불리며 이상을 실현할 현실적인 방안을 제시하지 못하였다는 점에서 비판받았다. 과학적 사회주의는 노동자의 혁명으로 각자가 능력껏 일하고 필요한 만큼 분배 받는 사회를 건설하고자 하였다.

역량 강화하기

교과서 158쪽

1 자료 해석 | 위 작품들을 통해 산업 혁명의 빛과 그늘을 정리해 보자.

• **빛과 그늘:** 산업 혁명이 가져온 번영은 산업 자본가 또는 전문직 종사자로 성장한 중간 계급이 누렸다. 반면 자본가의 공장에 소속되어 임금을 받고 살아가던 노동자 계급은 임금 노동자로 전락하여 빈곤에 시달리는 경우가 많았다.

2 역사적 판단력과 의사소통 | 우리 사회의 빛과 그늘을 사진이나 그림으로 표현하고 친구들과 의견을 나누어 보자.

• **예시 답안:** 빈부 격차, 청년 실업, 인구 고령화, 워킹 푸어와 같은 경제 문제에서부터 다문화 사회, 환경오염과 같은 사회 문제 중 학생들이 오늘날 사회 문제라고 생각하는 하나의 주제를 선택하여 '빛과 그늘'을 보여주는 이미지(사진, 일러스트 등)들을 수집하여 대비되게 배치하도록 한다.

스스로 확인 학습 교과서 159쪽

2 제시된 글을 읽고, 물음에 답해 보자.

(1) **자료 분석** 윗글의 주장을 요약해 보고, 그러한 주장이 나타난 계기를 말해 보자.

• **계기:** 토머스 페인은 영국 본토가 미국 식민지에 계속 많은 과세를 하자 영국으로부터 분리와 독립을 주장하였다.

(2) **자료 분석** 윗글에서 비판하는 정치 형태와 이상적으로 추구하는 정치 형태를 말해 보자.

• **정치 형태:** 토머스 페인은 왕위 계승을 통해 이루어지는 군주정을 비판하고 공화정을 옹호하고 있다.

(3) **자료 해석 및 의사소통** 위의 문제들을 종합하여 이 글이 미국 혁명에 끼친 영향을 친구들과 토론해 보자.

• **영향:** 아메리카 식민지인들은 영국 본토로부터의 독립과 공화정이 본인들에게 이득이 될 수 있다는 것을 깨달았다. 미국 혁명의 계기가 된 보스턴 차 사건 역시 영국의 중상주의 정책에 대한 반발로 나타났다.

3 아래 그림을 보고, 물음에 답해 보자.

(1) **자료 분석** 그림 윗부분에 나타난 국왕의 모습을 몸통 · 손 · 머리로 나누어 설명하고, 몸통 모습에 나타난 정치사상을 말해 보자.

• **정답:** 몸통은 수많은 인간의 모습으로 표현하여 개인의 결합을 통해 사회가 구성된다는 사회 계약설을 표현한다. 주교 지팡이와 검을 들고 있는 손을 통해 국왕이 종교적, 세속적 권력을 모두 갖고 있음을 보여 준다. 손과 머리에는 '수많은 인간의 결합'이 없는 데, 이는 국왕이 지니고 있는 통치권의 절대성을 의미한다.

(2) **자료 분석** 아랫부분의 왼편과 오른편은 각각 어떤 세계를 상징하는 것으로 보이는가?

• **정답:** 왼편은 세속 권력, 오른편은 종교 권력을 상징한다. 군주가 두 권력 모두를 지배하고 있음을 나타낸다.

(3) **자료 해석** 그림을 종합하여 군주의 권력에 대한 홉스의 사상을 추론해 보자.

• **홉스의 사상:** 청교도 혁명을 겪으며 홉스는 정치적 · 종교적으로 절대적 권한을 지닌 강력한 군주의 등장을 원하였다.

(4) **자료 해석 및 정보 활용** 그림이 그려진 시대적 배경을 찾아보고, 이를 통해 홉스의 의도를 파악해 보자.

• **홉스의 의도:** 영국과 에스파냐가 전쟁하던 시기에 태어난 홉스는 국가가 전쟁의 위기로부터 개인을 지켜주어야 한다고 생각하였으며, 이를 위해서는 절대 군주를 중심으로 한 강력한 국가가 존재해야 한다고 보았다.

대주제 5 제국주의와 두 차례 세계 대전

주제 12 제국주의와 민족 운동

역량 기르기 교과서 167쪽

1 자료 분석 | 〈자료 1〉에서 열강이 제국주의 팽창에 나선 배경을 나타낸 부분에 밑줄을 쳐 보자.

• **정답:** 새로운 영토를 확보하고, 또 공장이나 광산에서 생산한 상품의 판로를 개척해야만 한다.

| 해설 | 제국주의 국가에 있어서 식민지는 본국의 경제 발전에 이바지한다는 데 의미가 있다. 식민지는 유럽에서 얻지 못하는 원료 공급지인 동시에 제품을 판매하는 시장이었다. 또한 해외 식민지는 해상 교통과 전략상의 요지이자 중간 보급 기지로써 제국주의 열강의 중요한 지정학적 거점이었다. 한편 19세기에 서양 열강은 자본주의가 발달하면서 사회적 불평등과 긴장이 높아졌다. 이러한 상황에서 열강의 대외 팽창 정책은 국민의 관심을 해외로 돌리면서 애국심을 고취하는 명분이 되었다.

2 사실 이해 | 식민 지배를 정당화하는 논리를 본문에서 찾아 써 보자.

• **논리:** 사회 진화론과 인종주의가 서구 열강의 식민 지배를 정당화하였다. 이 두 이론을 통해 약육강식과 적자생존의 논리가 인간 사회에도 그대로 적용된다고 보았다.

| 해설 | 다윈이 진화론을 발표한 후 경쟁을 통해 가장 적합한 종만이 살아남는다는 적자생존 이론에 영향을 받아 인간 사회의 생존 경쟁에서도 가장 우월한 종족이 살아남는다는 사회 진화론이 등장하였다. 이는 백인은 우월한 인종이고, 나머지는 미개하고 열등한 인종이라는 인종주의로 확대되었다.

3 자료 분석 | 〈자료 2〉의 지도에 있는 적색과 청색 화살표는 각각 무슨 정책을 뜻하는지 말해 보자.

• **적색:** 영국의 종단 정책
• **청색:** 프랑스의 횡단 정책

4 자료 분석 | 〈자료 2〉에서 독립을 유지하였던 나라를 찾아보자.

• **독립국:** 라이베리아, 에티오피아

| 해설 | 라이베리아는 1821년 미국에서 해방된 노예들이 미국 식민 협회의 도움으로 건설한 나라였다. 1847년 미국의 후원 아래 정식으로 독립하여 아프리카 최초의 공화국이 되었다. 에티오피아는 프랑스와 영국의 도움을 받아 1896년 이탈리아와의 아도와 전투에서 승리하여 아디스아바바 조약을 체결하였다. 이 조약으로 이탈리아는 에티오피아의 독립을 인정하였고, 에티오피아는 독립국의 지위를 유지하였다.

역량 기르기 교과서 168쪽

1 사실 이해 | 영국과 네덜란드의 식민 지배가 인도와 인도네시아의 경제에 끼친 영향을 말해 보자.

• **영향:** 영국의 목화 재배 강요와 값싼 영국산 면직물의 대량 유입으로 인도의 면직물 산업이 파괴되었고, 면직물 관련 수공업자들은 일자리를 잃었다. 네덜란드의 플랜테이션으로 곡물 재배 면적이 줄어들어 인도네시아인들은 식량난을 겪었다.

| 해설 | 1750년경 인도는 세계 산업 생산의 약 4분의 1을 차지하며 중국에 이은 세계 2위의 규모였다. 그러나 영국의 식민 지배가 본격화되는 19세기 초반에 이르러 인도는 공산품 수입국으로 전락하였고, 1860년의 산업 생산은 세계 전체의 8.6%, 1900년에는 1.7%까지 떨어졌다.

2 자료 분석 | 〈자료 3〉을 통해 서구 열강이 각각 동남아시아 진출의 근거로 삼은 나라를 찾아보자.

• **영국:** 인도를 근거로 삼아 싱가포르와 말레이시아에 진출하였다.
• **네덜란드:** 포르투갈과의 경쟁에서 승리하여 인도네시아를 근처지로 삼았다.
• **프랑스:** 베트남과 캄보디아 일대에서 프랑스령 인도차이나 연방을 조직하였다.
• **미국:** 에스파냐와의 경쟁에서 승리하여 필리핀을 근거지로 삼았다.

생각해 보기 교과서 169쪽

1 태국이 동남아시아에서 유일하게 독립을 유지할 수 있었던 까닭은 무엇인가?

• **까닭:** 태국은 지정학적으로 영국, 프랑스 두 강대국이 태국을 둘러싸고 있었다. 이에 양국은 충돌을 피하기 위해 태국을 완충 지대로 설정하였기에 독립국이 될 수 있었다. 이외에도 라마 5세가 시행한 근대화 정책의 성과, 주권을 잃지 않기 위해 서구 열강 사이에서 펼친 균형 외교로 독립을 유지할 수 있었다.

2 베트남의 국민 국가 건설 운동에 영향을 준 사건은 무엇인가?

• **사건:** 중국에서 신해혁명이 일어나 중화민국이 수립되자, 베트남에서도 판보이쩌우를 중심으로 베트남 광복회가 결성되어 국민 국가 건설 운동이 진행되었다.

역량 기르기 교과서 171쪽

1 자료 분석 | 〈자료 1〉을 통해 편무역과 삼각 무역에서 은의 흐름이 어떻게 달라졌는지 설명해 보자.

• **변화:** 편무역에서는 영국의 은이 대량으로 청에 유입되었기 때문에 영국이 무역에서 적자를 보았다. 반면 삼각 무역에서는 아편 거래로 인해 청의 은이 다시 영국으로 유입되었다. 이러한 변화는 아편 전쟁을 일으킨 요인으로 작용하였다.

2 자료 분석 | 〈자료 2〉를 참고하여 중국이 아편 전쟁 이후 제국주의 열강과 맺은 조약이 왜 불평등한지 설명해 보자.

• **불평등한 이유:** 제 1, 2차 아편 전쟁에서의 패배로 청은 여러 불평등 조약을 맺었다. 이 조약들은 항구 개항뿐만 아니라 치외 법권, 최혜국 대우와 같은 불평등 요소를 담고 있을 뿐만 아니라 홍콩과 연해주와 같이 영토 할양 내용도 있다.

| 해설 | 난징 조약에는 열강의 상인들이 자유롭게 무역하도록 공행 무역을 폐지하는 내용도 있다.

3 자료 해석 | 〈자료 3〉을 통해 당시 청의 사회적 모순이 무엇이었을지 추론해 보자.

• **사회적 모순:** 태평천국군의 개혁안은 빈곤 해결을 위해 토지 분배가 필요하다는 내용을 담고 있다. 이는 당시 지주 중심의 토지 소유제로 나타난 사회적 모순이 불균형과 빈부 격차를 야기하였음을 보여준다.

| 해설 | 청은 내부적으로 전근대적인 지주 소작제에 의한 토지 소유 집중 현상이 나타났다. 이러한 상황에서 난징 조약으로 대외 무역의 중심지가 광저우에서 상하이로 바뀌자, 광저우를 비롯한 남부 지방은 큰 불황에 빠졌다. 이로 인해 태평천국 운동은 광저우와 밀접한 광시성에서 발생하였다.

4 자료 분석 | 〈자료 4〉의 두 논리의 차이점을 비교하여 설명해 보자.

• **차이점:** 중체서용론은 중국의 전통적 가치를 바탕으로 삼고 서양 문물의 장점인 기술만 받아들이겠다는 논리이다. 반면 양무운동에 대한 반대론은 기술에 대한 지식은 중국인 안에서도 찾을 수 있으며, 굳이 서양 문물을 수용할 필요가 없다는 전통적인 화이관을 보여주고 있다.

역량 기르기 교과서 173쪽

1 자료 해석 | 〈자료 5〉에서 필자는 서양이 강해질 수 있었던 까닭을 무엇이라고 하였는가?

• **까닭:** 필자는 군사 기술뿐만 아니라 근대적인 정치 제도로 인해 서양이 강력하다고 주장하고 있다. 특히 의회와 같이 민의를 수렴할 수 있는 정치 제도가 마련되어야 한다고 주장하고 있다.

| 해설 | 필자인 정관잉은 양무운동에 참여한 경험을 바탕으로 기술 도입을 위주로 한 양무론에서 의회 제도 · 산업 · 법률 · 교육과 같은 내정에 대한 개혁을 중시하는 변법론으로 전환할 것을 주장하였다. 이러한 주장은 변법자강 운동에 큰 영향을 미쳤다.

2 자료 분석 | 〈자료 6〉을 토대로 의화단 운동과 태평천국 운동의 목표는 어떻게 다른지 말해 보자.

• **태평천국 운동의 목표:** 태평천국 운동은 만주족이 세운 청의 중

국 지배에 불만을 가진 한족들이 중심 세력이었고, 이들은 '멸만흥한'을 목표로 청 왕조 타도를 외쳤다.

• **의화단 운동의 목표:** 의화단 운동은 개항 이후 적극적인 선교 활동에 나선 기독교에 대한 적대 의식과 서양 열강의 제국주의적 침략에 대한 반발을 기반으로 하고 있다. 그래서 '부청멸양'을 외치며 외세의 축출을 목표로 하였다.

3 자료 분석 | 〈자료 7〉에서 삼민주의가 무엇인지 말해 보자.

• **의미:** 삼민주의는 만주족의 청 왕조 타도를 강조한 민족주의, 모든 국민의 정치적 평등을 중요시하는 민권주의, 지주 중심의 토지 제도를 혁파하여 토지의 균등 분배를 추구하는 민생주의로 구성되어있다.

역량 기르기 교과서 175쪽

1 자료 분석 | 〈자료 1-2〉를 참고하여 미일 수호 통상 조약이 불평등 조약인 까닭을 설명해 보자.

• **까닭:** 추가 항구 개항뿐만 아니라 미국인에 대한 치외 법권, 관세 자주권을 부정하는 협정 관세 규정과 같은 요소들로 인해 불평등 조약이다.

2 사실 이해 | 막부가 무너지고 왕정복고가 이루어지는 데 결정적인 영향을 준 운동은 무엇인가?

• **정답:** 서양 상품의 유입으로 경제적 어려움이 심화되자 사쓰마번과 조슈번을 중심으로 에도 막부를 타도하고 외세를 물리치자는 존왕양이 운동이 일어났다. 존왕양이 운동은 왕정복고와 메이지 유신의 성공에 결정적인 영향을 주었다.

| 해설 | 협정 관세로 인해 미국이 낮은 수출세로 값싼 생사를 비롯한 여러 물품을 많이 구입하자 일본 내 물가가 폭등하고 막부에 대한 불만이 높아졌다.

3 자료 분석 | 〈자료 2〉의 자유 민권 운동가가 제시한 헌법안과 비교하여 「일본 제국 헌법」이 지닌 특징을 말해 보자.

• **특징:** 자유 민권 운동가들의 헌법안은 국민의 자유와 권리를 소중한 가치로 여기고 있으나, 「일본 제국 헌법」은 천황의 신성성과 절대적 권한을 강조하는 헌법안이었다.

역량 기르기 교과서 176쪽

1 사실 이해 | 개국 이후 1910년까지 일본의 대외 팽창 과정을 나열해 보자.

• **팽창 과정:** 일본은 1874년에 타이완을 무력으로 침공하였고, 1875년에는 운요호 사건을 일으켜 조선과 강화도 조약을 맺었다. 1879년에는 류큐번을 폐지하고 오키나와현을 설치함으로써 류큐를 합병하였다. 이후 일본은 청일 전쟁과 러일 전쟁에서 승리함으로써 만주, 한반도, 타이완에 대한 영향력을 확대하였으며, 1910년에는 대한 제국을 강제 병합하였다.

2 자료 해석 | 〈자료 3〉과 본문 166~168쪽, 176쪽을 참고하여 일본의 제국주의와 유럽의 제국주의를 비교해 보자.

• **비교:** 서양 열강은 사회 진화론을 토대로 제국주의 침략을 정당화하였다. 경제적으로는 식민지 경영을 통해 아시아 · 아프리카 지역을 공업 발전에 필요한 값싼 원료 공급지와 제품의 판매 시장, 국내 잉여 자본의 투자처로 삼았다. 또한 다른 나라와 식민지를 두고 경쟁하는 일에 자국 국민의 관심을 돌림으로써 산업 혁명으로 발생한 국내의 사회적 갈등을 해결하고자 하였다. 메이지 유신으로 근대화 단계에 진입한 일본 역시 산업화에 필요한 재원을 마련하기 위해 식민지를 확보해 나갔고, 조선인과 중국인을 야만적인 존재로 정의내림으로써 제국주의적 팽창을 정당화하였다. 또한 전통적인 신도를 국교로 삼아 천황에 대한 충성심과 배타적 민족주의를 강조하면서 일본 국민을 결집시켜 천황 중심의 강력한 국가를 건설하고자 하였다.

역량 기르기 교과서 177쪽

1 자료 분석 | 〈자료 1-1〉을 통해 세포이가 반감을 갖게 된 까닭을 말해 보자.

• **까닭:** 세포이들은 대부분 탄약 주머니를 입으로 찢어 장전하였는데, 이 탄약 주머니에 소와 돼지기름이 발려 있다고 알려졌다. 이는 힌두교도와 이슬람교도로 구성된 세포이들의 큰 반발을 불러일으켰다.

2 자료 해석 | 〈자료 1-2〉를 통해 세포이의 항쟁을 계기로 영국의 인도 통치 방식이 어떻게 바뀌었는지 말해 보자.

• **통치 방식의 변화:** 세포이의 항쟁을 겪으면서 영국은 인도에 대한 통치 정책을 바꾸었다. 항쟁 이전에는 동인도 회사를 통해 간접적으로 인도를 지배하였지만 세포이의 항쟁 이후 동인도 회사를 폐지하고 영국 정부가 직접 지배하기로 결정하고 무굴 황제를 폐위시켰다.

역량 기르기 교과서 178쪽

1 자료 분석 | 〈자료 2-1〉을 통해 인도인이 벵골 분할령에 반발한 까닭을 말해 보자.

• **까닭:** 힌두교도가 다수 거주하고 있는 서벵골과 이슬람교도가 다수인 동벵골을 분할하여 인도 내부의 종교 분쟁을 유발하고, 궁극적으로 인도인들의 단결과 통합을 저해하려는 영국의 의도가 있다고 여겼다.

2 **자료 분석** | 〈자료 2-2〉를 통해 인도 국민 회의가 벵골 분할령에 어떻게 대응하였는지 말해 보자.

• **대응:** 벵골 분할령에 대항하여 인도 국민 회의는 1906년에 콜카타 대회를 열어 영국 상품의 불매, 스와라지(인도인의 자치), 스와데시(국산품 애용), 국민 교육의 진흥 등을 내걸고 반영 운동을 전개하였다.

| 해설 | 간디는 인도의 진정한 자각은 벵골 분할령 이후에 일어났다고 평가하였다. 이처럼 벵골 분할령에 대한 인도인들의 저항 운동은 인도인들의 민족의식을 일깨웠다. 특히 스와데시 운동은 도시와 시골로 확산되어 갔고, 벵골 지역의 학생들은 스와데시 운동을 위해 공동체를 형성하였다. 이에 스와데시 운동에 참여하는 학생들을 처벌하라는 지시문이 벵골 지역에 학교에 하달되었고, 스와데시 운동의 집회에 참여한 학생들에게는 5루피의 벌금을 부과하는 조취가 취해지기도 하였다. 학생들에 대한 일련의 탄압 조치는 오히려 인도인들을 자극하였고, 이는 관립 학교를 배척하고 인도인을 위한 국민 교육 제도 수립 운동으로 이어졌다. 이처럼 벵골 분할령 이후 나타난 반영 운동은 인도인들에게 민족적 자각을 느끼도록 하였다.

역량 기르기 교과서 179쪽

1 **사실 이해** | 오스만 제국이 추진한 근대 개혁을 무엇이라고 하는가?

• **정답:** 오스만 제국은 탄지마트를 통해 부국강병을 추구하였다.

| 해설 | 탄지마트는 1839년에서 1876년 사이에 오스만 제국의 술탄 압둘 마지드에 의해 시행된 개혁 정책이다. 군사 · 종교 · 조세 · 교육 · 금융 · 사법 제도 등 여러 분야에 걸친 근대적 개혁을 추진하였다.

2 **자료 분석** | 〈자료 1〉을 통해 「오스만 제국 헌법」으로 오스만 제국의 정치 체제가 어떻게 달라졌는지 말해 보자.

• **변화:** 오스만 제국의 국민은 인종과 종교에 관계없이 법적인 평등을 보장받도록 하였으며, 의회 제도를 도입하여 전제 군주제에서 입헌 군주제로 체제를 바꾸었다.

역량 기르기 교과서 180쪽

1 **사실 이해** | 아랍 민족주의의 형성에 영향을 준 운동은 무엇인가?

• **정답:** 이슬람교 근본 원리에 충실한 것을 강조한 와하브 운동이 영향을 주었다.

| 해설 | 와하브 운동은 『쿠란』과 『하디스』에 대한 글자 그대로의 엄격한 신봉과 이슬람의 법에만 기초를 둔 이슬람교도 국가 수립을 주창하였다.

2 **자료 분석** | 〈자료 2〉를 보고 영국이 수에즈 운하를 차지하여 얻게 된 경제적 이득을 설명해 보자.

• **경제적 이득:** 영국은 수에즈 운하로 인해 줄어든 항로로 운송비를 절감할 수 있었고, 수에즈 운하 경영권을 획득함으로써 운하 통행료로 막대한 이익을 누렸다.

| 해설 | 이집트는 막대한 재정을 투입하여 수에즈 운하를 건설하였지만, 이로 인해 재정이 부족해지자 수에즈 운하 주식을 영국에 팔았고, 프랑스와 영국의 재정 관리를 받게 되었다. 이처럼 이집트는 수에즈 운하 건설에 많은 비용과 희생을 치르고도 아무 이익도 얻지 못하였다.

스스로 확인 학습 교과서 181쪽

2 제시된 자료를 읽고, 물음에 답해 보자.

(1) **사실 이해** (가)에서 레오폴트 2세는 제국주의 정책을 어떻게 평가하는지 말해 보자.

• **레오폴트 2세의 평가:** 아프리카 지역의 주민들을 미개인으로 여기고 이들을 문명화하는 일이라고 평가하고 있다.

(2) **자료 분석** (나)에 나타난 식민지의 현실을 통해 (가)의 허구성을 지적해 보자.

• **허구성:** 제국주의 열강의 침략과 수탈로 인해 식민지 대부분이 제국주의 국가의 값싼 원료 공급지, 제품의 판매 시장, 잉여 자본의 투자처로 전락하였으며, 식민지인들은 경제 · 사회적으로 더욱 고통 받았다.

3 아래 인물들의 주장을 읽고, 물음에 답해 보자.

(1) **사실 이해** (가)~(다) 인물의 주장과 관련된 사건을 각각 말해 보자.

• **(가):** 양무운동
• **(나):** 변법자강 운동
• **(다):** 신해혁명

(2) **자료 분석** (가)~(다) 인물의 주장에서 차이점을 설명해 보자.

• **차이점:** 이홍장이 이끈 양무운동은 청 왕조의 전통적 체제를 유지한 채 서양의 기술만을 수용하자는 입장인데 비해, 캉유웨이가 주도한 변법자강 운동은 입헌 군주제 도입 등 중국의 정치 · 사회 제도의 개혁을 주장하였다. 두 사람이 청 왕조의 유지를 전제로 개혁을 추구한 데 비해 쑨원은 청 왕조를 타도하고 공화제 정부를 수립하려는 혁명 운동에 앞장섰다.

주제 13 두 차례의 세계 대전

역량 기르기 교과서 183쪽

1 자료 분석 | 〈자료 1〉과 같이 독일이 영국 · 프랑스 · 러시아와 각각 대립하게 된 까닭을 본문에서 찾아보자.

- **까닭:** 독일은 북아프리카에서 영국의 3C 정책과 대립하였고, 모로코의 지배권을 두고 프랑스와 대립하였다. 발칸반도에서는 범슬라브주의를 내건 러시아와 대립하였다.

| 해설 | 독일의 비스마르크는 유럽의 평화가 유지되어야만 독일이 안정과 발전을 이룰 수 있다고 판단하여, 프랑스 고립화와 유럽의 세력 균형을 추구하였다. 그러나 빌헬름 2세는 비스마르크를 해임하고 적극적인 해외 진출을 주장하였다. 그는 비잔티움(이스탄불)과 바그다드 간의 철도 부설권을 따냈으며, 이를 베를린과 연결하려는 3B 정책을 추진하였다. 그러나 이러한 정책은 케이프타운과 카이로, 콜카타(캘커타)를 연결하려는 영국의 3C 정책과 정면으로 충돌하였다. 또한 러시아의 오스만 제국 진출 정책과도 정면으로 충돌하였기 때문에 영국과 러시아는 오랜 대립을 끝내고 협상을 맺게 되었다.

2 자료 분석 | 〈자료 2〉를 통해 미국이 연합국 측에 가담한 목적을 말해 보자.

- **목적:** 독일의 무제한 잠수함 작전으로 미국의 선박이 무차별로 공격당하였고, 과거 멕시코 영토였던 미국의 영토를 넘겨주는 조건으로 맺어진 독일과 멕시코의 동맹이 알려지면서 미국의 안보와 이익을 위협하였기 때문이다.

| 해설 | 독일은 1915년 초부터 잠수함을 이용하여 영국의 군수 물자 보급 함대를 파괴하는 작전을 실시하였다. 이에 영국이 해상을 봉쇄하자 독일 정부는 1917년 2월 1일부터 유럽 대륙과 영국 본토 주변 바다의 선박 항해를 금지하고, 전쟁 당사국의 배나 중립국 선박이 이 바다를 지나는 경우 무차별 격침하였다. 중립 정책에 따라 전쟁에 개입하지 않았던 미국은 이를 계기로 독일과의 외교 관계를 단절하였다. 또한 미국이 참전할 경우 멕시코가 독일편에 가담한다면 그 대가로 미국 영토의 일부를 넘겨주기로 제의한 '치머만 문서'가 알려지자 미국은 연합국 진영으로 참전하였다.

3 자료 분석 및 정보 활용 | 〈자료 3〉에서 제1차 세계 대전의 주요 전투를 찾고, 검색을 한 후 전쟁의 참상을 이야기해 보자.

- **예시 답안:** 제1차 세계 대전은 국가의 모든 자원을 동원한 총력전의 양상으로 전개되었으며, 대량 살상을 가능하게 하는 신무기가 사용되어 전쟁 과정에서 엄청난 사상자가 발생하였다. 1916년에 약 5개월에 걸쳐 전개된 솜 전투에서 연합군 62만여 명, 독일군 약 50만여 명의 사상자가 발생하였으며, 같은 해 벌어진 베르 전투에서는 독일은 14만여 명의 전사자를 포함하여 43만여 명, 프랑스는 15만여 명의 전사자를 포함하여 55만여 명이 피해를 입었다.

역량 기르기 교과서 185쪽

1 자료 분석 | 〈자료 5〉를 참고하여 11월 혁명을 일으킨 궁극적 목표를 말해 보자.

- **목표:** 레닌의 볼셰비키는 3월 혁명으로 수립된 임시 정부의 소극적인 개혁을 문제 삼으며 임시 정부 타도와 소비에트 정권을 수립하기 위해 11월 혁명을 일으켰다.

2 의사소통 | 러시아 혁명이 20세기의 역사에 끼친 영향을 토의해 보자.

- **영향:** 러시아 혁명의 성공으로 세계 최초의 사회주의 국가가 수립되었고, 이는 전 세계적으로 사회주의 세력이 성장하는 데 기여하였다. 이후 공산주의 국가가 증가하면서 제2차 세계 대전 이후 자본주와 공산주의 진영 간의 냉전 구도가 형성되었다.

3 자료 분석 | 〈자료 6〉을 통해 베르사유 조약이 지닌 특징과 문제점을 본문에서 찾아 말해 보자.

- **특징:** 전승국의 이익만 보장하고 패전국인 독일에 지나치게 가혹한 책임을 지웠다.
- **문제점:** 독일 국민들은 조약의 내용에 크게 분노하였으며, 연합국에 대해 강렬한 적개심을 품었다. 이는 향후 새로운 무력 충돌을 야기하였다.

역량 기르기 교과서 187쪽

1 자료 분석 | 〈자료 1〉을 근거로 5·4 운동이 일어난 까닭을 말해 보자.

- **까닭:** 제1차 세계 대전 이후 열린 파리 강화 회의에서 독일이 중국의 산둥성에서 가지고 있던 이권을 일본이 차지하게 되자 베이징 대학생들을 중심으로 이에 반대하는 대규모 시위를 벌이는 과정에서 톈안먼 선언문이 발표되었다.

2 사실 이해 | 제2차 국공 합작이 이루어졌던 배경을 말해 보자.

- **배경:** 만주 사변, 중일 전쟁과 같이 일본의 중국 침략이 노골화되어 '내전 중지, 일치 항일'의 국민적 요구가 커졌고, 시안 사건을 계기로 제2차 국공 합작이 이루어졌다.

3 자료 분석 및 의사소통 | 〈자료 2〉를 통해 전후 아시아 각지에서 민족 운동이 활발히 일어난 계기가 무엇인지 토의해 보자.

- **계기:** 윌슨이 제시한 「14개조」 원칙 중 민족 자결주의는 식민 지배하에 있던 아시아 · 아프리카의 국가에도 영향을 미쳐, 그들이 독립 운동의 정당성을 주장하는 계기가 되었다. 1919년부터 전개된 우리나라의 3·1 운동, 중국의 5·4 운동, 인도의 비폭력 저항 운동 등이 대표적인 예이다.

역량 기르기 교과서 189쪽

1 사실 이해 | 대공황이 발생한 근본적인 까닭을 본문에서 찾아 설명해 보자.

• **까닭:** 산업 혁명 이후 급속히 발전한 생산력을 소비가 따라가지 못하면서 생겨난 과잉 생산으로 대공황이 발생하였다.

2 자료 분석 | 〈자료 1〉을 통해 뉴딜 정책이 가져온 성과가 무엇일지 생각해 보자.

• **성과:** 미국은 뉴딜 정책을 통해 과잉 생산을 제한하였고, 테네시강 유역 개발과 같은 공공사업으로 일자리를 창출하였으며, 다양한 사회 보장 제도를 도입하였다. 이러한 정책으로 실업 문제를 해결하고 시민들의 구매력을 높여 소비를 촉진시켰다.

3 자료 해석 | 〈자료 2〉를 통해 소련의 고속 성장이 지닌 문제점이 무엇인지 말해 보자.

• **문제점:** 소련의 성장은 강도 높은 노동력 동원으로 이루어졌으며, 대숙청과 같은 인권 유린이 자행되어 수백만 명에 이르는 피해자가 발생하였다.

| 해설 | 스탈린은 레닌의 신경제 정책을 폐기하고 모든 산업 분야의 공장을 국가 소유로 전면 몰수하였다. 농업에서도 모든 토지를 몰수하여 대농장을 형성해 농업의 집단화를 이루어냈다. 국가가 모든 생산 분야를 관장함으로써 성장 속도는 빨랐지만, 직업 선택과 같은 자유가 사라졌고 강제 노동 수용소가 생기면서 독제 체제가 강화되었다.

역량 기르기 교과서 191쪽

1 자료 분석 | 〈자료 1〉을 참고하여 제2차 세계 대전의 전개 과정을 주요 전투와 사건을 중심으로 정리해 보자.

• **전개 과정:** 독일이 소련과의 독소 불가침 조약을 체결하고 폴란드를 기습 침공하면서 제2차 세계 대전이 발발하였다. 독일은 신속하게 유럽을 점령해 나갔고, 추축국 동맹이었던 이탈리아와 일본도 각각 북아프리카와 태평양에 전선을 형성하였다. 그러나 전세는 1942년부터 연합국에게 유리하게 돌아갔다. 미국은 미드웨이 해전에서, 소련은 스탈린그라드 전투에서 중요한 승리를 거두었다. 이탈리아는 전세 악화와 비판 여론 속에서 무솔리니가 몰락한 뒤 연합국에 항복하였다. 1944년에는 노르망디 상륙 작전의 성공, 소련군과 미군의 베를린 진격으로 독일이 무조건 항복하였다. 일본은 히로시마와 나가사키에 원자 폭탄이 투하되고, 소련군이 공격해 오자 무조건 항복하였다.

2 사실 이해 | 국제 연맹과 국제 연합의 차이점을 비교하여 말해 보자.

• **차이점:** 국제 연합은 국제 연맹과 달리 분쟁 지역에 대한 군사적 개입이 가능하였다. 연합국 회원들의 동의에 따라 국제 연합군(유엔군)과 평화 유지군(PKF)를 창설하여 무력 제재를 가할 수 있게 되었기 때문이다.

| 해설 | 국제 연맹은 제창국인 미국이 불참하였고, 신흥 군국주의 세력의 도발에 대하여 집단적인 제재 능력을 갖지 못하였다. 국제 연맹은 일본의 만주 · 중국 침략, 이탈리아의 에티오피아 침략, 독일의 베르사유 조약 거부에 대해 어떠한 조치도 취하지 못하였다. 이와 달리 국제 연합은 무력 수단을 갖추었기 때문에 국제 연맹의 한계는 극복하였다. 그러나 국제 연합을 주도하는 강대국들의 이해관계에 따라 의사 결정이 이루어진다는 문제점도 존재한다.

3 정보 활용 및 의사소통 | 제2차 세계 대전을 소재로 한 다큐멘터리나 영화를 보고 전쟁의 참상을 이야기해 보자.

• **예시 답안 ①:** 「인생은 아름다워」는 제2차 세계 대전 동안 자행된 나치의 유태인 수용소를 다루고 있는 영화이다. 주인공인 귀도 오레피체는 아들 조슈아에게 진실을 알지 못하도록 수용소의 모든 상황을 게임으로 설명한다. 영화 곳곳에는 가스실, 총살, 강제 노동과 같은 홀로코스트의 참상들이 나타난다.

• **예시 답안 ②:** 「랜드 오브 마인」는 제2차 세계 대전이 끝난 후 독일의 어린 아이들이 덴마크군의 포로가 되어 독일군이 매설한 지뢰를 해체하는 작업에 투입되는 이야기를 담고 있다. 피해국의 덴마크인들이 전범국의 독일 아이들에 가하는 폭력을 통해 전쟁의 모순을 잘 보여준다.

• **예시 답안 ③:** 「덩케르크」는 독일군에 포위된 연합군 33만 명이 영국 본토로 무사히 철수한 작전을 다루는 영화이다. 영화 자체가 거대한 체험 공간이라는 평을 들을 정도로 전쟁의 공포와 생존을 위한 노력, 그리고 전쟁 중 발생하는 윤리적 고민들을 담아내고 있다.

역량 강화하기  교과서 192쪽

1 자료 분석 | 위 도표에서 제2차 세계 대전 당시 군인과 민간인을 합하여 가장 많은 희생자를 낸 나라를 찾아보자.

• **정답:** 군인 사망자 1,100만 명과 민간인 사망자 700만 명으로 추계되는 소련이 가장 많은 인명 피해를 당한 국가이다.

| 해설 | 소련의 피해 규모는 제2차 세계 대전 중 일어난 독소 전쟁에서 비롯되었다. 양국의 전쟁은 막대한 인력과 물적 자원이 투입되었을 뿐만 아니라, 벨라루스 초토화 작전, 바비야르 학살과 같은 대규모 전쟁 범죄가 많이 발생하였다.

2 자료 해석 및 의사소통 | 민간인 희생자가 생긴 까닭을 짝과 함께 이야기해 보자.

• **까닭:** 아우슈비츠 수용소 등 폴란드에 세워진 집단 수용소에서 유대인과 민간인을 대상으로 한 대량 학살이 자행되었고, 일본의 난징 대학살과 같은 전쟁 범죄로 인해 중국에서도 많은 민간인 희생자가 발생하였다.

3 정보 활용 | 일본군 '위안부' 문제에서 현재 어떤 쟁점들이 미해결 과제인지 찾아 정리해 보자.

• **미해결 과제:** 일본 정부는 고노 담화를 통해 공식적으로 사과하였지만, 이후 우익 정치인들에 의해 고노 담화는 부정되고 있다. 이처럼 일본군 '위안부' 피해자에 대한 적절한 사과와 보상이 이루어지지 못하였으며, 2015년에 이루어진 합의는 피해 당사자가 배제된 채 이루어져 많은 논란을 야기하였다.

스스로 확인 학습 교과서 193쪽

2 제시된 지도를 참고하여 물음에 답해 보자.

(1) **사실 이해** (가), (나)에 알맞은 명칭을 각각 써 보자.

• **(가):** 3국 협상 • **(나):** 3국 동맹

(2) **자료 분석** 지도에 나타나는 세력 구도가 형성된 까닭을 말해 보자.

• **까닭:** 식민지를 확대하려는 제국주의 정책으로 유럽 열강의 대립과 갈등이 커졌다.

(2) **자료 해석** 두 세력의 갈등으로 발생한 사건과 그 결과를 설명해 보자.

• **사건:** 제1차 세계 대전
• **결과:** 전쟁의 피해가 컸기 때문에 전쟁의 재발을 막기 위하여 국제 연맹이 창설되었다. 또한 유럽에서 선거권이 확대되었고, 아시아의 여러 나라에서 민족 운동이 활발히 일어났다.

3 제시된 자료를 읽고, 물음에 답해 보자.

(1) **자료 분석** 무솔리니와 히틀러의 주장에 어떠한 공통점이 있는지 설명해 보자.

• **공통점:** 무솔리니의 파시즘과 히틀러의 나치즘은 모두 전체주의 이념으로, 개인의 생명과 권리를 무시하고 국가와 민족의 이익만을 절대적 우위에 두는 공통점이 있다. 즉 개인은 국가와 민족 등 전체 속에서 존재 가치를 갖는다는 전제 아래 강력한 국가 권력의 통제를 합리화한다.

(2) **자료 해석** 위의 두 자료에서 나타나는 논리가 등장한 배경이 무엇인지 말해 보자.

• **배경:** 대공황으로 경제 상황이 악화되어 실업자가 증가하는 상황에서 극단적인 민족주의와 인종주의를 강조하는 전체주의가 등장하였다.

대주제 6 현대 세계의 변화

주제 14 냉전과 탈냉전

역량 기르기 교과서 201쪽

1 자료 해석 | 〈자료 1〉에서 밑줄 친 부분과 관련 있는 미국의 정책은 무엇인가?

• **정책:** 트루먼 대통령은 트루먼 독트린을 통해 소련의 영향권 내에 놓일 위험에 처한 국가들에게 재정적인 지원을 제공할 의향이 있음을 밝히고 있다. 이는 유럽 부흥을 목적으로 시행된 마셜 계획을 통해 이루어졌다.

2 자료 해석 | 〈자료 2〉를 통해 쿠바 미사일 위기가 일어난 배경을 추론해 보자.

• **배경:** 제2차 세계 대전 종전 이후 냉전 구도가 형성되면서 미국과 소련의 군비 경쟁이 시작되었다. 군비 경쟁은 소련의 원자 폭탄 개발로 보다 심화되어 1980년대 후반까지 이어졌다. 이 과정에서 미국이 튀르키예와 중동 지역에 핵무기를 배치하자, 소련은 쿠바 미사일 기지 건설을 발표하면서 갈등이 격화되었다.

역량 기르기 교과서 202쪽

1 사실 이해 | 제3 세계에 속한 나라들의 공통된 역사적 경험은 무엇인가?

• **공통점:** 제3 세계에 속하는 국가들은 대부분 제2차 세계 대전 이후 독립한 신생국들이다. 이들은 제국주의 열강의 식민 지배를 받은 공통된 역사적 경험을 지니고 있었기에 아시아와 아프리카 국가들이 많았다.

2 자료 분석 | 〈자료 3〉의 「평화 10원칙」을 통해 제3 세계는 미소 양국 중심 체제에 어떤 태도를 취하였는지 말해 보자.

• **태도:** 「평화 10원칙」의 제6항 강대국에 유리한 집단 안보 체제 배제는 미국과 소련 중심의 안보 체제에 가입하지 않겠다는 것을 뜻한다. 이처럼 제3 세계는 비동맹 중립주의 노선을 지향하며 서로 간의 연대를 공고히 하였다.

역량 기르기 교과서 203쪽

1 자료 분석 | 트루먼 독트린(200쪽)과 〈자료 1-1〉의 닉슨 독트린의 차이를 말해 보자.

• **차이점:** 트루먼 독트린은 공산주의 세력의 확대를 저지하기 위해 미국이 적극적으로 군사적 · 경제적 원조를 제공한다는 내용이다. 반면 닉슨 독트린은 미국이 가능한 군사적 분쟁에 개입하지 않겠다는 내용을 담고 있다.

2 자료 해석 | 〈자료 1〉의 두 정책은 냉전 체제에 어떤 영향을 끼쳤을까?

• **영향:** 닉슨 독트린 이후 미국은 소련과 전략 무기 제한 협정을 체결하였으며, 중국과는 화해 정책을 펼쳤다. 서독은 동방 정책을 통해 동구권 공산주의 국가들과 국교를 회복하였으며, 동독과는 동서독 기본 조약을 체결하였다. 이처럼 두 정책은 냉전 완화에 영향을 주어 평화 공존을 추구하는 분위기를 조성하였다.

역량 기르기 — 교과서 205쪽

1 사실 이해 | 고르바초프의 개혁 · 개방 정책의 목표를 〈자료 2-1〉에서 찾아 밑줄을 쳐 보자.

• **정답:** 권위주의적이고 관료주의적인 체제에서 벗어나 인간적이고 민주적인 사회로 평화롭게 이행하는 유일한 길

2 자료 해석 | 〈자료 2-2〉를 보고 독일의 통일과 동유럽 공산권 변화가 가능할 수 있었던 까닭을 말해 보자.

• **까닭:** 고르바초프는 과거 강압적이었던 소련의 대외 정책을 비판하며 동유럽 국가에 대한 불간섭을 대외 정책으로 선언하였다. 이로써 동독과 동유럽 국가들은 독자적인 노선을 추구할 수 있게 되어 통일과 개혁을 수행하였다.

| 해설 | 동유럽에 대한 소련의 통제권을 합리화한 것은 브레즈네프가 동유럽의 자유화 운동을 탄압하기 위해 1968년에 발표한 브레즈네프 독트린이었다. 그러나 1980년대 중후반부터 개혁 정치를 요구하는 반체제 운동이 동유럽 전역에서 진행되자, 고르바초프는 브레즈네프 독트린을 사실상 폐기하였다.

3 자료 분석 | 〈자료 4〉에서 동독 시민이 정부에 요구한 내용은 무엇인가?

• **요구 내용:** 동독 시민들은 1989년 라이프치히에서 공산 정권에 반대하는 시위를 벌였다. 이때 자유 선거, 이동의 자유와 같은 민주적 개혁 사항을 요구하였다.

| 해설 | 1989년은 1989년 혁명이라 불릴 정도로 동구권 사회주의 국가들 내부에서 다양한 시위가 발생하였다. 라이프치히 월요 평화 시위 역시 이러한 분위기의 연장선상에서 나타났으며, 직접적인 계기는 1989년 5월 지방 선거에서 행해진 부정 선거였다. 이들은 독일 사회주의 통일당의 독재 정치를 비난하며 유엔 감독 하에 자유 선거를 시행하라는 대규모 시위를 펼쳤다.

4 자료 해석 | 〈자료 3〉, 〈자료 5〉를 통해 소련과 유고슬라비아의 공산 체제가 붕괴하면서 나타난 공통된 현상을 파악해 보자.

• **공통점:** 연방 내 각 공화국들이 독립을 선포하여 소련과 유고슬라비아 공산 체제가 해체되었다. 이후 각국에서 민족주의가 대두하면서 새로운 갈등과 분쟁이 발생하였다.

| 해설 | 동유럽은 민족주의 도입기에 여러 제국의 지배를 받고 있었기 때문에, 이후 수립한 독립 국가의 경계와 민족의 경계가 서로 일치하지 않았다. 이에 민족 간의 갈등이 점차 심해졌으며, 다수 민족이 소수 민족을 탄압하거나 학살하는 형태의 분쟁도 발생하였다.

역량 기르기 — 교과서 206쪽

1 자료 분석 | 〈자료 6〉을 통해 덩샤오핑이 이끄는 지도부는 문화 대혁명을 어떻게 평가하는지 말해 보자.

• **평가:** 문화 대혁명은 어떠한 의미로도 혁명이나 사회 발전으로 볼 수 없으며, 당과 국가와 각 민족 인민에게 재난을 가져다준 내란이라고 평가하고 있다.

| 해설 | 1981년에 발표된 「건국 이래 당의 몇 가지 역사 문제에 대한 결의」는 1949년 중화 인민 공화국 수립 이후부터 1981년까지 시행된 중국의 주요 정책을 평가하는 내용을 담고 있다. 주요 내용은 마오쩌둥의 공로와 과오에 대한 평가로, 신적 지위를 지니고 있던 마오쩌둥에 대한 숭배 사상을 비판하였다는 점에서 중요한 의의가 있다. 그러나 마오쩌둥 개인에 대해서는 여전히 긍정적으로 평가한다.

2 사실 이해 | 톈안먼 시위에 참여한 사람들이 정부에 요구한 것은 무엇인가?

• **요구 내용:** 중국 민중들은 경제 부문의 개혁 · 개방 정책처럼 정치 부문에서도 민주화가 이루어지길 기원하였고, 심각하였던 관료의 부정부패 근절을 요구하였다.

역량 강화하기 — 교과서 207쪽

1 사실 이해 | 덩샤오핑의 경제 정책을 말해 보자.

• **경제 정책:** 덩샤오핑은 경제 특구 개발, 계획적인 시장 경제 도입과 같은 개혁 · 개방 정책을 추구하였다.

| 해설 | 덩샤오핑은 흑묘백묘론을 주장하며 정치는 기존의 공산주의 체제를 유지하고 경제는 시장 경제를 도입하는 중국식 자본주의를 추진하였다.

2 자료 분석 | 중국의 급속한 경제 성장이 일으킨 문제점을 말해 보자.

• **문제점:** 중국은 개혁 · 개방 이후 '세계의 공장'이라 불릴 만큼 경제 발전을 이룩하였다. 그러나 성장 위주의 경제 정책은 도시와 농촌 간, 개인 간 소득 분배의 불균형을 야기하였고, 이로 인해 빈부 격차가 확대되어 사회 양극화가 발생하였다.

교과서 활동 풀이

역량 기르기 교과서 209쪽

1 사실 이해 | 탈냉전 시대에도 오늘날 세계 곳곳에서 분쟁이 일어나는 요인들을 나열해 보자.

• **요인:** 탈냉전 이후에도 종족, 인종, 종교, 영토 등 다양한 요인들로 인해 세계 각지에서 크고 작은 갈등들이 발생하고 있다. 특히 종족, 인종, 종교는 서로 연계되어 막대한 희생자가 발생하는 큰 분쟁으로 이어지고 있다.

2 자료 분석과 문제 해결력 | 〈자료 1〉을 통해 오늘날 난민 문제의 원인을 파악하고, 이에 대한 해결 방안을 제시해 보자.

• **원인:** 난민은 지진, 화산 폭발과 같은 자연재해에서 비롯되는 경우도 있지만, 대부분 대규모 폭력 사태나 전쟁, 테러 등으로 인해 발생하고 있다.

• **해결 방안:** 난민 문제의 근본적 해결을 위해서는 난민 발생 지역에 나타나는 종족 · 종교 갈등을 해결하기 위한 국제 사회의 연대가 필요하다. 아일란 쿠르디에게 일어난 비극을 막기 위해서는 난민을 수용하는 국가에 대한 지원, 그리고 다문화 · 다인종 사회를 어떻게 준비할 것인지에 대한 사회적 합의가 필요하다.

3 자료 분석 | 〈자료 2〉를 통해 현대 세계 경제 체제의 특징을 파악해 보자.

• **특징:** 세계 각지에서 지역 차원의 경제 협력체들이 활발하게 결성되고 있으며, 이로 인해 국제 협력과 교류가 증가하고 있다.

역량 강화하기 교과서 210쪽

1 사실 이해 | 유럽 통합의 초석이 된 것은 무엇인가?

• **정답:** 1952년 서유럽 6개국을 중심으로 한 유럽 석탄 철강 공동체(ECSC)의 결성, 1957년 유럽 경제 공동체(ECC) 결성이 유럽 통합의 기초가 되었다. 두 공동체는 1967년에 통합하여 유럽 공동체(EC)를 결성하였고, 이는 1993년 마스트리흐트 조약이 발표 이후 유럽 연합(EU)으로 발전하였다.

2 자료 해석 | 냉전의 종식은 유럽 통합에 어떠한 환경적 변화를 가져왔을까?

• **변화:** 냉전의 해체로 공산주의 진영에 속해 있던 동유럽 국가들이 유럽 연합에 가입할 수 있게 되었고, 이는 진정한 유럽 통합으로 발전할 가능성을 제공하였다.

스스로 확인 학습 교과서 211쪽

2 다음 자료를 읽고, 물음에 답해 보자.

(1) **자료 분석** 위의 선언이 나오게 된 배경을 설명해 보자.

• **배경:** 1954년 미국이 남태평양에 위치한 비키니 군도에서 수소 폭탄 실험을 계기로 위 선언이 발표되었다. 당시 미국과 소련의 핵무기 경쟁으로 핵전쟁 위기에 대한 불안감이 커졌기 때문이다.

(2) **정보 활용** 핵 확산을 방지하기 위한 사례들을 인터넷으로 검색해 보자.

• **사례:** 1968년에 체결된 핵무기 확산 방지 조약(NPT)는 비핵보유국이 핵보유국으로 전환하는 것을 금지하였다. 1972년과 1979년에 미국과 소련이 두 차례에 걸쳐 조인한 전략 무기 제한 협정은 대륙간 탄도미사일, 장거리 폭격기와 같은 전략 무기의 수량을 제한하였다. 이를 보다 발전시킨 협정이 1991년에 체결된 전략 무기 감축 협정으로 이 협정을 통해 미국과 소련은 전략 무기와 핵무기의 감축 계획을 세웠다.

3 아래의 사진들을 참고하여 물음에 답해 보자.

(1) **자료 분석** 위의 사건들이 발생한 원인을 말해 보자.

• **원인:** 동유럽 공산주의 체제에 대한 불만이 커졌다.

(2) **자료 분석** 위의 사건들과 함께 동유럽에 나타난 변화상을 말해 보자.

• **동유럽 변화:** 동유럽의 공산주의 정권이 붕괴되고 민주주의와 시장 경제를 채택하였다.

(3) **자료 해석** 위의 사건들로 국제 정세가 어떻게 변화하였는지 생각해 보자.

• **국제 정제 변화:** 냉전 체제가 해체되었다.

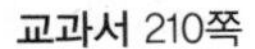

주제 15 21세기의 세계

역량 기르기 교과서 213쪽

1 사실 이해 | 세계화를 촉진한 요인들은 무엇인가?

• **요인:** 교통 · 운송 · 정보 통신 기술 발달로 세계가 급속도로 가깝게 연결되었고, 자유 시장과 규제 완화를 주장하는 신자유주의가 유행하면서 국적을 넘어선 교류가 증대하였다. 이러한 요인들로 인해 전 세계적으로 인간, 물자, 정보의 이동이 자유로워졌다.

2 자료 분석 | 〈자료 1〉을 통해 신자유주의 정책의 특징을 분석해 보자.

• **특징:** 신자유주의 정책의 대표적인 사례인 대처주의와 레이거노믹스는 공통적으로 시장의 자유화, 규제 완화, 세금 인하, 복지 예산 감축을 목표로 하였다. 두 정책 모두 정부의 기능을 축소하고 자유로운 시장 경제 질서를 강조하였다.

3 자료 해석 | 〈자료 2〉를 참고하여 과학 기술 발전이 인류의 삶에 미치는 부정적인 영향이 무엇일지 추론해 보자.

• **부정적 영향:** 과학 기술의 발전은 인간의 삶에 많은 도움을 주었다. 그러나 핵무기와 같은 대량 살상 무기 제작, 복제 인간 등으로 야기되는 심각한 윤리적 문제, 무분별한 개발에서 비롯된 환경오염과 같은 부정적인 영향을 야기할 수 있다. 인공 지능의 발달 역시 인공 지능으로 인한 일자리 감소, 인간이 기계의 지배를 받을 수도 있는 위험과 같은 예기치 못한 결과를 초래할 수 있다.

역량 기르기 교과서 215쪽

1 사실 이해 | 오늘날 지구촌에서 어떠한 문제들이 발생하고 있는지 정리해 보자.

• **문제:** 오늘날 인류는 오존층 파괴와 산성비, 지구 온난화 및 사막화 현상 등 환경오염과 생태계 파괴라는 심각한 현실에 직면하였다. 또한 신자유주의적 세계화로 인해 국가 간의 빈부 격차, 정보 격차가 심각해졌다. 여성과 소수자에 대한 차별도 여전히 존재하며, 최근에는 각지에서 발생하는 분쟁으로 인해 난민 문제가 대두되고 있다.

2 자료 해석 | 〈자료 1〉을 참고하여 선진국과 개발 도상국의 불평등이 심화하는 원인이 무엇인지 생각해 보자.

• **원인:** 신생 독립국들은 정치적 기반이 취약하고 국내의 자본과 기술이 부족하여 경제 건설이 늦었다. 또한 선진 공업국의 다국적 기업들이 개발 도상국의 경제 구조에 결정적인 영향력을 행사하고 있다. 이로 인해 선진국과 개발 도상국 간의 경제 격차는 더욱 심화되고 있으며, 이러한 빈부 격차는 개발 도상국 내부의 갈등을 유발하기도 하였다.

3 의사소통 | 〈자료 2〉의 프로젝트가 '지구 환경 대상'을 받을 수 있었던 까닭은 무엇인지 짝과 이야기해 보자.

• **까닭:** '오션 클린업 프로젝트'는 해류의 흐름을 이용하면서 기술 장비 투여를 최소화하였다. 이를 통해 비용 절감, 쓰레기 수거 속도 향상, 환경 보전 모두를 실현할 수 있었고, 수거된 플라스틱은 수거해서 다시 팔 수 있어 부가 가치도 창출할 수 있었기에 '지구 환경 대상'을 받을 수 있었다.

역량 강화하기 교과서 216쪽

1 자료 분석 | 아랄해의 위치를 지도에서 찾아보자.

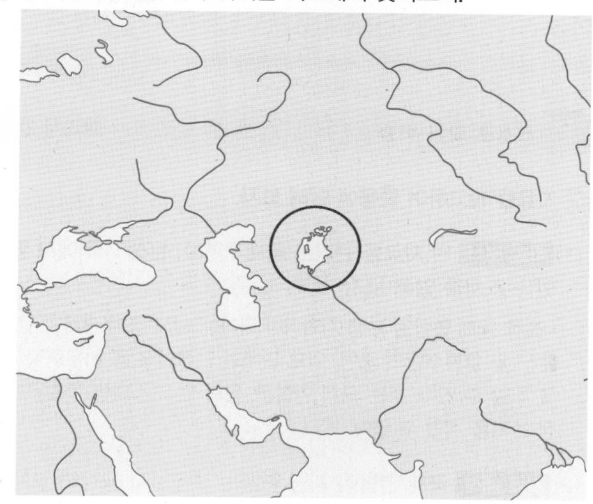

2 정보 활용과 의사소통 | 아랄해 문제를 해결하려는 노력들을 인터넷에서 검색해 보고, 짝과 이야기해 보자.

• **노력:** 카자흐스탄, 우즈베키스탄, 타지키스탄, 키르기스탄, 투르메니스탄 총 5개국이 아랄해 문제를 해결하기 위해 아랄해 수역 계획을 세워 진행하고 있다. 이 계획은 아랄해 수역 자연 환경의 안정화 및 복구, 아랄해 수역을 구성하는 하천에 대한 관리 강화, 계획 실행에 필요한 국제 연대를 목표로 추진되고 있다. 2003년에는 북아랄해 수위 회복 계획을 새로 세웠고, 키르기스스탄 상류에 있던 댐의 문을 개방하여 북아랄해에 강물을 공급하였다. 이후 추가적인 댐 건설과 기반 시설 확보하는 노력을 통해 물의 염도가 떨어지기 시작하였고 물고기도 크게 증가하였다. 또한 2016년 6월을 기준으로 아랄해가 다시 넓어지는 모습이 확인되어 긍정적인 결과를 기대하고 있다.

3 정보 활용과 의사소통 | '고려인'처럼 고향을 떠나 다른 지역에 살게 된 민족의 사례를 인터넷에서 검색해 보자.

• **사례 ①:** 팔레스타인을 떠나 세계 각지에 흩어져 살면서 유대교의 규범과 생활 관습을 유지하는 유대인이 대표적이다. 이들을 가리키는 용어로 '디아스포라'라는 용어가 사용되었으며, 현재는 국외로 추방된 소수의 집단 공동체나 정치적 난민, 이민자, 소수 인종 등과 같은 다양한 범주의 사람들을 가리키는 말로 폭넓게 사용되게 되었다.

• **사례 ②:** 해외에 거주하는 중국인으로, 해외에 정착하여 경제 활동을 하면서 본국과 유기적 연관을 유지하는 중국인 또는 그 자손을 말한다. 화교는 전 세계에 약 1,800여 만 명이 거주하고 있으며, 그 가운데 90퍼센트 이상이 말레이시아, 인도네시아, 싱가포르, 미얀마, 홍콩, 타이, 필리핀 등 동남아시아에 집중 분포하고 있다.

• **사례 ③:** 아르메니아인들은 고대부터 '교역 디아스포라'로 명성이 높았지만, 오늘날 아르메니아 디아스포라의 정체성이 형성된 것은

1915년 오스만 제국에 의해 행해진 아르메니아인 학살 이후이다. 이때 생존자들은 전 세계로 흩어져 아르메니아 교포 사회를 형성하였다.

스스로 확인 학습 교과서 217쪽

2 자료를 참고하여 물음에 답해 보자.

(1) **자료 분석** 위 자료를 근거로 국제 연합이 분쟁 지역에서 할 수 있는 조처를 말해 보자.

• **조처:** 국제 연합은 분쟁 지역이나 국가에 대해 경제 관계의 단절과 통신 및 교통수단의 중단, 외교 관계의 단절과 같은 비무력적 조치를 취할 수 있다. 또는 국제 연합군, 평화 유지군 파병과 같은 무력적 조치를 취할 수 있다.

(2) **자료 해석** 국제 연합이 지닌 한계는 무엇일지 생각해 보자.

• **한계:** 국제 연합은 힘의 논리에 의한 국제 질서에서 자유롭지 않다. 미국, 영국, 프랑스, 러시아, 중국과 같은 안전 보장 이사회 상임 이사국의 이해관계가 의사 결정 과정에 그대로 반영되고 있기 때문이다. 실제로 국제 연합군과 평화 유지군은 안전 보장 이사회 상임 이사국의 거부권 행사가 있으면 파병할 수 없다.

3 사진을 참고하여 물음에 답해 보자.

(1) **자료 분석** 사진의 단체와 같이 정부 기관이나 정부와 관련되지 않고 시민 사회의 공공성을 지향, 활동하는 순수한 민간 조직을 나타내는 말은 무엇인가?

• **정답:** 비정부 기구(NGO)

(2) **정보 활용** 이러한 단체들의 주요 활동을 검색해 보고, 참여하고 싶은 단체를 선정해 보자.

•**예시 답안:** 그린피스 / 1971년 설립된 국제 환경보호 단체로서 핵실험 반대와 자연보호 운동 등을 통하여 지구의 환경을 보존하고 평화를 증진시키기 위한 활동을 펼치고 있다.

고등 세계사 자습서

정답과 해설

금성출판사

대주제 1 인류의 출현과 문명의 발생

주제 1 인류의 출현과 선사 문화
주제 2 문명의 발생

1단계 개념 익히기 22쪽

1 ⓐ – ㉢, ⓑ – ㉠, ⓒ – ㉡ 2 (1) O (2) X (3) O (4) X (5) O 3 (1) 구석기 (2) 농경, 목축 (3) 계급 (4) 나일강 (5) 주 4 ㄱ – ㄹ – ㄷ – ㄴ 5 티그리스·유프라테스강, 쐐기 문자, 다신교, 개방적 지형 6 히타이트 7 이집트 문명, 중국 문명

2단계 내신 유형 익히기 23쪽~25쪽

1 ⑤ 2 ④ 3 ③ 4 ⑤ 5 ② 6 ① 7 ② 8 ⑤ 9 ⑤ 10 ③ 11 (1) 이집트 문명 (2) 해설 참조 12 (1) (가) – 이집트 문명, (나) – 메소포타미아 문명, (다) – 인도 문명, (라) – 중국 문명 (2) 해설 참조

01 세계사 학습의 태도 정답: ⑤

세계사는 세계 각 지역과 민족이 고립되어 만든 역사가 아니라 더불어 함께 만들어 온 역사이다. 한국사 뿐만 아니라 세계사를 균형 있게 학습하여 우리 자신을 올바르게 이해하고 세계와 소통하는 태도가 필요하다.

| 오답 피하기 |

ㄱ. 자기 중심주의는 모든 나라가 서로 영향을 주고받으며 발전했다는 사실을 무시하는 잘못된 시각이다.
ㄴ. 다양한 자료를 수집하여 비교하고 종합하는 가운데 인류 문화와 역사의 다양성을 이해할 수 있다.

02 인류의 진화 정답: ④

(가)는 오스트랄로피테쿠스, (나)는 호모 에렉투스, (다)는 호모 네안데르탈렌시스, (라)는 호모 사피엔스에 해당한다.

| 오답 피하기 |

ㄱ. 오스트랄로피테쿠스는 간단한 도구를 사용하였으나, 간석기를 사용한 것은 신석기 시대이다.
ㄷ. 호모 사피엔스에 대한 설명이다.

03 구석기 시대 정답: ③

자료는 구석기 시대에 다산과 풍요를 기원하며 제작한 빌렌도르프의 비너스와 알타미라 동굴 벽화이다. 구석기 시대에는 사냥과 채집을 하며 이동 생활을 하였고 뗀석기를 사용하였다.

| 오답 피하기 |

①, ②, ⑤는 신석기 시대의 생활 모습이다.
④는 청동기 시대의 생활 모습이다.

04 신석기 시대 정답: ⑤

신석기 시대에 농경과 목축이 시작되었고, 정착 생활을 하였다. 또 베틀과 바늘로 옷을 만든 흔적이 남아있으며, 원시적인 형태의 종교 의식도 갖추고 있었다.

| 오답 피하기 |

⑤는 청동기 시대에 대한 설명이다.

05 4대 문명의 발전 정답: ②

자료는 고대 문명의 발상지를 나타낸 지도로 청동기 · 문자의 사용, 계급과 도시의 발생 등의 공통 요소를 가지고 있다.

| 오답 피하기 |

ㄴ. 메소포타미아 문명에서 축조되었다.
ㄷ. 각 문명은 쐐기 문자, 갑골 문자, 상형 문자 등 고유의 문자를 사용하였다.

06 메소포타미아 문명 정답: ①

메소포타미아 문명의 신전인 지구라트에 대한 설명이다.

| 오답 피하기 |

②는 이집트의 스핑크스, ③은 이집트의 피라미드, ④는 아테네의 파르테논 신전, ⑤는 인도의 모헨조다로 유적지이다.

07 이집트 문명 정답: ②

자료는 나일강을 따라가는 이집트 문명의 답사 계획서이다. 이집트인들은 상형 문자를 사용하여 파피루스 종이에 기록하였고 태양력과 10진법을 사용하였다. 또 폐쇄적인 지형으로 이민족의 침입이 많지 않았다.

| 오답 피하기 |

①은 크레타 문명, ③, ④, ⑤는 메소포타미아 문명에 대한 조사 내용으로 적절하다.

08 인도 문명 정답: ⑤

인도 문명이 발생한 펀자브 지방은 서아시아 일대와 연결되는 교통의 요충지로 메소포타미아 지역과 해상 무역을 하였다.

| 오답 피하기 |

②는 이집트 문명, ①, ③은 메소포타미아 문명, ④는 중국 문명에 대한 설명이다.

09 페니키아 정답: ⑤

페니키아인이 사용한 표음 문자는 그리스에 전해져 알파벳의 기원이 되었다. 이들은 활발한 해상 활동으로 식민 도시인 카르타고를 건설하였다.

| 오답 피하기 |

①은 메소포타미아 문명, ②는 헤브라이, ③은 미케네 문명, ④는 크레타 문명에 대한 설명이다.

10 중국 문명 정답: ③

중국의 상(商) 왕조는 점을 쳐서 신의 뜻을 알고 이를 바탕으로 국사를 결정하는 신권 정치를 펼쳤고 순장의 풍습이 있었다.

| 오답 피하기 |

①은 인도 문명, ②는 히타이트, ④는 이집트 문명 ⑤는 주에 대한 설명이다.

11 이집트 문명의 내세관

이집트 문명이 발생한 나일강 유역은 폐쇄적인 지형으로 이민족의 침입이 많지 않았고, 영혼 불멸과 사후 세계를 믿는 내세관을 가지고 있었다. 이를 바탕으로 미라를 제작하고 피라미드와 스핑크스를 건설하였으며 죽은 자를 위한 안내서인 「사자의 서」를 제작하기도 하였다.

| 모범 답안 |

(1) 이집트 문명

(2) 이집트인들은 영혼 불멸과 사후 세계를 믿어 시신을 미라로 처리하고 죽은 사람을 위한 안내서인 「사자의 서」를 제작하였다.

| 채점 기준 |

상	내세관과 「사자의 서」 및 미라 등 유물을 모두 명확히 서술함.
중	내세관과 유물 중 하나만 서술함.
하	내세관에 대해 잘못 서술함.

12 4대 문명의 공통점

나일강 유역의 이집트 문명, 티그리스 · 유프라테스강 유역의 메소포타미아 문명, 인더스강 유역의 인도 문명, 양쯔강과 황허강 유역의 중국 문명은 따뜻하고 수량이 풍부한 큰 강 유역에서 발생하였고, 많은 사람들을 조직적으로 이용하는 관개 농업을 바탕으로 도시와 국가를 발달시켰다.

| 모범 답안 |

(1) (가) – 이집트 문명, (나) – 메소포타미아 문명, (다) – 인도 문명, (라) – 중국 문명

(2) 기후가 따뜻하고 수량이 풍부한 큰 강 유역으로 농경에 적합한 지역에서 발생하였고, 청동기 · 문자의 사용, 정복 전쟁, 도시의 발달과 같은 공통점이 있다.

| 채점 기준 |

상	문명의 명칭과 특징을 모두 명확히 서술함.
중	문명의 명칭과 특징 중 하나만 서술함.
하	문명에 대해 잘못 서술함.

3단계 내신 만점 도전하기

26~27쪽

1 ①	2 ④	3 ⑤	4 ⑤
5 ④	6 ①	7 ②	8 ③

01 세계사 학습의 태도 정답: ①

역사는 같은 사실이라도 보는 사람의 관점과 시대에 따라 그 의미와 해석이 달라질 수 있다.

| 오답 피하기 |

ㄷ, ㄹ. 역사는 과거에 일어난 사실에 대한 기록이자 해석이기도 하므로 다문화적이고 다중심적인 시각이 필요하다.

02 선사 시대의 생활 모습 정답: ④

(가)는 구석기 시대의 알타미라 동굴 벽화, (나)는 신석기 시대의 목축을 보여 주는 타실리나제르의 벽화이다.

| 오답 피하기 |

①, ②는 신석기, ③은 구석기, ⑤는 청동기 시대에 대한 설명이다.

03 메소포타미아 문명과 이집트 문명의 내세관 정답: ⑤

(가)는 메소포타미아의 『길가메시 서사시』이다. 메소포타미아 지역은 이민족의 침입이 잦은 지역으로 현세적이며 쐐기 문자를 사용하였다. (나)는 이집트의 「사자의 서」로 이를 통해 이집트인들의 영혼 불멸 사상과 내세적인 세계관을 알 수 있다.

| 오답 피하기 |

⑤의 지구라트는 메소포타미아 문명의 신전이다.

04 이집트 문명 정답: ⑤

이집트인이 나일강의 수위를 기준으로 만든 달력에 대한 설명이다.

| 오답 피하기 |

①은 인도, ②, ③, ④는 메소포타미아 지역에서 볼 수 있는 모습으로 적절하다.

05 에게 문명 정답: ④

지중해의 에게해 지역과 그리스 본토에서는 서아시아 지역 문명의 영향을 받아 에게 문명이 발달하였다.

| 오답 피하기 |

①은 이집트 문명, ②는 메소포타미아 문명, ③은 중국 문명, ⑤는 이스라엘에 대한 설명이다.

06 인도 문명과 중국 문명 정답: ①

지도의 (가)는 인더스강 유역에서 발생한 인도 문명, (나)는 황허강 유역에서 발생한 중국 문명을 표시한 지도이다.

| 오답 피하기 |

②는 이집트 문명, ④는 페니키아, ⑤는 중국의 주 왕조에 대한 탐구 활동으로 적절하다.

07 인도 문명 정답: ②

인도 문명은 기원전 2500년경 펀자브 지방에서 드라비다인이 건설하였다. 대표적인 유적지로 하라파와 모헨조다로가 있으며 카스트제를 만들었다.

| 오답 피하기 |

①은 중국 문명, ③은 아무르인은 바빌로니아 왕국을 건설한 민족이다. ④는 그리스 아테네의 신전이며, ⑤는 메소포타미아의 바빌로니아 왕국과 관련 있다.

08 중국 문명 정답: ③

자료는 주 왕조에 대한 설명이다. 주의 왕은 도읍 부근의 직할지를 제외하고 나머지 영토를 일족과 공신에게 나누어 주고 이들을 제후로 임명하는 봉건제를 실시하였다.

| 오답 피하기 |

①, ②는 이집트 문명, ④는 중국의 상 왕조에 대한 설명이다.
⑤ 철기는 춘추 전국 시대에 보급되기 시작하였다.

심화 수능 유형 익히기 28쪽

1 ① 2 ①

01 이집트 문명 정답: ①

사진은 이집트 문명의 피라미드 건축물이다. 이집트인들은 상형문자를 사용하였고, 죽은 자를 위해 「사자의 서」를 제작하였다.

| 오답 피하기 |

ㄷ. 중국의 주 왕조, ㄹ. 메소포타미아 문명에 대한 설명이다.

02 인도 문명과 중국 문명 정답: ①

(가)는 인도 문명으로 하라파, 모헨조다로의 유적지가 있고 메소포타미아 지역과 무역을 하였다. (나)는 중국 문명으로 태음력을 사용하고 순장의 풍습이 있었다. (가), (나) 모두 엄격한 신분 제도가 있었다.

| 오답 피하기 |

①의 우르크와 우르는 메소포타미아 문명의 유적지이다.

심화 기출 지문 활용하기 29쪽

1 해설 참조 2 ① 3 ① 4 해설 참조 5 ② 6 ②

01 메소포타미아 문명

사진은 길가메시 조각상으로 티그리스·유프라테스강 유역에서 발생한 메소포타미아 문명 지역에서 발굴되었다.

| 모범 답안 |

메소포타미아 문명, 이 문명이 발생한 티그리스강과 유프라테스강 유역은 개방적인 지형으로 이민족의 침입이 잦았고, 사후 세계보다 지금의 행복을 기원하는 현세적인 성격이 강하였다.

상	문명의 명칭과 문명의 특징을 모두 명확히 서술함.
중	문명의 명칭과 문명의 특징 중 하나만 서술함.
하	메소포타미아 문명에 대해 잘못 서술함.

02 메소포타미아 문명 정답: ①

메소포타미아 문명에서 발굴된 조각상이다. 지구라트는 메소포타미아의 수메르인이 건설한 신전이다.

| 오답 피하기 |

② 『마누 법전』은 인도 굽타 왕조 시기에 편찬되었다.
③ 고대 그리스인들은 4년마다 올림피아 제전을 개최하여 민족의 결속을 다졌다.
④ 이집트 문명에 대한 설명이다. 메소포타미아 문명은 티그리스강과 유프라테스강 유역에서 발달하였다.
⑤ 인더스 문명에 대한 설명이다.

03 메소포타미아 문명 정답: ①

메소포타미아 문명의 신전인 지구라트이다.

| 오답 피하기 |

②는 이집트의 피라미드, ③은 에게 문명의 크노소스 궁전, ④는 중국의 갑골문, ⑤은 모헨조다로 유적에서 발굴된 인물상이다.

04 이집트 문명

람세스 2세는 60년 이상 이집트의 전성기를 이끈 이집트 제19왕조의 왕으로 다른 이집트의 왕들이 그러하듯 파라오라 불리며 신권 정치를 펼쳤다.

| 모범 답안 |

이집트 문명, 태양의 신 '라'의 아들로 간주되는 왕은 '파라오'라고 불렸고, 그는 종교적 권위를 바탕으로 절대 권력을 휘두르며 신권 정치를 펼쳤다.

상	문명의 명칭과 문명의 특징을 모두 명확히 서술함.
중	문명의 명칭과 문명의 특징 중 하나만 서술함.
하	이집트 문명에 대해 잘못 서술함.

05 이집트 문명 정답: ②

이집트인들은 영혼 불멸과 사후 세계를 믿어 시신을 미라로 제작하였고, 파라오의 무덤인 피라미드를 축조하였다.

| 오답 피하기 |

① 인더스 문명의 드라비다인은 모헨조다로, 하라파 같은 계획 도시를 건설하였다.
③ 에게해의 크레타섬에서 성립한 크레타 문명은 미노스왕의 궁전으로 알려진 크노소스 궁전을 건립하였다.
④ 파르테논 신전은 아크로폴리스에 위치한 아테나 여신의 신전이다.
⑤ 『함무라비 법전』은 메소포타미아의 바빌로니아 왕국을 통치한 함무라비왕에 의해 편찬되었다.

06 이집트 문명 정답: ②

이집트 문명은 사후 세계를 중시하여 「사자의 서」를 제작하였고 파피루스 종이에 상형문자를 남겼다.

| 오답 피하기 |
ㄴ. 인도 문명, ㄷ. 메소포타미아 문명에 대한 설명이다.

대주제 1 마무리하기 30~32쪽

1 ⑤	2 ②	3 ⑤	4 ③	5 ①	6 ③
7 ③	8 ⑤	9 ⑤	10 ④	11 ③	12 ⑤

01 역사 학습의 태도 정답: ⑤
(가)는 피렌체의 자연 환경을 객관적으로 서술하고 있으며, (나)는 피렌체에 대한 평가가 들어가 있어 (가)에 비해 주관적인 측면이 강하다. 19세기 역사학자 랑케는 역사적 사실이 객관적 진리라고 믿었으나, 20세기 초의 역사학자 크로체는 역사적 진실은 상대적이라고 보았다. 카는 랑케와 크로체의 의견을 종합하여 역사적 사실이 객관적이면서도 어느 정도 주관적이라는 것을 인정하였다.

| 오답 피하기 |
ㄴ. (나)는 '아름답고 유용한', '능가한다.'와 같이 평가적인 서술이 들어가 있어 (가)에 비해 주관성이 강하다.

02 구석기 시대 정답: ②
라스코 동굴 벽화는 크로마뇽인이 남긴 구석기 시대의 벽화이다.

| 오답 피하기 |
①, ④, ⑤는 신석기 시대, ③ 청동기 시대의 설명이다.

03 구석기 시대와 신석기 시대의 유물 정답: ⑤
(가)는 구석기 시대에 풍요와 다산을 기원하며 만든 빌렌도르프의 비너스, (나)는 신석기 시대의 거석 문화를 대표하는 스톤헨지이다.

| 오답 피하기 |
⑤ 청동기 시대에 대한 설명이다.

04 신석기 시대 정답: ③
자료는 신석기 시대에 사용된 뼈바늘과 갈판, 갈돌이다. 신석기 시대에는 베틀을 만들어 아마와 양모로 옷을 지어 입었다.

| 오답 피하기 |
①, ⑤는 구석기 시대, ②는 청동기 시대 이후에 대한 설명이다.
④는 신석기 시대로 접어들면서 날씨가 따뜻해졌다.

05 메소포타미아 문명 정답: ①
자료는 메소포타미아 문명에서 사용한 쐐기 문자이다. 메소포타미아 문명을 일으킨 수메르인들은 태음력과 60진법을 사용하였고 도시마다 지구라트라는 신전을 세워 각 도시의 수호신을 섬겼다.

| 오답 피하기 |
②, ③은 이집트, ④는 중국의 주 왕조, ⑤는 인도 문명에서 볼 수 있는 모습이다.

06 『함무라비 법전』 정답: ③
함무라비왕은 메소포타미아 지역에서 바빌로니아의 영토를 확장시켰으며 『함무라비 법전』을 편찬하였다.

| 오답 피하기 |
①, ②는 이집트 문명, ④는 페니키아, ⑤는 인도의 카스트제에 대한 설명이다.

07 이집트 문명 정답: ③
로제타석은 이집트 문명의 비석으로 나폴레옹의 이집트 원정대에 의해 발견되었다.

| 오답 피하기 |
③ 수메르인은 메소포타미아 문명을 건설하였다.

08 이집트 문명 정답: ⑤
자료는 이집트 문명의 발상지이다. 이집트 지역은 폐쇄적인 지형으로 이민족의 침입이 거의 없었고, 사후 세계와 영혼 불멸을 믿는 내세관을 가지고 있었다. 또 파피루스 종이를 만들고 상형 문자로 기록을 남겼다.

| 오답 피하기 |
ㄱ. 길가메시 조각상은 메소포타미아 문명의 유물이다.

09 인도 문명 정답: ⑤
자료는 인도 문명에서 발생한 브라만교의 경전 『베다』이다. 관련된 문화유산은 모헨조다로 유적지이다.

| 오답 피하기 |
① 중국 문명의 갑골문, ② 오스트리아의 빌렌도르프 비너스, ③ 이집트의 피라미드, ④ 프랑스의 라스코 동굴 벽화이다.

10 중국 문명 정답: ④
자료는 중국 주 왕조의 봉건 제도이다. 중국의 봉건 제도는 혈연관계에 기반을 두었다.

| 오답 피하기 |
① 메소포타미아 문명에 대한 설명이다.
② 호경에서 낙읍으로 천도하였다.
③, ⑤는 인도에 대한 설명이다.

11 아리아인의 이주 정답: ③
아리아인의 이동 경로를 나타낸 지도이다.

| 오답 피하기 |
① 아리아인은 철기를 사용하였다.
② 수메르인은 메소포타미아 문명을 일으켰으며 아카드인에 의해 정복되었다.
④ 중국 주 왕조에 대한 설명이다.
⑤ 하라파, 모헨조다로는 인도 문명을 일으킨 드라비다인이 건설하였다.

12 중국 문명 정답: ⑤

제시된 유물은 중국 상 왕조에서 제기로 사용한 청동 솥이다. 중국 문명 유적지에서는 이외에도 다양한 토기와 갑골문이 발견되었다.

| 오답 피하기 |

ㄱ. 메소포타미아 문명, ㄴ. 이집트 문명에 대한 설명이다.

비판적 사고 기르기 33쪽

01 | 모범 답안 |

이집트 문명은 나일강 유역에서 기원전 3000년경에 발생하였다. 여느 문명이 그러하듯 대규모 관개 사업을 위해서는 강력한 공동체가 필요하였고 이집트 역시 여러 도시 국가를 통합한 왕국이 출현하였다. 하지만 다른 문명과는 달리 나일강 유역은 사막과 바다로 둘러싸인 폐쇄적인 지형 때문에 이민족의 침입을 거의 받지 않았고 이에 오랫동안 통일 국가를 유지할 수 있었다. 이집트는 강력한 신권 정치가 행해졌는데 왕은 태양신 '라'의 아들로 간주되고 '파라오'라고 불렸다. 영혼 불멸과 사후 세계를 믿은 이집트인들은 시신을 미라로 처리하고 죽은 사람을 위한 안내서인 「사자의 서」를 제작하였다. 또 다른 이집트 문명의 특징으로는 파피루스 종이를 만들어 여기에 상형 문자로 기록을 남긴 점과 태양력과 10진법을 사용한 점, 그리고 기하학, 측량술 등 과학이 매우 발달하였다는 점이다.

| 채점 기준 |

상	이집트 문명이 발생한 지역과 특징을 모두 명확히 서술함.
중	이집트 문명이 발생한 지역과 특징 중 하나만 서술함.
하	이집트 문명에 대해 잘못 서술함.

02 | 모범 답안 |

이집트 문명의 과학은 매우 발달하였는데 이는 나일강의 범람과 관련이 깊다. 나일강은 주기적으로 범람하였고 이를 예측하기 위해 천문학과 역법이 발전하였다. 천문을 관찰하여 1년이라는 단위와 1년이 365일임을 고안하였고, 1년을 12개월로 나누었다. 이는 오늘날 세계인이 사용하는 태양력의 기원이다. 더불어 나일 강물의 범람을 측량하기 위해 자연스레 수학이 발달하였다. 오늘날 우리가 사용하는 10진법의 기원 또한 이집트이다. 나일 강물의 범람 후에는 농지의 경계가 사라지므로 사람들은 매년 농지를 다시 측량해야 했고, 이 과정에서 도형과 공간을 연구하는 기하학 또한 발달하였다.

| 채점 기준 |

상	이집트 과학 기술의 종류와 내용을 모두 명확히 서술함.
중	이집트 과학 기술의 종류와 내용 중 하나만 서술함.
하	이집트 과학 기술에 대해 잘못 서술함.

대주제 ② 동아시아 지역의 역사

주제 3 동아시아 세계의 형성

1단계 개념 익히기 42쪽

1 ⓐ – ㉠, ⓑ – ㉡, ⓒ – ㉢ 2 (1) O (2) X (3) O (4) X (5) X 3 (1) 제자백가 (2) 향거리선제 (3) 청담 사상 (4) 『오경정의』 (5) 국풍 문화 4 분서갱유, 화폐 통일, 문자 통일, 도량형 통일, 군현제, 만리장성 축조 5 (가) 장원제 (나) 양세법 6 유교, 불교, 율령, 한자 7 유목민, 바닷길, 비단길

2단계 내신 유형 익히기 43~45쪽

1 ⑤ 2 ⑤ 3 ⑤ 4 ⑤ 5 ⑤ 6 ② 7 ⑤ 8 ② 9 ① 10 ④ 11 (1) 한 무제 (2) 해설 참조 12 (1) 양세법 (2) 해설 참조

01 춘추 전국 시대 정답: ⑤

자료는 전국 시대 각국에서 통용되던 화폐이다. 춘추 전국 시대에는 철제 농기구와 우경이 시작되면서 토지 개간과 관개가 쉬워지고 농업 생산량이 크게 늘어났다.

| 오답 피하기 |

① 한 무제가 동중서의 건의를 받고 유교를 통치 이념으로 채택하였다.
② 분서갱유는 진시황제가 사상을 통제하기 위해 실시한 정책이다.
③ 균수법은 한 무제의 통제 정책이다.
④ 주에서 혈연을 바탕으로 봉건제가 시행되었다.

02 제자백가 정답: ⑤

(가)는 유가, (나)는 법가이다. 유가는 가족 윤리를 바로 세움으로써 사회 문제를 해결하려 하였다. 대표 학자로 공자, 맹자, 순자가 있다. 법가는 군주의 권위를 존중하고 엄격한 법치 시행을 주장하였다. 대표 학자로 상앙과 한비자가 있다.

| 오답 피하기 |

① 태평도, 오두미도는 도가와 민간 신앙이 결합하여 후한 말에 생겨났다.
② 무위자연은 도가에서 주장하였다.
③ 차별 없는 사랑과 상호 부조를 강조한 것은 묵가이다.
④ 진시황제는 유교를 탄압하기 위해 분서갱유를 단행하였다.

03 진의 통일 정책 정답: ⑤

진시황제 시기의 영역을 나타내는 지도이다. 진시황제는 최초로 전국을 통일하고 각 분야에서 통일 정책을 시행하였다.

| 오답 피하기 |

ㄱ. 군국제는 한 고조가 봉건제와 군현제를 절충하여 만든 제도이다. 한

무제 때 군현제로 변화하였다.
ㄴ. 노비 매매를 금지한 것은 신을 세운 왕망이 실시한 정책으로 주 왕조의 이상을 실현하고자 한 것이다.

04 봉건제, 군국제, 군현제 정답: ⑤

(가)는 주의 봉건제, (나)는 한 고조가 실시한 군국제, (다)는 군현제이다. 황제가 직접 지방관을 파견하는 군현제는 황제를 중심으로 한 중앙 집권적 지배 체제이다.

| 오답 피하기 |

① 군현제에 대한 설명이다.
②, ③ 봉건제에 대한 설명이다.
④ 군국제는 한 고조가, 군현제는 한 무제가 실시하였다.

05 한의 성립과 발전 정답: ⑤

자료는 한의 정치, 경제, 사회, 문화에 대해서 제시하고 있다. 한 나라의 문화에 대한 탐구 내용을 찾는 문제이다.

| 오답 피하기 |

① 수시력은 원 대에 곽수경이 이슬람 역법의 영향을 받아 만들었다.
② 『일본서기』는 나라 시대의 고대 역사와 신화를 섞어 정리한 역사서이다.
③ 『자치통감』은 송 대에 사마광이 저술한 편년체 역사서이다.
④ 조로아스터교는 당 대에 전래되었다.

06 북위 효문제의 정책 정답: ②

(가)는 북위 효문제이다. 효문제는 적극적인 한화 정책을 펼쳐 호한 융합을 이루었다. 자영농을 육성하기 위해 균전제를 실시하였다. 균전제는 수·당에서 계승하였다.

| 오답 피하기 |

① 신을 세운 왕망의 정책, ③ 원에서 사용하던 화폐, ④ 한 무제의 통제 경제 정책이다.
⑤ 안사의 난 이후 조용조에서 양세법으로 변화하였다.

07 위진 남북조 시대의 문화 정답: ⑤

위진 남북조 시대의 문화에 대한 설명을 찾는 문제이다. 윈강 석굴은 북위에서 조성한 것으로 북조 불교의 특징을 보여준다. 불교는 황제의 권위를 보여주고 교리에 화이에 대한 차별이 없었기에 북조에서 환영받았다. 쿠마라지바와 법현은 인도와 중국을 오가며 불경으로 한자로 번역하였다.

| 오답 피하기 |

ㄱ. 고증학은 청 초에 발달한 유학의 경향이다.
ㄴ 이백과 두보는 귀족 문화가 발달한 당 대의 시인이다.

08 수 왕조 정답: ②

지도 속 운하는 수 대에 건설된 운하들이다. 수는 북위의 균전제를 이어받아 조용조, 부병제를 실시하였다. 9품중정제를 폐지하고 과거제를 도입하여 문벌 귀족을 견제하면서 중앙 집권을 추구하였다. 수 문제는 돌궐과 안남을 제압하나 고구려 원정에 실패하였다.

| 오답 피하기 |

② 절도사는 당 중기 변방 방어를 위해 변경 지방에 파견되었다. 안사의 난을 일으킨 안록산이 대표적인 절도사 출신이다. 송을 세운 조광윤은 건국 후 절도사의 세력을 약화시켰다.

09 당의 통치 체제의 변화 정답: ①

안사의 난 이후 당의 통치 체제가 흐트러지면 균전제가 붕괴된다. 귀족들의 대토지 소유가 증가하면서 균전제가 붕괴되고 조용조는 양세법으로, 부병제는 모병제로 변화되었다. 이러한 가운데 황소의 난이 일어나 당이 멸망하였다.

| 오답 피하기 |

② 당을 약화시킨 농민 반란으로 안사의 난 이후에 발생하였다.
③ 원의 지배를 타도하려는 종교적 농민 반란이다.
④ 후한이 정쟁으로 혼란한 시기에 일어난 농민 반란이다.
⑤ 진나라의 가혹한 법치와 대규모 토목 공사에 불만을 품어 일어난 농민 반란이다.

10 수·당 대 동아시아문화권 정답: ④

동아시아의 공통 문화 요소와 역할을 보여주는 자료이다. 공통 문화 요소로는 유교, 불교, 한자, 율령이 있다. (가)에 들어갈 요소로는 율령으로 동아시아 각국에서 정치 체제의 역할을 하였다.

| 오답 피하기 |

① 수에서 시작되어 청까지 이어지는 관료 선발 제도이다.
② 수·당 대에 완성된 조세 체계이다.
③ 후한 말 장릉이 창시한 도교의 교단이다.
⑤ 위진 남북조 시대에 세속을 떠나 철학적 논의를 나누던 사상이다.

11 한 무제의 통제 경제 정책

자료는 대외 원정으로 부족해진 재정을 해결하기 위한 통제 경제 정책이다. 억상책을 통한 재정의 확충이 목적이었다.

| 모범 답안 |

(1) 한 무제
(2) 한 무제는 흉노 토벌, 고조선 · 남월 정복 등 잦은 대외 원정으로 인한 재정 결손을 보충하고, 호족과 대상인 집단의 성장으로 소농민이 몰락하고 국가 권력이 약화되는 경향을 막기 위해서 균수법과 평준법을 실시하였다.

| 채점 기준 |

상	한 무제, 대외적 배경, 대내적 배경의 세 가지 요소를 모두 포함하여 서술함.
중	한 무제, 대외적 배경, 대내적 배경 중 두 가지 요소를 포함하여 서술함.
하	한 무제, 대외적 배경, 대내적 배경 중 한 가지 요소만 포함하여 서술함.

12 양세법
자료는 양세법에 대한 설명이다.

| 모범 답안 |
(1) 양세법
(2) 안사의 난을 전후로 장원이 늘어나 균전제가 무너지고 농민이 소작농으로 전락하면서 백성의 빈부 격차가 커졌다.

상	안사의 난의 발생과 장원이 늘어나 균전제가 붕괴하고 소작농으로 전락한 점, 백성의 빈부 격차가 커졌음을 모두 서술함.
중	안사의 난의 발생과 장원이 늘어나 균전제가 붕괴하고 소작농으로 전락한 점, 백성의 빈부 격차가 커진 점 중 두 가지만 서술함.
하	안사의 난의 발생과 장원이 늘어나 균전제가 붕괴하고 소작농으로 전락한 점, 백성의 빈부 격차가 커진 점 중 한 가지만 서술함.

3단계 내신 만점 도전하기 46~47쪽

1 ②	2 ①	3 ④	4 ③
5 ④	6 ⑤	7 ②	8 ④

01 진시황제의 정책 정답: ②
(가)는 진시황제이다. 진시황제는 중앙 집권의 황제 지배 체제를 확립하기 위해 춘주 전국 시대에 시작된 군현제를 전국적으로 실시하였다.

| 오답 피하기 |
① 한 무제의 업적으로 이후 서역과의 교통로인 비단길이 열렸다.
③ 한 무제가 시행한 제도로 유교적 도덕, 특히 효렴이 뛰어난 인재를 선발하는 제도이다.
④ 한 무제는 동중서의 건의를 받아들여 유교를 통치 이념으로 채택하였다.
⑤ 강남과 화북을 연결하는 대운하는 수나라에서 건설하였다.

02 제자백가 정답: ①
자료는 춘추 전국 시대 제자백가를 나타낸 것이다. (가)는 유가, (나)는 법가, (다)는 도가, (라)는 묵가이다. 한 무제는 동중서의 건의를 받아 유교를 통치 이념으로 삼았다.

| 오답 피하기 |
②는 묵가의 겸애, ③ 한 무제는 (가)유가를 통치 이념으로 채택하였다.
④는 법가, ⑤는 도가이다.

03 춘추 전국 시대 정답: ④
지도는 전추 5패와 전국 7웅의 세력 형세도를 나타낸 것이다. 춘추 전국 시대에는 철제 농기구와 우경을 활용하였고, 대규모 지역에서 전투가 확장되면서 평지에서만 싸우는 기병에서 지형을 가리지 않는 보병으로 전술이 변화하였다.

| 오답 피하기 |
ㄱ. 한 고조가 군현제를 진의 멸망 원인으로 보고 봉건제와 군현제를 결합한 군국제를 시행하였다.
ㄷ. 한 무제가 재정 확보를 위해 시행한 통제 경제 정책이다.

04 한 무제의 통제 경제 정답: ③
한 무제 때 흉노 정벌을 위해서 대규모의 물량 작전을 펼쳐 한나라의 재정이 궁핍해졌음을 나타내는 자료이다. 재정 궁핍을 해결하기 위해 통제 경제 정책을 시행하였다.

| 오답 피하기 |
ㄱ. 반량전은 진의 화폐이고, 한은 오수전을 주조하였다.
ㄹ. 대운하 건설은 수 문제 때 시작하여 양제 때 완성되었다.

05 한과 위진 남북조의 관리 선발 제도 정답: ④
관리 선발 제도에 대한 자료이다. (가)는 한의 향거리선제로 한 무제 때 동중서의 건의로 시행되었다. (나)는 위진 남북조 시대의 9품중정제로 중앙에서 파견한 중정관이 지방의 인재에게 향품을 주어 추천하는데 지방의 유력한 호족의 자제를 추천하여 특정 가문의 문벌 귀족화를 가져왔다.

| 오답 피하기 |
ㄱ. 전시는 송 대 시작되었고 황제 독재 체제를 강화하였다.
ㄷ. 『오경정의』는 당에서 훈고학을 집대성한 공영달이 경전의 주석서를 편찬한 것으로 과거의 수험서로 활용되어 사상의 획일화를 가져왔다.

06 한 대의 문화 정답: ⑤
(가)는 한 대 사마천이 저술한 기전체 역사서 『사기』이고, (나)는 당 대 공영달이 저술한 경전 주석서 『오경정의』이다. 한 대와 당 대 모두 유학의 경향은 경전의 풀이와 주석 연구를 중심으로 하는 훈고학이었다.

| 오답 피하기 |
①은 북위 효문제의 정책, ②는 위진 남북조 시대 문화이다.
③은 한 무제 때 유학, ④는 위진 남북조 시대 불교의 특징이다.

07 나라 시대 정답: ②
(가)는 나라 시대이다. 나라 시대에는 중앙 집권 체제가 확립되고 국가 의식인 높아져서 고대 역사와 신화가 결합된 역사서인 『고사기』와 『일본서기』가 편찬되었다.

| 오답 피하기 |
①은 가마쿠라 막부 시기, ③, ④는 에도 막부 시기이다.
⑤는 다이카 개신 이후 국왕 중심의 중앙 집권 체제가 확립되면서 '천황'이라는 용어가 사용되었다.

08 당 대의 문화 정답: ④
자료는 당의 문화를 나타내고 있다. 당삼채는 당의 대표 유물로 백색, 녹색, 황색 유약을 사용하여 만든 도기이다. 당 대 귀족의 취미나 풍속, 서역의 양식을 반영하여 제작되었다.

| 오답 피하기 |
①은 일본 고류사의 목조 미륵보살 반가 사유상으로 한국의 삼국 시대

에 제작하여 전래된 것으로 추정한다.
②는 진시황제가 세운 낭야대 각석, ③는 원 대 통용된 교초(지폐)이다.
⑤는 위진 남북조 시대 귀족의 생활상을 담은 고개지의 「여사잠도」이다.

심화 수능 유형 익히기

48쪽

1 ⑤　　2 ③

01 진시황제의 통일 정책과 황제 지배 체제　정답: ⑤

모둠별 활동은 진시황제의 통일 정책과 황제권 강화를 위해 실시한 군현제에 대한 내용이다.

| 오답 피하기 |

①, ②, ③, ④는 진시황제 이후의 왕들의 내용이다.

02 나라 시대　정답: ③

견당사를 통해서 중국의 율령 체제를 수용하면서 당의 3성 6부를 변용해서 2관 8성제를 만들었다.

| 오답 피하기 |

① 몽골의 침입을 받아 가마쿠라 막부가 쇠퇴하였다.
② 산킨코타이 제도는 에도 시대 다이묘 통제 정책이다.
④ 국풍 문화는 헤이안 시대 견당사가 폐지된 이후 일본의 풍토에 맞게 발달한 문화이다.
⑤ 아스카 시대에는 쇼토쿠 태자의 적극적인 불교 진흥책으로 불교 문화가 발달하였다.

심화 기출 지문 활용하기

49쪽

1 해설 참조　2 ③　3 ④　4 해설 참조　5 ①　6 ⑤

01 한 무제의 통치

한 무제가 흉노 정벌의 동맹국을 찾기 위해 장건을 파견하는 대화 내용이다. 흉노를 정벌하는데 도움을 줄 세력을 찾아 서역으로 장건을 파견하였다.

| 모범 답안 |

한 무제는 흉노를 정벌하기 위해서 흉노의 서쪽에 위치한 월지와 여러 유목 민족을 찾아 동맹을 요청하였다. 그는 동맹을 맺지 못하였지만 서역으로 통하는 교통로를 개척하게 되었다.

| 채점 기준 |

등급	기준
상	한 무제와 흉노 정벌을 위해 장건을 파견한 목적, 이후 개척된 비단길 모두 서술함.
중	한 무제와 흉노 정벌을 위해 장건을 파견한 목적, 이후 개척된 비단길 중 두 가지를 서술함.
하	한 무제와 흉노 정벌을 위해 장건을 파견한 목적, 이후 개척된 비단길 중 한 가지만 서술함.

02 한 대의 통치 정책　정답: ③

한 무제는 흉노, 고조선, 남월을 정벌하는 과정에서 재정이 어려워지자 통제 정책을 시행하였다.

| 오답 피하기 |

① 부병제는 수·당 시대 실시한 병농일치제이다.
② 진승 · 오광의 난은 진시황제의 가혹한 통치와 대규모 토목 공사에 반발해서 발생한 난으로 진이 멸망하는 계기가 되었다.
④ 철제 농기구는 춘추 전국 시대에 시작되어 사회 변화를 가져왔다.
⑤ 춘추 전국 시대에 부국강병을 이루기 위해 제후들이 유능한 사상가를 등용하면서 제자백가가 출현하였다.

03 한 무제의 통제 경제 정책　정답: ④

한 무제는 대외 원정으로 부족해진 재정을 보충하기 위해 소금과 철을 전매하였다.

| 오답 피하기 |

① 균전제는 북위에서 시작하여 수·당 대에 시행되었다.
② 모병제는 당의 부병제가 붕괴되면서 등장하였다.
③ 반량전은 진 대에 전국 시대의 다양한 화폐를 통일하면서 주조하였다.
⑤ 지정은제는 청 대에 인구 증가로 정세(인두세)를 지세에 포함시킨 세법이다.

04 당 대 문화의 특징

당 대 문화는 귀족적인 특징과 더불어 서역 문화를 수용하여 개방적이고 국제적인 문화가 발전하였다.

| 모범 답안 |

도자가의 명칭은 당삼채로 당의 개방적이고 국제적인 문화의 특징을 알 수 있다.

| 채점 기준 |

등급	기준
상	당 대 발달한 유물, 당 문화의 개방성과 국제성을 모두 서술함.
중	당 대 발달한 유물, 당 문화의 개방성과 국제성 중 두 가지를 서술함.
하	당 대 발달한 유물, 당 문화의 개방성과 국제성 중 한 가지만 서술함.

05 당 대 문화의 특징　정답: ①

당 대 문화는 개방적이고 국제적인 특징을 갖고 있다. 마니교, 조로아스터교, 경교, 이슬람교 등 다양한 종교가 전래되었다. 귀족 중심의 사회로 귀족 취향에 맞는 시 등이 유행하였다.

| 오답 피하기 |

ㄷ. 제자백가는 춘추 전국 시대에 발달한 사상이다.
ㄹ. 청담 사상은 남조의 혼란한 정치 상황에서 벗어나 현실 도피적인 경향을 담은 사상이다.

06 당 대 문화　정답: ⑤

과거제로 인해 유학이 발달하였고, 훈고학을 집대성한 공영달의 경전 주석인 『오경정의』가 과거 수험서로 활용되었다.

| 오답 피하기 |

① 도연명은 위진 남북조 시기 혼란한 시대를 반영하여 「귀거래사」를 지었다.
② 고개지의 「여사잠도」는 남조의 동진에서 귀족의 생활상을 그린 그림이다.
③ 통속 문학은 송 대 서민 문화가 발달하면서 서민의 취향을 반영한 문학이다.
④ 법현은 동진의 승려로 불경을 번역하였다.

주제 4 동아시아 세계의 발전

1단계 개념 익히기 56쪽

1 ⓐ – ㉠, ⓑ – ㉡, ⓒ – ㉢ 02 (1) O (2) X (3) O (4) X (5) X 03 (1) 이중 지배 체제 (2) 황제 독재 체제 (3) 천호제 (4) 몽골 제일주의 (5) 인쇄술 04 행 · 작 결성, 모내기 보편화, 제철 · 자기 · 견직업 발달 05 ㄱ – ㄴ – ㄹ – ㄷ 06 역참제 07 농민, 시역법, 모역법, 균수법, 보갑법, 말

2단계 내신 유형 익히기 57~59쪽

1 ⑤ 2 ④ 3 ④ 4 ④ 5 ④ 6 ① 7 ③ 8 ①
9 ④ 10 ④ 11 (1) 왕안석 (2) 해설 참조 12 (1) 역참(제) (2) 해설 참조

01 송의 발전 정답: ⑤

(가)는 송 왕조이다. 송 대에는 황제 독재 체제를 강화하기 위해서 과거의 마지막 단계에 전시를 설치하고, 재상권을 축소하였다.

| 오답 피하기 |

①는 몽골 제일주의, ② 교초는 원에서 통용된 지폐, ③ 파스파 문자는 원의 문자, ④는 청 대의 지정은제이다.

02 송 대의 경제 정답: ④

자료는 중국의 동전 주조량을 나타낸 것으로 (가)는 송나라 시기이다. 농업 생산량이 높아져 수공업과 상업이 발달하여 상인과 수공업자의 동업 조합인 행과 작이 결성되었다.

| 오답 피하기 |

① 은으로 세금을 납부하기 시작한 것은 일조편법을 시행한 명 후기부터이다.
② 교초는 원에서 통용되던 지폐이다.
③ 회관과 공소는 명·청 대 각 도시에 설치되었다.
⑤ 당 대 화북 지방에서 2년 3모작이 가능해져 농업 생산력이 크게 늘었다.

03 성리학의 발달 정답: ④

자료는 설명하는 유학은 송 대 새로운 경향으로 나타난 성리학이다. 성리학은 우주의 원리와 인간의 본성에 대해 이(理)와 기(氣)의 개념으로 설명하였다.

| 오답 피하기 |

① 실용적인 경세 학풍은 청 초에 등장하였다.
② 양명학은 명 대 왕수인이 성리학을 비판하면서 등장하였다.
③ 고증학은 청 초 경전을 실증적으로 연구하고 국가 주도의 대규모 서적 편찬 사업으로 등장하였다.
⑤ 훈고학은 한 대에 분서갱유로 유교 경전을 복원하는 과정에서 경전을 풀이하고 주석을 달면서 발달하였다.

04 금의 맹안 모극제 정답: ④

자료는 금의 맹안 모극에 대한 설명이다. 금은 여진족의 아구다가 부족을 통일하고 세운 나라이다. 화이허강 이북을 지배하면서 여진족은 맹안 모극제, 정복 지역의 한족은 주현제로 다스리는 이중 지배 체제를 채택하였다.

| 오답 피하기 |

① 거란이 916년 멸망시켰다.
② 탕구트족은 서하를 세웠다.
③ 북위 효문제의 정책이다.
⑤ 거란족이 세운 요가 최초로 연운 16주를 차지하였다.

05 요의 발전 정답: ④

지도의 (가)는 요로 요 · 서하 · 송의 형세도이다. 요는 거란족의 정체성을 유지하기 위해 고유 문자인 거란 문자를 사용하였다.

| 오답 피하기 |

① 선비족은 북위를 세웠다
② 북위 효문제의 정책이다.
③ 아구다는 여진족을 통일하여 금을 세웠다.
⑤ 맹안 모극제는 금의 제도이고 요는 북면관제 · 남면관제를 채택하였다.

06 원의 중국 지배 정답: ①

자료는 원에서 몽골 제일주의 원칙에 따라 재정 업무를 담당한 서방계 색목인인 아흐마드가 활동한 시기에 대한 내용이다. 곽수경이 이슬람 역법의 영향을 받아 수시력을 만들었다. 제국을 하나로 통합하고 원활한 통치를 위해 역참을 설치하고 관리를 파견하였다. 14세기 이후 지폐 교초를 남발하여 물가가 폭등하였다. 서방계 색목인은 중앙아시아, 서아시아, 유럽, 티베트 등 각지에서 온 사람들로 주로 재정과 행정 업무를 담당하였다.

| 오답 피하기 |

① 귀족적이면서 국제적인 문화는 귀족 사회였던 당의 문화이다.

07 몽골의 동서 문화 교류 정답: ③

자료는 몽골 제국에서 교통로에 설치한 역참에 대한 설명이다. 몽골 제국 시기의 중국을 다녀간 사람들로 마르코 폴로, 카르피니, 이븐 바투타가 있다. 마르코 폴로는 베네치아로 돌아가 『동방견문록』을 남겼고, 이슬람 역법이 들어와 수시력이 제작되었다.

| 오답 피하기 |

ㄱ. 스키타이는 기원전 8세기에서 3세기에 활약하던 유목 민족으로 초원길 형성에 영향을 미쳤다.

ㄹ. 장건을 서역에 파견한 것은 한 무제 때의 일이다.

08 원의 경제 정답: ①

자료는 원 대에 발행된 지폐인 교초이다. 원 대에 목화 재배가 전국적으로 확대되어 면직업이 발달하였다.

| 오답 피하기 |

② 참파벼는 송 대에 남방에서 유입된 품종으로 빨리 자라는 특징이 있어 농업 생산력을 상승시켰다.

③ 송 대 농업의 발달에 힘입어 수공업과 상업이 발달하여 행, 작이라는 동업 조합이 결성되었다.

④ 당 · 송 대 사용되던 약속 어음이다.

⑤ 한 무제의 통제 경제 정책이다.

09 원 대의 문화 정답: ④

지도는 원의 영역을 나타내는 것이다. 원에서는 서민 문화가 크게 발전하고, 민족의 종교와 문화에 대한 관용 정책으로 다양한 문화가 공존하였다. 『서상기』, 『비파기』는 원곡으로 도시민들이 즐겨 보던 연극 극본이다.

| 오답 피하기 |

①은 청 대의 구어체 문학, ②은 송의 편년체 역사서이다.

③은 위진 남북조 시기 북조에서 조성하였다.

⑤는 위진 남북조 시기 남조에서 유행한 청담 사상의 현실도피 성향을 반영한 시이다.

10 가마쿠라 막부 정답: ④

자료는 원의 두 차례의 걸친 일본 원정을 나타낸다. 가마쿠라 막부는 원의 두 차례의 원정을 막아냈지만 전쟁에 참여했던 무사들은 보상 받지 못하였을 뿐만 아니라 계속되는 군역 부담으로 경제적으로 궁핍해졌다. 무사의 몰락은 가마쿠라 막부의 뿌리를 흔들어 멸망을 가져왔다.

11 왕안석의 신법

문치주의로 국방비가 증가하자 부족해진 재정을 확충하기 위해서 실시한 개혁이다.

| 모범 답안 |

(1) 왕안석

(2) 지주와 대상인의 횡포로부터 농민과 소상인을 보호하고 북방 민족으로부터 국가를 보호하기 위한 군사력을 키워 재정 수입을 확대함으로써 부국강병을 추구하였다.

| 채점 기준 |

상	농민과 소상인을 보호하고 국방력을 키워 부국강병을 추구하였음을 서술함.
중	농민과 소상인 보호, 국방력 증가 중 한 가지만 서술함.
하	신법의 목적을 제대로 서술하지 못함.

12 몽골 제국의 역참제

몽골 제국은 광대한 제국을 원활하게 통치하기 위해 역참을 설치하였다. 이 역참을 통해 안전한 교역망이 형성되었다.

| 모범 답안 |

(1) 역참(제)

(2) 사절이나 관리 등 공무를 수행하는 인원의 여행과 물자 수송을 원활하게 하고 공문서 전달을 신속하게 하여 제국의 통치를 원활하게 하기 위해 설치하였다.

| 채점 기준 |

상	공무 수행과 물자 수송, 공문서 전달을 통해 제국의 통치를 원활히 하였다는 점을 서술함.
중	공무 수행, 물자 수송, 공문서 전달 중 두 가지만 서술함.
하	공무 수행, 물자 수송, 공문서 전달 중 한 가지만 서술함.

3단계 내신 만점 도전하기 60~61쪽

1 ②	2 ①	3 ③	4 ②
5 ④	6 ⑤	7 ⑤	8 ④

01 왕안석의 신법 정답: ②

(가)는 송과 요가 맺은 전연의 맹약이고, (나)는 송과 서하와 맺은 경력(慶曆)의 화약이다. 북방 민족의 압박으로 송은 과도한 군사비와 세폐 부담으로 재정이 어려워져 왕안석이 신법을 통해 재정을 확보하려고 하였다.

| 오답 피하기 |

①은 보마법, ③은 청묘법, ④는 시역법, ⑤는 모역법이다.

②는 진시황제의 통일 정책이다.

02 송 대의 문화 정답: ①

자료는 송 왕조의 각 분야별 내용을 모둠별 탐구 활동으로 정리한 노트이다. 송 대에는 훈고학적 유학의 경향에서 벗어나 인간과 우주 만물의 본질을 탐구하려는 성리학이 발전하였다.

| 오답 피하기 |

②는 명, ③은 원의 동서 문화 교류 결과 나타난 역법이다.

④는 위진 남북조 시기 북조의 석굴 사원이다.

03 송 대의 경제 정답: ③

자료는 송의 경제 상황을 보여주는 가상 편지이다. 송 대 석탄이 보편적으로 사용되면서 제철 · 자기 · 견직업 등의 수공업이 발달하였다. 수공업과 상업의 발달로 동업 조합인 작과 행이 결성되었다.

| 오답 피하기 |

ㄱ. 아메리카와 일본의 은이 유입된 시기는 명 · 청 시기로 은본위제를 가능하게 만들었다.

ㄹ. 땅콩, 옥수수, 감자, 고구마 등 아메리카 작물이 도입된 시키는 명 · 청 대이다.

04 요와 금의 이중 지배 체제 정답: ②

(가)는 북면관제, 남면관제로 요의 통치 제도이고, (나)는 맹안 모극제로 금의 통치 제도이다. 두 제도를 실시한 목적은 농경민인 한족과 유목 민족을 각기 다른 제도로 통치하여 유목 민족의 전통을 지키면서 중국적인 왕조를 이루기 위함이다. 또한 중국 문화에 동화되지 않고 고유한 문화를 지키기 위해서 고유 문자를 사용하였다.

05 원의 중국 지배 정답: ④

(가)는 원이다. 원은 소수의 몽골인이 다수의 한인을 다스려야 하기 때문에 몽골 제일주의를 시행하였고, 민족별로 담당 업무를 구분하여 차별하였다. 한편 상업이 발달하고 동 생산량이 부족하여 교역의 편의를 위해 지폐인 교초를 사용하였다. 원의 지배층인 몽골인은 고유 문자인 파스파 문자를 사용하였다. 원 대에는 서민 문화가 발전하였는데 특히 도시민들은 연극 공연을 즐겨 『서상기』, 『비파기』 등의 원곡 작품이 인기있었다.

| 오답 피하기 |

④는 지정은제로 청 대의 조세 제도이다.

06 천호제 정답: ⑤

(가)는 칭기즈 칸이 조직한 천호제이다. 천호제는 유목민을 1천호씩 나누어 각 천호장에서 맡기고, 그 밑에 백호장, 십호장을 임명하여 운영한 사회 · 군사 조직이다. 유목민을 천호제로 조직하여 몽골 울루스(국가)를 구성하였다.

| 오답 피하기 |

① 만주족이 세운 청의 팔기제는 19세기 들어 군사적 기능이 줄어들어 각지의 치안 유지는 한족으로 구성된 녹영이 담당하였다.

② 여진족의 독자성을 유지하기 위해 맹안 모극제와 여진 문자가 활용되었다.

③ 동아시아문화권의 공통 문화 요소로는 유교, 불교, 한자, 율령으로 당 대에 형성되었다.

07 요와 금의 이중 지배 체제 정답: ⑤

자료에서 나오는 북면관·남면관제, 맹안 모극제는 정복 왕조들이 유목 국가의 사회 체제를 유지하기 위해 운영한 이중 지배 체제이다.

08 신국 사상 정답: ④

밑줄 친 '우리나라'는 가마쿠라 막부이다. 가마쿠라 막부는 일본 최초의 무가 정권으로 쇼군은 막부의 최고 수장을 나타낸다. 쇼군은 정치의 실권을 행사하고 천황은 의례를 담당하는 일본 특유의 봉건제 사회가 형성되었다.

| 오답 피하기 |

①는 몽골 제국, ② 위진 남북조 시기 9품중정제로 인하여 특정 가문이 문벌 귀족으로 형성되어 당 대까지 이어졌다.

③ 원 대 사용한 지폐, ⑤ 일본 야마토 정권에서 나라, 헤이안 시대까지 당에 보냈던 사절이다.

심화 수능 유형 익히기 62쪽

1 ③ 2 ⑤

01 금의 맹안 모극제 정답: ③

(가)는 여진족이 세운 금이다. 금은 여진족은 맹안 모극제로 한족은 주현제로 다스리는 이중 지배 체제를 채택하였다.

| 오답 피하기 |

① 진과 한 무제 이후, ② 선비족이 세운 국가는 북위이다.

④ 몽골의 문자, ⑤ 원이 채택한 지배 원칙이다.

02 몽골 제국의 동서 교류 정답: ⑤

(가)는 몽골 제국이다. 해상 무역이 발전하여 항저우, 취안저우, 광저우가 항구 도시로 번창하였다.

| 오답 피하기 |

① 아담 샬은 청 초 활동한 예수회 선교사이다.

② 제지술은 당대에 서역으로 전파되었다.

③ 혜초는 통일 신라의 승려로 인도로 구법 활동을 다녀와 『왕오천축국전』을 남겼다.

④ 이집트와 인도를 연결하는 바닷길은 기원 전후 이집트 상인들이 인도양의 계절풍을 이용하여 교역하면서 개척되었다.

심화 기출 지문 활용하기 63쪽

1 해설 참조 2 ② 3 ③ 4 해설 참조 5 ① 6 ⑤

01 송 대 서민 문화

송 대에는 경제가 발전하면서 도시가 발달하고 그 경제력을 바탕으로 서민들의 문화가 발달하였다.

| 모범 답안 |

송 대에는 상업의 발달과 도시의 성장으로 서민 문화가 발달하였고 사, 잡극, 통속 문학 등이 발달하였다.

| 채점 기준 |

상	시기, 서민 문화와 발달 배경, 예시를 모두 서술함.
중	시기, 서민 문화와 발달 배경, 예시 중 두 가지만 서술함.
하	시기, 서민 문화와 발달 배경, 예시 중 한 가지만 서술함.

02 송 대 도시의 발달 정답: ②

자료는 송의 경제 발전을 보여주는 가상 편지이다. 송 대에는 지폐인 교자 · 회자가 사용되었으며, 인쇄술이 발전하여 지식 보급과 문화 발전에 영향을 미쳤다. 수공업자와 상인들은 동업 조합인 작과 행을 결성하였고, 석탄 사용이 일반화되어 제철 · 자기 · 견직업이 발달하였다.

| 오답 피하기 |

② 색목인은 원 대에 재정 업무를 담당하였다.

03 송 대 정치 정답: ③

송 대에는 문치주의로 인하여 국방력이 약화되어 북방 민족들에게 압박을 받았다.

| 오답 피하기 |

① 진, ② 한 고조 시기, ④ 위진 남북조 시기, ⑤ 몽골 제국 시기이다.

04 원 대의 문화

원 대의 경제력 발전으로 서민 문화가 발달하고, 동서 교류를 통해 다양한 문화가 들어왔다. 또한 각 민족의 종교, 문화에 관용 정책으로 다양한 문화가 공존하였다.

| 모범 답안 |

서민 문화가 발전하였으며, 각 민족의 종교, 문화에 관용 정책을 펴 다양한 문화가 공존하였다.

| 채점 기준 |

상	서민 문화가 발달한 점, 제국 내 다양한 민족의 종교, 문화가 공존하고 이를 존중하는 관용 정책을 모두 서술함.
중	서민 문화가 발달한 점, 제국 내 다양한 민족의 종교, 문화가 공존하고 이를 존중하는 관용 정책 중 한 가지만 서술함.
하	원 대의 문화에 대해 서술하지 못함.

05 원 대 문화 정답: ①

(가)는 원이다. 원 대 동서 교류 결과 이슬람 역법이 전파되어 곽수경이 수시력을 제작하였다.

| 오답 피하기 |

② 송 대 편찬된 편년체 역사서, ③ 위진 남북조 시기 청담 사상을 담은 도연명의 시이다.

④ 청 대 저술된 구어체 문학으로 서민들에게 유행하였고, ⑤ 마테오 리치가 선교 활동을 위해 명에 들어와 제작한 세계 지도이다.

06 원 대 동서 교류 정답: ⑤

원거리 여행을 한 외국인 중 한 사람인 이븐 바투타는 원을 방문하고 『여행기』를 남겼다.

| 오답 피하기 |

① 청 초 활동한 예수회 선교사, ② 서광계는 명의 학자로 마테오 리치와 함께 『기하원본』을 번역하였다.

④ 명 대 활동한 예수회 선교사로 「곤여만국전도」를 제작하고 『천주실의』를 집필하였다.

주제 5 동아시아 세계의 변동

1단계 개념 익히기 70쪽

1 ⓐ – ㉡, ⓑ – ㉠, ⓒ – ㉢ 2 (1) O (2) X (3) X (4) O (5) O
3 (1) 이갑제 (2) 정화 (3) 군기처 (4) 지정은제 (5) 후이저우 상인 4 (가) 변발 강요, 문자옥, (나) 만한 병용책, 과거제 실시
5 ㄹ – ㄴ – ㄷ – ㅁ – ㅂ – ㄱ 6 이갑제 7 지행합일, 고증학, 공양학

2단계 내신 유형 익히기 71~73쪽

1 ① 2 ② 3 ⑤ 4 ① 5 ① 6 ③ 7 ⑤ 8 ②
9 ④ 10 ③ 11 (1) (가)는 일조편법, (나)는 지정은제 (2) 해설 참조 12 (1) 산킨코타이 제도 (2) 해설 참조

01 명 태조 홍무제의 정책 정답: ①

밑줄 친 '황제'는 명 태조 홍무제이다. 홍무제는 민중 교화를 위해서 육유를 반포하였다. 수취 제도 정비를 위해 토지 대장과 호적 대장을 정리하고, 이갑제를 시행하였다. 황제권 강화를 위해 승상을 폐지하고 6부를 직접 통솔하였다.

| 오답 피하기 |

② 청 대 옹정제, ③ 송 대 왕안석의 신법이다.

④ 16세기 후반 재정 확보를 위해 장거정이 실시한 개혁이고, ⑤ 청 대 강희제 때이다.

02 이갑제 정답: ②

자료는 이갑제에 대한 설명이다. 이갑제는 명 태조 홍무제가 조세 징수와 치안 유지를 하기 위해 조직한 촌락 자치적 행정 제도이다. 조세 징수 과정에서 관리의 수탈을 최소화하기 위해 조직하였다.

| 오답 피하기 |

③ 한족의 문화에 동화되는 것을 방지하기 위해 거란, 여진, 몽골인은 고유 문자를 사용하였다.

⑤ 북방 민족 중에 요와 금은 한족 지배를 위해 이중 지배 체제를 시행하였다.

03 영락제 때 정화의 원정 정답: ⑤

지도는 명 영락제 때 정화의 항해이다. 영락제는 명의 국력을 과시하기 위해 정화를 동남아시아와 인도 및 아프리카 동해안으로 보내 조공·책봉 체제를 확대하였다. 정화의 항해 이후 동남아시아에 화교 사회가 형성되기 시작하였다.

| 오답 피하기 |

ㄱ, ㄴ 카르피니와 이븐 바투타는 몽골 제국 시기에 중국을 방문한 외국인들이다.

04 일조편법 정답: ①

자료는 일조편법이다. 일조편법은 북로남왜로 인해 늘어난 국방비와 만리장성 보수비로 인한 재정 부담을 줄이기 위해서 실시되었다. 아메리카와 일본의 은이 대량 유입되면서 세금의 은 납부가 가능해졌다.

| 오답 피하기 |

ㄷ. 송 대 왕안석의 신법의 배경, ㄹ. 청 대 강희제 때의 사건이다.

05 청의 팔기제 정답: ①

자료는 팔기제에 대한 설명이다. 청 대 홍타이지가 팔기제를 통해 베이징을 점령하고 대제국을 건설하였다. 군기처는 옹정제 때 황제의 정보 독점과 결정권 장악을 위해 설치하였다.

| 오답 피하기 |

② 한 대에 토지 사유화로 농민이 몰락하자 토지 소유를 제한하는 한전령이 제시되었다.

③ 금 대의 이중 지배 체제, ④ 당 대에 파견한 변경을 지키는 장수, ⑤ 원 대에 지방에 파견한 관리이다.

06 청 대 서양과의 교류 정답: ③

자료는 영국에서 자유 무역을 요구하기 위해 파견한 매카트니에게 건륭제가 보낸 가상 편지이다. 건륭제 이후 공식적으로 정부의 허가를 받은 공행은 상인 조합으로 광저우에서 청 정부를 대신하여 관세 부과와 서양과의 무역을 담당하였다.

| 오답 피하기 |

① 송 대 상인 동업 조합, ②, ④ 명·청 대 상인들의 동향 조직, ⑤ 당·송 대 무역을 관리하는 관청이다.

07 청 대 만한 병용제 정답: ⑤

자료는 청 대 한족에 대한 회유책인 만한 병용제이다. 청의 회유책으로는 한족의 전통적인 유교 문화를 존중하고, 과거제를 통해 신사층을 포섭하여 협조를 얻은 정책이 있다.

| 오답 피하기 |

ㄱ, ㄴ은 한족에 대한 강경책이다.

08 명·청 대 경제 정답: ②

(가) 시기는 명·청 대에 해당한다. 명·청 시기에는 창장강 중·상류 지방으로 곡창 지대가 이동하여 강과 호수 주변의 토지와 수리 시설이 개발되어 농지가 증가하고 아메리카 작물이 도입되었다. 창장강 하류 지방에는 수공업이 발달하였다. 경제 중심지가 분화되고 각지에서 상품 거래가 활발해지자 산시 상인, 후이저우 상인과 같은 대상인들이 등장하고 각지에 회관과 공소가 세워졌다. 무역을 통해 결제 수단인 은이 아메리카와 일본으로부터 대량으로 유입되었다.

| 오답 피하기 |

② 당·송 대 무역을 담당하는 관청이다.

09 명·청 대 신사 정답: ④

밑줄 친 '이들'은 신사층을 말한다. 신사층은 학위 소지자 수가 많아지자 관직 진출을 포기하고 지역 사회에서 사회 안정과 향촌 풍속 유지를 담당하였고 공공사업의 감독이나 세금 납부를 대행하였다.

| 오답 피하기 |

ㄱ. 위진 남북조 시대 귀족, ㄷ. 당의 절도사에 대한 설명이다.

10 전례 문제와 금교령 정답: ③

자료는 전례 문제로 발생한 크리스트교를 금지하는 상소 내용이다. 전례 문제는 서양 선교사 사이에서 중국의 전통인 조상 숭배를 인정하는 문제로 발생하였다. 이에 교황 클레멘스 11세가 제사를 금지하여 청 내 금교령이 내려졌다.

| 오답 피하기 |

① 당 대, ② 송 대 왕안석의 신법의 배경, ④ 원 말 재정 악화의 원인이다.

⑤ 명 대 해금 정책으로 조공 무역만 허락하여 자유 무역을 요구하는 서구의 불만을 초래하였다.

11 명·청 대 조세 제도 변화

명·청 대에서 시행한 조세 제도이다. (가)는 일조편법, (나)는 지정은제이다. 일조편법은 북로남왜의 외부 위협으로 인한 재정 부족 문제를 해결하기 위해 재정 개혁책으로 시행되었고, 지정은제는 인구 증가를 반영하여 정세(인두세)를 지세(토지세)에 포함시켜 징수한 제도이다. 두 조세 모두 은으로 납부할 수 있었던 배경은 교역을 통해 아메리카와 일본의 은이 대량으로 중국으로 유입되었기 때문이다.

| 모범 답안 |

(1) (가)는 일조편법, (나)는 지정은제이다.

(2) 서양 상인과의 교역 증가로 일본과 신대륙의 은이 유입되었고, 국내 상업 발달과 화폐로서 은의 효율성이 인정되었기 때문에 시행되었다.

| 채점 기준 |

상	외국과의 교역으로 은이 유입된 배경과 국내 상업의 발달과 화폐로서 은의효율성 모두 서술함.
중	외국과의 교역으로 은이 유입된 배경과 국내 상업의 발달과 화폐로서 은의효율성 중 두 가지만 서술함.
하	외국과의 교역으로 은이 유입된 배경과 국내 상업의 발달과 화폐로서 은의효율성 중 한 가지만 서술함.

12 산킨코타이

에도 막부에서는 다이묘를 통제하기 위해서 산킨코타이를 시행하였다.

| 모범 답안 |

(1) 산킨코타이

(2) 산킨코타이 제도의 시행으로 에도 시대 다이묘의 에도에서의 생활비 지출이 증가하여 에도의 상업이 발달하고, 영지와 에도를 왕복하면서 교통이 발달하며 에도의 문화가 지방 곳곳에 전파되었다.

| 채점 기준 |

상	산킨코타이의 경제, 교통, 문화적 영향을 모두 서술함.
중	산킨코타이의 경제, 교통, 문화적 영향 중 두 가지만 서술함.
하	산킨코타이의 경제, 교통, 문화적 영향 중 한 가지만 서술함.

3단계 내신 만점 도전하기 74~75쪽

1 ③	2 ⑤	3 ②	4 ⑤
5 ③	6 ②	7 ④	8 ③

01 영락제의 통치 정답: ③

밑줄 친 '황제'는 영락제이다. 영락제는 정화를 해외로 파견하여 명의 국력을 과시하고 조공 체제의 확대를 꾀하였다.

| 오답 피하기 |

① 금의 정강의 변 이후 수도를 임안으로 옮겨 남송으로 이어졌다.
④ 옹정제 때 러시아와 캬흐타 조약을 체결하였다.
⑤ 청의 건륭제 때 티베트, 신장, 몽골을 정복하여 오늘날 중국 영토의 대부분을 확보하였다.

02 청 대의 정치 정답: ⑤

지도는 청의 최대 영역을 표시한 것이다. 옹정제는 비밀 상주문 제도를 통해 정보를 독점하여 황제 독재권을 강화하였다.

| 오답 피하기 |

① 명 대 일조편법 시행 배경, ② 한에서 시작하여 당 대까지 변경 · 외지에 설치한 통치 기관, ③, ④ 명 태조 홍무제의 정책이다.

03 일조편법 정답: ②

지도는 중국 왕조를 향해 북쪽의 몽골과 남쪽의 왜구의 침입을 보여준다. 베이징이 수도인 명, 한양의 조선, 교토의 전국 시대이다. 명은 중기 이후 북로남왜의 위협을 해결하기 위해 국방비가 높아지고 만리장성을 보수하느라 많은 재정을 사용하여 일조편법을 실시하는 재정 개혁을 실행하였다.

04 명 · 청 대 조세 제도 정답: ⑤

(가)는 명 대의 일조편법, (나)는 청 대의 지정은제이다. 두 제도 모두 은으로 납부하였는데 이는 서양과 교역으로 아메리카의 은이 다량으로 유입했기에 가능하였다.

| 오답 피하기 |

①는 양세법, ②는 송 대 왕안석의 신법이다.
③ 이갑제가 붕괴되고 북로남왜의 위협으로 재정이 악화되어 일조편법이 등장하였다.
④ 한 무제의 억상책이다.

05 명 · 청 대의 사상 정답: ③

(가)는 고증학이다. 이민족의 지배로 인해 현실 정치를 멀리하고 경전을 실증적으로 연구하는 유학의 경향이다. 사상을 통제하기 위해 청에서는 국가가 주도하는 대규모 편찬 사업을 실시하면서 발달하였다.

| 오답 피하기 |

① 19세기 이후 등장, ② 명 대 왕수인이 제창하였다.
④ 한~당 대의 유학 경향, ⑤ 송 대 등장한 유학 경향이다.

06 명 · 청 대 경제 정답: ②

자료는 명 · 청 대 경제 발전을 나타내는 자료이다. 농업 생산량이 늘어나고 서양과의 교역으로 옥수수, 고구마, 감자, 땅콩 등 아메리카 작물이 도입되고 결제 수단인 은이 대량으로 유입되었다.

| 오답 피하기 |

ㄴ, ㄹ은 송 대의 경제 상황이다.

07 조닌의 성장 정답: ④

밑줄 친 '대상인'은 에도 시대 조닌층을 말한다. 에도 시대 상공업의 발달로 대도시에 큰 부를 쌓은 조닌층이 성장하였다. 조닌층은 자신들만의 조닌 문화를 발전시켰다. 대표적으로 가부키, 우키요에가 있다.

| 오답 피하기 |

① 청 대의 조세 제도, ②, ⑤ 명 · 청 대, ③ 무로마치 막부 시기이다.

08 산킨코타이 정답: ③

자료는 에도 시대 다이묘 통제 정책인 산킨코타이를 나타낸다. 조닌 문화는 에도 시대 성장한 조닌층 특유의 문화를 말한다.

| 오답 피하기 |

① 야마토 정권에서부터 헤이안 시대까지 파견한 사신이다.
② 헤이안 시대, ④ 가마쿠라 막부, ⑤ 야마토 정권 시기이다.

심화 수능 유형 익히기

76쪽

1 ② 2 ⑤

01 조닌 문화 정답: ②

(가)는 가부키로 에도 시대 조닌 문화이다.

| 오답 피하기 |

① 원 대 원곡(희곡), ③ 위진 남북조 시기 북조의 석굴 사원이다.

④ 조선 후기 서민 문화 발달에 따른 풍속화, ⑤ 청 대 서민을 대상으로 하는 구어체 문학이다.

02 명 말 청 초의 동서 교류 정답: ⑤

밑줄 친 '그'는 마테오 리치이다. 예수회 선교사로 명 대에 중국에 들어와 『천주실의』를 저술하고 「곤여만국전도」를 제작하였으며 서광계와 함께 『기하원본』을 번역하였다.

| 오답 피하기 |

② 청 대 강희제 때 건축을 시작하여 건륭제 때 넓혀 완성하였다. 바로크 양식과 로코코 양식으로 건축하였다.

③ 원 대 곽수경이 제작하였다.

④ 예수회 선교사 아담 샬은 명 말 숭정제를 알현하고, 청이 건국된 뒤에도 천문대를 담당하였다.

심화 기출 지문 활용하기

77쪽

1 해설 참조 2 ① 3 ③ 4 해설 참조 5 ④ 6 ⑤

01 청의 중국 지배

소수의 만주족이 세운 청은 다수의 한족을 다스리기 위해 강경책과 회유책을 적절히 사용하였다.

| 오답 피하기 |

소수 민족이 세운 청은 다수의 한족을 지배하기 위해서 만한 병용책과 같은 회유책과 변발령과 같은 강압책을 동시에 사용하였다.

| 채점 기준 |

상	한족 지배 방식의 목적과 회유책, 강경책 모두 서술함.
중	한족 지배 방식의 목적과 회유책, 강경책 중 두 가지만 서술함.
하	한족 지배 방식의 목적과 회유책, 강경책 중 한 가지만 서술함.

02 청 대의 경제 정답: ①

자료는 청의 옹정제가 청의 정통성을 강조하기 위해 저술하였다. 청 대에는 상업이 발달하여 상인들이 동향 조직인 공소와 회관을 세워 친목과 상부상조를 도모하였다.

| 오답 피하기 |

② 무로마치 막부에서 명과 감합 무역을 하였다.

③ 당 대, ④ 당 대에서부터 송 대까지 사용한 약속 어음, ⑤ 송 대 왕안석의 신법 내용이다.

03 청 대의 동서 교류 정답: ③

명 말부터 예수회 선교사들이 선교 활동을 위해 중국으로 들어와 활동하였다. 아담 샬이 청 초 천문대 담당 관리가 되었다.

| 오답 피하기 |

①, ②은 원 대 동서 교류에 대한 설명이다.

④ 마르코 폴로는 명 말 예수회 선교 활동으로 베이징에 진출하여 활동하였다.

⑤는 당 대 인도로 구법 활동을 다녀왔다.

04 원 대의 문화

에도 시기 상공업이 발전하면서 조닌층이 성장하였다. 경제력을 갖추고 사회적으로 큰 영향력을 행사하고 가부키, 우키요에 같은 특유의 조닌 문화를 발전시켰다.

| 모범 답안 |

조닌 문화이고 에도 시대 농업 생산력이 증대되고 산킨코타이 제도로 인해 전국의 도로망이 정비되어 상공업이 발달하였다.

| 채점 기준 |

상	조닌 문화, 농업 생산력의 증대, 전국의 도로망 정비에 대해 모두 서술함.
중	조닌 문화, 농업 생산력의 증대, 전국의 도로망 정비 중 두 가지만 서술함.
하	조닌 문화, 농업 생산력의 증대, 전국의 도로망 정비 중 한 가지만 서술함.

05 에도 시대 정답: ④

밑줄 친 '이 시기'는 에도 시대이다. 에도 시대에는 막부가 다이묘를 통제하기 위해서 산킨코타이 제도를 시행하였다. 산킨코타이 제도는 다이묘의 가족을 에도에 볼모로 머무르게 하고, 다이묘는 1년 주기로 영지와 에도에서 생활하게 한 제도이다.

| 오답 피하기 |

① 헤이안 시대 견당사 폐지 후 국풍 문화가 발달하였다.

② 나라 시대에 편찬되었다.

③ 야마토 정권 시기 아스카 지방을 중심으로 발달한 불교 문화를 말한다.

⑤ 14세기 아시카가 다카우지가 교토에 세운 무사 정권이다.

06 에도 시대의 경제 정답: ⑤

에도 시기에는 막번 체제가 정비되고 전국의 도로망이 정비되면서 상공업이 발전하였다.

| 오답 피하기 |

①, ③ 송 대, ② 가마쿠라 막부 시대, ④는 명 · 청 대이다.

대주제 2 마무리하기

78~80쪽

1 ②	2 ④	3 ⑤	4 ②	5 ③	6 ②
7 ④	8 ④	9 ④	10 ④	11 ④	12 ⑤

01 제자백가 정답: ②

(가)는 제자백가이다. 검색창을 활용하여 제자백가에 대해서 검색을 하여 유가, 법가, 도가의 내용이 나왔다. 제자백가는 춘추 전국 시대 혼란한 사회 문제를 해결하기 위해 발달한 학문이다. 춘추 전국 시대에는 토지 사유화가 진전되어 소농민 가족이 사회의 기초 단위가 되었다.

| 오답 피하기 |

① 춘추 전국 시대에는 도시 국가에서 영토 국가로 통합되었다.
③ 진시황제가 실시하였다. ④ 한 무제 때이다.
⑤ 후한이 멸망하는 계기가 된 사건이다.

02 진시황제의 통치 정답: ④

(가)에 들어갈 내용은 진시황제의 업적을 고르는 것이다. 진시황제는 분서갱유를 통해 사상을 통제하고 자신을 비판하는 유학자를 처벌하기 위해 시행하였다.

| 오답 피하기 |

① 북위 효문제의 정책, ② 청 대 한족에 대한 견제책이다.
③ 당과 송 대 설치한 무역 담당 관청이다.
⑤ 요, 금의 유목 민족과 한족에 대한 이중 지배 체제이다.

03 한 무제의 통제 경제 정책 정답: ⑤

자료는 대규모 원정으로 재정이 부족해져 통제 경제 정책을 시행한 한 무제 시기에 대한 가상 편지이다. 한 무제의 통제 경제 정책은 평준법, 균수법, 소금과 철에 대한 전매제, 억상책, 오수전 주조가 있다.

| 오답 피하기 |

ㄱ. 균전제는 북위 효문제에서 시작하여 수 · 당 중기까지 유지되었다.
ㄴ. 상앙의 개혁을 통해 진이 전국 시대를 통일할 수 있었다.

04 위진 남북조 시대의 문화 정답: ②

자료는 위진 남북조 시대에 북위 효문제, 9품중정제에 대해서 가상 대화를 나누고 있는 것을 보여준다. 북조에서 불교를 받아 들이고 윈강, 룽먼과 같은 대규모 석굴 사원이 만들어졌다.

| 오답 피하기 |

① 한 대 역사서, ③ 당 대 훈고학을 집대성한 공영달의 경전 주석서,
④ 송 대 주희가 집대성한 유교, ⑤ 청 대 구어체 소설이다.

05 당 대의 문화 정답: ③

자료는 당 대 전래된 경교가 어떻게 전파되었는지 알려주는 비석의 내용이다.

| 오답 피하기 |

① (가) 시기는 한 무제 이전, ② (나) 시기는 한 무제 이후 수 양제까지이다.
③ (다) 시기는 수 양제부터 송 대 왕안석의 신법(1069~1076) 시행까지이다.
④ 왕안석의 신법 이후 송이 금의 공격에 수도가 함락된 정강의 변(1127)까지, ⑤ 정강의 변 이후이다.

06 송의 발전 정답: ②

밑줄 친 '이 시기'는 학생들의 대화에서 문치주의, 북방 민족들의 압박, 왕안석의 신법의 내용이 나오는 것으로 보아 송 대이다. 송 대에는 석탄 사용이 보편화되어 제철 · 자기 · 견직업의 수공업이 발달하였다.

| 오답 피하기 |

① 신사는 명 · 청 대 지배층으로 지방관을 도왔다.
③ 남면관제는 요에서 한인을 다스리기 위한 제도이다.
④ 색목인은 몽골 제국에서 재정 업무를 담당하였다.
⑤ 은이 화폐로 사용되는 시기는 명 · 청 대 아메리카와 일본에서 교역을 통해 대량의 은이 유입된 이후이다.

07 정복 왕조 정답: ④

(가)는 금, (나)는 몽골이다. 몽골에서는 소수의 몽골인이 다수의 한인을 지배하기 위해 몽골 제일주의 원칙으로 국가를 운영하였다.

| 오답 피하기 |

① 몽골인의 문자, ② 요의 이중 지배 체제, ③ 명 대 촌락 자치적인 지방 행정 제도, ⑤ 9품중정제로 위진 남북조 시기 관리 선발 제도이다.

08 몽골 제국의 동서 교류 정답: ④

자료는 몽골 제국 시기에 중국을 다녀간 이븐 바투타의 『여행기』이다. (가)는 역참을 말한다. 몽골 제국 시기에 마르코 폴로가 중국을 다녀간 후 『동방견문록』을 저술하였다.

| 오답 피하기 |

① 당 대에 현장이 인도에 구법 여행을 다녀와 집필하였다.
② 명 말에 중국에 들어와 청 초에 활동한 예수회 선교사이다.
③ 명 말 베이징에 들어온 예수회 선교사이다.
⑤ 예수회 회원으로 청나라에서 궁정 화가로 활동하였다.

09 일본의 발전 정답: ④

자료는 일본 역사를 시대 순으로 정리한 것으로, 1차시는 조몬 문화 시대와 야요이 시대, 2차시는 아스카 시대와 다이카 개신, 3차시는 나라 시대, 4차시는 헤이안 시대, 5차시는 가마쿠라 막부 시대에 해당한다.

| 오답 피하기 |

④는 에도 막부 시기에 다이묘를 통제하기 위해서 실시한 정책이다.

10 조닌 문화 정답: ④

(가)는 조닌이다. 에도 시대 발달한 조닌 문화인 가부키와 우키요에가 전시되었다.

| 오답 피하기 |

① 야마토 정권에서 헤이안 시대까지 파견한 조공 사절이다.
② 헤이안 시대 견당사 폐지 후 발달한 문화이다.
③ 나라 시대 편찬된 역사서이다.
⑤ 가마쿠라 막부 시대이다.

11 중국의 조세 제도 변천 정답: ④

자료는 중국 왕조들의 조세의 변천 과정으로 (가)는 수 · 당 시대 조용조, (나)는 명 대 일조편법, (다)는 청 대 지정은제이다. 수 · 당 대 균전 체제는 균전을 지급하여 자영농을 육성하여 농민의 생활의 안정시키고 이를 바탕으로 제정을 튼튼히 하였지만 8세기 당의 통치 체제가 흐트러지면서 균전제가 붕괴되고 토지의 사유화가 증가하였다.

12 명 말 청 초의 동서 교류 정답: ⑤

밑줄 친 '그'는 마테오 리치로 예수회 선교사로 명 말에 베이징에서 선교 활동을 하였다. 저술로는 『천주실의』와 「곤여만국전도」를 제작하였고, 서광계를 도와 『기하원본』을 번역하였다.

| 오답 피하기 |

① 몽골 제국 시기 중국을 방문하였고, ② 몽골 제국 시기 곽수경이 수시력을 제작하였다.
③ 청 대 카스틸리오네가 궁정 화가로 활약하였고, ④ 아담 샬은 청 순치제를 알현하고 명 대 저술한 『숭정역서』를 축약하였다. 이 『숭정역서』는 이후 시헌력으로 바뀌었다.

비판적 사고 기르기

81쪽

01 | 모범 답안 |

소수의 만주족으로 다수의 한족을 다스리기 위해서 강경책과 회유책을 적절하게 사용하였다. 청은 만주족의 풍속인 변발을 강요하고 문자옥으로 한족의 사상을 억압하였다. 그러나 만한 병용책으로 일부 고위 관직에 만주족과 한족을 함께 임명하였고, 전통적 유교 문화를 존중하고 과거제를 통해 한인 신사층을 포섭하여 협조를 얻었다.

| 채점 기준 |

상	만주족이 한족을 다스리기 위해 강경책과 회유책을 동시에 사용하였다는 사실과 그 사례를 각각 서술함.
중	만주족이 한족을 다스리기 위해 강경책과 회유책을 동시에 사용하였다는 사실과 그 사례 중 두 가지만 서술함.
하	기준만주족이 한족을 다스리기 위해 강경책과 회유책을 동시에 사용하였다는 사실과 그 사례 중 한 가지만 서술함.

02 | 모범 답안 |

청은 북방 민족 왕조이지만 다양한 민족을 포함한 현재의 중국의 기반을 닦았다. 다수의 한족을 통제하면서 한족인가 만주족인가가 중요한 것이 아니라 중국의 영토 안에서 지배를 받으며 살고 있는 다민족의 백성들을 얼마나 잘 융합하여 통치할 수 있느냐가 중요하다. 단지 태어날 때 부모의 민족이 무엇이냐에 따라서 발달된 문화냐 미개한 문화냐가 결정되는 것은 다민족으로 통합하지 못하고 차별하여 국가의 발전을 저해하는 요소가 될 것이다.

| 채점 기준 |

상	청 왕조가 다민족 국가임 설명하고, 다수의 한족이 소수의 만주족의 지배를 받고 있는 상황과 민족의 융합을 위해서 민족을 구분하는 것은 국가 발전에 저해한다는 것이 모두 서술함.
중	청 왕조가 다민족 국가임 설명하고, 다수의 한족이 소수의 만주족의 지배를 받고 있는 상황과 민족의 융합을 위해서 민족을 구분하는 것은 국가 발전에 저해한다는 것 중 두 가지만 서술함.
하	청 왕조가 다민족 국가임 설명하고, 다수의 한족이 소수의 만주족의 지배를 받고 있는 상황과 민족의 융합을 위해서 민족을 구분하는 것은 국가 발전에 저해한다는 것 중 한 가지만 서술함.

대주제 ③ 서아시아 · 인도 지역의 역사

주제 6 서아시아의 여러 제국과 이슬람 세계의 형성

1단계 개념 익히기 92쪽

1 ⓐ－㉢, ⓑ－㉡, ⓒ－㉠ 2 (1) X (2) O (3) X (4) O (5) O
3 (1) 조로아스터교 (2) 우마이야 왕조 (3) 술탄 (4) 『쿠란』
(5) 밀레트 제도 4 (1) 『역사서설』 (2) 『여행기』 (3) 『의학전범』
(4) 『천일야화』 5 ㄹ－ㄷ－ㄴ－ㄱ 6 헤지라 7 수니파, 시아파

2단계 내신 유형 익히기 93~95쪽

1 ③ 2 ④ 3 ⑤ 4 ⑤ 5 ③ 6 ⑤ 7 ① 8 ⑤
9 ① 10 ⑤ 11 (1) 페르세폴리스 궁전 (2) 해설 참조
12 (1) 『쿠란』 (2) 해설 참조

01 아시리아의 통치 정답: ③

자료와 관련된 국가는 아시리아이다. 아시리아는 기마 전술과 철제 무기, 전차를 앞세워 서아시아 세계의 상당 부분을 통일한 후 피정복민을 강제 이주시키고 무거운 세금을 매기는 등 강압적으로 통치하였다.

| 오답 피하기 |

③ '왕의 길'은 아케메네스 왕조 페르시아의 특징이다.

02 다리우스 1세의 통치 정답: ④

자료에 나타난 왕은 아케메네스 왕조 페르시아의 다리우스 1세이다. 다리우스 1세는 아케메네스 왕조 페르시아의 전성기를 이끌었던 왕으로 도로와 역참제 정비, 총독과 감찰관 파견, 화폐와 도량형 제도 정비 등을 통해 중앙 집권 체제를 강화하였다.

| 오답 피하기 |

ㄱ과 ㄷ은 파르티아에 대한 설명이다.

03 사산 왕조 페르시아의 특징 정답: ⑤

사산 왕조 페르시아는 아케메네스 왕조와 로마 유리의 영향으로 독특한 유리를 만들었고, 이것은 여러 교역로를 따라 유라시아로 전파되었다. 신라에서도 페르시아의 유리 문양이 발견되는데 이를 통해 페르시아의 유리 공예가 유라시아에 끼친 영향을 짐작할 수 있다.

| 오답 피하기 |

① 사산 왕조 페르시아의 국교는 조로아스터교이다.
② 사파비 왕조에 대한 설명이다.
③, ④ 아케메네스 왕조 페르시아에 대한 설명이다.

04 이슬람교의 특징 정답: ⑤

메카의 상인 무함마드가 창시한 이슬람교는 알라를 유일신으로 삼아 우상 숭배를 철저히 배격하였으며, 이슬람교의 경전인 『쿠란』은 무슬림의 생활양식을 지배하였다.

| 오답 피하기 |

ㄱ. 자이나교에 대한 설명이다.
ㄴ. 크리스트교에 대한 설명이다.

05 우마이야 왕조의 특징 정답: ③

(가) 왕조는 우마이야 왕조이다. 우마이야 왕조는 아랍어를 공용어로 하고 화폐를 통일하는 등 아랍인을 중심으로 한 통일 정책을 추진하여 비아랍인의 불만을 샀다.

| 오답 피하기 |

①, ② 사파비 왕조에 대한 설명이다.
④ 오스만 제국에 대한 설명이다.
⑤ 아바스 왕조에 대한 설명이다.

06 아바스 왕조의 특징 정답: ⑤

제시된 자료는 아바스 왕조에 대해 다루고 있다. 아바스 왕조는 아랍인 우월주의로 비아랍인의 불만을 사 멸망했던 우마이야 왕조와는 달리, 아랍인의 특권을 폐지하고 모든 이슬람교도들의 평등을 내세워 인종을 초월한 범이슬람 제국으로 발전하였다.

| 오답 피하기 |

① 사파비 왕조에 대한 설명이다.
②, ③ 오스만 제국에 대한 설명이다.
④ 우마이야 왕조의 성립에 대한 설명이다.

07 셀주크 튀르크의 성장 정답: ①

자료에 나타난 세력은 셀주크 튀르크이다. 셀주크 튀르크는 10세기 중반 카스피해 부근에서 일어나 이슬람교로 개종하였다. 11세기에는 부와이 왕조를 무너뜨리고 바그다드에 입성하여 아바스 왕조로부터 술탄의 칭호와 정치적 실권을 위임받아 성장하였다.

| 오답 피하기 |

① 아바스 왕조에 대한 설명이다.

08 이슬람 과학 정답: ⑤

자료에 나타난 영어 단어는 이슬람에서 파생된 단어이다. 페르시아와 인도의 영향으로 이슬람 세계에서는 자연 과학이 발전하였다. 이러한 이슬람 과학은 유럽에 전해져 근대 과학 성립에 기여하였다.

| 오답 피하기 |

① 영(0)의 개념을 발견한 곳은 인도이다.
② 인도 무굴 제국의 아우랑제브가 이슬람 제일주의를 표방하였다.
③ 우마이야 왕조 등장기에 이슬람은 수니파와 시아파로 분열되었으나, 지문과는 관련이 없다.
④ 『쿠란』은 아랍어로 쓰였으며, 다른 언어로 번역되는 것이 금지되어

아랍어가 이슬람 문화권의 공통 요소가 되었다. 그러나 지문과는 관련이 없다.

09 술레이만 1세의 통치 정답: ①

술레이만 1세는 헝가리 정복, 빈 포위 공격, 지중해 해상권 장악 등을 통해 오스만 제국의 전성기를 이끌었다. 특히 유럽의 연합 함대를 무찌르고 홍해와 아라비아해 연안까지 차지하여 지중해 교역권을 독점하기도 하였다.

| 오답 피하기 |

① 사파비 왕조는 아프간족의 침입으로 멸망하였다.

10 티무르 왕조의 특징 정답: ⑤

자료는 사마르칸트의 레기스탄 광장으로 사마르칸트는 티무르 왕조의 수도이다. 티무르는 몽골 제국의 부흥을 꿈꾸며 대규모 정복 활동에 나서기도 하였으나 명을 정복하러 가던 도중 병사하였고, 이후 티무르 왕조는 후계자 분쟁으로 점점 쇠퇴하였다.

| 오답 피하기 |

① 오스만 제국에 대한 설명이다.
② 우마이야 왕조에 대한 설명이다.
③ 사파비 왕조에 대한 설명이다.
④ 셀주크 튀르크에 대한 설명이다.

11 아케메네스 왕조 페르시아 문화의 특징

아케메네스 왕조 페르시아는 이집트와 지중해 연안에서부터 인더스강에 이르는 대제국으로 여러 민족의 문화를 융합하여 국제적인 성격을 띤 문화를 이룩하였다. 특히 건축과 공예 부문에 뛰어난 작품을 남겼으며, 페르세폴리스가 대표적인 유적이다.

| 모범 답안 |

(1) 페르세폴리스 궁전
(2) 페르세폴리스 궁전을 통해 페르시아 문화의 국제적인 성격을 알 수 있다. 그리스식 돌기둥으로 떠받치는 공법은 그리스와 이집트의 영향을 받은 것이며, 인면수신상과 조공 행렬도, 동물 투쟁도는 아시리아의 양식이다.

| 채점 기준 |

상	페르세폴리스 궁전 이름과 문화적 특징을 예를 들어 서술함.
중	페르세폴리스 궁전 이름과 문화적 특징을 일부만 서술함.
하	페르세폴리스 궁전 이름과 문화적 특징을 서술하지 못함.

12 이슬람 세계의 문화

알라가 무함마드에게 내린 계시를 기록한 이슬람교 경전 『쿠란』은 아랍어로 쓰였다. 곳곳에서 아랍어 『쿠란』이 읽히면서 종교와 언어가 통일되었고, 그 내용을 연구하는 과정에서 신학과 법학이 발달하였을 뿐만 아니라 신앙을 체계화 하기 위해 그리스 철학을 연구하며 유럽의 스콜라 철학의 성립에 기여하였다.

| 모범 답안 |

(1) 『쿠란』
(2) 『쿠란』을 연구하는 과정에서 아리스토텔레스의 저술을 연구하였는데, 이는 유럽에 전해져 스콜라 철학의 성립에 기여하였다.

| 채점 기준 |

상	경전의 이름과 아리스토텔레스, 스콜라 철학을 모두 서술함.
중	경전의 이름과 아리스토텔레스, 스콜라 철학을 일부 서술함.
하	경전의 이름과 아리스토텔레스, 스콜라 철학을 서술하지 못함.

3단계 내신 만점 도전하기 96~97쪽

1 ③	2 ⑤	3 ①	4 ④
5 ①	6 ①	7 ④	8 ②

01 아시리아와 아케메네스 왕조 페르시아의 비교 정답: ③

(가)는 아시리아, (나)는 아케메네스 왕조 페르시아이다. 아시리아는 피정복민에 대하여 강제 이주, 무거운 세금을 매기는 등 강압적인 통치를 하여 각지에서 반란이 일어나 곧 멸망하였다. 반면 아케메네스 왕조 페르시아는 아시리아와 달리 정복한 피지배 민족에게 공납을 징수하는 대신 전통과 신앙을 존중하는 관용 정책을 실시하였다.

| 오답 피하기 |

①, ② 아케메네스 왕조 페르시아에 대한 설명이다.
④, ⑤ 아시리아에 대한 설명이다.

02 조로아스터교 정답: ⑤

자료와 관련된 종교는 조로아스터교이다. 조로아스터교는 이원론의 입장에서 이 세상은 선과 빛의 신 아후라 마즈다와 악과 어둠의 신 아리만이 싸우는 장소이며 인간의 선의 신에게 은혜를 입어 최후의 심판을 통해 천국으로 갈 수 있다고 하였다.

| 오답 피하기 |

① 힌두교와 관련된 설명이다.
② 불교, 자이나교와 관련된 설명이다.
③ 마니교에 대한 설명이다.
④ 크리스트교에 대한 설명이다.

03 6세기 후반의 교역로의 변화 정답: ①

6세기 후반 사산 왕조 페르시아와 비잔티움 제국의 대립으로 새로운 교역로가 발달하여 메카, 메디나와 같은 해안 도시가 번성하였다. 그러나 일부 귀족만 부를 독점하여 빈부격차가 심화되고, 부족마다 다른 신을 섬겨 부족 간의 전쟁이 활발해져 새로운 질서가 필요해졌고 이는 이슬람교 창시의 배경이 되었다.

| 오답 피하기 |

① 셀주크 튀르크는 10세기 중반 이후 세력을 확대하였다.

04 바그다드의 발전 정답: ④

자료의 도시는 바그다드이다. 바그다드는 아바스 왕조 수도로 제2대 칼리프 알 만수르가 계획적으로 만든 원형 도시이다. 티그리스강 유역에 위치하여 메소포타미아 문명과도 관련이 있으며, 외부로 통하는 방사형 도로를 통해 각국의 다양한 사람들과 물자가 교류하는 이슬람 세계의 교역과 문화의 중심지였다.

| 오답 피하기 |

① (가)는 후우마이야 왕조의 수도 코르도바이다.
② (나)는 파티마 왕조의 수도 카이로이다.
③ (다)는 우마이야 왕조의 수도 다마스쿠스이다.
⑤ (마)는 사파비 왕조의 수도 이스파한이다.

05 아바스 왕조의 동서 교역 정답: ①

아바스 왕조는 탈라스 전투(751)에서의 승리를 계기로 동서 교역로를 장악, 중계 무역을 통해 번성하였다. 지중해에서 고려까지 왕래하며 중국의 비단과 도자기, 인도의 향신료와 면포, 동남아시아의 향신료 등을 거래하였다.

| 오답 피하기 |

② 레판토 해전은 오스만 제국과 유럽 사이의 전투이다.
③ 십자군 전쟁은 셀주크 튀르크와 유럽 사이의 전쟁이다.
④ 에데사 전투는 사산 왕조 페르시아와 로마 사이의 전투이다.
⑤ 투르 – 푸아티에 전투는 우마이야 왕조와 프랑크 왕국 사이의 전투이다.

06 메메트 2세의 통치 정답: ①

오스만 제국의 메메트 2세는 콘스탄티노폴리스를 함락시켜 비잔티움 제국을 멸망시켰다. 이후 도시의 이름을 이스탄불로 바꾸어 천도하였고, 이스탄불은 튀르키예 공화국 성립 전까지 수도로서 기능하였다.

| 오답 피하기 |

② 셀림 1세에 대한 설명이다
③ 셀림 2세에 대한 설명이다.
④ 무굴 제국의 아크바르 황제에 대한 설명이다.
⑤ 티무르 왕조의 티무르에 대한 설명이다.

07 오스만 제국의 쇠퇴 원인 정답: ④

오스만 제국의 술레이만 1세가 유럽의 연합 함대를 무찔러 지중해 해상권을 장악하고 홍해와 아라비아해 연안까지 차지하여 지중해 교역의 이익을 독점하자 유럽인들은 동방과의 직거래를 위해 신항로를 개척하였다. 이에 따라 지중해의 중요성이 감소하여 오스만 제국은 점점 쇠퇴하였다.

| 오답 피하기 |

① 아테네의 쇠퇴에 대한 설명이다.
② 중세 유럽의 장원 해체에 대한 설명이다.
③ 로마 제국의 쇠퇴에 대한 설명이다.
⑤ 사파비 왕조에 대한 설명이다.

08 오스만 제국의 통치 제도 정답: ②

오스만 제국은 넓은 영토를 효율적으로 통치하기 위해 중앙 집권적 통치 제도를 실시하였다. 촌락에 거주하는 기병에게 토지에 대한 징세권(티마르)을 주는 티마르 제도, 발칸반도의 크리스트교 청소년을 징발하는 데브시르메 제도, 오스만 제국이 임명한 최고 성직자가 집단 내부의 질서 유지와 인두세 징수를 담당하는 밀레트 제도가 대표적이다. 특히 데브시르메 제도를 통해 징발된 청소년은 술탄의 직속 상비군인 예니체리 군단에 편성되어 오스만 제국의 팽창에 기여하였다. 또한 오스만 제국은 제국 내 이교도들에게 이슬람교를 강제하지 않고 인두세만 내면 신앙을 인정하였는데, 이를 통해 안정적으로 제국을 유지할 수 있었다.

심화 수능 유형 익히기

98쪽

1 ⑤ 2 ④

01 이슬람교의 특징 정답: ⑤

(가)에 들어갈 종교는 이슬람교이다. 메카의 상인인 무함마드가 유대교와 크리스트교의 영향을 받아 창시한 종교로, 알라를 유일신으로 하여 우상 숭배를 철저히 배격하였고, 신 앞에 모든 인간은 평등한 존재라고 강조하여 민중의 지지를 받았다. 이슬람교는 단순한 신앙이 아니라 생활양식 그 자체로 이슬람 사회는 『쿠란』의 가르침이 일상을 지배하는 종교 중심 사회였다.

| 오답 피하기 |

⑤ 조로아스터교에 대한 설명이다.

02 레판토 해전 정답: ④

1571년에 일어난 레판토 해전은 술레이만 1세 이후, 셀림 2세 때 일어난 사건이다. 레판토 해전을 계기로 유럽은 오스만 제국의 서지중해로의 팽창을 막아낼 수 있었으며 오스만 제국은 막대한 손실을 입었다.

| 오답 피하기 |

① 십자군 전쟁은 셀주크 튀르크와 관련된 설명이다.
② 비잔티움 제국을 멸망시킨 사람은 메메트 2세이다.
③ 맘루크 왕조를 정복한 사람은 셀림 1세이다.
⑤ 탄지마트는 19세기에 시행된 오스만 제국의 개혁 정책이다.

심화 기출 지문 활용하기

99쪽

1 해설 참조 2 ⑤ 3 ② 4 해설 참조 5 ④ 6 ④

01 이슬람 세계의 확대

무함마드가 죽은 후 이슬람 공동체는 칼리프를 선출하였다. 그러나 칼리프 선출을 둘러싼 내분이 일어나 제4대 칼리프 알리가 살해되고, 무아위야가 칼리프가 되면서 우마이야 왕조가 개창되었다. 그러나 우마이야 왕조의 아랍인 우월주의는 비아랍인의 불만을 샀고 시아파의 도움으로 성립된 아바스 왕조에서는 아랍인의 특권을 폐지하고 모든 이슬람교도의 평등을 내세웠다. 이로써 인종을 초월한 범이슬람 제국이 성립되었다.

| 모범 답안 |

(가)는 우마이야 왕조, (나)는 아바스 왕조이다.

| 채점 기준 |

상	우마이야 왕조와 아바스 왕조를 모두 서술함.
중	우마이야 왕조와 아바스 왕조 중 하나만 서술함.
하	우마이야 왕조와 아바스 왕조를 서술하지 못함.

02 우마이야 왕조 정답: ⑤

이베리아반도로 진출한 우마이야 왕조는 피레네산맥을 넘어 세력을 확장하고자 하였으나 프랑크 왕국의 카롤루스 마르텔에게 패배하였다.

| 오답 피하기 |

① 사산 왕조 페르시아는 정통 칼리프 시대에 멸망하였다.
②, ③, ④ 오스만 제국에 대한 설명이다.

03 우마이야 왕조와 아바스 왕조의 특징 정답: ②

우마이야 왕조의 성립을 계기로 이슬람교는 무함마드의 언행(순나)을 따르는 수니파와 알리와 그의 후손만을 정통한 후계자로 여기는 시아파로 나뉘어졌다.

| 오답 피하기 |

①, ⑤ 아바스 왕조에 대한 설명이다.
③ 사산 왕조 페르시아에 대한 설명이다.
④ 우마이야 왕조에 대한 설명이다.

04 셀주크 튀르크의 성장

부와이 왕조와 대립하고, 바그다드로 입성하여 정치적 실권을 장악한 제국은 셀주크 튀르크이다. 셀주크 튀르크는 10세기 중반 카스피해 부근에서 일어나 이슬람교로 개종하고 세력을 확대하였으며, 바그다드에 입성한 후에는 아바스 왕조로부터 술탄의 칭호와 정치적 실권을 위임받아 성장하였다.

| 모범 답안 |

밑줄 친 '제국'은 셀주크 튀르크이며, 바그다드 입성 후 아바스 왕조로부터 '술탄'이라는 칭호와 정치적 실권을 위임받았다.

| 채점 기준 |

상	제국의 이름과 위임받은 내용을 모두 서술함.
중	제국의 이름과 위임받은 내용을 일부 서술함.
하	제국의 이름과 위임받은 내용을 서술하지 못함.

05 셀주크 튀르크의 특징 정답: ④

셀주크 튀르크는 소아시아(아나톨리아)로 진출하고 예루살렘을 차지하는 등 이란 지역을 중심으로 지중해에서 파미르고원에 이르는 대제국을 건설하였다.

| 오답 피하기 |

① 우마이야 왕조에 대한 설명이다.
② 오스만 제국에 대한 설명이다.
③ 로마 제국, 비잔티움 제국과 관련된 설명이다.
⑤ 사파비 왕조에 대한 설명이다.

06 셀주크 튀르크의 성장 정답: ④

아나톨리아와 예루살렘으로 진출한 셀주크 튀르크는 비잔티움 제국을 압박하여 비잔티움 제국은 로마 교황에게 도움을 요청하였다. 그 결과 십자군 전쟁이 발발하였다

| 오답 피하기 |

① 아시리아에 대한 설명이다.
② 사파비 왕조에 대한 설명이다.
③ 코르도바를 수도로 삼은 것은 후우마이야 왕조이다.
⑤ 오스만 제국에 대한 설명이다.

주제 7 인도의 역사와 다양한 종교 · 문화의 출현

1단계 개념 익히기 106쪽

1 ⓐ – ㉢, ⓑ – ㉠, ⓒ – ㉡ 2 (1) O (2) O (3) X (4) O (5) X 3 (1) 상좌부 불교 (2) 간다라 양식 (3) 산스크리트 (4) 시크교 (5) 마라타 동맹 4 (1) 아소카왕 (2) 카니슈카왕, 간다라 양식 (3) 굽타 양식, 『마누 법전』 (4) 무굴 회화, 아크바르 황제, 우르두어, 타지마할 5 ㄹ – ㄴ – ㄱ – ㄷ 6 불교, 자이나교 7 상좌부 불교, 대승 불교

2단계 내신 유형 익히기 107~109쪽

1 ③ 2 ② 3 ⑤ 4 ④ 5 ③ 6 ③ 7 ① 8 ④ 9 ② 10 ⑤ 11 (1) 대승 불교 (2) 해설 참조 12 (1) 힌두·이슬람 문화 (2) 해설 참조

01 불교와 자이나교의 등장 정답: ③

기원전 7세기 경 형식화한 브라만교에 반대하고 브라만 중심의 사회를 비판하는 우파니샤드 철학이 나타났다. 이를 바탕으로 나타난 불교와 자이나교는 지나친 권위주의와 엄격한 신분 차별에 반대하여 크샤트리아와 바이샤 세력의 환영을 받았다.

| 오답 피하기 |

① 힌두교에 대한 설명이다.

② 시크교에 대한 설명이다.

④ 이슬람교에 대한 설명이다.

⑤ 조로아스터교에 대한 설명이다.

02 마우리아 왕조 정답: ②

찬드라굽타 마우리아가 세운 왕조는 마우리아 왕조이다. 마우리아 왕조에서는 상좌부 불교가 발전하였으며 스리랑카, 태국 등 동남아시아로 전파되었다.

| 오답 피하기 |

① 쿠샨 왕조에 대한 설명이다.

③ 무굴 제국에 대한 설명이다.

④ 굽타 왕조에 대한 설명이다.

⑤ 셀주크 튀르크에 대한 설명이다.

03 간다라 양식 정답: ⑤

쿠샨 왕조의 중심지였던 서북 인도의 간다라 지방에서는 인도 문화와 헬레니즘 문화가 융합된 간다라 양식이 나타났다. 당시 대승 불교의 발전과 더불어 신앙의 대상인 부처를 인간의 모습으로 표현한 불상이 많이 제작되었다.

| 오답 피하기 |

① 비잔티움 양식에 대한 설명이다.

② 모스크 양식에 대한 설명이다.

③ 르네상스에 대한 설명이다.

④ 굽타 왕조의 인도 고전 문화에 대한 설명이다.

04 쿠샨 왕조 정답: ④

이란 계통의 유목민이 개창한 쿠샨 왕조는 중계 무역으로 번성하였다. 쿠샨 왕조의 전성기를 열었던 카니슈카왕은 특히 불교를 보호하였으며 이 시기에는 대중의 구제를 목적으로 하는 대승 불교가 발전하였다.

| 오답 피하기 |

ㄱ은 무굴 제국, ㄷ은 델리 술탄 왕조에 대한 설명이다.

05 굽타 왕조 정답: ③

굽타 왕조는 5세기 중엽 이후 계속된 유목민 에프탈의 침략으로 쇠퇴하다 결국 왕위를 둘러싼 내분으로 멸망하였다.

| 오답 피하기 |

① 아케메네스 왕조 페르시아에 대한 설명이다.

② 파르티아에 대한 설명이다.

④ 오스만 제국에 대한 설명이다.

⑤ 무굴 제국에 대한 설명이다.

06 굽타 왕조 정답: ③

굽타 왕조의 찬드라굽타 2세는 북인도를 통일하고 중앙 집권 체제를 강화하였다.

| 오답 피하기 |

①, ② 인도 문명에 대한 설명이다.

④ 쿠샨 왕조에 대한 설명이다.

⑤ 델리 술탄 왕조에 대한 설명이다.

07 힌두교 정답: ①

브라만교를 바탕으로 민간 신앙과 불교가 융합되어 종교 형태를 갖춘 힌두교는 창시자나 체계적 교리를 찾아보기 어렵다는 특징이 있다.

| 오답 피하기 |

② 자이나교에 대한 설명이다.

③ 자이나교와 불교에 대한 설명이다.

④ 조로아스터교에 대한 설명이다.

⑤ 이슬람교에 대한 설명이다.

08 굽타 왕조 시기 인도 고전 문화의 발전 정답: ④

굽타 왕조 시기에는 불교가 쇠퇴하였으나 불교 교리 연구는 계속 되어 많은 구법승이 일종의 불교 대학인 날란다 사원에서 수행하였다

| 오답 피하기 |

① 무굴 제국의 샤자한이 세웠으며 힌두 – 이슬람 문화의 상징이다.

②, ③ 중국의 북조 시기에 세워진 석굴이다.

⑤ 델리 술탄 왕조의 아이바크가 델리를 정복하고 세운 탑이다.

09 굽타 왕조 시기 인도 고전 문화의 발전 정답: ②

굽타 왕조 시기에는 수학도 발달하였다. 당시 인도인들은 영(0)과 10진법을 사용하여 아라비아 숫자의 형성에 기여하였다. 굽타 왕조 시기에는 브라만교의 전통이 강화되며 힌두교가 형성되기도 하였다.

| 오답 피하기 |

① 무굴 제국의 아크바르 황제에 대한 설명이다.

③ 중국 수에 대한 설명이다.

④ 기원전 7세기~6세기경에 대한 설명이다.

⑤ 마우리아 왕조의 아소카왕에 대한 설명이다.

10 촐라 왕조 정답: ⑤

데칸고원 이남의 남인도에서는 9세기~13세기까지 촐라 왕조가 번성하였다. 촐라 왕조는 동남아시아와 서아시아 등에 면직물을 수출하며 활발히 교류하였으며 동남아시아에 힌두 문화를 전파하였다.

| 오답 피하기 |

① 세포이의 항쟁은 영국이 인도에 대한 식민 정책을 실시한 이후에 일어났다.

②, ③, ④ 무굴 제국에 대한 설명이다.

11 쿠샨 왕조와 대승 불교의 발전

2세기 중엽 쿠샨 왕조의 카니슈카왕은 간다라 지방을 중심으로 활발한 정복 전쟁을 벌여 최대 영토를 확보, 왕조의 전성기를 열었다. 카니슈카왕은 왕권을 강화하면서 학문과 종교를 장려하였는데, 특히 불교를 보호하였으며 그의 지원에 힘입어 대중의 구제를 꾀하는 대승 불교가 발전하였다.

| 모범 답안 |

(1) 대승 불교

(2) 대승 불교는 대중의 구제를 꾀하는 불교로 평범한 중생이 믿고 따르는 대상으로서 부처를 신처럼 모시고 신앙의 대상으로 삼았다. 이에 따라 부처를 인간의 모습으로 표현하는 불상이 제작되었는데, 이는 헬레니즘 미술의 영향을 받은 간다라 양식과 관련이 있다.

| 채점 기준 |

상	대승 불교의 명칭과 간다라 양식을 모두 서술함.
중	대승 불교의 명칭과 간다라 양식을 일부 서술함.
하	대승 불교의 명칭과 간다라 양식을 서술하지 못함.

12 무굴 제국과 힌두 · 이슬람 문화

인도에 이슬람 세력이 진출하면서 이슬람 문화와 힌두 문화가 융합된 힌두 · 이슬람 문화가 발전하였는데, 이러한 경향은 무굴 제국 시기에도 계속되었다. 특히 타지마할은 이슬람 건축 양식에 인도의 섬세한 문양 등을 잘 조합한 힌두 · 이슬람 문화의 대표 건축물이다.

| 모범 답안 |

(1) 힌두 · 이슬람 문화

(2) 언어적으로는 페르시아어와 우르두어의 사용, 종교적으로는 시크교의 발전, 회화에서는 무굴 회화의 발달 등을 예로 들 수 있다.

| 채점 기준 |

상	힌두 · 이슬람 문화와 구체적인 사례를 모두 서술함.
중	힌두 · 이슬람 문화와 구체적인 사례를 일부 서술함.
하	힌두 · 이슬람 문화와 구체적인 사례를 서술하지 못함.

3단계 내신 만점 도전하기 110~111쪽

1 ⑤	2 ①	3 ③	4 ③
5 ①	6 ④	7 ⑤	8 ⑤

01 불교와 자이나교의 출현 정답: ⑤

도시 국가 간의 전쟁과 상업 발달로 성장한 크샤트리아와 바이샤 세력은 브라만 중심의 사회와 형식화된 브라만교에 반대하였다. 이에 따라 우주와 인간의 본질을 탐구하는 우파니샤드 철학이 나타났으며 불교와 자이나교가 창시되었다. 이후 마우리아 왕조의 아소카왕은 불교를 통해 제국을 통합하고자 하였다.

| 오답 피하기 |

① 무굴 제국 시기에 대한 설명이다.
② 쿠샨 왕조 시기에 대한 설명이다.
③ 가즈니 왕조는 10세기 후반에 등장하였다.
④ 굽타 왕조 시기에 대한 설명이다.

02 마우리아 왕조의 아소카왕 정답: ①

마우리아 왕조의 아소카왕은 칼링가를 비롯하여 남부를 제외한 인도 대륙 대부분을 차지하였으며, 이후 불교를 통해 제국을 통합하고자 하였다.

| 오답 피하기 |

ㄷ. 무굴 제국의 아크바르 황제에 대한 설명이다.
ㄹ. 무굴 제국의 아우랑제브 황제에 대한 설명이다.

03 힌두교 정답: ③

굽타 왕조 시기 브라만교의 전통이 강화되면서 브라만교를 바탕으로 민간 신앙과 불교가 융합된 힌두교가 형성되었다. 힌두교는 카스트에 따른 의무 수행을 중시하여 힌두교의 확산과 함께 카스트제가 인도 사회에 정착되었다

| 오답 피하기 |

① 무굴 제국의 아크바르 황제는 관용적인 종교 정책을 펼쳤다.
② 이슬람교가 인도를 지배하게 된 것은 델리 술탄 시대이다.
④ 현대 인도 정부에 대한 설명이다.
⑤ 자이나교와 불교에 대한 설명이다.

04 굽타 양식 정답: ③

굽타 양식은 옷 주름의 선을 생략하고 인체의 윤곽을 드러내어 인도 고유의 색채를 보여주는 양식이다. 이는 이민족의 침략을 막아내고 북인도 통일을 이루는 과정에서 민족의식이 높아져 인도 고유의 색채가 강조되었기 때문이다.

| 오답 피하기 |

① 힌두 · 이슬람 문화에 대한 설명이다.
② 고대 이집트 문화에 대한 설명이다.
④ 간다라 양식에 대한 설명이다.
⑤ 고대 인도 문명에 대한 설명이다.

05 델리 술탄 왕조 정답: ①

쿠트브 미나르는 고르 왕조의 맘루크(용병)였다가 새 왕조를 세워 델리 술탄 왕조를 연 아이바크가 델리를 정복하고 세운 탑이다. 델리 술탄 왕조는 델리를 중심으로 한 이슬람 왕조이며 약 300년 동안 북인도 지역을 지배하였다.

| 오답 피하기 |

② 쿠샨 왕조에 대한 설명이다.
③ 우마이야 왕조에 대한 설명이다.
④ 촐라 왕조에 대한 설명이다.
⑤ 굽타 왕조에 대한 설명이다.

06 아소카왕과 아크바르 황제의 종교 정책 정답: ④

(가)는 마우리아 왕조의 아소카왕, (나)는 무굴 제국의 아크바르 황제에 대한 자료이다. 활발한 정복 사업으로 넓은 영토를 차지했던 두 지배자는 관용적인 종교 정책을 통해 사회를 통합하여 국가를 통치하고자 하였다.

| 오답 피하기 |

① 불교와 자이나교의 등장 배경이다.
② 이슬람교에 대한 설명이다.
③ 무굴 제국의 아우랑제브 황제가 지즈야를 부활시킨 배경이다.
⑤ 쿠샨 왕조의 간다라 양식과 대승 불교의 관련성이다.

07 아우랑제브 황제 정답: ⑤

무굴 제국의 아우랑제브 황제는 이슬람 제일주의를 내세워 힌두교 사원을 폐지하고, 정복 전쟁으로 발생한 재정난을 해결하기 위해 이교도에 대한 지즈야를 부활시켰다.

| 오답 피하기 |

① 『샤쿤탈라』는 굽타 왕조 시기 칼리다사의 작품이다.
② 무굴 제국의 아크바르 황제에 대한 설명이다.
③ 마우리아 왕조의 아소카왕에 대한 설명이다.
④ 무굴 제국의 샤자한에 대한 설명이다.

08 시크교 정답: ⑤

시크교는 16세기경 하급 카스트 출신의 나나크가 이슬람교와 힌두교를 융합하여 창시한 종교이다. 우상 숭배와 카스트제를 반대하였으며 유일신을 숭배하였다. 아우랑제브 황제가 지즈야를 부활시킨 이후 무굴 제국의 핍박에 저항하고자 전사단을 만들었는데, 전사는 머리카락과 수염을 길러 터번을 두르고 단검을 찼다. 이는 이후 시크교도의 특징이 되었다.

| 오답 피하기 |

ㄱ. 이슬람교에 대한 설명이다.
ㄴ. 상좌부 불교에 대한 설명이다.

심화 수능 유형 익히기 112쪽

1 ① 2 ⑤

01 아소카왕 정답: ①

아소카왕은 전쟁을 통해 마우리아 왕조의 전성기를 이끌었으나, 그 희생을 뉘우치는 의미로 불교로 개종하고 불교를 통해 국가를 통치하였다. 이를 위해 산치 대탑과 같은 스투파 건립 및 불경 정리를 지시하였다.

| 오답 피하기 |

② 오스만 제국에 대한 설명이다.
③ 굽타 왕조 등 힌두교에 대한 설명이다.
④ 굽타 왕조 시기 인도 고전 문화에 대한 설명이다.
⑤ 무굴 제국의 아크바르 황제에 대한 설명이다.

02 아우랑제브 황제 정답: ⑤

무굴 제국의 아우랑제브 황제는 정복 전쟁으로 인한 재정난을 해결하기 위해 이슬람교를 믿지 않는 이교도들에게 지즈야를 부활시켰다. 이는 이슬람 제일주의를 살펴볼 수 있는 대표적인 사건으로, 이 외에도 힌두교 사원을 파괴하기도 하였다.

| 오답 피하기 |

① 델리 술탄 왕조에 대한 설명이다.
② 쿠샨 왕조에 대한 설명이다.
③ 무굴 제국의 샤자한에 대한 설명이다.
④ 마우리아 왕조에 대한 설명이다.

심화 기출 지문 활용하기 113쪽

1 해설 참조 2 ⑤ 3 ① 4 해설 참조 5 ② 6 ⑤

01 굽타 왕조와 힌두교

굽타 왕조 시기에는 브라만교의 전통이 강화되면서 브라만교를 바탕으로 민간 신앙과 불교가 융합된 힌두교가 형성되었다.

| 모범 답안 |

(가) 왕조는 굽타 왕조이며, 굽타 왕조 시기에는 힌두교가 성립되었다.

| 채점 기준 |

상	굽타 왕조와 힌두교를 모두 서술함.
중	굽타 왕조와 힌두교를 일부만 서술함.
하	굽타 왕조와 힌두교를 서술하지 못함.

02 굽타 왕조와 인도 고전 문화 정답: ⑤

굽타 왕조에서는 브라만 계급의 언어인 산스크리트어가 공용어가 되면서 산스크리트 문학이 발달하였다. 대표적으로 『마하바라타』, 『라마야나』, 『마누 법전』, 『샤쿤탈라』 등이 있다.

| 오답 피하기 |

① 무굴 제국에 대한 설명이다.
② 델리 술탄 왕조에 대한 설명이다.
③ 기원전 7세기~6세기에 대한 설명이다.
④ 마우리아 왕조에 대한 설명이다.

03 굽타 왕조의 사회 정답: ①

굽타 왕조는 힌두교의 확산과 함께 카스트제가 인도 사회에 정착되었다. 불교는 쇠퇴하였으나 불교 교리 연구는 계속되어 많은 구법승들이 날란다 사원에서 수행하였고, 산스크리트 문학과 굽타 양식 등 인도 고유의 문화가 나타났다. 수학과 천문학, 의학도 발달하여 이후 자연 과학의 발달에 기여하였다.

| 오답 피하기 |

① 우르두어는 무굴 제국 시기에 널리 사용되었다.

04 델리 술탄 왕조와 이슬람교

인도가 분열된 틈을 타 8세기부터 이슬람 세력이 인도로 진출하였다. 특히 가즈니 왕조와 고르 왕조 이후에 등장한 델리 술탄 왕조는 델리를 중심으로 약 300년 동안 다섯 왕조가 교체되며 북인도 지역을 지배하였다.

| 모범 답안 |

(가) 왕조는 델리 술탄 왕조이다. 이슬람 왕조였지만, 힌두교도에게 너그러운 정책을 펼쳤다. 힌두교도는 지즈야(인두세)만 부담하면 자신의 종교를 믿을 수 있었다.

| 채점 기준 |

상	델리 술탄 왕조와 이슬람교, 힌두교에 대한 설명을 모두 서술함.
중	델리 술탄 왕조와 이슬람교, 힌두교에 대한 설명을 일부 서술함.
하	델리 술탄 왕조와 이슬람교, 힌두교에 대한 설명을 서술하지 못함.

05 델리 술탄 왕조의 특징 정답: ②

중앙아시아로부터 남하한 여러 세력들은 델리를 중심으로 이슬람 왕조를 세우고 지배자를 술탄이라고 불렀다. 술탄은 셀주크 튀르크 이후로 사용된 이슬람 용어이다.

| 오답 피하기 |

① 굽타 왕조에 대한 설명이다. ③ 쿠샨 왕조에 대한 설명이다.
④, ⑤ 마우리아 왕조에 대한 설명이다.

06 델리 술탄 왕조의 종교 정책 정답: ⑤

델리 술탄 왕조는 힌두교도에게 너그러운 정책을 펼쳐 힌두교도는 지즈야만 부담하면 자신의 종교를 믿을 수 있었다.

| 오답 피하기 |

① 쿠샨 왕조에 대한 설명이다.
② 마우리아 왕조에 대한 설명이다.
③ 무굴 제국의 아우랑제브 황제에 대한 설명이다.
④ 기원전 7세기~6세기에 대한 설명이다.

대주제 3 마무리하기

114~116쪽

1 ③	2 ①	3 ⑤	4 ④	5 ⑤	6 ②
7 ①	8 ⑤	9 ③	10 ⑤	11 ③	12 ③

01 아시리아와 아케메네스 왕조 페르시아 비교 정답: ③

(가)의 아시리아는 기마 전술과 철제 무기, 전차로 서아시아 세계의 상당 부분을 통일한 후 피정복민을 강제 이주시키고 무거운 세금을 매기는 등 강압적으로 통치하였다. (나)의 아케메네스 왕조 페르시아는 키루스왕이 수립하였으며, 이후 다리우스 1세는 속주에 총독과 감찰관 파견, 도로와 역참제 정비 등을 통해 중앙 집권 체제를 강화하였다. 그러나 지중해 해상권 장악을 둘러싸고 벌인 그리스 – 페르시아 전쟁에서 패배하며 점차 쇠퇴하였다.

| 오답 피하기 |

ㄴ. 아케메네스 왕조 페르시아에 대한 설명이다.
ㄷ. 마니교는 사산 왕조 페르시아 때 창시되었으나 이단으로 탄압받았다.

02 조로아스터교 정답: ①

조로아스터교는 세상을 이원론적 구조로 파악하였으며 불을 상징으로 삼았다. 사산 왕조 페르시아는 조로아스터교를 국교로 정하여 금화에도 불을 새겨 넣었다.

| 오답 피하기 |

② 힌두교의 문화재이다.
③, ⑤ 이슬람교의 문화재이다.
④ 불교의 문화재이다.

03 이슬람교 정답: ⑤

무함마드가 창시한 이슬람교는 알라를 유일신으로 하며 우상 숭배를 철저히 배격하였으며, 경전인 『쿠란』의 가르침은 이슬람교도의 일상을 지배하였다. 특히 『쿠란』에는 6신과 5행이 명시되어 있는데, 이슬람교도들은 일생에 걸쳐 이를 실천한다.

| 오답 피하기 |

① 마니교에 대한 설명이다.
② 힌두교에 대한 설명이다.
③ 조로아스터교에 대한 설명이다.
④ 상좌부 불교에 대한 설명이다.

04 아바스 왕조 정답: ④

아바스 왕조는 모든 이슬람교도의 평등을 내세워 범이슬람 제국으로 발전하였으며, 당과의 탈라스 전투에서 승리하여 동서 교역로를 장악, 수도 바그다드는 동서 무역의 중심지로 번성하였다.

| 오답 피하기 |

① 셀주크 튀르크에 대한 설명이다.
② 후우마이야 왕조에 대한 설명이다.
③ 오스만 제국에 대한 설명이다.
⑤ 사파비 왕조에 대한 설명이다.

05 이슬람 문화 정답: ⑤

이슬람의 건축은 둥근 지붕과 뾰족한 탑을 가진 모스크 양식이 대표적이다. 또한 이슬람교에서는 우상 숭배를 금지하였기 때문에 모스크 안팎은 기하학적 문양이나 문자로 만들어진 아라베스크 무늬로 장식되었다.

| 오답 피하기 |

① 굽타 양식은 간다라 양식과 인도 고유의 특색이 융합된 것으로 인도의 아잔타 석굴 사원과 엘로라 석굴 사원의 불상과 벽화가 대표적이다.
② 간다라 양식은 쿠샨 왕조 시기 인도 문화와 헬레니즘 문화가 융합되어 나타났다. 대승 불교의 발전에 힘입어 부처를 인간의 모습으로 표현한 불상이 대표적이다.

③ 스테인드글라스는 중세 유럽의 고딕 양식의 특징으로 샤르트르 대성당과 쾰른 대성당 등이 대표적이다.
④ 무굴 회화는 무굴 제국 시기 페르시아의 세밀화와 인도의 문화가 융합되어 나타난 것이다.

06 오스만 제국의 통치 제도 정답: ②

오스만 제국은 새로 획득한 영토의 효율적 통치를 위해 티마르 제도, 밀레트 제도, 데브시르메 제도, 예니체리 군단 등 다양한 통치 방식을 활용하였다.

| 오답 피하기 |

② '왕의 길'이라 불리는 도로와 역참제를 정비한 왕은 아케메네스 왕조 페르시아의 다리우스 1세이다.

07 오스만 제국 정답: ①

오스만 제국의 전성기를 이끌었던 술레이만 1세는 헝가리를 정복하고 빈을 포위 공격하였으며 유럽의 연합 함대를 무찔러 지중해 해상권을 장악하였다. 나아가 홍해와 아라비아해 연안까지 차지하여 지중해 교역의 이익을 독점하였다.

| 오답 피하기 |

② 『의학전범』은 이븐 시나, 『여행기』는 이븐 바투타의 저술이다.
③ 무함마드에 대한 설명이다.
④ 무굴 제국의 아크바르 황제에 대한 설명이다.
⑤ 사파비 왕조에 대한 설명이다.

08 아소카왕 정답: ⑤

아소카왕은 전쟁으로 많은 사람들이 희생당한 것을 뉘우치는 의미로 불교로 개종한 후 불교를 통한 제국의 통합에 힘썼다. 이를 위해 불경을 정리하였으며 스투파를 건립하기도 하였다.

| 오답 피하기 |

① 무굴 제국의 샤자한에 대한 설명이다.
② 촐라 왕조에 대한 설명이다.
③ 굽타 왕조에 대한 설명이다.
④ 쿠샨 왕조에 대한 설명이다.

09 대승 불교와 간다라 양식 정답: ③

초기 불교도들은 부처의 모습을 조각하는 것을 불경하다고 여겨 보리수, 연꽃, 법륜(수레바퀴), 스투파(탑) 등의 상징물들을 통해 부처를 표현하였다. 그러나 쿠샨 왕조 시기 대중의 구제를 꾀하는 대승 불교의 발달과 헬레니즘 문화와 인도 문화의 융합으로 만들어진 간다라 양식의 유행으로 점차 부처를 인간의 모습으로 표현하게 되었다.

| 오답 피하기 |

① 우파니샤드 철학은 불교와 자이나교의 출현과 관련이 있다.
② 『쿠란』은 이슬람교와 관련이 있다.
④ 니케아 공의회는 크리스트교와 관련이 있다.
⑤ 델리 술탄 왕조가 수립된 것은 13세기 초의 일이다.

10 힌두교 정답: ⑤

굽타 왕조 시기 브라만교를 바탕으로 민간 신앙과 불교가 융합되어 종교 형태를 갖춘 힌두교는 창시자나 체계적 교리를 찾아보기 어려우며 다양한 신(브라흐마, 비슈누, 시바)을 숭배하는 특징이 있다. 힌두교는 카스트에 따른 의무 수행을 중시하여 힌두교의 확산과 함께 카스트제가 인도 사회에 정착되었다.

| 오답 피하기 |

⑤ 자이나교에 대한 설명이다.

11 굽타 왕조 시기 인도 고전 문화 정답: ③

산스크리트 문학이 발달한 시기는 굽타 왕조 시기이다. 굽타 왕조 시기는 통일을 이루는 과정에서 민족의식이 높아져 인도 고유의 색채가 강조되어 인도 고전 문화가 발전하였다. 미술에서는 간다라 양식과 인도 고유의 특색이 융합된 굽타 양식이 등장하였으며 아잔타 석굴 사원과 엘로라 석굴 사원의 불상과 벽화가 대표적이다.

| 오답 피하기 |

① 타지마할은 무굴 제국 시기에 건축되었다.
② 대승 불교는 쿠샨 왕조 시기에 발전하였다.
④ 쿠트브 미나르는 델리 술탄 왕조 시기에 건립되었다.
⑤ 아소카왕의 석주는 마우리아 왕조 시기에 제작되었다.

12 무굴 제국 정답: ③

타지마할은 무굴 제국에서 발전한 힌두 · 이슬람 문화의 대표적인 건축물이다. 이슬람 세력이 진출한 후 인도에서는 언어, 종교, 건축 등에서 이슬람 문화와 힌두 문화가 융합된 힌두 · 이슬람 문화가 발전하였는데, 이러한 경향은 무굴 제국 시기에도 계속되었다.

| 오답 피하기 |

① 사파비 왕조에 대한 설명이다.
② 오스만 제국에 대한 설명이다.
④ 셀주크 튀르크에 대한 설명이다.
⑤ 마우리아 왕조에 대한 설명이다.

비판적 사고 기르기

117쪽

01 | 모범 답안 |

브라만 중심 사회를 비판하며 불교와 자이나교가 창시되었다. 시대를 거치며 불교는 마우리아 왕조의 상좌부 불교, 쿠샨 왕조 시기의 대승 불교로 각각 발전하였다. 굽타 왕조 시기에는 브라만교를 바탕으로 민간 신앙과 불교가 융합된 힌두교가 형성되었다. 이슬람 세력이 인도로 진출한 후에는 이슬람 왕조가 성립되기도 하였으며, 무굴 제국 시기에는 이슬람교와 힌두교를 융합한 시크교가 등장하였다. 이후 크리스트교도가 인도에 유입되어 현재 인도에는 매우 다양한 종교가 분포한다.

| 채점 기준 |

상	종교의 창시와 유입에 대해 구체적으로 서술함.
중	종교의 창시와 유입에 대해 일부 서술함.
하	종교의 창시와 유입에 대해 서술하지 못함.

02 | 모범 답안 |
헌법 등에 종교적 평등과 신앙의 자유를 보장해야 하며, 종교적 자유와 평등에 대한 컨텐츠를 적극적으로 개발해야 한다. 또한 각자의 종교에 대한 편견을 타파하여 이해하려는 노력이 필요하고, 이를 SNS를 통해 널리 홍보하여 종교적 갈등을 지양하는 사회적 분위기를 형성해야 한다.

| 채점 기준 |

상	갈등 해소 방안에 대해 구체적으로 서술함.
중	갈등 해소 방안에 대해 일부 서술함.
하	갈등 해소 방안에 대해 서술하지 못함.

대주제 4 유럽 · 아메리카 지역의 역사

주제 8 고대 지중해 세계

1단계 개념 익히기 126쪽

1 ⓐ – ⓒ, ⓑ – ㉠, ⓒ – ㉡ 2 (1) O (2) X (3) O (4) X (5) O
3 (1) 페르시아 (2) 스파르타 (3) 헬레니즘 (4)리키니우스법
(5) 그라쿠스 형제 4 페리클레스 5 ㄴ – ㄱ – ㄹ – ㄷ
6 아우구스투스 7 파르테논 신전, 간다라, 콜로세움

2단계 내신 유형 익히기 127~129쪽

1 ⑤ 2 ③ 3 ④ 4 ⑤ 5 ⑤ 6 ③ 7 ③ 8 ②
9 ② 10 ③ 11 (1) 그리스 · 페르시아 전쟁 (2) 해설 참조
12 (1) 알렉산드로스 대왕 (2) 해설 참조

01 아테네와 스파르타 정답: ⑤
제시된 자료에서 (가)는 아테네, (나)는 스파르타에 해당한다. 아테네는 자유로운 시민이 대다수였으며, 스파르타는 도리스인이 원주민을 정복하고 세운 폴리스였다. 이 둘의 대립으로 펠로폰네소스 전쟁이 일어났다.

| 오답 피하기 |
①, ② 스파르타, ③, ④ 아테네에 해당한다.

02 아테네의 민주 정치 발전 과정 정답: ③
기원전 6세기 초 솔론은 귀족과 평민의 대립을 조정하여 재산에 따라 정치적 권리를 차등 분배하였다(다). 귀족과 평민의 대립 속에서 참주가 등장하기도 하였다(가). 그러나 기원전 6세기 말 클레이스테네스가 집권하여 부족제를 개편하고 500인 평의회를 설치하였다(라). 이후 페리클레스는 수당 제도와 추첨 제도를 도입하여 민주 정치를 완성하였다(나).

03 그리스 문화 정답: ④
그리스 문화는 합리적이고 인간 중심적인 특징을 보여 주었다. 역사에서는 헤로도토스가 그리스 · 페르시아 전쟁을 다룬 『역사』를 저술하였다. 또한, 그리스인은 조화와 균형의 미를 강조한 각종 건축물과 조각품을 남겼는데 파르테논 신전이 대표적이다.

| 오답 피하기 |
ㄱ, ㄷ 로마 문화에 대한 내용이다.

04 헬레니즘 문화 정답: ⑤
헬레니즘 문화는 작고 협소한 폴리스의 테두리를 벗어나 넓고 개방된 세계에서 발전한 문화로서, 개인적이고 세계 시민주의적인

성격을 보여 주었다. 예술에서는 인간의 육체와 감정을 사실적으로 표현하여 현실적이고 관능적인 미를 추구하였는데, 라오콘 군상이 대표적이다.

| 오답 피하기 |

①, ② 로마 문화, ③, ④ 그리스 문화에 대한 내용이다.

05 로마의 평민권 신장 정답: ⑤

로마 공화정 초기에는 정치의 실권이 귀족에게 있었다. 하지만 자신들의 군사적 역할이 커지자 평민은 정치적 권리를 요구하였다. 신분 투쟁에서 귀족은 평민의 요구를 점진적으로 받아들여 호민관직과 평민회를 설치하고 12표법을 제정하였다. 또한 리키니우스법으로 집정관 중 1명은 평민에서 선출하였고, 호르텐시우스법으로 평민회의 결의가 법적 구속력을 갖게 되었다.

| 오답 피하기 |

① 기원전 1세기, ②, ④ 4세기, ③ 기원전 3세기 중엽에서 기원전 2세기 중엽 때의 사실이다.

06 그라쿠스 형제의 개혁 정답: ③

포에니 전쟁 이후 로마 사회 내부에 큰 변화가 발생하였다. 유력자들은 오랜 전쟁으로 방치된 농지를 독차지하고 노예 노동을 이용하여 대농장(라티푼디움)을 경영하였다. 반면 중소 자영농 계층은 토지를 잃고 빈민이 되었다. 이에 호민관에 선출된 그라쿠스 형제는 농지법, 곡물법 등의 개혁을 실시하였다.

| 오답 피하기 |

①, ⑤ 로마 제정 말기, ②, ③ 로마 공화정 후기의 사실이다.

07 악티움 해전의 영향 정답: ③

제시된 자료는 악티움 해전에 대한 것이다. 제2차 삼두 정치를 주도한 옥타비아누스는 이집트의 클레오파트라와 연합한 안토니우스를 악티움 해전에서 격파하여 로마의 지배권을 장악하였다. 이후 옥타비아누스는 군 지휘권과 주요 관직을 독차지하여 사실상 황제와 다름없는 권력을 행사하였다.

| 오답 피하기 |

① 로마 공화정 후기, ②, ④ 로마 제정 말기, ⑤ 로마 공화정 초기의 사실이다.

08 로마 제정 말기의 상황 정답: ②

3세기 들어 이른바 '군인 황제 시대'가 전개되었다. 이후 도시와 상공업은 쇠퇴하여 중산층 자유 시민이 몰락하였고, 농촌과 농업은 피폐해졌다. 농촌에서는 부자유 소작농(콜로누스)에게 토지를 경작하게 하는 콜로나투스가 확산되었다.

| 오답 피하기 |

①, ③, ④ 로마 공화정 시기의 사실이다.

09 크리스트교의 공인 정답: ②

밑줄 친 '이 종교'는 크리스트교를 말한다. 카타콤바는 좁은 통로로 이루어진 지하 무덤을 뜻하며, 초기 크리스트교도들은 로마의 박해를 피해 이곳에서 모임을 하기도 하였다. 크리스트교는 콘스탄티누스 황제에 의해 밀라노 칙령으로 공인되었다.

| 오답 피하기 |

①, ⑤ 조로아스터교, ④ 불교에 대한 설명이다.

10 로마의 문화 정답: ③

로마인은 광대한 제국을 유지하고 관리해야 할 현실적 필요 때문에 법률과 건축, 도시 설계 등 실용적인 분야에서 뛰어난 능력을 발휘하였다. 도시 국가의 관습법을 성문화한 12표법은 로마 시민을 위한 시민법으로 발전하였고, 각 도시에는 콜로세움, 개선문, 공중목욕탕 등의 건축물을 세웠다.

| 오답 피하기 |

ㄱ. 헬레니즘 문화, ㄹ. 그리스 문화에 해당한다.

11 그리스 · 페르시아 전쟁

제시된 지도는 그리스 · 페르시아 전쟁에 대한 것이다. 세 차례에 걸친 전쟁에서 그리스는 아테네와 스파르타를 중심으로 단결하여 페르시아 세력에 승리하였다. 이후 아테네를 비롯한 그리스 세계는 크게 발전하였다.

| 모범 답안 |

(1) 그리스 · 페르시아 전쟁

(2) 전쟁에서 승리한 아테네는 델로스 동맹의 맹주가 되어 강력한 해상 제국으로 발전하였다. 이로부터 나온 재정 수입을 바탕으로 하여, 아테네는 페리클레스의 지도로 민주 정치를 확대하고 고전 문화를 발전시켰다.

| 채점 기준 |

상	해상 제국으로의 성장, 민주 정치의 발전 모두 명확히 서술함.
중	해상 제국으로의 성장, 민주 정치의 발전 중 하나만 서술함.
하	전쟁의 영향을 잘못 서술함.

12 알렉산드로스 제국의 발전

알렉산드로스는 기병대와 중장 보병 밀집대를 앞세우고 동방 원정에 나서 페르시아 제국과 이집트를 정복하고 인더스강 유역까지 진출하였다.

| 모범 답안 |

(1) 알렉산드로스

(2) 알렉산드로스는 정복지 곳곳에 '알렉산드리아'라는 도시를 건설하여 그리스인을 이주시켰다. 그리고 그리스인과 페르시아인의 결혼을 장려하여 그리스와 페르시아를 하나로 만들고자 하였다.

| 채점 기준 |

상	알렉산드리아 건설, 그리스인과 페르시아인의 융합 모두를 명확히 서술함.
중	알렉산드리아 건설, 그리스인과 페르시아인의 융합 중 하나만 서술함.
하	알렉산드로스의 정책을 잘못 서술함.

3단계 내신 만점 도전하기 130~131쪽

1 ②	2 ④	3 ③	4 ③
5 ②	6 ⑤	7 ④	8 ③

01 클레이스테네스의 개혁 정답: ②

제시된 자료에서 밑줄 친 '그'는 클레이스테네스이다. 그는 혈연 중심의 부족제를 개편하여 500인 평의회를 설치하였다. 또한 도편 추방제를 도입하여 민주 정치의 기틀을 마련하였다.

| 오답 피하기 |

① 페리클레스, ③ 콘스탄티누스 황제, ④ 아우구스투스, ⑤ 솔론에 대한 설명이다.

02 그리스 · 페르시아 전쟁의 영향 정답: ④

제시된 자료는 그리스 · 페르시아 전쟁 중 있었던 살라미스 해전에 대한 것이다. 전쟁 이후 아테네는 페리클레스의 지도하에 민주 정치의 전성기를 맞이하였다. 최고의 입법권을 행사하던 민회에서는 모든 성인 남성이 참석하였다. 수당제를 통해 가난한 시민도 정치에 참여할 수 있었고, 추첨제를 통해 시민들이 관직과 배심원직을 맡았다.

| 오답 피하기 |

① 기원전 6세기 솔론 이후, ②, ③ 클레이스테네스 시기, ⑤ 솔론 시기에 있었던 사실이다.

03 아테네의 특징 정답: ③

페리클레스는 아테네의 대표적인 지도자이다. 따라서 (가)는 아테네에 해당한다. 그리스 · 페르시아 전쟁에서 승리한 아테네는 델로스 동맹의 맹주가 되어 강력한 해상 제국으로 발전하였다.

| 오답 피하기 |

①, ② 로마, ④ 스파르타, ⑤ 알렉산드로스 제국에 대한 설명이다.

04 헬레니즘 문화의 특징 정답: ③

제시된 자료는 라오콘 군상으로, 헬레니즘 문화의 대표적인 작품이다. 헬레니즘 문화는 작고 협소한 폴리스의 테두리를 벗어나 넓고 개방된 세계에서 발전한 문화로서, 개인적이고 세계 시민주의적인 성격을 보여 주었다. 예술에서는 인간의 육체와 감정을 사실적으로 표현하여 현실적이고 관능적인 미를 추구하였다. 철학에서는 감정을 절제하고 이성적인 삶을 추구하는 스토아학파와 삶의 행복을 위해 마음의 평정을 추구하는 에피쿠로스학파가 나타났다. 헬레니즘 미술은 동서 교통로의 발전과 함께 북인도로 전파되어 간다라 양식이 성립하는 데 영향을 주었다.

| 오답 피하기 |

ㄱ. 그리스 문화, ㄹ. 로마 문화에 대한 설명이다.

05 그라쿠스 형제의 개혁 정답: ②

제시된 자료는 그라쿠스 형제의 발언이다. 포에니 전쟁 이후 로마 사회 내부에 큰 변화가 발생하였다. 유력자들은 오랜 전쟁으로 방치된 농지를 독차지하고 노예 노동을 이용하여 대농장(라티푼디움)을 경영하였다. 반면 중소 자영농 계층은 토지를 잃고 빈민이 되었다. 이에 호민관에 선출된 그라쿠스 형제는 농지법, 곡물법 등의 개혁을 실시하였다.

| 오답 피하기 |

① 로마 공화정 초기, ③ 아테네의 솔론 시기, ④ 로마 제정 말기, ⑤ 로마 공화정 후기의 사실이다.

06 옥타비아누스의 특징 정답: ⑤

제시된 자료에서 (가)에 들어갈 인물은 옥타비아누스이다. 제2차 삼두 정치를 주도한 옥타비아누스는 이집트의 클레오파트라와 연합한 안토니우스를 악티움 해전에서 격파하여 로마의 지배권을 장악하였다. 그는 이후 로마의 군대와 재정을 장악하고 혼란을 수습하였다. 이에 원로원은 그에게 '아우구스투스(존엄한 자)'라는 칭호를 부여하였다.

| 오답 피하기 |

①, ④ 클레이스테네스, ② 테오도시우스 황제, ③ 카이사르에 대한 설명이다.

07 콘스탄티누스 황제의 특징 정답: ④

제시된 자료는 콘스탄티누스 황제의 밀라노 칙령이다. 그는 밀라노 칙령을 통해 크리스트교를 공인하였으며, 네 개로 나뉘어져 있던 제국을 하나로 합치고 수도를 옮겨 로마의 부흥에 힘썼다. 새로운 수도는 그의 이름을 따 콘스탄티노폴리스로 불렸다.

| 오답 피하기 |

① 테오도시우스 황제, ② 디오클레티아누스 황제, ③ 페리클레스, ⑤ 옥타비아누스에 대한 설명이다.

08 그리스 문화와 로마 문화 정답: ③

제시된 자료에서 (가)는 아테네의 파르테논 신전, (나)는 로마의 수도교이다. 그리스인은 폴리스의 자유로운 시민 생활에 바탕을 둔 독특한 문화를 발전시켰다. 그리스 문화는 합리적이고 인간 중심적인 특징을 보여 주었다. 또한 그리스인은 조화와 균형의 미를 강조한 각종 건축물과 조각품을 남겼는데 파르테논 신전이 대표적이다. 로마인은 광대한 제국을 유지하고 관리해야 할 현실적 필요 때문에 법률과 건축, 도시 설계 등 실용적인 분야에서 뛰어난 능력을 발휘하였다. 수도교는 도시에 식수를 공급하기 위해 건설한 것으로, 수로가 협곡이나 계곡을 통과하였기에 아치형의 교량 형태로 세웠다.

| 오답 피하기 |

①, ⑤ 로마 문화, ② 헬레니즘 문화, ④ 그리스 문화에 해당한다.

심화 수능 유형 익히기 132쪽

1 ①	2 ①

01 참주의 출현 정답: ①

기원전 6세기 초 솔론은 귀족과 평민의 대립을 조정하여 재산에 따라 정치적 권리를 차등 분배하는 개혁을 추진하였으나, 귀족과 평민의 대립은 여전하였다. 이러한 혼란 속에서 페이시스트라토스와 같은 참주가 민중의 지지를 얻기도 하였다.

| 오답 피하기 |

②, ⑤ 페리클레스 시기, ③ 클레이스테네스 시기, ④ 알렉산드로스 제국 이후에 해당한다.

02 알렉산드로스의 특징 정답: ①

제시된 자료에서 밑줄 친 '그'는 알렉산드로스이다. 그는 기병대와 중장 보병 밀집대를 앞세우고 동방 원정에 나서 페르시아 제국과 이집트를 정복하고 인더스강 유역까지 진출하였다. 그는 정복지 곳곳에 '알렉산드리아'라는 도시를 건설하여 그리스인을 이주시켰다. 그리고 그리스인과 페르시아인의 결혼을 장려하여 그리스와 페르시아를 하나로 만들고자 하였다.

| 오답 피하기 |

② 옥타비아누스, ③ 다리우스 1세, ④ 콘스탄티누스 황제, ⑤ 클레이스테네스에 대한 설명이다.

심화 기출 지문 활용하기

133쪽

1 해설 참조 2 ③ 3 ④ 4 해설 참조 5 ⑤ 6 ③

01 카이사르와 옥타비아누스

제시된 자료에서 (가)는 카이사르, (나)는 옥타비아누스에 대한 설명이다. 갈리아를 정복하고 세력을 키워 크라수스, 폼페이우스와 제1차 삼두 정치를 주도한 카이사르는 여러 개혁을 펼쳤으나, 그가 왕이 되어 전제 정치를 할 것을 두려워한 반대파에게 암살당하였다. 제2차 삼두 정치를 주도한 옥타비아누스는 이집트의 클레오파트라와 연합한 안토니우스를 악티움 해전에서 격파하여 로마의 지배권을 장악하였다.

| 모범 답안 |

(가)는 카이사르, (나)는 옥타비아누스에 해당한다. '프린켑스'의 뜻은 제1시민이라는 뜻이다. 악티움 해전 이후 옥타비아누스는 로마의 군대와 재정을 장악하고 혼란을 수습하였다. 그는 반대파를 안심시키기 위해 자신을 '프린켑스'라 불렀고, 공화정의 여러 제도를 유지하거나 부활시켰다.

| 채점 기준 |

상	인물의 이름, '프린켑스'의 의미와 배경을 모두 서술함.
중	인물의 이름과 '프린켑스'의 의미를 서술함.
하	인물의 이름이나 '프린켑스'의 의미 중 하나만 서술함.

02 카이사르와 옥타비아누스 정답: ③

제2차 삼두 정치를 주도한 옥타비아누스는 이집트의 클레오파트라와 연합한 안토니우스를 악티움 해전에서 격파하여 로마의 지배권을 장악하였다. 그는 이후 로마의 군대와 재정을 장악하고 혼란을 수습하였다. 이에 원로원은 그에게 '아우구스투스(존엄한 자)'라는 칭호를 부여하였다.

| 오답 피하기 |

①, ② 로마 공화정 초기의 사실로, 카이사르와는 관련이 없다.

④ 삼두 정치가 전개되기 전의 사실이다.

⑤ 포에니 전쟁은 기원전 3세기 중엽부터 기원전 2세기 중엽 때까지 전개되었다.

03 삼두 정치의 배경 정답: ④

포에니 전쟁 이후 로마 사회 내부에 큰 변화가 발생하였다. 유력자들은 오랜 전쟁으로 방치된 농지를 독차지하고 노예 노동을 이용하여 대농장(라티푼디움)을 경영하였다. 반면 중소 자영농 계층은 토지를 잃고 빈민이 되었다. 이에 호민관에 선출된 그라쿠스 형제는 농지법, 곡물법 등의 개혁을 실시하였다. 하지만 귀족들의 반대로 뜻을 이루지 못했다. 이후 로마는 귀족(벌족)파와 평민(민중)파 사이에서 권력 투쟁이 벌어져 내전에 휩싸였고, 스파르타쿠스가 주도한 노예 반란까지 겹쳐 큰 혼란에 빠졌다. 이러한 상황에서 군인 정치가가 등장하여 삼두 정치를 펼치며 권력을 잡았다.

| 오답 피하기 |

①, ③ 로마 공화정 초기, ②, ⑤ 로마 제정 말기의 상황이다.

04 옥타비아누스와 콘스탄티누스 황제

제시된 자료에서 (가)는 옥타비아누스, (나)는 콘스탄티누스 황제에 대한 설명이다. 제2차 삼두 정치를 주도한 옥타비아누스는 악티움 해전 이후 로마의 군대와 재정을 장악하고 혼란을 수습하였다. 이에 원로원은 그에게 '아우구스투스(존엄한 자)'라는 칭호를 부여하였다. 콘스탄티누스 황제는 밀라노 칙령을 통해 크리스트교를 공인하였으며, 수도를 옮겨 로마의 부흥에 힘썼다. 새로운 수도는 그의 이름을 따 콘스탄티노폴리스로 불렸다.

| 모범 답안 |

(가)는 옥타비아누스, (나)는 콘스탄티누스 황제에 해당한다. 제2차 삼두 정치를 주도한 옥타비아누스는 이집트의 클레오파트라와 연합한 안토니우스를 악티움 해전에서 격파하여 로마의 지배권을 장악하였다. 악티움 해전 이후 옥타비아누스는 로마의 군대와 재정을 장악하고 혼란을 수습하였다. 이에 원로원은 그에게 '아우구스투스'라는 칭호를 부여하였다.

| 채점 기준 |

상	인물의 이름과 배경을 모두 서술함.
중	인물의 이름이나 배경 중 하나만 서술함.
하	인물의 이름을 잘못 서술함.

05 옥타비아누스와 콘스탄티누스 황제 정답: ⑤

3세기 말 디오클레티아누스 황제는 제국의 위기를 타개하기 위해 개혁 정책을 펼쳤다. 그는 제국을 넷으로 나누어 효율적인 통치를 꾀하였다.

| 오답 피하기 |

①, ② 제2차 삼두 정치를 주도한 옥타비아누스는 이집트의 클레오파트라와 연합한 안토니우스를 악티움 해전에서 격파하여 로마의 지배권을 장악하였다. 그는 이후 로마의 군대와 재정을 장악하고 혼란을 수습하였다. 이에 원로원은 그에게 '아우구스투스(존엄한 자)'라는 칭호를 부여하였다. 그는 반대파를 안심시키기 위해 자신을 '프린켑스'라 불렀고, 공화정의 여러 제도를 유지하거나 부활시켰다.

③, ④ 콘스탄티누스 황제는 밀라노 칙령을 통해 크리스트교를 공인하였다. 그리고 니케아 공의회를 개최하여 아타나시우스파를 정통으로 인정하며 삼위일체설에 기초한 정통 교리를 확립하였다.

06 로마 제국 말기의 상황 정답: ③

로마는 3세기에 들어서 군대가 정치에 개입하여 황제를 마음대로 폐위하고 옹립하는 '군인 황제 시대'가 펼쳐졌고, 속주와 변경에서는 반란과 이민족의 침입이 계속되었다. 또한 도시와 상공업은 쇠퇴하여 중산층 자유 시민이 몰락하였고, 농촌과 농업은 피폐해졌다. 3세기 말 디오클레티아누스 황제는 제국의 위기를 타개하기 위해 개혁 정책을 펼쳤다. 그는 제국을 넷으로 나누어 효율적인 통치를 꾀하였다.

| 오답 피하기 |

①, ④ 로마 공화정 후기, ②, ⑤ 로마 공화정 초기의 상황이다.

주제 9 유럽 세계의 형성과 동요

1단계 개념 익히기 142쪽

1 ⓐ – ⓔ, ⓑ – ⓛ, ⓒ – ⓖ 2 (1) O (2) X (3) O (4) X (5) O
3 (1) 피핀 (2) 삼포제 (3) 카노사 (4) 한자 동맹 (5) 잔 다르크
4 성 소피아 성당 5 ㄷ – ㄴ – ㄱ – ㄹ 6 르네상스 7 『데카메론』, 『군주론』, 에라스뮈스, 토머스 모어

2단계 내신 유형 익히기 143~145쪽

1 ④ 2 ④ 3 ④ 4 ④ 5 ④ 6 ④ 7 ② 8 ②
9 ④ 10 ③ 11 (1) 십자군 전쟁 (2) 해설 참조 12 (1) 고딕 양식 (2) 해설 참조

01 카롤루스 대제의 특징 정답: ④

제시된 자료에서 (가)에 들어갈 인물은 카롤루스 대제이다. 그는 서로마 제국의 영토를 상당 부분 되찾았고, 정복지에 선교사를 보내는 등 크리스트교 보급에 힘썼다. 또한 궁정 학교를 세우고 고전을 연구하는 등 카롤루스 르네상스를 일으켰다. 이에 그리스·로마 문화, 게르만 문화, 크리스트교가 융합한 중세 서유럽 문화의 기틀이 마련되었다. 이에 1950년부터 매년 유럽에서는 유럽의 통합과 발전에 공헌한 인물에게 그의 이름을 딴 상이 수여되고 있다.

| 오답 피하기 |

① 오도아케르, ②, ⑤ 피핀, ③ 카롤루스 마르텔에 대한 설명이다.

02 장원의 특징 정답: ④

제시된 그림은 서양 중세 장원의 모습을 나타낸 것이다. 장원의 농노들은 장원 내 시설을 의무적으로 이용하고 비용을 지급하였으며, 인두세, 사망세, 혼인세 등을 바치고 영주의 법정에서 재판을 받아야만 했다.

| 오답 피하기 |

①, ②, ③, ⑤ 서양 중세 장원은 농업 중심의 자급자족적 경제 단위였다. 장원의 토지는 경작지, 목초지, 삼림 등으로 나뉘어 있었다. 경작지는 영주 직영지와 농노 보유지로 구분되었고, 삼포제 방식으로 경작되었다. 그리고 장원 내의 농민은 대개 농노였다.

03 영국의 특징 정답: ④

제시된 자료는 영국에서 제작된 『둠즈데이 북』에 대한 것이다. 노르망디 공국의 윌리엄은 잉글랜드를 정복하여 노르만 왕조를 열었다. 그는 봉건제를 영국에 도입하였는데, 광대한 토지를 왕의 소유로 삼고 제후들에게 충성 서약을 받는 등 강력한 왕권을 행사하였다. 그는 토지 파악과 세금 징수를 위해 전국적인 토지 조사를 하여 『둠즈데이 북』이라는 토지 대장을 만들었다.

| 오답 피하기 |

① 비잔티움 제국, ②, ⑤ 프랑스, ③ 신성 로마 제국에 대한 설명이다.

04 크리스트교 세계의 분열 정답: ④

동서 교회가 분열하는 계기가 된 것은 비잔티움 황제가 내린 성상 파괴령(726)이었다. 게르만족에게 포교하기 위해 성상이 필요하였던 로마 교회가 이를 거부하면서 동서 교회의 대립은 격화되었고, 결국 크리스트교 세계는 교황을 중심으로 하는 로마 가톨릭교회와 비잔티움 황제를 수장으로 하는 그리스 정교회로 갈라졌다.

| 오답 피하기 |

① 셀주크 튀르크의 위협, ② 교회의 대분열로 인한 혼란, ③ 교황의 면벌부 판매, ⑤ 교황청의 아비뇽 유수 등이 배경이다.

05 카노사의 굴욕 정답: ④

제시된 그림은 황제 하인리히 4세가 카노사의 성주인 백작 부인과 클뤼니 수도원장에게 교황과의 화해를 주선해 달라고 부탁하고 있는 장면을 나타낸 것이다. 교황 그레고리우스 7세는 교회의 부패를 바로잡고 세속 군주의 성직자 서임을 금지하였다. 그러나 신성 로마 제국 황제 하인리히 4세는 이를 무시하였고, 교황

은 황제를 파문하였다. 이에 맞서 교황을 폐위하려던 황제는 제후와 주교의 지지마저 잃자, 카노사로 교황을 찾아가 사죄하였다(카노사의 굴욕).

| 오답 피하기 |

① 교회의 대분열, ② 콘스탄츠 공의회 개최, ③ 십자군 전쟁의 배경이며, ⑤ 비잔티움 황제의 성상 파괴령이 계기가 되어 교회가 분열되었다.

06 비잔티움 제국의 특징 정답: ④

제시된 지도는 비잔티움 제국의 최대 영역을 나타낸 것이다. 비잔티움 제국은 이슬람 세력에 맞서 크리스트교 세계를 지키는 방파제 역할을 하면서도 서유럽 세계와 경쟁하였다. 서유럽 세계에서는 교황권과 황제권이 분리됐지만, 비잔티움 제국에서는 강력한 황제권을 바탕으로 황제가 교회를 지배하는 황제 교황주의가 발전하였다. 그리고 제국의 수도인 콘스탄티노폴리스는 동서 교통의 중심지이자 상공업과 무역의 중심지로 번영하였다.

| 오답 피하기 |

① 영국, ③ 서유럽, ⑤ 신성 로마 제국에 대한 설명이다.

07 「대헌장」 정답: ②

제시된 자료는 「대헌장」에 나오는 내용이다. 영국은 노르만 왕조의 정복 이래 비교적 왕권이 강하였으나, 12세기부터 귀족의 정치적 저항에 부딪혔다. 특히 13세기 무렵 존왕이 프랑스와의 전쟁으로 악화한 재정을 개선하려고 무거운 세금을 부과하자, 귀족이 반발하여 귀족의 권리를 인정한 「대헌장」을 왕에게 승인하도록 하였다. 이후 성직자, 귀족, 기사, 시민이 참여하는 모범 의회가 소집되었다.

| 오답 피하기 |

① 모범 의회는 「대헌장」 이후에 소집되었다.

③ 「95개조 반박문」, ④ 「황금 문서」, ⑤ 『둠즈데이 북』에 대한 설명이다.

08 알프스 이북 르네상스의 특징 정답: ②

르네상스는 16세기에 알프스를 넘어 유럽의 여러 지역으로 전파되었다. 당시 알프스 이북에는 봉건 세력과 교회의 영향력이 강하게 남아 있었다. 이에 인문주의자는 교회와 사회 지배층을 비판하면서 초기 크리스트교 정신으로 돌아갈 것을 주장하였다. 특히 『성서』 연구가 활발하였는데, 이러한 경향은 종교 개혁으로 이어졌다. 에라스뮈스와 토머스 모어 등이 유명하며, 미술에서는 브뤼헐이 서민의 생활 모습을 생동감있게 표현하였다.

| 오답 피하기 |

①, ③, ④ 이탈리아 르네상스, ⑤ 르네상스 이전 서유럽 문화에 대한 설명이다.

09 루터의 활동 정답: ④

제시된 자료는 루터의 「95개조 반박문」이다. 알프스 이북에서는 로마 가톨릭교회에 대한 비판이 강하였다. 교황 레오 10세가 성 베드로 성당의 증축 비용을 마련하려고 면벌부를 판매하자, 독일의 루터는 「95개조 반박문」을 발표하여 교황을 비판하였다. 그는 인간의 구원이 오직 신앙과 은총에 달려 있고 신앙의 근거는 『성서』라고 주장하였다. 루터를 지지한 제후들은 동맹을 맺고 로마 가톨릭교회의 보호를 자처한 황제에게 저항하였고, 마침내 아우크스부르크 화의에서 종교의 자유를 얻었다.

| 오답 피하기 |

① 로욜라, ② 엘리자베스 1세, ③ 헨리 8세, ⑤ 칼뱅에 대한 설명이다.

10 종교 개혁에 대한 로마 가톨릭교의 대응 정답: ③

종교 개혁 운동이 퍼지자 위기를 느낀 로마 가톨릭교회는 트리엔트 공의회를 열어 교황의 권위와 교리를 재확인하고 폐단을 고치고자 하였다. 또한 신교 확산을 막기 위해 종교 재판소를 설치하였다. 한편 에스파냐의 로욜라는 예수회를 세워 가톨릭 교리를 옹호하였고, 아시아 · 아프리카 · 아메리카에서 선교 활동을 벌였다.

| 오답 피하기 |

ㄱ. 프랑스에서 위그노 전쟁이 일어나 앙리 4세가 낭트 칙령을 반포하여, 특정 지역에서 예배의 자유가 허용되었다.

ㄹ. 헨리 8세가 수장법을 내려 영국 교회를 교황의 지배에서 독립시켰고, 그 후 엘리자베스 1세가 통일법을 반포하여 영국 국교회를 확립하였다.

11 십자군 전쟁

제시된 지도는 십자군 전쟁에 대한 것이다. 11세기경부터 서유럽 세계는 안정 속에서 경제가 발전하였다. 삼포제가 도입되고 말과 무거운 쟁기 등이 농사에 이용되면서 농업 생산성이 향상되고 인구가 증가하였다. 이에 농지가 부족해진 서유럽인은 개간 사업과 대외 팽창에 나서 엘베강 동쪽으로까지 진출하였다. 또한 이베리아반도의 크리스트교 국가들은 이슬람 세력에 맞서 재정복 운동을 펼쳐 영토를 확대하였다. 이러한 상황 속에서, 11세기 후반 셀주크 튀르크의 위협을 받은 비잔티움 제국은 로마 교황에게 도움을 요청하였고 결국 십자군 전쟁이 전개되었다.

| 모범 답안 |

(1) 십자군 전쟁

(2) 셀주크 튀르크의 위협을 받은 비잔티움 제국은 로마 교황에게 도움을 요청하였고, 교황권의 확대를 노린 교황이 성지 회복을 위한 전쟁을 호소하자 십자군 전쟁이 전개되었다. 십자군 전쟁으로 교황권이 쇠퇴하였고, 봉건 제후와 기사가 몰락하여 봉건제가 흔들리고 왕권이 강화되었다. 한편 지중해를 통한 동방과의 교역이 활발해져 상공업이 발달하였으며, 비잔티움 문화와 이슬람 문화가 서유럽 문화의 발전을 자극하였다.

| 채점 기준 |

상	배경과 영향을 모두 명확히 서술함.
중	배경과 영향 중 하나만 서술함.
하	배경과 영향에 대해 잘못 서술함.

12 고딕 양식
제시된 건축물은 고딕 양식으로 지어진 프랑스의 샤르트르 대성당이다. 중세 서유럽에서는 주로 교회, 수도원 등의 종교 건축이 발달하였다. 11세기에는 원형의 아치를 갖춘 로마네스크 양식이 유행하였으며, 12세기경부터는 고딕 양식이 유행하였다.

| 모범 답안 |
(1) 고딕 양식
(2) 고딕 양식은 첨탑과 내부의 스테인드글라스가 특징이며, 건축 기술의 발전에 힘입어 천장의 무게를 분산시킬 수 있었기 때문에 로마네스크 양식보다 벽이 두껍지 않다. 창문 또한 크게 만들어 건물 내부가 밝다.

| 채점 기준 |

상	고딕 양식의 특징을 모두 명확히 서술함.
중	고딕 양식의 특징 중 하나만 서술함.
하	고딕 양식의 특징에 대해 잘못 서술함.

3단계 내신 만점 도전하기 146~147쪽

1 ①	2 ⑤	3 ①	4 ①
5 ⑤	6 ④	7 ⑤	8 ①

01 봉건제의 특징 정답: ①
제시된 자료는 서유럽 봉건제의 모습을 도식화한 것으로, (가)는 주군, (나)는 봉신, (다)는 농노를 나타낸 것이다. 주종 관계는 국왕과 제후, 하급 기사 사이에 여러 겹으로 맺어져 있는 피라미드 형태를 이루었다. 이들은 영주로서 장원을 매개로 농노와 지배 · 예속 관계를 맺고 있었다. 한편 주종 관계는 쌍무적 계약 관계로, 어느 한쪽이 의무를 이행하지 않으면 원칙적으로 파기되었다.

| 오답 피하기 |
②, ③, ④, ⑤ 주종 관계에서 봉신은 주군에게 충성 서약을 하고, 주군은 봉신에게 봉토를 주었다. 주군이 봉신에게 준 봉토는 한 개 또는 여러 개의 장원으로 구성되었고, 봉신은 영주로서 이를 다스렸다. 장원 내의 농민은 대개 농노였다. 농노는 고대 노예와는 달리 혼인권, 농지 보유권 등이 있었고, 관습에 따라 어느 정도 보호를 받았으나 영주의 허락 없이는 장원을 떠날 수 없는 부자유한 신분이었다. 장원의 농노들은 장원 내 시설을 의무적으로 이용하고 비용을 지급하였으며, 인두세, 사망세, 혼인세 등을 바치고 영주의 법정에서 재판을 받아야만 하는 등의 경제 외적인 구속을 받았다.

02 카롤루스 마르텔의 활동 정답: ⑤
제시된 자료에서 밑줄 친 '그'는 카롤루스 마르텔이다. 5세기 말 메로베우스 왕조를 세운 클로비스는 로마 가톨릭교로 개종하여 로마 주민과의 마찰을 피할 수 있었다. 클로비스 사후 왕권이 약화되자 재상 격인 궁재 카롤루스 마르텔이 실권을 잡고 투르 · 푸아티에 전투에서 이슬람의 침략을 물리쳤다. 그의 아들 피핀은 카롤루스 왕조를 열고, 왕조 개창에 도움을 준 교황에게 랑고바르드(롬바르드) 족으로부터 빼앗은 이탈리아 중부 지역을 주었다.

| 오답 피하기 |
① 유스티니아누스 황제, ② 하인리히 4세, ③ 카롤루스 대제, ④ 피핀에 대한 설명이다.

03 교황과 황제의 대립 정답: ①
제시된 자료에서 (가)는 보름스 협약(1122)을, (나)는 14세기에 활약했던 위클리프의 주장이다. 교황 그레고리우스 7세는 교회의 부패를 바로잡고 세속 군주의 성직자 서임을 금지하였다. 그러나 신성 로마 제국 황제 하인리히 4세는 이를 무시하였고, 교황은 황제를 파문하였다. 이에 맞서 교황을 폐위하려던 황제는 제후와 주교의 지지마저 잃자, 카노사로 교황을 찾아가 사죄하였다(카노사의 굴욕, 1077). 서임권 투쟁은 이후에도 지속되었으나, 결국 보름스 협약을 통해 교황이 서임권을 차지하게 되었다. 십자군 전쟁이 실패하면서 교황의 권위가 추락하였다. 14세기 초 교황 보니파키우스 8세와 프랑스 왕 필리프 4세는 교회와 성직자에 대한 과세를 둘러싸고 대립하였다. 결국 교황은 필리프 4세에게 굴복하였고, 이후 교황청은 아비뇽으로 옮겨져 약 70년 동안 프랑스 왕의 통제를 받았다(아비뇽 유수). 교황과 교회의 위신과 권위가 추락하자 교회 개혁의 움직임이 일어났다. 영국의 위클리프와 보헤미아의 후스는 교회의 세속화와 성직자의 타락을 비판하며 『성서』에 기반을 둔 신앙을 강조하였다.

| 오답 피하기 |
② 콘스탄츠 공의회에서 위클리프를 이단으로 규정하였다.
③ 교황 레오 10세가 성 베드로 성당의 증축 비용 마련을 위해 면벌부를 판매하자, 루터가 「95개조 반박문」을 게시하였다(1517).
④ 엘리자베스 1세는 통일법을 반포하여 영국 국교회를 확립하였다(1559).
⑤ 카노사의 굴욕 사건은 보름스 협약 이전의 사실이다.

04 수도원의 특징 정답: ①
제시된 자료에서 밑줄 친 '이곳'은 수도원을 가리킨다. 로마 가톨릭 교회는 세력이 커지면서 점차 세속화하였다. 성직자들이 국왕이나 제후의 봉신이 되면서 성직자 임명권도 세속 권력이 차지하였으며, 성직자가 혼인하거나 성직이 매매되는 등 부패와 타락이 나타났다. 이에 10세기 초 클뤼니 수도원을 중심으로 교회를 정화하려는 개혁 운동이 일어나 여러 지역으로 퍼졌다. 클뤼니 수도원은 교황에 직속되어 세속 권력의 간섭을 받지 않았다. 이에 청빈과 순명, 정결 등 베네딕트의 계율을 엄격하게 지키며 교회 개혁 운동을 주도할 수 있었다.

| 오답 피하기 |
② 성당, ③ 도시, ④ 대학, ⑤ 장원에 대한 설명이다.

05 유스티니아누스 황제의 활동 정답: ⑤

제시된 자료는 성 소피아 대성당으로, 밑줄 친 '그'는 유스티니아누스 황제이다. 비잔티움 제국은 6세기 유스티니아누스 황제 때 전성기를 맞이하였다. 그는 옛 로마 제국 영토의 상당 부분을 회복하였고, 로마법을 집대성한 『유스티니아누스 법전』을 편찬하였다. 또한 콘스탄티노폴리스에 성 소피아 대성당을 세웠다. 성 소피아 대성당은 비잔티움 양식으로 지어졌는데, 이 양식은 외부의 웅장한 돔과 내부를 장식한 화려한 모자이크 벽화 등이 특징이다.

| 오답 피하기 |

① 레오 3세, ② 피핀, ③ 하인리히 4세, ④ 우르바누스 2세에 대한 설명이다.

06 백년 전쟁의 특징 정답: ④

제시된 지도는 백년 전쟁(1337~1453)과 관련이 있다. 영국과 프랑스는 모직물 공업 중심지인 플랑드르와 프랑스 안의 영국령에 대한 지배권을 둘러싸고 오랫동안 대립하여 왔다. 이러한 상황에서 영국 왕이 프랑스의 왕위 계승을 주장하자 백년 전쟁이 발발하였다. 전쟁 초반에는 전세가 영국 측에 유리하였으나, 잔 다르크의 활약으로 전세가 역전되어 프랑스가 승리를 거두게 됨으로써 이후 프랑스는 통일된 영토를 갖고 중앙 집권 국가로 발전할 수 있는 발판을 마련하게 되었다.

| 오답 피하기 |

① 투르 · 푸아티에 전투, ② 장미 전쟁, ③ 30년 전쟁, ⑤ 십자군 전쟁에 대한 설명이다.

07 알프스 이북 르네상스의 배경 정답: ⑤

제시된 자료에서 (가)는 에라스뮈스의 『우신예찬』, (나)는 토머스 모어의 『유토피아』 중 일부분이다. 르네상스는 16세기에 알프스를 넘어 유럽의 여러 지역으로 전파되었다. 당시 알프스 이북에는 봉건 세력과 교회의 영향력이 강하게 남아 있었다. 이에 인문주의자는 교회와 사회 지배층을 비판하면서 초기 크리스트교 정신으로 돌아갈 것을 주장하였다. 특히 『성서』 연구가 활발하였는데, 이러한 경향은 종교 개혁으로 이어졌다. 에라스뮈스는 『우신예찬』에서 교회의 허식과 성직자의 타락상을 풍자하여 종교 개혁에 영향을 주었다. 토머스 모어는 『유토피아』에서 부조리한 현실 사회를 비판하고 빈부 격차가 없는 이상 사회를 제시하였다.

| 오답 피하기 |

① 30년 전쟁은 구교와 신교의 대립으로 일어난 종교 전쟁이다.
② 십자군 전쟁으로 교황권이 약화되고 왕권이 강화되었다.
③ 종교 개혁에 대한 대응으로 로마 가톨릭 측에서 트리엔트 공의회를 개최하였다.
④ 교황이 성당 증축 비용 마련을 위해 면벌부를 판매하자, 루터가 「95개조 반박문」을 게시하였다.

08 칼뱅의 활동 정답: ①

제시된 자료는 칼뱅의 주장이다. 그는 인간의 구원은 미리 정해져 있다는 예정설을 펼치며 종교 개혁을 추진하였다. 그는 근면하고 검소한 직업 생활을 강조하며 부자가 되는 것을 신의 은총으로 여겼다. 이런 주장은 당시 자본주의의 확산과 맞물리며 신흥 상공업자들 사이에서 큰 호응을 얻어 영국, 네덜란드, 프랑스 등으로 퍼졌다.

| 오답 피하기 |

②, ③ 루터, ④ 엘리자베스 1세, ⑤ 후스에 대한 설명이다.

심화 수능 유형 익히기 148쪽

1 ③ 2 ③

01 카롤루스 마르텔의 활동 정답: ③

우마이야 왕조는 아랍어를 공용어로 하고 화폐를 통일하였다. 8세기 초에는 동쪽으로 인더스강 유역까지 이르러 중국의 당과 접하고, 서쪽으로 크리스트교 국가들과 대립하며 이베리아반도까지 영토를 확장하였으나, 투르 · 푸아티에 전투에서 프랑크 왕국의 카롤루스 마르텔에게 패배하여 피레네산맥 남쪽으로 물러났다. 한편 5세기 말 메로베우스 왕조를 세운 클로비스는 로마 가톨릭교로 개종하여 로마 주민과의 마찰을 피할 수 있었다. 클로비스 사후 왕권이 약화되자 재상 격인 궁재 카롤루스 마르텔이 실권을 잡고 투르 · 푸아티에 전투에서 이슬람의 침략을 물리쳤다.

| 오답 피하기 |

① 콘스탄티누스 황제, ② 로마, ④ 아테네의 페리클레스, ⑤ 옥타비아누스에 대한 설명이다.

02 하인리히 4세의 활동 정답: ③

제시된 자료에서 밑줄 친 '황제'는 하인리히 4세에 해당한다. 11세기부터 교황의 주도로 교회를 세속 권력에서 벗어나게 하려는 움직임이 일어났다. 교황 그레고리우스 7세는 교회의 부패를 바로잡고 세속 군주의 성직자 서임을 금지하였다. 그러나 신성 로마 제국 황제 하인리히 4세는 이를 무시하였고, 교황은 황제를 파문하였다. 이에 맞서 교황을 폐위하려던 황제는 제후와 주교의 지지마저 잃자, 카노사로 교황을 찾아가 사죄하였다(카노사의 굴욕, 1077).

| 오답 피하기 |

① 존왕, ② 옥타비아누스, ④ 알렉산드로스, ⑤ 카롤루스 대제에 대한 설명이다.

심화 기출 지문 활용하기 149쪽

1 해설 참조 2 ① 3 ⑤ 4 해설 참조 5 ① 6 ⑤

01 십자군 전쟁

제시된 자료는 십자군 전쟁, 특히 제4차 십자군 전쟁을 나타낸 것이다. 교황이 성지 회복을 위한 전쟁을 호소하자, 제후와 기사, 상인, 농민이 종교적 열정과 각자의 이익을 위해 호응하여 십자군 전쟁이 시작되었다. 계속된 전쟁에서 종교적 열정이 식고, 세속적 목적이 강화되면서 십자군은 성지 탈환에 실패하였다.

| 모범 답안 |

제시된 내용은 십자군 전쟁에 대한 것이다. 11세기 후반 셀주크 튀르크의 위협을 받은 비잔티움 제국은 로마 교황에게 도움을 요청하였고 결국 십자군 전쟁이 전개되었다.

| 채점 기준 |

상	전쟁명과 배경을 모두 명확히 서술함.
중	전쟁명과 배경 중 하나만 서술함.
하	전쟁명과 배경을 잘못 서술함.

02 제4차 십자군 전쟁의 특징 정답: ①

제1차 십자군 전쟁은 1099년 예루살렘을 탈환하는 데 성공하여 예루살렘 왕국을 건설하였다. 그러나 성지는 곧 이슬람 세력에 의해 다시 장악되었다. 이후 수차례에 걸친 십자군 전쟁이 다시 시작되었으나, 초기의 종교적 열정은 사라지고 점차 제후와 상인들의 이해 관계가 전쟁의 양상을 결정하였다. 제4차 전쟁은 베네치아 상인들의 조종으로 목적과 달리 콘스탄티노폴리스를 약탈하고 라틴 제국을 세우기도 하였다.

| 오답 피하기 |

② 멸망한 우마이야 왕조의 일파, ③ 레오 3세, ④ 제1차 십자군, ⑤ 오스만 제국에 대한 설명이다.

03 십자군 전쟁의 영향 정답: ⑤

십자군 전쟁으로 교황권이 쇠퇴하였고, 장기간 전쟁에 참전한 봉건 제후와 기사가 몰락하여 봉건제가 흔들리고 왕권이 강화되었다.

| 오답 피하기 |

①, ②, ③, ④ 십자군 전쟁으로 교황권이 쇠퇴하였고, 봉건 제후와 기사가 몰락하여 봉건제가 흔들리고 왕권이 강화되었다. 한편 지중해를 통한 동방과의 교역이 활발해져 상공업이 발달하였으며, 비잔티움 문화와 이슬람 문화가 서유럽 문화의 발전을 자극하였다.

04 유스티니아누스 황제와 성 소피아 성당

제시된 지도는 비잔티움 제국의 유스티니아누스 황제 시기의 영토 확장을 나타낸 것이다.

| 모범 답안 |

비잔티움 제국은 6세기 유스티니아누스 황제 때 전성기를 맞이하였다. 그는 콘스탄티노폴리스에 성 소피아 대성당을 세웠다. 성 소피아 대성당은 외부의 웅장한 돔과 내부를 장식한 화려한 모자이크 벽화 등이 특징이다.

| 채점 기준 |

상	황제명과 건축물의 특징을 모두 명확히 서술함.
중	황제명과 건축물의 특징 중 하나만 서술함.
하	황제명과 건축물의 특징을 잘못 서술함.

05 유스티니아누스 황제의 활동 정답: ①

유스티니아누스 황제는 옛 로마 제국 영토의 상당 부분을 회복하였고, 로마법을 집대성한 『유스티니아누스 법전』을 편찬하였다. 또한 콘스탄티노폴리스에 성 소피아 대성당을 세웠다.

| 오답 피하기 |

② 레오 3세, ③ 콘스탄티누스 황제, ④ 피핀, ⑤ 디오클레티아누스 황제에 대한 설명이다.

06 비잔티움 제국의 발전 정답: ⑤

유스티니아누스 황제 사후 외침이 거듭되자, 이에 대비하기 위해 군관구제와 둔전병제를 시행하였다. 그러나 지방 유력자의 대토지 사유화 경향이 심해져 둔전병제가 점차 무너지고, 대토지 소유자가 봉건 영주화함에 따라 황제권도 약화되었다.

| 오답 피하기 |

① 영국, ② 프랑스, ③ 신성 로마 제국, ④ 유스티니아누스 황제 이전 비잔티움 제국에서 있었던 사실이다.

주제 10 유럽 세계의 변화

1단계 개념 익히기 154쪽

1 ⓐ – ⓔ, ⓑ – ⓛ, ⓒ – ㉠ 2 (1) O (2) X (3) X (4) O (5) O 3 (1) 아스테카 (2) 메스티소 (3) 왕권신수설 (4) 루이 14세 (5) 네르친스크 조약 4 에스파냐 5 대서양 삼각 무역 6 중상주의 정책 7 펠리페 2세, 동인도 회사, 프리드리히 2세, 상트페테르부르크

2단계 내신 유형 익히기 155~157쪽

1 ② 2 ④ 3 ⑤ 4 ③ 5 ③ 6 ⑤ 7 ② 8 ④ 9 ⑤ 10 ① 11 (1) 『동방견문록』, 마르코 폴로 (2) 해설 참조 12 (1) 절대 왕정 (2) 해설 참조

01 신항로 개척의 배경 정답: ②

유럽은 오래전부터 동방과 무역해왔으나, 오스만 제국이 지중해 교역권을 장악하면서 새로운 항로를 찾아 나섰다.

| 오답 피하기 |

ㄴ. 신항로 개척은 산업 혁명 이전에 이루어졌다.
ㄹ. 신항로 개척의 결과이다.

02 신항로 개척의 전개 정답: ④

콜럼버스에 대한 설명이다.

| 오답 피하기 |

① 마젤란, ② 바스쿠 다 가마, ③ 마젤란 일행, ⑤ 마르코 폴로에 대한 설명이다.

03 아메리카 문명 정답: ⑤

(가) 아스테카 문명, (나) 잉카 문명이다. 두 문명은 모두 에스파냐인의 침입으로 멸망하였다.

04 아메리카 문명의 파괴 정답: ③

유럽인이 아메리카 지역을 정복한 이후 원주민은 가혹한 노동과 수탈에 시달렸고, 새로이 들어온 전염병으로 인해 인구가 크게 줄어들었다. 이에 유럽인들은 아프리카에서 노예를 사서 아메리카로 보내 사탕수수 농장 등에서 일하게 하였다. 유럽인들은 이윤을 높이기 위해 대농장에서 한 가지 작물만 재배하게 하였는데 이를 플랜테이션 농업이라고 한다.

05 유럽 교역망의 확장 정답: ③

신항로 개척 이후 무역의 중심이 지중해에서 대서양으로 확대되었고, 유럽, 아메리카, 아프리카를 잇는 대서양 삼각 무역이 성립하였다. 이 과정에서 아메리카의 막대한 금, 은이 유럽에 들어와 유럽의 물가가 크게 올랐는데, 이를 가격 혁명이라고 한다.

06 절대 왕정 정답: ⑤

절대 왕정을 사상적으로 뒷받침한 왕권신수설이 나타나 있다. 절대 왕정은 권력을 유지시키기 위해 관료제와 상비군을 운영하였는데, 이를 위해 필요한 재정은 시민 계급의 후원으로 충당하였기 때문에 시민 계급의 경제 활동을 지원하였다.

| 오답 피하기 |

① 중세 봉건제에 대한 설명이다. 절대 왕정은 중앙 집권적 국가였다.
② 절대 왕정은 중상주의 정책을 실시하면서 경제 활동을 통제하였다.
③ 절대 왕정은 군주에게 권력이 집중되어 있었다.
④ 중세 봉건제에 대한 설명이다.

07 에스파냐의 절대 왕정 정답: ②

에스파냐의 펠리페 2세는 포르투갈을 병합하였다.

| 오답 피하기 |

① 영국, ④ 프랑스에 대한 설명이다.
③ 에스파냐는 가톨릭을 더욱 강화하였다.
⑤ 동인도 회사는 영국, 네덜란드, 프랑스 등이 세웠다.

08 루이 14세 정답: ④

태양신으로 분장한 루이 14세와 절대 군주의 권위를 보여주는 베르사유 궁전이다.

| 오답 피하기 |

ㄱ. 에스파냐의 펠리페 2세, ㄷ. 프로이센의 프리드리히 2세에 대한 설명이다.

09 프리드리히 2세 정답: ⑤

프로이센의 프리드리히 2세는 오스트리아와의 전쟁 끝에 산업이 발달한 슐레지엔 지방을 차지하였다.

| 오답 피하기 |

①, ②, ③은 러시아의 표트르 대제, ④는 프랑스의 루이 14세에 대한 설명이다.

10 동유럽의 절대 왕정 정답: ①

동유럽의 절대 왕정에서는 봉건 귀족이 여전히 강력한 세력을 유지하고 있어서 영주권이 강화되었고, 농노제도 그대로 유지되거나 오히려 강화되었다. 그로 인해 동유럽은 서유럽보다 산업화나 근대 시민 사회로의 발전도 늦어졌다.

11 신항로 개척의 배경

오래전부터 동방과 무역하던 유럽은 오스만 제국이 지중해 교역권을 장악하자 보다 안전한 무역로를 찾아야만 했다. 이러한 가운데 마르코 폴로의 『동방견문록』은 동방에 대한 호기심을 자극하였다.

| 모범 답안 |

(1) 『동방견문록』, 마르코 폴로
(2) 마르코 폴로의 『동방견문록』은 동방에 대한 호기심을 자극하여 유럽이 신항로 개척에 나서게 된 배경이 되었다.

| 채점 기준 |

상	동방에 대한 호기심을 자극하여 신항로 개척의 배경이 되었음을 서술함.
중	신항로 개척의 배경이 되었다는 내용만 서술함.
하	동방에 대한 호기심을 자극하였다는 내용만 서술함.

12 절대 왕정의 특징

'짐은 곧 국가다.'라는 말로 유명한 루이 14세는 '태양왕'을 자처하며 절대 권력을 과시하였다.

| 모범 답안 |

(1) 절대 왕정
(2) 절대 왕정은 왕권을 신으로부터 부여받았다는 왕권신수설을 주장하였고, 관료제와 상비군을 유지하였으며, 중상주의 경제 정책을 추진하였다.

| 채점 기준 |

상	왕권신수설, 관료제, 상비군, 중상주의 정책을 모두 서술함.
중	위 내용 중 두 가지만 서술함.
하	위 내용 중 한 가지만 서술함.

3단계 내신 만점 도전하기 158~159쪽

1 ⑤	2 ①	3 ③	4 ⑤
5 ①	6 ④	7 ④	8 ①

01 신항로 개척의 전개 정답: ⑤

(가) 세계 일주에 성공한 마젤란 일행, (나) 서인도 제도에 도착한 콜럼버스, (다) 인도 항로를 발견한 바스쿠 다 가마이다. 마젤란과 콜럼버스는 에스파냐왕의 후원을 받았다.

| 오답 피하기 |

ㄱ. 마르코 폴로, ㄴ. 코르테스에 대한 설명이다.

02 아메리카 문명의 파괴 정답: ①

유럽인들이 아메리카에 진출하면서 극심한 살육과 수탈, 전염병 등으로 아메리카 원주민 수는 크게 줄어들었다. 마야 문명은 유럽인들이 아메리카에 도착하기 전에 이미 쇠퇴하였다.

03 가격 혁명 정답: ③

신항로 개척 이후 아메리카에서 막대한 양의 금과 은이 들어오면서 유럽의 물가는 크게 뛰었는데, 이를 가격 혁명이라고 한다.

| 오답 피하기 |

① 십자군 전쟁 이후에는 지중해 중심의 동방 무역이 발달하였다.
② 중세 봉건제에 대한 설명이다.
④ 가격 혁명의 결과이다.
⑤ 가격 혁명 이후의 일이다.

04 신항로 개척의 결과 정답: ⑤

신항로 개척으로 사람뿐만이 아니라 농작물, 전염병 등도 전파되었다.

| 오답 피하기 |

① 신항로 개척 이후 아메리카 문명은 파괴되었다.
② 흑사병은 신항로 개척 이전의 일이다.
③ 신항로 개척의 배경을 묻고 있지는 않다.
④ 아메리카의 독립 운동은 19세기에 전개되었다.

05 절대 왕정의 특징 정답: ①

절대 왕정은 시민 계급의 재정 지원을 받으면서 그들의 경제 활동을 지원하였다.

06 중상주의 정책 정답: ④

절대 왕정은 국가의 부를 늘리기 위해 중상주의 정책을 실시하였다. 이를 위해 국내 산업을 육성하고 보호하였으며, 완성품의 수입과 원료의 수출을 금지하고, 관세 장벽을 높이며 식민지 획득에 나섰다.

07 서유럽의 절대 왕정 정답: ④

(가) 프랑스, (나) 영국이다.

| 오답 피하기 |

①, ② 영국, ③ 프랑스, ⑤ 에스파냐에 대한 설명이다.

08 표트르 대제 정답: ①

러시아의 표트르 대제는 청과 네르친스크 조약을 체결하여 국경선을 확정하였고, 스웨덴을 공략하여 발트해로 진출하였으며, 상트페테르부르크를 수도로 삼았다.

| 오답 피하기 |

ㄷ, ㄹ 프로이센의 프리드리히 2세에 대한 설명이다.

심화 수능 유형 익히기 160쪽

1 ③ 2 ④

01 아메리카 문명의 파괴 정답: ③

유럽인들이 아메리카에 진출하면서 극심한 살육과 수탈, 전염병 등으로 아메리카 원주민 수가 크게 줄어들었다. 피라미드형 신전은 유럽인들이 침입하기 전에 발달한 문명 시기에 만들어졌다.

02 중상주의 정책 정답: ④

프랑스의 루이 14세는 콜베르를 등용하여 중상주의 정책을 펼쳤다. 중상주의 정책은 국가의 부를 늘리기 위해 수출과 수입을 통제하고, 보다 많은 식민지를 확보하려는 정책이다.

| 오답 피하기 |

① 절대 왕정은 시민 계급을 지원하였다.
② 프랑스는 수도를 옮기지 않았다.
③ 루이 14세는 신교도의 신앙의 자유를 인정한 낭트 칙령을 폐지하였다.
⑤ 절대 왕정은 수출을 증대시키고 수입을 억제하려 하였다.

심화 기출 지문 활용하기 161쪽

1 해설 참조 2 ③ 3 ① 4 해설 참조 5 ⑤ 6 ④

01 에스파냐의 신항로 개척

대서양 연안의 에스파냐와 포르투갈은 일찍부터 신항로 개척에 나서 탐험가들을 지원하였는데, 이탈리아의 콜럼버스는 에스파냐의 후원을 받아 서인도 제도에 도착하였다.

| 모범 답안 |

에스파냐는 포르투갈과 함께 대서양 연안에 위치하여 기존 지중해 무역에서 소외되어 있었기 때문에 적극적으로 신항로 개척에 나섰다.

| 채점 기준 |

상	에스파냐가 지중해 무역에서 소외되어 있었음을 정확히 서술함.
중	에스파냐가 대서양 연안에 위치하였다는 내용만 서술함.
하	에스파냐가 신항로 개척에 나섰다는 내용만 서술함.

02 에스파냐 정답: ③

에스파냐는 이베리아반도를 점령한 이슬람 세력을 몰아내기 위해 재정복 운동을 벌여 그라나다를 함락시켰다.

| 오답 피하기 |

① 영국, ② 프랑스, ④ 포르투갈, ⑤ 러시아에 대한 설명이다.

03 유럽 교역망의 확장 정답: ①

삼각 무역 시기에 유럽인들은 무기나 공산품을 아프리카로 가져가 노예와 바꾼 후 아메리카에 팔았다.

04 삼각 무역

신항로 개척 후에는 유럽, 아프리카, 아메리카를 잇는 대서양 삼각 무역이 이루어졌다.

| 모범 답안 |

유럽은 공업 제품을 아프리카에서 노예와 바꾼 후 아메리카에 팔았고, 아메리카는 그 노동력으로 생산한 설탕, 담배, 목화 등을 유럽에 팔았다.

| 채점 기준 |

상	세 대륙 사이의 무역 내용을 모두 정확히 서술함.
중	세 대륙 사이의 무역 내용 중 두 개만 맞게 서술함.
하	세 대륙 사이의 무역 내용 중 한 개만 맞게 서술함.

05 삼각 무역 정답: ⑤

상파뉴 정기 시장은 중세 말 유럽의 상업 발달과 관련이 있다.

06 삼각 무역의 결과 정답: ④

신항로 개척 이후에 대서양 삼각 무역이 이루어졌다.

| 오답 피하기 |

①, ③ 삼각 무역 결과 아메리카의 금, 은이 유럽에 유입되어 물가가 크게 올랐고, 이는 봉건 지주보다 상공 시민 계층에게 유리하였다.
② 많은 아프리카인들이 노예로 팔려가 아프리카 인구는 크게 줄었다.
⑤ 유럽은 대서양 삼각 무역뿐만 아니라 아시아에도 진출하여 세계적으로 교역이 활성화되었다.

주제 11 시민 혁명과 산업 혁명

1단계 개념 익히기 172쪽

1 ⓐ – ⓛ, ⓑ – ㉠, ⓒ – ⓒ 2 (1) X (2) X (3) O (4) X (5) O 3 (1) 「권리 장전」 (2) 삼부회 (3) 먼로 선언 (4) 알렉산드르 2세 (5) 공장법 4 ㄷ – ㄴ – ㄹ – ㄱ 5 국민 의회, 국민 공회, 루이 16세, 로베스피에르, 나폴레옹 6 미국 혁명, 2월 혁명, 청교도 혁명 7 프로이센, 관세 동맹, 비스마르크, 프랑크푸르트 외회

2단계 내신 유형 익히기 173~175쪽

1 ① 2 ④ 3 ③ 4 ④ 5 ③ 6 ⑤ 7 ② 8 ① 9 ② 10 ② 11 (1) 미국 혁명 (2) 해설 참조 12 (1) 공장법 (2) 해설 참조

01 과학 혁명 정답: ①

다윈은 19세기 영국의 생물학자로 진화론을 주장하였다.

02 사회 계약설 정답: ④

(가) 홉스, (나) 로크의 주장이다. 홉스와 로크, 루소 등은 개인들의 계약을 통해 국가가 성립한다는 사회 계약설을 주장하였다. 일반 의지에 따르는 국가 운영을 주장한 인물은 루소이다.

03 항해법 정답: ③

찰스 1세가 처형되고 권력을 잡은 크롬웰은 항해법을 제정하여 네덜란드의 중계 무역에 큰 타격을 주었다.

04 구제도의 모순 정답: ④

프랑스 혁명의 원인이 된 구제도의 모순을 풍자하고 있는 그림이다. 혁명 이전의 프랑스 사회를 구제도라고 하는데, 구제도는 신분제를 바탕으로 유지되는 체제였다. 소수에 불과한 제1 신분 성직자와 제2 신분 귀족은 많은 토지와 고위 관직을 차지하며 면세 특권을 누린 반면, 다수를 차지하는 제3 신분 평민은 봉건적 의무와 무거운 세금을 부담하면서도 정치 참여는 제한되어 있었다.

05 「인권 선언」 정답: ③

프랑스 혁명 초기에 발표된 「인간과 시민의 권리 선언(인권 선언)」이다. 루소의 사상에서 영향을 받은 「인권 선언」은 인간의 자유와 평등, 압제에 대한 저항, 국민 주권 등 인간의 기본권과 근대 시민 사회의 정치 이념이 명확히 나타나 있다.

| 오답 피하기 |

ㄹ. 「권리 장전」에 대한 설명이다.

06 빈 체제 정답: ⑤

빈 체제에 대한 설명이다. 빈 체제에 대한 저항으로 독일, 이탈리아 등에서 자유주의와 민족주의 운동이 일어났으나, 오스트리아의 간섭과 각국 정부의 탄압을 받았다. 바스티유 감옥 습격은 프랑스 혁명 중에 있었던 일이다.

07 러시아의 근대화 운동 정답: ②

19세기 러시아는 군사 대국이었으나 황제의 전제 정치와 농노제가 유지되고 있었다. 이러한 가운데 남하 정책을 추진하여 오스만 제국과 크림 전쟁을 벌였으나 패하였고, 개혁의 필요성을 절감한 알렉산드르 2세는 농노 해방령을 선포하고 내정 개혁에 나섰다.

| 오답 피하기 |

① 에스파냐, 포르투갈, ③, ④ 영국, ⑤ 미국에 대한 설명이다.

08 이탈리아의 통일 정답: ①

여러 왕국과 교황령 등으로 분열되어 있던 이탈리아는 일찍부터 마치니와 가리발디 등이 통일 운동을 벌였으나 실패하였다. 이후 통일 운동은 사르데냐 왕국의 카보우르를 중심으로 이루어져 이탈리아 왕국이 탄생하였다.

| 오답 피하기 |

ㄷ, ㄹ. 독일의 통일과 관련 있다.

09 산업 혁명 정답: ②

(가) 영국, (나) 미국이다. 국가 주도로 급속한 산업화를 이룬 나라는 독일이다.

10 사회주의 운동 정답: ②

마르크스와 엥겔스는 초기 사회주의자들의 비현실성을 비판하면서 자본가와 노동자 간의 계급 투쟁을 강조하였다.

| 오답 피하기 |

ㄴ. 초기 사회주의자인 영국의 오언에 대한 설명이다.

ㄷ. 러다이트 운동은 '러드'라는 가상 인물을 내세운 비밀 단체에서 주도하였다.

11 미국 혁명

영국의 중상주의적 통제에 대한 반발에서 시작된 미국 혁명에서 식민지 대표들은 「독립 선언서」를 발표하여 식민지 독립의 정당성을 밝혔다.

| 모범 답안 |

(1) 미국 혁명

(2) 「독립 선언문」에는 천부 인권, 국민 주권, 저항권 등 근대 민주주의 이념이 담겨 있다.

| 채점 기준 |

상	민주주의 이념을 세 가지 이상 서술함.
중	민주주의 이념을 두 가지만 서술함.
하	민주주의 이념을 한 가지만 서술함.

12 공장법

산업화가 진행되면서 노동 문제가 심각해지자 러다이트 운동, 노동조합 결성, 공장법 제정, 사회주의 운동 등 다양한 해결책이 모색되었다.

| 모범 답안 |

(1) 공장법

(2) 산업 혁명 이후 노동자들은 열악한 작업 환경에서 저임금 장시간 노동에 시달렸고 여성과 아동까지 일터로 내몰렸다. 노동 문제가 심각해지자 정부도 해결책을 모색한 결과 영국에서는 공장법이 제정되었다.

| 채점 기준 |

상	노동 문제와 정부의 대응이라는 측면을 모두 서술함.
중	노동 문제 내용만 서술함.
하	노동 문제 내용만 간략히 서술함.

3단계 내신 만점 도전하기 176~177쪽

1 ④	2 ⑤	3 ④	4 ②
5 ⑤	6 ③	7 ③	8 ①

01 계몽사상 정답: ④

18세기 유럽에서는 근대 과학과 정치 이론을 사회 개혁에 적용하려는 계몽사상이 널리 퍼졌다. 애덤 스미스는 『국부론』에서 '보이지 않는 손'에 의해 조정되는 개인의 자유로운 경제 활동을 주장하였다.

02 영국 혁명 정답: ⑤

(가) 청교도 혁명 때의 「권리 청원」, (나) 명예혁명 때의 「권리 장전」이다. 의회 다수당이 내각을 구성하여 통치하는 내각 책임제는 명예혁명 이후 독일 출신의 조지 1세가 즉위하면서 시작되었다.

03 국민 공회 정답: ④

공화정을 선포하고 루이 16세를 처형한 국민 공회는 극심한 경제난과 반란으로 위기에 처하자 로베스피에르를 중심으로 한 자코뱅파가 온건파를 제거하고 권력을 장악하였다. 프랑스 은행은 나폴레옹이 설립하였다.

04 나폴레옹 정답: ②

나폴레옹은 쿠데타를 통해 총재 정부를 무너뜨리고 통령 정부를 수립하였다. 이후 영국과 유럽 대륙의 교역을 금지한 대륙 봉쇄령을 내렸으나 이를 어긴 러시아를 응징하기 위해 원정에 나섰다가 추위와 굶주림 때문에 패하였다.

| 오답 피하기 |

ㄴ. 크롬웰, ㄹ. 메테르니히에 대한 설명이다.

05 자유주의 운동

정답: ⑤

(가) 2월 혁명, (나) 차티스트 운동과 관련 있다. 2월 혁명은 7월 혁명 이후에도 선거권이 주어지지 않은 중하층 시민 계급과 노동자가 일으킨 사건이고, 차티스트 운동 역시 노동자들이 선거권을 요구한 운동이다.

| 오답 피하기 |

①, ② 2월 혁명으로 루이 필리프가 물러나고 공화정이 수립되었다.
③ 2월 혁명의 영향으로 오스트리아에서는 3월 혁명이 일어나 메테르니히가 몰락하고 빈 체제는 사실상 붕괴하였다.
④ 러다이트 운동이다.

06 이탈리아와 독일의 통일 운동

정답: ③

(가) 카보우르, (나) 비스마르크의 연설이다.

| 오답 피하기 |

ㄱ. 가리발디, ㄹ. 빌헬름 1세이다.

07 남북 전쟁

정답: ③

링컨의 게티즈버그 연설에 나오는 '내전'은 남북 전쟁을 말한다. 영국이 인지세, 차세 등을 부과하면서 발생한 전쟁은 미국 독립 혁명이다.

08 산업 혁명

정답: ①

산업 혁명은 영국에서 가장 먼저 시작되었다.

심화 수능 유형 익히기

178쪽

1 ④ 2 ⑤

01 빈 체제

정답: ④

빈 체제는 오스트리아 3월 혁명으로 메테르니히가 몰락하면서 사실상 붕괴되었다.

02 영국의 자유주의 개혁

정답: ⑤

19세기 영국은 의회가 주도하여 자유주의 개혁을 점진적으로 추진하였다. 심사법이 폐지되고 가톨릭 해방법이 제정되었으며, 제1차 선거법 개정을 통해 신흥 상공업자에게 선거권이 주어졌다. 경제 분야에서도 곡물법과 항해법이 폐지되어 국가 규제가 완화되었다.

심화 기출 지문 활용하기

179쪽

1 해설 참조 2 ② 3 ① 4 해설 참조 5 ① 6 ②

01 나폴레옹 전쟁의 영향

황제에 오른 나폴레옹은 영국을 제외한 유럽 대부분을 지배하였다.

| 모범 답안 |

나폴레옹은 정복 전쟁을 통해 프랑스 혁명의 이념을 전파하였고, 유럽 각국에서는 프랑스에 저항하는 과정에서 민족주의가 발달하였다.

| 채점 기준 |

상	프랑스 혁명 이념 전파와 민족주의 발달을 모두 서술함.
중	프랑스 혁명 이념 전파와 민족주의 발당 중에서 한 가지만 서술함.
하	두 가지 모두 제대로 서술하지 못함.

02 나폴레옹의 활동

정답: ②

나폴레옹은 쿠데타를 통해 총재 정부를 무너뜨리고 통령 정부를 수립하였다.

03 나폴레옹의 내정 개혁

정답: ①

프랑스 혁명 과정에서 자코뱅파가 수립한 혁명 정부는 공안 위원회와 혁명 재판소를 통해 반혁명 세력을 처형하며 공포 정치를 펼쳤다.

04 미국 혁명의 결과

북아메리카의 13개 식민지는 독립 후에 헌법을 제정하고 연방 정부를 수립하여 워싱턴을 초대 대통령으로 선출하였다.

| 모범 답안 |

독립 전쟁 결과 세워진 미국은 연방주의와 삼권 분립 원칙에 따라 세워진 민주 공화국이다.

| 채점 기준 |

상	연방주의, 삼권 분립, 민주 공화국 내용을 모두 서술함.
중	위 내용 중에서 두 가지만 서술함.
하	위 내용 중에서 한 가지만 서술함.

05 미국 독립 전쟁과 남북 전쟁

정답: ①

(가) 미국 독립 전쟁, (나) 남북 전쟁이다. 미국 독립 전쟁에서는 영국과 경쟁하던 프랑스가 식민지를 후원하였다.

| 오답 피하기 |

② 프랑스 혁명, ③, ④ 미국 혁명에 대한 설명이다.
⑤ 7년 전쟁은 미국 혁명 전에 발발하였다.

06 미국의 발전 정답: ②

남북 전쟁 이후 미국은 빠른 시간 안에 전쟁의 상처를 치유하고 국민 단합을 이루었다. 특히 대륙 횡단 철도의 개통은 지역 간의 통합과 미국의 산업화를 촉진하였다.

대주제 4 마무리하기 180~182쪽

1 ⑤	2 ⑤	3 ④	4 ⑤	5 ③	6 ④
7 ①	8 ⑤	9 ⑤	10 ④	11 ⑤	12 ⑤

01 페리클레스 정답: ⑤

페리클레스 시대에는 민회에 모든 성인 남성 시민이 참석하였고, 수당제를 통해 가난한 시민도 정치에 참여할 수 있었으며, 추첨 제도를 통해 시민들이 관직과 배심원직을 맡았다.

| 오답 피하기 |

① 클레이스테네스, ② 로마의 콘스탄티누스 황제, ③ 솔론 시기의 일이다.
④ 로마의 리키니우스법에 대한 설명이다.

02 알렉산드로스 제국의 형성 정답: ⑤

알렉산드로스는 정복지 곳곳에 '알렉산드리아'라는 도시를 건설하여 그리스인을 이주시켰다.

| 오답 피하기 |

① 카롤루스 대제, ② 다리우스 1세, ③ 옥타비아누스, ④ 디오클레티아누스 황제에 대한 설명이다.

03 옥타비아누스 정답: ④

아우구스투스는 반대파를 안심시키기 위해 자신을 '프린켑스(제1 시민)'로 불렀으나, 군 지휘권과 주요 관직을 독차지하여 황제와 다름없는 권력을 행사하였다.

| 오답 피하기 |

① 유스티니아누스 황제, ② 카이사르, ③ 콘스탄티누스 황제, ⑤ 카롤루스 마르텔에 대한 설명이다.

04 비잔티움 문화의 발전 정답: ⑤

콘스탄티노폴리스에 세워진 성 소피아 성당이다.

| 오답 피하기 |

① 이집트의 피라미드와 스핑크스, ② 인도의 타지마할, ③ 그리스의 파르테논 신전, ④ 로마의 콜로세움이다.

05 중세 유럽 세계의 성장 정답: ③

교황 우르바누스 2세가 십자군 전쟁을 호소하는 연설이다. 십자군 전쟁이 있었던 11세기경 서유럽 세계는 삼포제가 도입되고 농업 생산성이 향상되면서 인구가 증가하였다.

| 오답 피하기 |

①, ④, ⑤ 14세기, ② 12세기의 일이다.

06 종교 개혁의 전개 정답: ④

(가) 루터, (나) 칼뱅이다. 칼뱅은 근면하고 검소한 직업 생활을 강조하여 신흥 상공업자들 사이에서 큰 호응을 얻었다.

| 오답 피하기 |

① 엘리자베스 1세, ② 위클리프, ③, ⑤ 루터에 대한 설명이다.

07 포르투갈의 신항로 개척 정답: ①

포르투갈이 엔히크 왕자 서거 500주년을 기념하여 리스본 해안에 세운 '발견 기념비'이다. 포르투갈의 왕자였던 엔히크 왕자는 '항해왕'이라 불리며 신항로 개척을 지원하였고, 바스쿠 다 가마는 아프리카 남단 희망봉을 돌아 인도에 도착하였다.

| 오답 피하기 |

ㄷ. 콜럼버스, ㄹ. 마젤란 일행에 대한 설명이다.

08 과학 혁명 정답: ⑤

17세기 과학 혁명을 대표하는 뉴턴은 모든 자연 현상을 필연적인 인과 법칙으로 설명하는 기계론적 우주관을 확립하였다. 마키아벨리는 르네상스 시기에 활동하였다.

09 청교도 혁명 정답: ⑤

왕당파와 의회파가 대립하던 청교도 혁명 결과 공화정이 수립되고 크롬웰은 호국경에 취임하였다.

| 오답 피하기 |

ㄱ, ㄴ. 명예혁명의 결과이다.

10 미국 혁명 정답: ④

영국에서 아메리카로 넘어온 토머스 페인은 『상식』이라는 소책자에서 식민지 독립의 정당성을 주장하였다.

11 대륙 봉쇄령 정답: ⑤

나폴레옹은 영국을 굴복시키기 위해 영국과 유럽 대륙의 교역을 금지한 대륙 봉쇄령을 내렸다.

| 오답 피하기 |

④ 크롬웰이 항해법을 제정한 것과 관련 있다.

12 노동 문제 정답: ⑤

산업 혁명 이후 아동 노동과 같은 노동 문제가 심각해지자 노동조합 결성, 공장법 제정, 사회주의 운동 등 다양한 해결책이 모색되었다. 제임스 와트의 증기 기관 개량은 산업 혁명을 더욱 촉진시켰다.

비판적 사고 기르기

183쪽

01 | 모범 답안 |

르네상스 시기에 싹튼 근대 과학은 17세기에 이르러 비약적으로 발달하여 과학 혁명을 이루었다. 사람들은 점차 합리적인 사고를 존중하게 되었고, 이러한 과학적 사고방식은 정치 권력의 형성을 이해하는 데에도 적용되어 자연법 사상에 바탕을 둔 사회 계약설이 나타났다. 이러한 근대 과학과 정치 이론을 바탕으로 18세기 유럽에서는 인간의 이성으로 낡은 관습과 미신을 타파하고자 하는 계몽사상이 널리 퍼졌다. 계몽사상가들은 이성의 소유자인 인간 개개인의 자유와 평등을 옹호하고 절대 왕정을 비판하여 시민 혁명에 큰 영향을 주었다.

| 채점 기준 |

등급	기준
상	과학 혁명, 사회 계약설, 계몽사상에 대한 내용을 모두 서술함.
중	위 세 가지 중 두 가지 내용만 서술함.
하	위 세 가지 중 한 가지 내용만 서술함.

대주제 5 제국주의와 두 차례의 세계 대전

 주제 12 제국주의와 민족 운동

1단계 개념 익히기

194쪽

1 ⓐ – ㉠, ⓑ – ㉡, ⓒ – ㉢ 2 (1) O (2) O (3) O (4) X (5) O 3 (1) 파쇼다 사건 (2) 동유 운동 (3) 양무운동 (4) 변법자강 운동 (5) 메이지 유신 4 태평천국 운동 5 ㄱ – ㄴ – ㄷ – ㄹ 6 호세 리살 7 베이징 조약, 신축 조약

2단계 내신 유형 익히기

195~197쪽

1 ① 2 ③ 3 ④ 4 ② 5 ② 6 ① 7 ⑤ 8 ④ 9 ③ 10 ⑤ 11 (1) 의화단 운동 (2) 해설 참조 12 (1) 세포이 항쟁 (2) 해설 참조

01 제국주의 정답: ①

파쇼다 사건에서는 영국과 프랑스가 충돌하였다.

| 오답 피하기 |

② 사회 진화론과 인종주의는 제국주의의 식민 지배를 정당화하였다.
③ 서양 열강은 값싼 원료 공급지와 제품의 판매 시장을 찾아 대외 팽창에 나섰다.
④ 서양인은 비서양인을 문명화로 이끌어야 한다며 식민 지배를 정당화하였다.
⑤ 영국은 동인도 회사를 통해 인도를 간접적으로 지배하였다.

02 열강의 아프리카 분할 정답: ③

수에즈 운하는 영국이 차지한다. (가)는 영국, (나)는 프랑스 (다)는 독일이다.

| 오답 피하기 |

① 영국은 이집트 카이로에서 남쪽의 케이프타운까지 잇는 종단 정책을 펼쳤다.
② 프랑스는 서아프리카를 기점으로 동서를 연결하는 횡단 정책을 펼쳤다.
④ 영국과 프랑스는 파쇼다에서 충돌하였다.
⑤ 프랑스와 독일은 두 차례 모로코에서 충돌하였다.

03 동남아시아의 민족 운동 정답: ④

에스파냐의 식민지였던 필리핀의 호세 리살은 문학 작품으로 식민 통치의 잔혹성을 고발하였다.

| 오답 피하기 |

① 삼민주의를 지도 이념으로 내세운 쑨원은 중국의 신해혁명에 대한 설명이다.

② 프랑스의 식민지였던 베트남에서는 판보이쩌우가 동유 운동 등을 통해 독립 운동을 하였다.
③ 태국의 라마 5세는 영국과 프랑스를 상대로 벌인 외교 정책과 근대화의 성과로 독립을 유지하였다.
⑤ 부디 우토모는 1908년 인도네시아 지식인들이 자와섬에서 민중을 계몽하고 민족의식을 높이기 위해 만든 단체이다.

04 아편 전쟁의 배경 정답: ②

공행 무역은 아편 전쟁 이후에 폐지되었다. (가)는 18세기 편무역 시기이고 (나)는 19세기 삼각 무역 시기이다.

| 오답 피하기 |

① (가) 시기에는 광저우에서 특허 상인인 공행을 통한 무역만이 허용되었다.
③, ④ 삼각 무역으로 아편이 중국 전체로 확산되자, 청으로부터 대량의 은이 유출되었다. 아편이 국민 건강에도 심각한 문제를 초래하자 임칙서는 아편을 몰수하였다.
⑤ (가) 시기의 무역 적자를 해소하기 위해 영국은 인도의 아편을 중국에 밀수출하였다.

05 제1차 아편 전쟁 정답: ②

이 전쟁은 제1차 아편 전쟁으로 난징 조약을 체결하였다. 난징 조약에는 상하이를 비롯한 5개 항구를 개항하고 홍콩을 영국에 할양하였다.

| 오답 피하기 |

① 신축 조약은 의화단 운동 결과 맺은 조약이다.
③ 청일 전쟁 결과 맺은 시모노세키 조약의 내용이다.
④ 강화도 조약의 내용이다.
⑤ 베이징 의정서, 신축 조약의 내용이다.

06 태평천국 운동 정답: ①

제시문은 천조 전무제로 태평천국 운동의 개혁 내용이다. 태평천국 운동은 멸만흥한으로 만주족 정권 타도를 주장하였고, 신사가 조직한 향용에 의해 진압되었다.

| 오답 피하기 |

ㄷ, ㄹ은 양무운동에 대한 내용이다.

07 변법자강 운동 정답: ⑤

제시문은 변법자강 운동에 대한 글이다. 변법자강 운동은 청일 전쟁의 패배로 캉유웨이와 량치차오 등이 일본 메이지 유신을 모델로 정치와 제도 개혁을 주장하면서 시도되었다.

| 오답 피하기 |

① 태평천국 운동 ② 양무운동 ③ 신해혁명 ④ 의화단 운동에 대한 설명이다.

08 쑨원 정답: ④

제시문은 쑨원에 대한 설명으로, 쑨원은 신해혁명을 이끌어 중국 최초의 공화제 국가인 중화민국을 세웠다.

| 오답 피하기 |

① 이홍장 ② 캉유웨이, 량치차오 ③ 의화단 운동 ⑤ 위안스카이에 대한 설명이다.

09 자유 민권 운동 정답: ③

1870년대부터 메이지 정부의 강압적 정책 비판으로 자유 민권 운동이 전개되었다.

10 서아시아의 민족 운동 정답: ⑤

(가) 오스만 제국, (나) 이란, (다) 이집트, (라) 현재 사우디아라비아에 해당한다.

| 오답 피하기 |

ㄱ. 담배 불매 운동은 이란 지역인 (나)에 해당한다.
ㄴ. 탄지마트는 오스만 제국인 (가)에 해당한다.

11 의화단 운동

'의화단', '철도를 부수고, 전선을 끊고' 등을 통해 의화단 운동임을 알 수 있다.

| 모범 답안 |

(1) 의화단 운동
(2) 의화단 운동으로 신축 조약(베이징 의정서)를 체결하게 된다. 이 조약으로 막대한 배상금을 지급하고, 외국 군대의 베이징 주둔을 허용하여 중국의 반식민지화가 심화하였다.

| 채점 기준 |

상	신축 조약 명칭이 포함되고 세 가지 중에 두 가지 이상 서술함
중	신축 조약 명칭이 포함되지 않거나 세 가지 중에 하나만 서술함
하	신축 조약 명칭이 포함되지 않거나 세 가지 중에 하나도 서술하지 못함

12 세포이 항쟁

'인도군', '백인 장교를 살해', '이슬람교도의 황제를 델리의 왕좌에 앉힌 결과' 등을 통해서 세포이 항쟁임을 알 수 있다.

| 모범 답안 |

(1) 세포이 항쟁
(2) 영국은 세포이 항쟁 이전에는 동인도 회사를 통하여 인도를 간접적으로 지배하였지만, 세포이 항쟁 이후에는 동인도 회사를 해체하고 무굴 황제를 폐위시킨 뒤 영국의 빅토리아 여왕이 인도를 직접 지배하였다.

| 채점 기준 |

상	세포이 항쟁 이전의 간접 지배와 이후의 직접 지배를 구분하여 서술함.
중	세포이 항쟁 이전 또는 이후 중 한 가지만 서술함.
하	세포이 항쟁 이전 또는 이후 둘 다 잘못 서술함.

3단계 내신 만점 도전하기 198~199쪽

1 ⑤	2 ①	3 ②	4 ②
5 ④	6 ⑤	7 ④	8 ①

01 중국, 일본, 조선의 개항 정답: ⑤
(가)는 중국, (나)는 일본이다. (가)의 난징 조약과 (나)의 미일 수호 통상 조약은 모두 불평등 조약이다.
| 오답 피하기 |
① (가)는 영국의 포함 외교에 굴복하였다.
② (나)의 개항 이후 막부 타도 운동이 전개되었다.
③ (가)는 1842년의 난징 조약으로 개항하고, (나)는 1854년 미일 화친 조약으로 개항하였다. (가)의 개항이 (나)보다 빨랐다.
④ 아시아 최초의 불평등 조약은 (가)에 해당한다.

02 동남아시아의 민족 운동 정답: ①
(가)는 미얀마, (나)는 타이(시암), (다)는 베트남, (라)는 인도네시아, (마)는 필리핀이다. (가) 미얀마는 영국의 식민지가 되었다.
| 오답 피하기 |
② 태국은 라마 5세의 근대적 개혁과 외교 정책으로 독립을 유지하였다.
④ 인도네시아는 이슬람 동맹을 결성하여 독립 운동을 전개하였다.
⑤ 아기날도는 무장 조직을 이끌고 독립 운동을 전개하여 필리핀 공화국을 선포하였다.

03 아편 전쟁 정답: ②
이 조약은 제1차 아편 전쟁으로 체결한 난징 조약이다. 난징 조약으로 광저우항에서의 공행 무역은 폐지되었다.
| 오답 피하기 |
①, ④, ⑤은 제2차 아편 전쟁으로 체결한 톈진 조약과 베이징 조약에 대한 설명이다.
③은 신축 조약(베이징 의정서)의 결과이다.

04 중국의 근대화 운동 정답: ②
(가)는 부청멸양으로 의화단 운동에 대한 설명이다. (나)는 양무운동에 대한 설명이다. (다)는 변법자강 운동에 대한 설명이다. (라)는 신해혁명에 대한 설명이다. 따라서 (나)-(다)-(가)-(라) 순서대로 일어났다.

05 쑨원의 삼민주의 정답: ④
제시문은 쑨원이 중국 동맹회를 조직한 뒤 『민보』 발간사에 실은 삼민주의에 대한 글이므로 (라) 시기에 해당한다.

06 일본의 메이지 유신 정답: ⑤
제시문은 1871년 폐번치현의 조서로 일본 메이지 정부의 지방 제도 개혁 내용이다. 메이지 정부는 봉건적 신분 제도를 개혁하고 징병제를 실시하였다.
| 오답 피하기 |
ㄱ. 미일 수호 통상 조약은 에도 막부 때에 체결하였다.
ㄴ. 존왕양이 운동은 메이지 정부 수립 전에 일어났다.

07 세포이의 항쟁 정답: ④
이 봉기는 세포이의 항쟁으로, 이 항쟁 이후 영국이 인도 통치 개선법을 제정하여 인도를 직접 통치하였다.
| 오답 피하기 |
① 오스만 제국의 탄지마트이다.
② 인도 국민 회의의 반영 운동이다.
③ 인도 국민 회의는 1885년에 결성되었다.
⑤ 벵골 분할령이 계기가 되어 인도 국민 회의는 반영 운동에 앞장섰다.

08 오스만 제국의 탄지마트 정답: ①
제시문은 오스만 제국의 탄지마트(은혜 개혁)의 칙령이다. 탄지마트는 위로부터의 근대적 개혁이었다.
| 오답 피하기 |
② 이집트의 아라비 파샤가 내세운 혁명 구호였다.
③ 와하브 운동에 대한 설명이다.
④ 담배 불매 운동은 이란에서의 반영 운동이다.
⑤ 청년 튀르크당은 탄지마트 개혁 실패 후 결성된다.

심화 수능 유형 익히기 200쪽

1 ②	2 ②

01 인도와 아시아의 민족 운동 정답: ②
(가)는 인도이며, (나)는 필리핀이다. 인도에서는 콜카타 대회를 열어 영국 상품 불매, 스와라지, 스와데시 등 반영 운동을 전개하였다.
| 오답 피하기 |
① 와하브 운동은 아라비아반도에서 일어난 운동이다.
③ 서구 열강의 지배를 받지 않은 국가는 타이(시암)이다.
④ 판보이쩌우의 동유 운동은 베트남에서 일어났다.
⑤ 카르티니는 인도네시아에서 여성 교육 운동을 하였다.

02 일본의 메이지 유신 정답: ②
신정부는 메이지 정부이고, 이 시기에 일본은 신분제를 개혁하고 사민평등을 실현하고 국민개병제를 실시하였다.
| 오답 피하기 |
ㄴ. 미일 수호 통상 조약은 에도 막부 시기에 체결하였다.
ㄹ. 에도 막부 시기 굴욕적인 문호 개방에 반발하여 존왕양이 운동이 일어났다.

심화 기출 지문 활용하기 201쪽

1 해설 참조 2 ③ 3 ⑤ 4 해설 참조 5 ③ 6 ②

01 양무운동

제시문에서 '증국번', '이홍장', '서양의 근대 기술 도입' 등에서 양무운동임을 알 수 있다.

| 모범 답안 |

양무운동으로 '중국의 전통적 가치를 바탕으로 삼고 서양의 기술만 받아들이겠다.'라고 한 중체서용론을 개혁의 방향으로 설정하였다.

| 채점 기준 |

상	양무운동의 명칭과 중체서용론의 내용 둘 다 모두 서술함.
중	양무운동의 명칭과 중체서용론의 내용 둘 중 하나만 서술함.
하	양무운동의 명칭과 중체서용론의 내용을 서술하지 않거나 잘못 서술함.

02 양무운동 정답: ③

제시문에서 밑줄 친 '개혁'은 양무운동이다. 양무운동으로 난징에 근대적 무기 공장인 금릉 기기국을 설립하였다.

| 오답 피하기 |

① 청의 옹정제 ② 명의 주원장 ④ 태평천국 운동 ⑤ 난징 조약에 대한 설명이다.

03 양무 운동 정답: ⑤

일본 메이지 유신을 본떠 개혁을 시도한 것은 변법자강 운동이다.

| 오답 피하기 |

①, ②, ③, ④는 양무운동에 대한 내용이다.

04 변법자강 운동과 의화단 운동

(가)에서 '제도국을 설치하고 헌법을 제정'을 통해 변법자강 운동임을 알 수 있다.

| 모범 답안 |

변법자강 운동이며, 이 운동은 서태후를 비롯한 보수파의 반격으로 좌절되었다.

| 채점 기준 |

상	변법자강 운동의 명칭과 한계를 둘 다 모두 서술함
중	변법자강 운동의 명칭과 한계 중 하나만 서술함
하	변법자강 운동의 명칭과 한계 모두 서술하지 못함

05 변법자강 운동과 의화단 운동 정답: ③

① 1895년 청일 전쟁에서 승리한 일본은 시모노세키 조약으로 타이완을 할양하였으므로 (가) 이전이다. ② 1905년에 쑨원이 중심이 되어 중국 동맹회를 조직하였으므로 (나) 이후이다. ④ 청프 전쟁은 1884년에서 1885년에 일어난 일로 (가) 이전이다. ⑤ 삼국 간섭은 1895년에 일어난 일로 (가) 이전이다.

06 변법자강 운동과 의화단 운동 정답: ②

(가)는 변법자강 운동(1898) 직전 시기이고, (나)는 의화단 운동의 결과 맺어진 신축 조약(1901) 직후 시기이다. (가)와 (나)사이에는 의화단 운동이 있었다. 의화단 운동은 부청멸양을 구호로 외국인과 교회, 철도 등을 파괴하였다.

| 오답 피하기 |

① 삼국 간섭은 1895년에 일어난 일로 이전이다.
③ 의화단 운동을 진압하기 위해 8개 연합군이 자금성을 포위하였으므로 (나) 이전이다.
④ 무술개혁은 1898년에 추진되었지만 실패하였다.
⑤ 태평천국 운동은 1851년에 해당하므로 이전이다.

주제 13 두 차례의 세계 대전

1단계 개념 익히기 208쪽

1 ⓐ – ㉠, ⓑ – ㉢, ⓒ – ㉡ 2 (1) O (2) O (3) O (4) X (5) O 3 (1) 윌슨 (2) 신경제 정책 (3) 국민 혁명 (4) 간디 (5) 노르망디 상륙 작전 4 제1차 세계 대전 5 ㄷ – ㄱ – ㄹ – ㄴ 6 루스벨트 7 얄타 회담, 포츠담 회담

2단계 내신 유형 익히기 209~211쪽

1 ③ 2 ② 3 ⑤ 4 ② 5 ① 6 ③ 7 ② 8 ⑤ 9 ② 10 ③ 11 (1) 민족 자결 주의(원칙) (2) 해설 참조 12 (1) 대공황 (2) 해설 참조

01 사라예보 사건 정답: ③

이 사건은 제1차 세계 대전의 배경인 사라예보 사건이다. 사라예보 사건은 범슬라브주의와 범게르만주의의 대립이 배경이 되었고, 세르비아는 제2차 발칸 전쟁으로 영토를 확장하려 하였으나, 오스트리아 · 헝가리 제국의 방해로 실패하였다. 사라예보 사건으로 오스트리아 · 헝가리 제국은 독일, 이탈리아와 함께 3국 동맹을 결성하였고, 3국 동맹국과 3국 협상국이 가담하면서 제1차 세계 대전이 발발하였다. ③ 연합국과 추축국은 제2차 세계 대전 때에 대립한 세력들이다.

02 제1차 세계 대전 정답: ②

1914년 독일은 벨기에를 침공하지만 마른 전투에서 프랑스군에 저지된다. 1917년 독일은 무제한 잠수함 작전을 전개하자 미군이 참전하게 된다. 1918년 러시아는 국내에서 혁명이 일어나자 독일과 단독 강화를 체결하고 전선에서 이탈하였다. 이후 독일 해군 사이에 반란이 일어나고, 빌헬름 2세가 퇴위하면서 제1차 세계 대

전은 막을 내렸다.

03 제1차 세계 대전의 결과 정답: ⑤

제2차 세계 대전 중에 연합국 측이 전후 처리를 논의하였는데, 대서양 헌장에서 전후 평화 수립의 원칙을 천명하였다(1941. 8.).

| 오답 피하기 |

① 제1차 세계 대전 이후 평화를 위한 국제 기구로서 국제 연맹이 창설되었다(1920).

②, ③, ④ 패전국인 독일은 빌헬름 2세가 퇴위하고 공화국이 선포되었고, 이후 베르사유 조약으로 모든 국외 식민지를 잃었으며, 알자스 · 로렌 지방을 프랑스에 양도하였다.

04 러시아 혁명과 레닌 정답: ②

자료에서 볼세비키 혁명을 주도한 인물은 레닌이다. 레닌은 전시 공산주의 체제에서 식량과 노동력의 징발로 농민층의 불만이 커지자 시장 경제를 일부 인정하는 신경제 정책을 시행하였고, 내전을 수습하여 소비에트 사회주의 공화국 연방을 공식 선포하였다(1922).

| 오답 피하기 |

① 피의 일요일 사건은 1905년에 노동자들이 중심이 되어 일어났다.

③, ⑤ 경제 개발 5개년 계획을 주도하고 굴라크를 건설하는 등 독재 체제를 강화한 인물은 스탈린이다.

④ 황제를 퇴위시키고 임시 정부를 수립한 시기는 3월 혁명 때의 일이다.

05 5·4 운동 정답: ①

이 선언은 일본의 21개조 요구에 반발하여 베이징 대학생 3천여 명이 대규모 항의 시위 때 발표한 것이다. 이 시위는 전국으로 퍼져 도시의 상인 노동자가 참여하는 대중 운동인 5·4 운동으로 발전하였다.

| 오답 피하기 |

②, ③, ④, ⑤는 5·4 운동 이후의 시기이다.

06 제1차 국공 합작과 제2차 국공 합작 정답: ③

(가)는 제1차 국공 합작 이후 국민 혁명을 완성한 시기, (나)는 제2차 국공 합작의 계기가 된 시안 사건이다. 중국 국민당의 탄압으로 중국 공산당은 국민당의 포위망을 뚫고 대장정을 시작(1934)하여 옌안에 정착하였다.

| 오답 피하기 |

① 중국 혁명 동맹회는 1905년에 성립되었다.

② 5 · 4 운동은 1919년에 일어났다.

④ 1911년의 일이다.

⑤ 의화단 운동으로 청은 영국 등 8개 연합국과 신축 조약을 체결하였다(1901).

07 인도와 서아시아의 민족 운동 정답: ②

ㄱ. 리자 샤는 팔레비 왕조를 세운 뒤 국호를 이란으로 정한 후 근대화에 노력하였다. ㄷ. 간디는 롤럿법 폐지와 완전한 자치를 요구하며 비폭력 · 불복종 운동을 전개하였다.

| 오답 피하기 |

ㄴ. 무스타파 케말은 아랍 문자 대신에 로마자를 변형한 새로운 문자를 쓰게 하였다.

ㄹ. 네루는 인도의 완전한 독립을 요구하며 무력으로 영국 식민 지배에 저항하였다.

08 대공황과 각국의 대응 정답: ⑤

독일은 대공황 여파로 나치당이 부상하고 히틀러가 총리에 취임한 뒤 공격적인 팽창 정책을 추구하였다. 사회당이 중심이 되어 인민전선을 결성한 국가는 프랑스였다.

| 오답 피하기 |

① 미국 대통령 루스벨트는 뉴딜 정책으로 대규모 공공사업을 일으켜 경기를 회복하고자 하였다.

②, ③ 영국과 프랑스는 본국과 식민지와 블록 경제로 대처하였다.

④ 일본은 만주 사변을 일으켜 대외 침략 정책으로 극복하고자 하였다.

09 제2차 세계 대전 정답: ②

연합국과 민간인 사망자가 5,000만 명에 달하여 인류 역사상 가장 피해가 큰 전쟁은 제2차 세계 대전이었다. 독일이 무제한 잠수함 작전을 전개한 시기는 제1차 세계 대전 때였다.

| 오답 피하기 |

①, ③, ④, ⑤는 제2차 세계 대전 시기였다.

10 국제 연합 정답: ③

ㄴ, ㄷ 이 기구는 제2차 세계 대전 이후 대서양 헌장을 기초로 마련된 국제 연합 기구로 51개국이 참가하여 정식 출범하여 지금 현재 거의 대부분의 국가가 회원국이다. 국제 연합은 국제 연합군과 평화유지군을 운영하여 국제 분쟁에 무력 제제를 가할 수 있다.

| 오답 피하기 |

ㄱ, ㄹ은 제1차 세계 대전 이후 만들어진 국제 연맹에 해당한다.

11 윌슨의 평화 원칙 '14개조'

| 모범 답안 |

(1) 민족 자결주의(원칙)

(2) 제5조의 민족 자결 원칙은 유럽의 여러 민족이 독립 국가를 수립하였고, 아시아 · 아프리카에서는 3·1 운동, 5·4 운동과 같은 반제국주의 운동이 활발히 전개되었다.

| 채점 기준 |

상	유럽과 아시아 · 아프리카에서의 일어난 사실 두 가지 모두 서술함.
중	유럽과 아시아 · 아프리카에서의 일어난 사실 중 한 가지만 서술함.
하	유럽과 아시아 · 아프리카에서의 일어난 사실 둘 다 서술하지 못함.

12 루스벨트와 뉴딜 정책

| 모범 답안 |

(1) (경제) 대공항

(2) 뉴딜 정책이며 이 정책으로는 테네시강 유역 개발공사법, 농업조정법, 와그너법 등을 제정하여 정부 지출을 통해 공공사업을 일으켜 실업자를 구제하고 구매력을 높여 경기를 회복하고자 하였다.

| 채점 기준 |

상	뉴딜 정책 명칭과 그 예 한 가지 모두 서술함.
중	뉴딜 정책 명칭과 그 예 한 가지 중 하나만 서술함.
하	뉴딜 정책 명칭과 그 예 한 가지 둘 다 서술하지 못함.

3단계 내신 만점 도전하기 212~213쪽

1 ④	2 ④	3 ③	4 ⑤
5 ②	6 ③	7 ⑤	8 ③

01 3국 동맹과 3국 협상 정답: ④

제1차 세계 대전 중 이탈리아는 독일의 동맹국이었지만, 오스트리아·헝가리 제국과 이해관계가 엇갈려 연합국 측에 가담하였다(1915).

| 오답 피하기 |

① 제1차 세계 대전 전 3국 동맹과 3국 협상 체제로 나뉘어 긴장 상태를 유지하였다.

② 독일의 비스마르크 이후 빌헬름 2세는 팽창 정책을 추진하였다.

③ 사라예보 사건이 발생하자 오스트리아·헝가리 제국이 세르비아에 선전 포고하면서 제1차 세계 대전이 발발하였다(1914).

⑤ 발칸반도에서는 범게르만주의와 범슬라브주의가 각축을 벌였다.

02 제1차 세계 대전 정답: ④

독일의 무제한 잠수함 작전으로 루시타니아호가 침몰하고, 외무장관 치머만의 암호문이 미국 언론에 공개되자 미국인의 참전을 요구하는 목소리가 높아져 결국 미국은 연합국에 참전한다.

03 러시아 혁명 정답: ③

(가)는 1905년 피의 일요일 사건이고, (나)는 1917년 11월 혁명이다.

| 오답 피하기 |

①, ④ 알렉산드르 2세 때의 일이다. ②, ⑤ 레닌의 업적으로 (나) 이후의 일이다.

04 중국의 근대화 운동 정답: ⑤

(가)는 제1차 세계 대전이다. 제1차 세계 대전이 끝난 이후 파리 강화 회의에서는 윌슨의 '14개조' 기본 원칙이 받아들여졌다. 전후 유럽에는 재산에 따른 선거권 제한이 사라지고(보통 선거권 인정되고) 여성에게도 선거권(참정권)이 부여되어 민주주의가 진전되었다.

| 오답 피하기 |

ㄱ. 제1차 세계 대전 이후 여성에게도 참정권이 인정되기 시작하였다.

ㄴ. 독일이 막대한 배상금을 납부하지 못하자 이후 배상금 축소 회의(도스안, 영안)를 한다.

05 인도의 민족 운동과 간디 정답: ②

간디는 롤럿법 폐지와 완전한 자치를 요구하며 비폭력·불복종 운동인 사타그라하 운동을 전개하였다.

| 오답 피하기 |

①, ⑤은 이란의 민족 운동이고 와하비 운동은 이슬람 초기의 순수함을 찾자는 신앙 운동이었다. ③은 인도의 네루, ④는 19세기 전반에 람 모한 로이가 만든 힌두교의 순수한 교리로 돌아가자는 종교 운동이었다.

06 무솔리니와 히틀러 정답: ③

(가)는 이탈리아의 무솔리니이고, (나)는 독일의 히틀러이다. 무제한 잠수함 작전은 제1차 세계 대전 때의 일이다.

| 오답 피하기 |

①, ②, ⑤ 무솔리니는 로마 진군 즉 쿠데타로 정권을 잡았고, 이후 알바니아를 보호국으로 삼은 후 에티오피아를 정복하였다. 국제 연맹이 이를 제지하자 국제 연맹을 탈퇴하였다.

④ 총리에 취임한 히틀러는 비밀 경찰(게슈타포)과 친위대(SS)를 창설하여 국민의 사생활을 통제하였다. 독일도 국제 연맹을 탈퇴하고 비무장지대인 라인란트를 침공하였다.

07 일본의 하와이 진주만 기습 정답: ⑤

제시문은 일본의 진주만 공습을 기록한 글로 제2차 세계 대전에 해당한다. ㄷ, ㄹ은 제2차 세계 대전 때의 일이다.

| 오답 피하기 |

ㄱ, ㄴ은 제1차 세계 대전 때의 일이다.

08 카이로 회담·얄타 회담·포츠담 회담 정답: ③

(가) 카이로 회담, (나) 얄타 회담, (다) 포츠담 회담이다. 연합국 대표들은 이 회담들을 통해 제2차 세계 대전의 전후 처리를 논의하였다. 포츠담 회담 때 일본의 무조건 항복을 요구하였다.

| 오답 피하기 |

① 소련의 참전은 얄타 회담 때이다.

② 국제 연맹은 제1차 세계 대전 이후이다.

④ 윌슨의 '14개조' 원칙은 제1차 세계 대전 때이다.

⑤ 카이로 회담과 얄타 회담 때는 미국 대통령 루스벨트가, 포츠담 회담 때에는 트루먼이 참석하였다.

심화 수능 유형 익히기

214쪽

1 ①　　2 ④

01 제1차 세계 대전

정답: ①

사라예보, 마른 전투, 참호 등을 통해 제1차 세계 대전임을 알 수 있다 제1차 세계 대전은 참호전, 총력전, 화학전, 신무기전으로 장기간 지속되었다.

| 오답 피하기 |

ㄷ, ㄹ은 제2차 세계 대전에 해당한다.

02 러시아 혁명

정답: ④

임시 정부 지원 중단, 소비에트 정부 수립을 통해 레닌임을 알 수 있다. 경제 개발 5개년 계획을 추진한 인물은 레닌 이후 스탈린의 업적이다.

| 오답 피하기 |

① 레닌은 독일과의 전쟁 중지 (브레스트리토프스크) 조약을 맺었다.
③ 레닌은 토지와 주요 산업의 국유화 등의 사회 개혁을 추진하였다.
② 레닌은 신경제 정책을 실시하여 일부 자본주의 요소를 받아들였다.
⑤ 레닌은 1922년 소비에트 사회주의 연방(소련)을 수립하였다.

심화 기출 지문 활용하기

215쪽

1 해설 참조　2 ④　3 ④　4 해설 참조　5 ④　6 ⑤

01 전체주의

(가)는 '파시스트', '검은 셔츠단', '로마로 진군' 등을 통해 무솔리니임을 알 수 있다. (나)는 '인종', '나치당', '반유대주의' 등을 통해 히틀러임을 알 수 있다.

| 모범 답안 |

(가) 무솔리니와 (나) 히틀러는 전체주의(국가주의, 군국주의)를 추구하였으며, 전체주의는 국가나 전체를 위해서 개인의 이익을 침해할 수 있는 일당 독재 정치였다.

| 채점 기준 |

상	전체주의(국가주의, 군국주의) 명칭을 쓰고 그 내용을 둘 다 서술함.
중	전체주의(국가주의, 군국주의) 명칭을 쓰고 그 내용 중 한 가지만 서술함.
하	전체주의(국가주의, 군국주의) 명칭을 쓰고 그 내용을 모두 서술하지 못함.

02 전체주의

정답: ④

(가)는 파시스트, 로마 진군, 검은 셔츠단을 통해 무솔리니임을 알 수 있다. (나)는 인종, 나치당, 반유대주의 등을 통해 히틀러임을 알 수 있다. 히틀러는 대공황 이후 나치당이 선거를 통해 제1당이 되며 수상으로 취임하였다.

| 오답 피하기 |

①, ② 무솔리니는 국가 지상주의를 내세워 알바니아를 보호국으로 삼고 에티오피아를 점령하였다.
③, ⑤ 히틀러는 베르사유 조약을 파기하고 뮌헨 협정을 통해서 수데텐을 차지하였다.

03 전체주의

정답: ④

독일은 스탈린그라드 전투에서 연합국에 결국 패하게 된다.

| 오답 피하기 |

① 무솔리니는 전체주의(국가 지상주의)를 내세웠다.
② 무솔리니는 알바니아와 에티오피아를 점령하였다.
③ 히틀러는 제2차 세계 대전 전 독일과 불가침 조약을 체결하였다.
⑤ 독일, 이탈리아는 일본과 함께 제2차 세계 대전을 일으킨 추축국이었다.

04 신문화 운동

『청년잡지』, '과학적일 것', 『신청년』, '서양의 민주주의와 과학을 수용하고 유교 중심의 전통 문화를 타파' 들을 통해 신문화 운동임을 알 수 있다.

| 모범 답안 |

이 운동은 신문화 운동으로 천두슈, 후스 등이 주도하였으며, 유교를 비판하고, 서양 과학 및 민주주의를 옹호하였다.

| 채점 기준 |

상	신문화 운동의 명칭, 주도한 인물과 그 내용을 두 가지 모두 서술함.
중	신문화 운동의 명칭, 주도한 인물과 그 내용을 한 가지만 서술함.
하	신문화 운동의 명칭, 주도한 인물과 그 내용을 모두 서술하지 못함.

05 신문화 운동

정답: ④

이 운동은 천두슈, 후스 등이 주도한 신문화 운동이다.

| 오답 피하기 |

① 태평천국 운동 ③ 의화단 운동 ②, ⑤ 변법자강 운동에 대한 설명이다.

06 신문화 운동

정답: ⑤

이 운동은 신문화 운동이며, 21개조 요구에 반발하며 일어난 것은 5·4 운동이다.

| 오답 피하기 |

①, ②, ③, ④ 신문화 운동은 천두슈, 후스 등이 주도하였고, 『신청년』 잡지를 발행하였다. 또한 유교 전통을 비판하고 서양 과학과 민주주의를 옹호하였다.

대주제 5 마무리하기

216~218쪽

1 ④	2 ③	3 ④	4 ③	5 ③	6 ⑤
7 ④	8 ③	9 ④	10 ②	11 ⑤	12 ④

01 제국주의 정답: ④

왼쪽 그림에서 늑대는 영국이고, 어린이는 프랑스이다. 영국의 횡단 정책과 프랑스의 종단 정책의 충돌로 일어난 파쇼다 사건을 풍자한 그림이다.

| 오답 피하기 |

①, ③ 게르만주의와 범슬라브주의와 영국의 3C 정책과 독일의 3B 정책은 제1차 세계 대전의 전의 일이다.
② 크림 전쟁, ⑤ 독일 비스마르크의 정책이다.

02 양무운동과 변법자강 운동 정답: ③

(가)는 중체서용론으로 양무운동의 논리이다. (나)는 변법자강 운동의 논리이다. 청일 전쟁의 패배로 양무운동의 한계를 드러내고 변법자강 운동이 추진되었다.

| 오답 피하기 |

① 1905년, ② 제1차 아편 전쟁(1840~42)의 배경, ④ 1852년, ⑤ 1912년이다.

03 의화단 운동 정답: ④

(가)는 의화단이다. ㄴ, ㄹ 의화단 운동 결과 청은 영국, 일본 등 8개국 연합국과 신축 조약을 체결하였다. 이 조약으로 청은 열강에 막대한 배상금을 지급하고 외국 군대의 베이징 주둔을 허용하였다.

| 오답 피하기 |

ㄱ. 시모노세키 조약, ㄷ. 제2차 아편 전쟁 후 맺은 베이징 조약이다.

04 이와쿠라 사절단 정답: ③

이와쿠라 사절단은 미국과 유럽에 시찰단으로 파견되었다(1871~1873).

05 인도 국민 회의 정답: ③

제시문에서 '스와데시', '나오로지' 등을 통해서 연설을 발표한 단체는 인도 국민 회의임을 알 수 있다. 영국이 벵골 분할령을 발표하자 인도 국민 회의는 틸라크를 중심으로 콜카타 대회를 열어 영국 상품 불매, 스와라지, 스와데시, 국민 교육의 진흥을 결의하고 반영 운동을 전개하였다.

06 서아시아의 민족 운동 정답: ⑤

(가)는 오스만 제국(지금의 튀르키예), (나)는 이라크, (다)는 이집트, (라)는 이란, (마)는 사우디아라비아이다. 브라흐마 사마지 운동은 인도에서 힌두교의 순수한 교리로 돌아가자는 종교 운동에서 출발하여 이후 우상 숭배 배격, 카스트제 반대 등 사회 개혁을 추구하였다.

| 오답 피하기 |

① 오스만 제국은 위로부터의 개혁인 탄지마트를 단행하였다.
② 이라크는 제1차 세계 대전 이후 오스만 제국에서 분리되었다.
③ 아라비 파샤는 이집트인을 위한 이집트 건설을 내세우며 혁명을 일으켰다.
④ 이란에서는 상인과 이슬람 지도자가 담배 불매 운동으로 영국에 저항하였다.

07 제1차 세계 대전 정답: ④

(라) 세르비아계 청년이 사라예보에서 오스트리아·헝가리 제국의 황태자 부부를 암살하는 사건으로 제1차 세계 대전이 발발한다. (다) 독일은 서부 전선에서 벨기에를 침공하고 (가) 무제한 잠수함 작전을 펼쳤지만 (나) 독일 해군들이 킬빌 군항에서 반란을 일으켜 결국은 패망하게 된다.

08 러시아 혁명 정답: ③

(가)는 「4월 테제」이다. 스위스에 망명 중이던 레닌은 1917년 4월3일 상트페테르부르크로 돌아와 '사회주의 혁명'을 강조하는 대중 연설을 하였다. 곧이어 레닌은 혁명에서 「프롤레타리아트의 임무(4월 테제)」를 발표하였고, 이 강령은 이후 당의 방침으로 채택되어 11월 혁명에 영향을 주었다.

09 5·4 운동과 국민 혁명 정답: ④

(가)는 5·4 운동 때 발표된 전체 학생 텐안먼 선언이다. (나)는 국민 혁명과 관련된 글이다. 중국 국민당은 군벌 타도하기 위해 중국 공산당과 제1차 국공 합작을 한다. 시안 사건은 제2차 국공 합작 때의 일이다.

| 오답 피하기 |

①, ② 5·4 운동 때 베이징 대학생들이 일본의 산둥반도 칭다오 점령 등 21개조 요구 취소를 주장하며 시위하였다.
③, ⑤ 국민 혁명을 완수하기 위해 북벌을 추진하였고, 쑨원은 국민 혁명 전에 사망하여 장제스가 완수하였다.

10 대공황과 각국의 대응 정답: ②

제시문의 모둠 활동에서 '미국의 대규모 공공사업', '영국의 보호관세', '블록 경제 형성' 등을 통해 탐구 주제는 대공황과 각국의 대응임을 알 수 있다.

| 오답 피하기 |

① 전체주의 국가는 독일, 이탈리아, 일본이므로 거리가 멀다.
③, ④, ⑤ 20세기 후반이다.

11 전범 재판 정답: ⑤

뉘른베르크 재판과 도쿄 재판은 유엔 창설(1945년 10월) 이후인 1945년 11월부터 시작하였다.

| 오답 피하기 |

① 독일은 일본, 이탈리아와 방공 협정 체결(1937)후 오스트리아를 합병

하고, 체코슬로바키아의 수데텐 지방까지 점령한다.
② 독소 불가침 조약 체결 후 독일은 폴란드를 기습 공격하였다.
③ 독일이 소련을 침공하였으며, 일본도 미국 하와이의 진주만을 기습하였다(1941).
④ 히로시마와 나가사키에 원자 폭탄이 투하된 뒤 일본은 항복한다.

12 국제 연합 정답: ④

제시문을 발표한 기구는 제2차 세계 대전 이후 대서양 헌장으로 창설된 국제 연합(UN)이다. 국제 연합은 국제 분쟁에 유엔군과 평화유지군을 파견하였다.

| 오답 피하기 |

ㄱ. ㄷ 제1차 세계 대전 직후 결성되고, 미국이 가입하지 않은 것은 국제 연맹이다.

비판적 사고 기르기 219쪽

01 | 모범 답안 |

제1차 세계 대전 직후 국제 평화 유지를 위해 창설된 국제 연맹은 윌슨의 '14개조' 원칙의 제14조에 근거하였다. 하지만 국제 연맹은 독일과 소련의 가입이 허용되지 않았고 제창국인 미국도 참여하지 않았기 때문에 국제 평화를 유지하는 데에는 한계가 많았다. 국제 연맹은 국가 간 분쟁이 발생했을 때, 국제 연합과 같이 군사적 제제와 같은 현실적 제제를 가할 수 없는 한계도 있었다.
제2차 세계 대전 직후 국제 평화 유지를 위해 창설된 국제 연합은 대서양 헌장을 기초로 만들어졌다. 국제 연합은 헌장 제42조에서와 같이 국가 간에 분쟁이 있을 경우 국제 평화와 안전 유지를 위해 유엔군을 파병할 수 있다. 하지만 일부 국가들이 국제 연합을 무시하고 분쟁을 일으킬 때마다 국제 연합의 한계를 드러내기도 하였다.

| 채점 기준 |

상	국제 기구인 국제 연맹과 국제 연합 두 가지 모두를 기재하고, 두 국제 기구의 현실적 한계를 모두 구체적으로 서술함.
중	국제 기구인 국제 연맹과 국제 연합 한 가지만 기재하거나 두 국제 기구의 현실적 한계를 한 가지만 구체적으로 서술함.
하	국제 기구인 국제 연맹과 국제 연합을 기재하지 못하고 두 국제 기구의 현실적 한계를 제대로 서술하지 못함.

02 | 모범 답안 |

예시1) 제2차 세계 대전이 끝나고도 냉전이 계속되고 인종, 영토, 종교 등과 같은 다양한 갈등으로 세계 곳곳에 많은 분쟁이 있다. 먼저 국가 간에는 자주적이고 평등한 국제 관계를 맺음으로써 평화를 이룰 수 있다. 그리고 국가 간의 다양한 갈등은 전쟁이 아닌 대화의 노력으로 해결해야 할 것이다.
예시2) 전 세계적으로 소모되는 전쟁 비용은, 지구에서 기아를 완전히 없애고 전 세계 인류가 인간다운 삶을 영위하기에 충분할 정도이다. 군비를 축소하고 전쟁의 위협을 없앰으로써 인류의 평화를 기대할 수 있다. 인류는 제1차 세계 대전과 제2차 세계 대전의 결과를 통해 다시는 이와 같은 전쟁이 반복되지 않도록 인류의 지성을 발휘하여 국가 간의 갈등을 대화와 같은 평화적인 방법으로 해결하기 위해 노력해야 한다.

| 채점 기준 |

상	국제 평화 유지를 위한 방안을 구체적이고 논리적으로 100자 내외로 서술함.
중	국제 평화 유지를 위한 방안을 구체적으로 서술하거나 비교적 논리적으로 100자 내외로 서술함.
하	국제 평화 유지를 위한 방안을 구체적으로 서술하지도 논리적으로도 100자 내외로 서술하지 못함.

대주제 6 현대 세계의 변화

주제 14 냉전과 탈냉전

주제 15 21세기의 세계

1단계 개념 익히기 228쪽

1 ⓐ - ㉠, ⓑ - ㉢, ⓒ - ㉡ 2 (1) X (2) O (3) X (4) O (5) O 3 (1) 코민포름 (2) 바웬사 (3) 아세안 자유 무역 지대 (4) 마스트리흐트 조약 (5) 신자유주의 4 톈안먼 사건, 개혁·개방 정책, 실사구시, 경제특구 설치 5 ㄱ - ㄷ - ㄹ - ㄴ 6 반둥 회의 7 고르바초프, 옐친

2단계 내신 유형 익히기 229쪽~231쪽

1 ① 2 ① 3 ① 4 ② 5 ④ 6 ④ 7 ⑤ 8 ② 9 ④ 10 ③ 11 (1) 트루먼 독트린 (2) 해설 참조 12 (1) 고르바초프 (2) 해설 참조

01 냉전 체제 정답: ①

제시된 글은 냉전 체제에 대한 것이다. 냉전 체제는 제2차 세계 대전 직후 미국과 소련 중심으로 세계가 양분되어 대립한 세계 질서를 말한다.

| 오답 피하기 |

② WTO 체제란 세계 무역 기구가 설립되고 자유 무역이 확대되는 체제를 말한다.
③ 냉전이 완화되는 분위기를 말한다.
④ 제1차 세계 대전 이후의 정세이다.
⑤ 강대국이 약소국을 식민지화하던 시대를 말한다.

02 냉전 체제 정답: ①

제시된 사건들은 미·소 간의 대립으로 인해 냉전이 격화되는 국제 정세와 관련 있다. 냉전 하에서 미국과 소련은 직접적으로 충돌하지는 않았지만 무기 경쟁과 다른 지역에서의 전쟁으로 대립이 표출되었다.

| 오답 피하기 |

② 파시즘은 이탈리아에서 대두한 전체주의 · 국수주의 이념을 말한다.
③ 제2차 세계 대전이 이후 독립한 아시아 · 아프리카 국가들은 냉전 질서에 개입하지 않는 제3 세계를 성립하였다.
④ 제시된 자료는 평화의 모색과는 무관하다.
⑤ 소련의 개혁 · 개방 정책 이후 동유럽의 많은 국가들이 사회주의 노선을 포기하였다.

03 반둥 회의 정답: ①

자료는 1955년 개최된 반둥 회의 선언문이다. 반둥 회의에서는 제3 세계 29개국 대표가 모여 「평화 10원칙」을 제시하였다.

| 오답 피하기 |

② 제1차 세계 대전 이후 발족한 국제 평화 기구이다.
③ 제1차 세계 대전 이후 승전국은 파리에 모여 강화 회의를 하였다.
④ 냉전이 완화되는 가운데 닉슨은 중국을 방문하였다.
⑤ 서독 총리 브란트는 동독을 포함한 공산 국가에 화해와 교류를 강조하는 동방 정책을 추진하였다.

04 냉전 체제의 완화와 다극화 정답: ②

다극화 체제로 변화한 세계 정세의 사례로는 중 · 소 분쟁, 서독과 일본의 경제 성장, 프랑스의 독자 노선 표방, 헝가리와 체코슬로바키아에서의 반소 민중 봉기 등이 있다.

| 오답 피하기 |

①, ③, ④, ⑤는 모두 다극화 체제로 변화하게 된 세계 정세의 사례이다.

05 고르바초프의 개혁 · 개방 정책 정답: ④

고르바초프는 개혁(페레스트로이카)과 개방(글라스노스트)을 내세우며 정치 민주화와 시장 경제의 도입을 추진하였다.

| 오답 피하기 |

① 1905년 차르의 전제 정치에 항거하며 개혁을 요구한 시위를 진압하는 과정에서 많은 사상자가 발생하였다.
② 3월 혁명의 결과이다.
③ 11월 혁명의 결과이다.
⑤ 고르바초프가 실각하고 옐친이 집권하며 일어났다.

06 독일의 통일 정답: ④

1990년 동독에서 자유 총선거의 결과 서독과 통합을 주장하는 정당 '독일 연합'이 승리하며 통일이 이루어졌다.

| 오답 피하기 |

① 1989년 동독 정부가 통행 자유화 조치를 발표하고 베를린 장벽이 무너졌다.
② 체코슬로바키아, ③ 유고슬라비아, ⑤ 폴란드에서 일어난 사건이다.

07 덩샤오핑의 정책 정답: ⑤

덩샤오핑은 '흑묘백묘론'을 내세우며 실사구시를 표방하였고 마오쩌둥 사망 후 중국의 개혁 · 개방 정책을 주도하였다.

| 오답 피하기 |

① 삼민주의를 주장한 혁명가이다.
② 중국 공산당 지도자이다.
③ 중국 국민당을 이끌었으나 국·공 내전에서 패배하였다.
④ 중화 인민 공화국을 수립하고 공산주의 정책을 추진하였다.

08 종교 갈등 정답: ②

제시된 사건은 21세기에 발생한 종교 갈등에 관한 것이다. 카슈미르 분쟁은 인도와 파키스탄에서 힌두교와 이슬람교의 갈등, 9 · 11 테러리즘은 크리스트교와 이슬람교의 갈등이다. 이스라엘과 팔레스타인의 충돌은 유대교와 이슬람교의 갈등으로 일어난 사건이다.

| 오답 피하기 |

① 국가 간 빈부 격차를 말한다.
③ 여성 차별과는 무관하다.
④ 신자유주의에 반대하는 운동이다.
⑤ 쿠릴 열도 분쟁, 센카쿠 열도 분쟁, 스프래틀리 군도 분쟁이 해당한다.

09 지역화 블록의 형성 정답: ④

20세기 후반 이후 세계 경제가 국경을 넘어 지역 차원의 경제 협력이 추구됨에 따라 지역화와 경제 블록화가 이루어진 것을 나타낸 지도이다.

| 오답 피하기 |

① 제2차 세계 대전 후 독립한 아시아 · 아프리카 국가들을 말한다.
② 제국주의는 주로 19세기 말~20세기 초에 등장하였다.
③ 제2차 세계 대전 이후 고정 환율 제도를 도입한 국제 통화 체제이다.
⑤ 브레턴우즈 체제 하에서 IMF가 설립되었다.

10 국가 간 빈부 격차 정답: ③

자료는 케냐의 농장 지대에서 생산된 농작물이 케냐 국민들이 아닌 선진국을 위해 생산됨을 설명해 주는 것으로 국가 간 빈부 격차가 심화된 모습을 지적하고 있다.

| 오답 피하기 |

①, ②, ④, ⑤는 위의 지문과 직적접인 관련이 없다.

11 냉전과 트루먼 독트린

자료는 트루먼 독트린으로 냉전 체제의 긴장 분위기를 강화시켰다.

| 모범 답안 |

(1) 트루먼 독트린
(2) 제2차 세계 대전이 끝난 후 미국과 소련의 대립이 강화되고 동유럽 각국에 공산주의 정부가 들어서자 미국은 트루먼 독트린을 발표하여 공산주의의 확산을 막고자 하였다.

| 채점 기준 |

상	트루먼 독트린의 명칭과 배경을 모두 명확히 서술함.
중	트루먼 독트린의 명칭과 배경 중 하나만 서술함.
하	트루먼 독트린에 대해 잘못 서술함.

12 고르바초프의 정책

자료는 1990년 고르바초프의 대통령 취임 연설문으로 소련의 개혁 · 개방 정책에 영향을 주었다.

| 모범 답안 |

(1) 고르바초프
(2) 소련은 개혁(페레스트로이카)과 개방(글라스노스트)를 내세우며 시장 경제와 정치 민주화를 도입하였고 이것은 동유럽 공산주의 국가들의 개혁 · 개방에 영향을 주었다.

| 채점 기준 |

상	고르바초프와 그의 개혁 내용을 모두 명확히 서술한.
중	고르바초프와 그의 개혁 내용 중 하나만 서술함.
하	고르바초프의 개혁 정책에 대해 잘못 서술함.

3단계 내신 만점 도전하기 232~233쪽

1 ②	2 ③	3 ⑤	4 ⑤
5 ②	6 ④	7 ③	8 ④

01 냉전 체제 정답: ②

자료는 트루먼 독트린으로 마셜 계획, 베를린 봉쇄, 북대서양 조약 기구, 바르샤바 조약 기구 등은 냉전 체제와 관련 있다.

| 오답 피하기 |

② 유럽 연합(EU)은 냉전의 붕괴 이후에 성립되었다.

02 쿠바 미사일 위기 정답: ③

쿠바 미사일 기지 사건은 냉전의 위기감을 고조시킨 사건으로 1962년에 발생하였다.

| 오답 피하기 |

트루먼 독트린 1947년, 베를린 봉쇄 1948년, 6 · 25 전쟁 1950년, 닉슨 독트린 1969년, 독일 통일 1990년, 소련의 해체는 1991년이다.

03 비동맹 회의 정답: ⑤

인도의 네루, 유고슬라비아의 티토, 이집트의 나세르 등이 제1차 비동맹 회의를 개최하였고, 미국과 소련의 냉전적 대립에 관여하지 않는 제3 세계가 등장하였다.

| 오답 피하기 |

ㄱ. 「평화 5원칙」은 1954년 발표되었다.
ㄴ. 냉전적 대립을 지지하지 않으며 비동맹 중립주의 노선을 유지하고자 하였다.

04 소련의 정책 변화 정답: ⑤

(가)는 소련의 흐루쇼프로 당시 소련은 인공위성 발사에 성공하였다. (나)는 독립 국가 연합의 출범을 선언하고 있는 옐친이다. (가)와 (나) 사의의 고르바초프는 개혁 · 개방 정책을 펼쳤다.

| 오답 피하기 |

①, ②는 (가) 이전에 ③, ④는 (나) 이후의 사건이다.

05 동유럽 공산권의 붕괴 정답: ②

동유럽의 공산주의 국가들이 붕괴되는 가운데 루마니아 독재자 차우셰스쿠도 처형되었다.

| 오답 피하기 |

① 제2차 세계 대전 후 강화된 미 · 소의 대립을 말한다.

② 제1차 세계 대전은 1914년 발발하였다.
④ 코민포름은 냉전 체제에서 성립한 국제 공산당 정보국으로 1956년 해체되었다.
⑤ 고르바초프의 집권기이다.

06 마오쩌둥의 정책 정답: ④

자료의 인물은 마오쩌둥이다. 마오쩌둥은 중화 인민 공화국 수립을 주도하여 집권하였고, 대약진 운동과 문화 대혁명을 추진하였다.

| 오답 피하기 |

①, ②, ③, ⑤는 덩샤오핑에 대한 설명이다.

07 세계화의 전개 정답: ③

자료는 세계 무역 기구(WTO)에 대한 설명이다. 세계 무역 기구는 관세 및 그 밖의 무역 장벽을 낮추고자 하여 자유 무역 체제를 크게 강화하였다.

| 오답 피하기 |

① 제2차 세계 대전 이후 발족한 국제 기구이다.
② 1945년 설립된 국제 금융 기구이다.
④ 1957년 유럽의 경제 통합을 위해 결성되었다.
⑤ 1989년 아시아 · 태평양 지역의 경제 협력 증대를 위해 창설되었다.

08 '지구촌'의 여러 문제 정답: ④

살충제와 해충 퇴치제의 무책임한 사용이 자연의 균형에 얼마나 비참한 결과를 가져오는지 고발한 글로, 환경 문제의 심각성과 과학 기술의 양면성을 지적하고 있다.

| 오답 피하기 |

ㄱ. ㄷ과는 관련이 없다.

심화 수능 유형 익히기 234쪽

1 ③ 2 ④

01 냉전의 형성과 완화 정답: ③

(가)는 트루먼 독트린, (나)는 닉슨 독트린으로 각각 냉전의 형성과 완화에 영향을 끼쳤다.

| 오답 피하기 |

① (가) 시기 냉전이 강화되어 미국과 소련의 대립이 심화되었다.
② 트루먼 대통령은 마셜 계획으로 유럽에서의 사회주의 확산을 막고자 하였다.
③ 베를린 봉쇄는 (가) 시기의 일이다.
④ 냉전이 완화되면서 미 · 소 전략 무기 제한 협정(SALT)이 체결되었다.
⑤ 1959년 흐루쇼프는 미국을 방문하였다.

02 마오쩌둥의 정책 정답: ④

마오쩌둥은 사회주의 이념에 입각하여 토지를 개혁하고, 산업을 국유화하였다. 그리고 경제 발전을 목적으로 대약진 운동을 선언하고 농촌에서는 인민 공사를 설립하였다.

| 오답 피하기 |

ㄷ. 덩샤오핑의 정책이다.

심화 기출 지문 활용하기 235쪽

1 해설 참조 2 ① 3 ③ 4 해설 참조 5 ③ 6 ③

01 대약진 운동

마오쩌둥은 생산성 향상을 목적으로 대약진 운동을 추진하였으나 결과적으로 실패하였다.

| 모범 답안 |

대약진 운동, 마오쩌둥이 추진한 경제 성장 운동이었으나, 무리한 계획과 인민의 노동 의욕 저하, 연속되는 자연재해로 실패하였다.

| 채점 기준 |

상	대약진 운동의 명칭과 결과를 모두 명확히 서술함.
중	대약진 운동의 명칭과 결과 중 하나만 서술함.
하	대약진 운동에 대해 잘못 서술함.

02 대약진 운동 정답: ①

마오쩌둥은 대약진 운동의 일환으로 농촌에서는 인민 공사를 설립하여 농업의 사회주의화를 꾀하였다.

| 오답 피하기 |

② 아시아 지역에 대한 직접적 군사 개입을 축소하겠다는 내용의 닉슨 독트린은 1969년 발표되었다.
③ 마오쩌둥 사후 집권한 덩샤오핑은 실용주의 정책을 추진하며 동부 연안의 여러 도시에 경제 특구를 설치하였다.
④ 문화 대혁명에 대한 설명이다.
⑤ 코민포름은 1947년에 소련 주도로 결성된 공산당 정보국이다.

03 대약진 운동 정답: ③

1950년대 말부터 1960년대까지 진행되었다.

| 오답 피하기 |

제1차 국·공 내전 1927~1936년, 제2차 국·공 내전 1946~1949년, 중화 인민 공화국 성립 1949년, 문화 대혁명 1966~1976년, 톈안먼 사건 1989년, 홍콩 반환 1997년이다.

04 반둥 회의

1955년 아시아 아프리카 회의라고도 불리는 반둥 회의가 개최되었고 「평화 10원칙」을 발표하였다.

| 모범 답안 |
아시아·아프리카의 많은 신생 독립 국가는 미국 주도의 자유 민주주의 진영과 소련 주도의 공산주의 진영 중 어느 편에도 가담하지 않고 비동맹 중립주의 노선을 유지하고자 했다. 이를 토대로 제3 세계가 등장하였다.

| 채점 기준 |

상	냉전 상황과 제3 세계의 의의를 모두 명확히 서술함.
중	냉전 상황과 제3 세계의 의의 중 하나만 서술함.
하	반둥 회의에 대해 잘못 서술함.

05 반둥 회의 정답: ③
반둥 회의에서 발표된 「평화 10원칙」의 내용은 내정에 대한 불간섭, 영토 및 주권의 존중, 강대국에 유리한 집단 안보 체제의 배제, 국제 연합 헌장에 입각한 기본적 인권의 존중 등이다.
| 오답 피하기 |
③ 세계 무역 기구(WTO)의 출범으로 관세가 인하되고 무역 장벽이 철폐되어 자유 무역 체제가 강화되었다..

06 반둥 회의 정답: ③
제3 세계는 식민주의와 인종주의에 반대하였다.
| 오답 피하기 |
① 반둥 회의는 트루먼 독트린으로 강화된 냉전 질서에 반대하였다.
② 메카시즘이란 1950년대 미국에서 등장한 반공산주의 경향을 말한다.
④, ⑤ 베트남 전쟁이나 WTO와는 무관하다.

대주제 6 마무리하기 236~238쪽

1 ①	2 ③	3 ④	4 ④	5 ①	6 ⑤
7 ③	8 ⑤	9 ③	10 ⑤	11 ④	12 ②

01 냉전 체제 정답: ①
미국의 마셜 계획에 따라 원조를 받은 국가를 표시한 지도이다. 마셜 계획은 유럽에서 공산주의의 확산을 막고자 미국이 서유럽 각국의 경제 재건을 목적으로 막대한 금액의 원조를 한 것을 말한다.
| 오답 피하기 |
② 제1차 세계 대전 이후의 국제 정세를 말한다.
③ 유럽 연합은 냉전의 종식 이후 결성되었다.
④ 냉전이 해체되면서 동유럽 사회주의 국가들이 몰락하였다.
⑤ WTO는 1995년 발족하였다.

02 냉전의 격화 정답: ③
지도에 제시된 사건들은 냉전 체제가 심화되면서 미국과 소련의 대립이 격화된 사례들이다.
| 오답 피하기 |
① 르완다 내전이 여기에 해당한다.
② 개인보다 국가의 중요성을 강조하는 이념으로 경제 공황으로 강화되었다.
④ 전후 세계 경제와는 무관하다.
⑤ 강대국의 식민지 지배에 반대하는 반제국주의 운동이 전개되었다.

03 반둥 회의 정답: ④
제2차 세계 대전 직후 아시아 · 아프리카에서 탄생한 신생 독립국들은 미국 중심의 자유 민주주의 진영과 소련 중심의 공산주의 진영 모두에 속하지 않는 비동맹 중립주의를 표방하며 반둥 회의를 개최하였다.
| 오답 피하기 |
① 팔레스타인과 이스라엘 사이에 영토 분쟁이 있다.
② 소련의 개혁 · 개방의 영향으로 동유럽 공산주의 체제가 붕괴되었다.
③, ⑤와는 관련이 없다.

04 닉슨의 정책 정답: ④
(가)는 닉슨 대통령이다. 그는 닉슨 독트린을 발표하여 냉전을 완화하고 소련과 전략 무기 제한 협정(SALT)를 체결하였다.
| 오답 피하기 |
ㄱ. ㄷ. 트루먼 대통령과 관련 있다.

05 소련의 개혁 · 개방 정책 정답: ①
자료는 소련의 개혁 · 개방 정책과 관련 있다. 1985년에 등장한 고르바초프는 정치 민주화와 시장 경제의 도입을 추진하였다.
| 오답 피하기 |
② 소비에트 연방 수립은 1922년, ③ 피의 일요일 사건은 1905년, ④ 소련의 제2차 세계 대전 참전은 1945년 8월이다.
⑤ 흐루쇼프 실각 후 브레즈네프 시대가 도래하였다.

06 독일의 통일 정답: ⑤
베를린 장벽 붕괴 이후 독일 통일을 위한 논의가 전개되었고 동독이 독일 연방에 가입하는 방식으로 통일이 이루어졌다.
| 오답 피하기 |
① 소련, ② 폴란드, ③ 팔레스타인 ④ 체코슬로바키아에 대한 설명이다.

07 톈안문 사건 정답: ③
1989년 중국의 학생과 지식인들은 부정부패 근절과 정치적 자유를 요구하며 톈안문 사건을 일으켰다.
| 오답 피하기 |
①, ② 문화 대혁명에 대한 설명이다.
④ 마오쩌둥은 개방 정책을 추진하지 않았다.

⑤ 국 · 공 내전에 대한 설명이다.

08 영토 분쟁 정답: ⑤

해양 자원을 둘러싼 국제 분쟁이 있는 지역을 나타낸 동아시아의 지도이다.

| 오답 피하기 |

①, ②, ③, ④와는 관련이 없다.

09 유럽 연합 정답: ③

마스트리흐트 조약의 발효와 함께 유럽 공동체는 유럽 연합으로 발전하였고, 이 조약에 따라 유럽 시민권이 도입되고 '유로'가 통용되었다.

| 오답 피하기 |

ㄱ. 유럽 의회는 유럽 석탄 철강 공동체(ECSC)의 총회로서 설치되었다.

ㄹ. 유럽 공동체에서 유럽 연합으로 발전한 것이다.

10 신자유주의 정답: ⑤

영국의 대처주의와 미국의 레이거노믹스에 대한 설명으로, 대표적인 신자유주의적 세계화 정책이다.

| 오답 피하기 |

① 19세기 후반 독일, 이탈리아를 중심으로 확대되어 제2차 세계 대전의 원인이 되었다.

②, ③ 신자유주의는 제2차 세계 대전이 끝나고 냉전이 완화된 이후의 일이다.

④ 19세기 제국주의를 기반으로 식민지 경쟁이 강화되었다.

11 '지구촌' 여러 문제의 해결을 위한 노력 정답: ④

사진은 시민 사회의 공공성을 추구하는 민간 조직인 비정부 단체이다.

| 오답 피하기 |

①, ②, ③, ⑤와는 관련이 없다.

12 대중 사회의 특징 정답: ②

자료는 20세기 초반 이후 대량 생산 체제가 나타나 대중 사회의 등장으로 이어진 상황을 설명하고 있다.

| 오답 피하기 |

② 대중 매체의 발달로 인해 지식과 정보의 양이 크게 늘어났다.

비판적 사고 기르기

239쪽

01 | 모범 답안 |

서독의 브란트 총리는 동방 정책으로 제2차 세계 대전의 피해 국가인 폴란드에 사과하는 등 동유럽 사회주의 국가들과 화해 · 교류를 추진하며 냉전 해체에 기여하였다. 특히 동독과는 동 · 서독 정상 회담을 실시하여 우호 관계를 확인하고 활발히 경제 교류를 하였으며, 1973년에는 동독과 서독이 동시에 유엔 가입하는 등 독일 통일의 기반을 만들었다.

| 채점 기준 |

등급	기준
상	동방 정책의 내용과 영향을 모두 명확히 서술함.
중	동방 정책의 내용과 영향 중 하나만 서술함.
하	동방 정책에 대해 잘못 서술함.

02 | 모범 답안 |

한 · 일 위안부 합의문은 합의문 자체가 모호하고 진심이 담긴 사과인지 의문스러우며 돈으로 위안부 문제를 종결하려한다는 비판을 받고 있다. 오히려 1993년 위안부 동원의 강제성을 인정한 고노담화 보다도 후퇴했다는 평가이다. 일본 정부는 한 · 일 위안부 합의문 발표 후 UN에 위안부의 강제 연행을 부정하는 입장을 전달하는 등의 태도를 보여 당사자인 위안부 피해자들이 강력하게 반발하고 있는 상황이다.

| 채점 기준 |

등급	기준
상	한 · 일 위안부 합의문의 내용과 비판점을 모두 명확히 서술함.
중	한 · 일 위안부 합의문의 내용과 비판점 중 하나만 서술함.
하	한 · 일 위안부 합의문에 대해 잘못 서술함.

2015 개정 교육과정

고등학교 **세계사** 자습서

교과서 활동 풀이
및 정답과 해설